CP

Kitty Sewell

Zeit der Eisblüten

Roman

Aus dem Englischen von
Anita Krätzer

Club *Premiere*

DEUTSCHE ERSTVERÖFFENTLICHUNG
Die Originalausgabe erschien 2005 unter dem Titel
»Ice Trap« bei Honno Welsh Women's Press, Aberystwyth, Wales.
Von der Autorin überarbeitete Fassung.

Umwelthinweis:
Dieses Buch und der Schutzumschlag wurden auf chlorfrei gebleichtem Papier gedruckt. Die Einschrumpffolie – zum Schutz vor Verschmutzung – ist aus umweltverträglichem und recyclingfähigem PE-Material.

Ungekürzte Lizenzausgabe
der RM Buch und Medien Vertrieb GmbH
und der angeschlossenen Buchgemeinschaften
Textredaktion: Bernd Rullkötter

Schutzumschlag- und Einbandgestaltung: Christina Krutz Design, Riedlhütte
Umschlagfotos: getty/Shannon Fagan (Frau),
getty/Jeff Foott (Landschaft)
Satz: Buch-Werkstatt GmbH, Bad Aibling
Druck und Bindung: GGP Media GmbH, Pößneck
Printed in Germany 2007
Buch-Nr. 084768
www.derclub.de
www.donauland.at
www.bertelsmannclub.ch
www.nsb.ch

PROLOG

Küste des Coronation Golf,
Nordpolarmeer, März 2006

ER NAHM NICHT, wie ihm die Älteren geraten hatten, den Motorschlitten. Wie die meisten Jungen liebte er das Röhren eines lauten Motors, aber seit kurzem gefiel es ihm, dem Klang seiner eigenen Gedanken zu lauschen. Er mochte das Rumpeln und Krachen des Meereises, die vereinzelten Windböen, das Knirschen seiner *mukluks*, wenn er durch den Schnee ging. Und er fühlte sich fähiger und mächtiger, wenn er sich aus eigener Kraft fortbewegte.

Er packte einen Rucksack mit ein paar Vorräten, die gerade für den Tag reichten, und befestigte ein Seil am Halsband seiner Hündin. Der Husky hatte einem älteren Nachbarn gehört, aber im Laufe der Zeit und mit einiger List hatte der Junge das Tier in seinen Besitz genommen. Die Hündin war loyal, doch distanziert; eine große, haarige Teufelin, die wütend reagierte, wenn sie provoziert wurde.

Schließlich hängte er sich sein Gewehr über die Schulter und ließ eine Leuchtpistole in seine Außentasche gleiten. Zu seiner Selbstverteidigung würde er beides kaum brauchen, da die Hündin jede unwillkommene Gesellschaft verjagen würde. Er überprüfte seine Gerätschaften erneut, wie man ihn so oft ermahnt hatte, und sie brachen vom Dorf zum Meer auf.

Als Erstes musste er das Ufer mit seinen vom Meer schroff aufgetürmten Eisschollen überwinden. Er blieb einen Moment stehen, um nach einem Durchgang zu suchen. Riesige Platten hatten sich übereinandergeschichtet oder gefächert wie gefaltetes Papier, glänzende Spitzen ragten hoch in den Himmel wie Berggipfel, manche waren umgestürzt und zerborsten. So stellte er sich einen Wald aus uralten Bäumen vor.

Er war ein kräftiger Junge, groß und breit für sein Alter. Aber als er über das zerklüftete Eis kletterte und der Hündin ermunternde Worte zurief, verriet seine Stimme, wie jung er noch war. Ungestüm drängte er nach draußen; er wollte ein Mann sein.

Keuchend vor Anstrengung traten sie auf das offene Eis. Durch eine Schneebrille, die seine Augen vor der gleißenden Helligkeit schützte, musterte der Junge den Horizont. Die riesige Weite verbarg wenig, aber sie bot dennoch Überraschungen, und ein Mann musste stets wachsam sein. Er richtete ein paar Worte an die Hündin und ging aufs Eis hinaus. Nach einer Stunde wandte er sich westwärts und marschierte parallel zur fernen Küstenlinie weiter.

Während er schnell voranschritt, um die Kälte von sich abzuhalten, beobachtete er seine Umgebung und suchte nach Spuren. Er wusste, dass er nur eine geringe Chance hatte, einen Fuchs aufzuspüren. Man sah sie nur selten scheinbar ziellos umherstreifen. Die schlauen kleinen Kerle rannten heimlich hinter den Eisbären her, um sich an den Überresten der geschlagenen Robben zu laben. Sobald Gefahr drohte, machten sie sich blitzschnell aus dem Staube.

Quer übers Eis liefen gelegentlich Spuren sowohl von Bären als auch von Füchsen. Die einen waren groß und schwer und hatten den dünnen Schnee zusammengedrückt, die anderen winzig und leichtfüßig. Die meisten

Spuren waren Tage, sogar Wochen alt. Im Grunde bedauerte er das nicht. Der anmutige kleine Fuchs gefiel ihm lebendig besser als tot, und das dunkle Blut auf seinem schneeweißen Fell ließ ihn stets schwindelig werden. Er redete sich ein, dass die Herausforderung dieser Expedition eher in der Einsamkeit und Unabhängigkeit liege. Aber er wusste, dass er, um sich zu stählen, Praxis benötigte. Männer mussten jagen, um zu überleben. Männer mussten töten.

Er wanderte in stiller Betrachtung dahin, und die Zeit verstrich rasch. Zweimal hielt er an und hockte sich nieder, um von dem heißen süßen Tee aus seiner Flasche zu trinken und ein paar Streifen Dörrfleisch mit der Hündin zu teilen. Aber die Reglosigkeit erfüllte ihn mit Unbehagen. Es war sehr kalt, und da empfahl es sich, ständig in Bewegung zu sein.

Als die Sonne begann, in einem flachen Bogen am Horizont zu versinken, ging er erst nördlich, dann östlich und schließlich wieder dorthin zurück, woher er gekommen war. Die Hündin lief geduldig, ja gelangweilt neben ihm her, manchmal mit geschlossenen Augen. Trotz der Schutzbrille spürte auch der Junge, wie die Helligkeit seine Augen anstrengte. Es gab keine Schatten außer ihren eigenen.

Aber plötzlich sah er etwas. Sein Herzschlag beschleunigte sich, als er die frischen Spuren erblickte, die seinen Weg diagonal kreuzten. Ein Bär. Möglicherweise nur eine Stunde entfernt, vielleicht sogar weniger. Die Spuren im Schnee waren groß, und der Junge suchte ängstlich den Horizont ab. Die Fährte verschwand am Horizont, über den sich die Dämmerung herabzusenken begann.

Ein leichter Schauer lief ihm über den Rücken. *Das Volk* hatte einen angeborenen Respekt vor Eisbären. Wie die alten Männer zu sagen pflegten: »Der Fuchs führt den Jäger zum *Nanuk,* ob die Zusammenkunft nun einen glücklichen Ausgang hat oder nicht.« Der Junge lächelte beim Gedanken an diese alberne Redensart, aber er fühlte sich verwundbar und wünschte, er hätte auf den guten Rat gehört, nicht zu Fuß aufs Meer hinauszugehen. Er schaute zum Ufer und versuchte, die Entfernung abzuschätzen. Das Dorf war gerade wieder in Sichtweite. Aus den Kaminen stieg der Rauch in scharf abgegrenzten Säulen kerzengerade in die reglose Luft hinauf. Im Trab würde er eine halbe Stunde brauchen, vielleicht mehr, er war sich nicht sicher.

Die Hündin war aus ihrer Lethargie erwacht und lief energisch auf die Spuren zu. Dabei zog sie an dem Seil, das er an seinem Gürtel befestigt hatte. Der Junge riss scharf am Seil und schrie sie an. Aber sie reagierte kaum auf Befehle; das hatte sie noch nie getan. Verärgert trat er ihr in die Flanke, und sie verlangsamte widerwillig ihren Lauf. Ein furchterregendes Grollen entstieg ihrer Kehle, und sie hatte das Nackenhaar gesträubt. Vielleicht galt ihr Interesse ja nur dem Atemloch einer Robbe, aber das glaubte der Junge nicht. Er wusste, dass die Hündin die Witterung des Bären aufgenommen hatte und ihn getreu ihrem wölfischen Erbe nur zu gern angreifen würde.

Obwohl es noch immer hell genug war, beschloss der Junge sofort, zum Dorf zurückzukehren, und nach einem kurzen Tauziehen mit der Hündin machten sie sich auf den Heimweg. Aber der Wind trug den Geruch des Bären in ihre Richtung, und die Hündin drehte schnüffelnd die Schnauze und wollte die Aussicht auf einen schönen Kampf nicht aufgeben. Immer wieder wandte sie sich knurrend um und blieb stehen, um den Geruch einzuatmen, während der Junge weiterhin versuchte, sie mit einiger Gewalt in Richtung Ufer voranzutreiben. Ihr Machtkampf setzte sich fort, bis sich die Hündin jäh herumwarf und in die entgegengesetzte Richtung zerrte. Dabei riss sie den Jungen fast um.

Dort, in der Ferne, tauchte der Bär auf. Er musste ihre Anwesenheit gehört oder gespürt und seine Route verlassen haben. Jetzt folgte er ihnen. Das Dreieck aus schwarzen Punkten – die Nase und die Augen des Bären – war schon bald deutlich im Dämmerlicht zu erkennen. Die Punkte waren auf den Jungen und den Hund gerichtet, die zweifellos den willkommenen Anblick von Futter bildeten. Der Junge stand regungslos da. Schlagartig verließ ihn jegliche Stärke, und seine Knie begannen zu zittern. Er bekämpfte einen plötzlichen Drang zu urinieren.

Der Bär wurde mit jeder Sekunde größer und deutlicher. Er näherte sich ihnen mit einem merkwürdig schleppenden Gang. Seine Bewegungen waren zielgerichtet, aber nicht eindeutig aggressiv. Auch nicht vorsichtig oder behutsam. Nur entschlossen. Der Bär war ungewöhnlich groß, aber seine winterliche Ausgezehrtheit war unter dem cremegelben Fell gut zu erkennen.

Was den Jungen schließlich aufrüttelte und zum Handeln bewegte, war ein die Stille zwischen ihnen durchbrechender Laut: das ferne rasselnde, röchelnde Atmen des ausgehungerten Tieres. Mit seinen in dicken Handschuhen steckenden Fingern suchte der Junge in seiner Tasche nach der Signalpistole. Seine Hände zitterten, als er die Leuchtkugeln in die Pistole schob. Außer sich vor Angst schrie er die Hündin an, mit dem Zerren und Springen aufzuhören. Er konnte sie loslassen, aber er hoffte noch immer, dass ihr Knurren und Schnappen den Bären vertreiben würde.

Mit einigem Geschick schoss der Junge eine Leuchtkugel ab. Ein Lichtbündel aussendend, flog sie zischend durch die Luft und landete vor den Füßen des Bären. Dieser hielt einen Moment lang inne, schnüffelte misstrauisch an der Leuchtkugel und hob dann seine schwarze Nase, wobei er den Kopf langsam vor und zurück schwingen ließ. Die Leuchtkugel erschreckte ihn nicht sonderlich, und nun setzte er sich erneut in Bewegung, diesmal schneller und aggressiver.

Der Junge schoss in dichter Folge weitere sechs Leuchtkugeln ab, aber der Bär wich ihnen aus und kam unaufhörlich näher. Jetzt machte der Junge das Gewehr schussbereit. Auf das Tier zu schießen war sein letztes Mittel. Ein verwundeter Bär würde vor Wut außer sich sein, und sein Verhalten wäre noch unberechenbarer.

Während er an dem schweren Gewehr hantierte, zitterten dem Jungen die durch die Handschuhe behinderten Hände. Aber er konnte es sich nicht leisten, die Innenhandschuhe auszuziehen, weil er dadurch Gefahr lief, dass ihm die Finger einfroren und bewegungsunfähig wurden. Durch seine Angst und sein Zittern begann er die Kälte bereits zu spüren. Er konnte nicht noch sehr viel länger reglos stehen bleiben.

Der Bär war nun nur noch dreißig Schritte entfernt, und es war das Beste, die Hündin loszulassen. Mit wachsender Panik in der Brust befreite er sie von dem Seil, und sie stürzte auf den Bären zu. Dieser blieb irritiert stehen. Mit geöffnetem Maul beobachtete er, wie die zornige Hündin auf ihn zuraste, ihn dann umkreiste und mit einem Satz ihre kräftigen Kiefer um sein Hinterbein schlug. Der Bär wandte und drehte sich, um an die Hündin heranzukommen, aber sie hing an ihm fest, als habe sich all ihre Kraft in diesen wütenden Kiefern konzentriert.

Heftig zitternd sah der Junge dem Kampf zu. Ihm war eingeschärft worden, einem Bären niemals Angst zu zeigen, aber die Realität war anders als die prahlerischen, häufig erzählten und dabei kräftig ausgeschmückten Geschichten der Älteren. Das riesige, erboste Tier war furchteinflößend, kein Mensch konnte das bestreiten. Voller Respekt registrierte er, dass seine hündische Gefährtin keine derartige Angst hatte. Klein, wie sie im Vergleich mit ihrem Gegner erschien, warf sie sich mit einem von ihren Vorfahren ererbten leidenschaftlichen Zorn in den Kampf.

Da ihm nichts anderes einfiel, zielte der Junge mit dem Gewehr auf den Bären. Die Hündin war nicht bereit loszulassen, aber während ihres wahnsinnigen Tanzes befreite sich der Bär von ihr und floh über das Eis. Seine Angreiferin folgte ihm.

Der Junge rief seine Hündin, aber da er sie in der Ferne verschwinden sah, drehte er sich um und rannte, das Gewehr in der Hand, zum Ufer. Den Rucksack ließ er auf dem Eis hinter sich liegen. Das Dorf lag weiter weg, als es den Anschein hatte, doch er lief darauf zu, ohne auf seine Umgebung zu achten. Seine Finger und Zehen erwachten durch das Blut, das nun kraftvoll durch seinen Körper gepumpt wurde, zu neuem Leben. Jetzt konnte er die Häuser deutlich erkennen, und er verlangsamte seine Schritte ein wenig. Das Pochen seines Herzens dröhnte in seinen Ohren. Er atmete tief und rasselnd, und die eisige Luft ließ seine Lungen fast bersten.

Die Geräusche seines Körpers hinderten ihn daran, das kaum wahrnehmbare Knirschen des Schnees hinter sich zu hören. Der Bär näherte sich ihm schnell, aber leise von hinten. Das Erste, was der Junge wahrnahm, war das bellende Warnsignal der Hündin. Er wirbelte herum und sah, dass der Bär direkt auf ihn zusprang. Dann bemerkte er die Hündin. Sie war verletzt und zog eine Blutspur hinter sich her, aber sie verfolgte den Bären noch immer. Als spiele die Zeit keine Rolle, stand der Junge nur da und fragte sich, wie es dem Bären gelungen war, die Hündin abzuschütteln, und welche Verletzung er ihr zugefügt hatte.

Der Bär stürmte los, aber im letzten Augenblick stoppte er abrupt vor dem Jungen und erhob sich auf den Hinterbeinen zu seiner vollen Höhe. Er war nur noch fünf Schritte entfernt, und sein Schatten verdunkelte den Schnee.

Der Junge reagierte schnell und zielte mit dem Gewehr auf die zottige Brust. Aber in dem Moment, als er abdrückte, ließ sich der Bär wieder auf alle viere fallen, und die Kugel verschwand in der Luft.

Ein Schlag mit der riesigen Tatze ließ den Jungen über das Eis schliddern. Ein unerträglicher Schmerz über die ganze Brust hinweg raubte ihm den Atem. Er wusste, dass er sterben würde, wenn kein Wunder geschah. Mit einem Satz war der Bär über ihm, und obwohl er nichts von dem Schmerz spürte, hörte er, wie sein Bein wie morsches Elchfell abgerissen wurde.

Auch die Hündin war tödlich verletzt, aber ihre Loyalität gegenüber ihrem Herrn und ihr Hass auf Bären verliehen ihr die Kraft, zu erneuten Angriffen anzusetzen. Durch den Schock benommen, beobachtete der Junge ihre verzweifelten Versuche, den Bären von ihm abzulenken, und er fragte sich, warum er die treue Hündin zuweilen so gedankenlos missachtet und ihre Treue für selbstverständlich gehalten hatte.

Der Bär freute sich auf ein gutes Mahl, aber im Gegensatz zu dem agilen und lästigen Hund war der Junge unbeweglich und wartete auf ihn. Verärgert schlug der Bär nach seiner Peinigerin. Wieder wich sie seinen Krallen mit einem Satz aus und biss ihm in die Hinterbeine. Frustriert und wütend drehte sich der Bär im Kreis.

In einem Moment der Klarheit bemerkte der Junge, dass das Gewehr in seiner Nähe lag, und er versuchte, dorthin zu kriechen, aber vergebens. Er konnte sich nicht bewegen. Er konnte kaum noch atmen.

Während er nach Luft rang, begann sich etwas in ihm zu verändern. Eine stille Gelassenheit erfüllte seine Brust. Er wusste, dass sein Ende nahe war, aber er stellte fest, dass er kein Bedauern empfand. Da er sich keine weiteren Gedanken und Gefühle erlaubte, verebbte auch seine Angst. Sein Körper entspannte sich, und mit dem Mut des nahenden Todes drehte er den Kopf, um sich dem Unvermeidlichen zu stellen.

Mit leichtem Erstaunen sah er einen gekrümmten alten Mann hinter dem wahnsinnigen Wirbel aus weißem und grauem Fell auftauchen. Der Junge kannte ihn aus einer Zeit, die lange, lange zurücklag.

Müde schlurfte der Mann durch den Schnee auf den Jungen zu. »Komm, mein Sohn«, sagte er. »Nimm meine Hand.« Er streckte seine knotige Hand nach dem Jungen aus. Aber sosehr sie sich auch mühten, einander zu erreichen – ihre Finger berührten sich nicht.

ERSTER TEIL

KAPITEL

1

Cardiff, 2006

DOKTOR DAFYDD WOODRUFF blickte auf das Gesicht seiner Frau hinab, ein wenig gleichgültig. Seiner Meinung nach war es zu früh, um sich zu lieben. Isabel litt unter Schlaflosigkeit und hatte es sich angewöhnt, ihn in den Stunden des Morgengrauens wachzurütteln. Sie stieß ihn mit den Knien, streifte mit ihren Brustwarzen über seinen Rücken, wälzte sich herum und seufzte.

Aber wenn sie schließlich sein Interesse geweckt und ihn herumbekommen hatte, wie an diesem Morgen, schien sie oft weit weg zu sein und tat fast so, als schlafe sie. Er wusste es besser. Ihre Augen waren zu fest geschlossen, und auf der Stirn zeigte sich eine verräterische Furche der Konzentration. Für Isabel war dies Arbeit.

Als ihr Rhythmus heftiger wurde, streckte sie die Arme über ihren Kopf aus und umklammerte zwei Bettpfosten. Das Bett wankte hin und her und stieß grob an die Wand. Die Schrauben des Bettrahmens hatten sich gelockert. Das taten sie in regelmäßigen Abständen immer wieder, und Dafydd vergaß ständig, sie festzuziehen. Er versuchte, seine Bewegungen zu drosseln, aber Isabel stöhnte klagend.

Als eine leichte Röte auf ihrer Brust erschien und sich ihre Schenkel fester um seine Hüften klammerten, überkam ihn ein ungutes Pflichtgefühl. Wie stets, versuchte er, sich ihr anzuschließen. Er machte die Augen zu und hoffte, dass ihn die Flut ihres Höhepunktes mit sich reißen würde. Aber verdammt, nein.

»Mach weiter.« Sie öffnete wachsam die Augen und fixierte ihn wie drohend. »Glaub ja nicht, dass ich mit dir fertig bin.«

»Soll das ein Witz sein?«, erwiderte er beruhigend und fuhr fort. Aber so sehr er auch die Zähne zusammenbiss, die Situation war nicht zu retten. Die tiefe Ambivalenz, die er gegenüber der ganzen Geschichte empfand, hatte einen direkten Einfluss auf seine zentralen Körperteile. Er verlangsamte seine Bewegungen und hörte auf.

»Das war's schon?«, fragte sie mit gekünstelter Fröhlichkeit. »Mein letzter fruchtbarer Tag.«

»Oh, sei nicht so, Schatz«, sagte Dafydd und rollte sich von ihr weg. »So was läuft nun mal nicht genau nach Plan.«

Obwohl Isabels Gesicht durch die Anstrengung noch vor Hitze gerötet war, zog sie das Bettlaken bis unters Kinn und starrte an die Decke. Dafydd drehte sich seufzend zu ihr um.

»He, Isabel, es tut mir leid. Dein Körper mag vielleicht nach dem Kalender funktionieren, aber meiner tut das nicht.«

»Gut«, sagte sie. »Aber bitte erklär mir, was genau ich falsch mache.«

»O Gott, Isabel, bitte nicht. Es ist fünf Uhr morgens.« Er ließ sich auf den Rücken fallen und blickte durch das Dachfenster in die aufsteigende Dämmerung. Müde griff er nach ihrer Hand. »Lass uns schlafen. Dein letzter fruchtbarer Tag hat noch nicht mal begonnen.«

»Wenn du meinst.« Sie wandte ihm den Rücken zu, aber schon bald änderte sich ihr Atem und wurde tief und ruhig.

Dafydd versuchte, seine Gedanken abzuschalten und das ärgerliche Gefühl, er habe versagt, zu verdrängen.

Aber die Kakophonie der Vögel im Garten klang ungewöhnlich schrill, geradezu beängstigend. Zitternd zog er die Decken um seinen auskühlenden Körper.

Er war endlich eingeschlummert, da hörte er, wie der Postbote den Briefkastenschlitz berührte. Klickend öffnete sich die Klappe, und die Post ergoss sich mit einem Rauschen auf die Flurfliesen. Er sträubte sich, von einem staubigen, sonnendurchfluteten Ort mit einem klaren blauen Himmel zurückgeholt zu werden, aber die Anstrengung ließ ihn wie einen Korken im Wasser an die Oberfläche des Wachseins schnellen.

Über die Umrisse von Isabels schlafendem Körper hinweg blickte er auf den Wecker. Es war kurz nach sieben. Isabel lag leicht schnarchend auf dem Rücken und hatte das Laken über den Kopf gezogen, um sich gegen das Licht abzuschirmen. Er tauchte unter die Decken, um sich ihr anzuschließen. Sie war fast genauso groß wie er, und ihre langen Beine verschwanden im Dämmerlicht des Fußendes.

In der Dunkelheit betrachtete er ihre nackten Körper, die derselben Spezies angehörten, doch so unterschiedlich und laut medizinischer Forschung ziemlich inkompatibel waren. Zumindest wollte bei ihnen beiden die Vereinigung von Sperma und Ei nicht stattfinden, was auch immer sie auf unterschiedliche Weise und unter Anwendung fast aller vorhandenen Mittel versucht hatten. Rhys Jones, ein Reproduktionsspezialist mit beeindruckendem Renommee, hatte zögernd sein Scheitern eingestanden. Dann hatte er ihnen auf die Schultern geklopft und beruhigend gemeint, dass es noch immer zu einer Schwangerschaft auf natürlichem Wege kommen könne, wenn sie sich Zeit ließen und Geduld hätten und sich nach der Temperaturmethode und dem Kalender richteten.

Aber Dafydd wusste, dass der Mann auf ein Wunder setzte. Sie waren schon über vierzig. Außerdem hatte er von dem Ganzen allmählich genug. Es zerstörte das bisschen Begierde, das noch zwischen ihnen übriggeblieben war. Das Band der Leidenschaft war von seiner Seite aus so brüchig geworden, dass es ihn erschreckte. Er hatte versucht, es ihr zu sagen – dass etwas Wesentliches verlorengegangen war und dass er sich jetzt als zu alt empfand, um noch Vater zu werden. Aber Isabel ließ sich von ihrem Vorhaben, mit aller Gewalt weiterzumachen, nicht abbringen.

Er verließ das Bett, zog seinen Bademantel über und ging nach unten. In der Küche setzte er den Kessel auf und zog die Vorhänge zurück. Das Wetter war trüb. Ein typischer nieseliger Morgen in Cardiff. Abgestorbenes Laub klebte an der nassen Fensterscheibe, und auf der Fensterbank hatte sich grüner Schimmel gebildet. Dafydd konnte sich nicht mehr daran erinnern, wann er das letzte Mal die Sonne gesehen hatte. Dabei war es angeblich noch Sommer. Er schüttete eine Kelle Kaffeebohnen in die Mühle und lauschte dem rasenden Mahlgeräusch, während er gleichzeitig nach seiner Frau horchte. Er war sicher, dass dieser Ton Tote erwecken musste. Aber von oben war kein Laut zu hören. Er atmete das stechende Aroma ein, diese widersprüchliche Mischung aus mediterraner Strandbar und morgendlichen Verpflichtungen.

Während der Kaffee durchlief, ging Dafydd nach vorn, um die Post aufzuheben. Über den Flurboden verstreut lag der übliche entmutigende Haufen. Er sammelte ihn auf und sortierte die Post in drei Stapel auf dem Flurtisch: ihren, seinen und Müll. Ihrer war bei weitem der größte und entsprach dem Arbeitsandrag, der sie erwartete. Doch die Rechnungen schienen alle auf seinen Namen ausgestellt zu sein.

Er nahm seine Handvoll Umschläge mit in die Küche. Sie enthielten unter anderem die Themenpunkte für die Rede, die er in Bristol zu halten versprochen hatte – eine lästige Angelegenheit, die umfangreiche Recherchen erforderlich machte. Flüchtig sah er den Rest durch. Das einzige Schreiben, das ein leichtes Interesse bei ihm weckte, war ein babyblauer Umschlag aus dünnem Luftpostpapier, der in einer seltsam kindlichen Handschrift an ihn adressiert war. Er warf einen prüfenden Blick auf die ungewohnte Briefmarke. Sie kam aus Kanada. Der Stempel lautete klar und deutlich: Moose Creek, Northwest Territories.

»*Moose Creek?*«, rief er unwillkürlich und starrte auf den Poststempel. Er drehte den Brief um. Ein glänzender Aufkleber in Form eines blauen Elefanten versiegelte die Umschlagklappe. Vielleicht hatte jemand etwas ausgegraben, was er liegengelassen hatte, oder irgendwer meldete sich mal wieder, um ihn an alte Zeiten zu erinnern. Nach all diesen Jahren? Beim Gedanken daran spannte sich sein Bauch ein wenig, und er schlitzte die Kante des zartblauen Umschlags mit dem Zeigefinger auf.

Sehr geehrter Herr Dr. Woodruff,
ich hoffe, Sie verübeln mir nicht, dass ich Ihnen schreibe. Ich glaube, ich bin Ihre Tochter. Mein Name ist Miranda, und ich habe einen Zwillingsbruder, Mark. Ich wollte Sie schon so lange finden und habe meiner Mom ständig damit in den Ohren gelegen. Dann hat ein netter englischer Arzt, der sich unser Krankenhaus ansah, meiner Mom geholfen, Sie in einem medizinischen Verzeichnis zu finden.

Falls Sie meine Mom (Sheila Hailey) vergessen haben sollten: Sie ist die schöne Dame, die Sie geliebt haben, als Sie in Moose Creek wohnten (es ist ein Drecknest, darum kann ich es Ihnen nicht verdenken, dass Sie fortgefahren sind, wirklich nicht). Da ich nun alt genug bin (fast dreizehn), hat sie mir alles erzählt. Wie Sie nach England zurückkehren mussten und wie Sie beide nicht heiraten konnten und so. Es ist solch eine traurige Ge-

schichte. Ich habe das alles in einem Aufsatz für die Schule beschrieben. Ich habe ihn »Eine Liebesgeschichte« genannt und ein A dafür bekommen. Miss Basiak war ganz begeistert.

Bitte schreiben Sie mir oder rufen Sie mich an, sobald Sie diesen Brief bekommen.

In Liebe
Miranda

Darunter stand eine Postfachnummer in Moose Creek und eine Telefonnummer.

Dafydd blieb eine Weile regungslos vor der Spüle stehen. Zwei-, dreimal las er den Brief, ohne den Inhalt zu begreifen. Dann spürte er seine Füße. Die Kälte der Bodenfliesen hatte sie taub werden lassen, als stünde er auf blankem Eis.

Er blickte hinab und sah erfrorene Zehen, geschwollen und mit Frostbeulen übersät; die Füße hatten sich durch das absterbende Gewebe verschwärzt. Ein Mädchen, halbnackt und erstarrt im Schnee ... der schöne, endlose Schnee. Am Rande dieser blendenden Weiße flimmerten die klaren Umrisse eines kleinen Fuchses, ein Schattenwesen seines Gewissens. Ein alter Mann, ein Inuit-Schamane, hatte ihn ermahnt, seine Gegenwart stets zu beachten. Dafydds Herz begann zu rasen. Dies gehörte zu einer seltsamen Episode seiner Vergangenheit, und plötzlich empfand er eine unerklärliche Angst.

»Hey!« Isabels von oben kommende Stimme ließ ihn hochschrecken. »Der Kaffee riecht gut.«

»Ich komme«, rief er zurück. Er steckte den Brief in die Tasche seines Bademantels und kehrte zu seiner morgendlichen Routine zurück.

Isabel lächelte versöhnlich, als er ihr einen Becher mit Kaffee reichte, aber er nahm ihren reumütigen Gesichtsausdruck nicht wahr. Seine Gedanken waren bei dem

Brief. Sie rasten und überflogen eine Unzahl nur noch halb erinnerter Details. Sheila Hailey … Das war verrückt … unmöglich.

»Hör mal, Schatz. Ich weiß, ich war …«, begann Isabel und hielt inne. »Was ist?«

Sein Entschluss, den merkwürdigen Brief für sich zu behalten, brach in sich zusammen. Seine Vergangenheit war das eine, aber er war außerstande, ihr Dinge in der Gegenwart zu verheimlichen.

»Ich habe einen Brief bekommen. Es scheint, dass man mich mit einem anderen verwechselt hat.«

»Das kann doch wohl kaum sein.« Sie reckte den Kopf und lächelte ihn an. »Wie viel ist es denn, und zu welchem Satz?«

Mein Gott. Das war nicht gerade witzig. Er ließ sich neben sie aufs Bett fallen. »Halt dich fest. Es ist ziemlich seltsam.« Zögernd zog er den Umschlag aus seiner Tasche und reichte ihn ihr. »Schau mal, was du damit anfangen kannst.«

Isabel sah ihn an und stellte den Becher auf den Nachttisch. Sie zog das dünne Papier aus dem Umschlag und entfaltete es. Er beobachtete ihr Gesicht, während sie den Brief rasch las und dabei mit den Lippen lautlos jedes Wort formte. Sie schwieg kurz und starrte nur das Papier an. Dann las sie den Brief erneut, diesmal laut. Sie las ihn mühelos, mit mädchenhafter Stimme und deutlich amerikanischer Aussprache. Sie war schon immer eine vorzügliche Imitatorin gewesen. Aber ihre Vorführung ging ihm auf die Nerven, und eine Sekunde lang fragte er sich, ob sie den Brief selbst geschrieben hatte. Eine Art Scherz. Oder ein Test. Aber sie war blass, ihre Lippen blutleer.

Unvermittelt warf sie ihm den Brief in den Schoß. »Was ist das?«

»Was hab ich dir gesagt?«

Sie musterten einander einen Moment lang.

»Wer ist diese Person?«

Dafydd zuckte hilflos mit den Schultern.

»Du hast eine schwangere Geliebte in Kanada zurückgelassen?«

An seinem Hals bildeten sich rote Flecke. Er konnte sie spüren, kleine Hitzeexplosionen. Isabel bemerkte sie und durchbohrte ihn mit den Augen. Sie interpretierte die Flecke stets als Schuldeingeständnis, während er wusste, dass es sich dabei lediglich um Stressanzeichen handelte; das waren sie schon immer gewesen. Sofort war er gereizt.

»Oh. Um Gottes willen, natürlich habe ich das nicht getan.«

»Gut, und nun?«

Er wusste nicht, was er antworten sollte, und fragte sich, warum er ihr den Brief überhaupt gezeigt hatte. Es war nur natürlich, dass sie bestürzt darauf reagierte und ihn dazu befragen wollte. Er hätte ihn zerreißen und in den Mülleimer werfen und den Kaffesatz über die Papierschnipsel streuen können. Damit wäre die Sache vermutlich erledigt gewesen.

»Ich kenne ihren Namen. Sheila Hailey war die Oberschwester in dem Krankenhaus, in dem ich gearbeitet habe. Aber ich kann dir versichern, dass ich nie etwas mit ihr hatte.« Das Brennen breitete sich nach oben, zu seinem Gesicht hin aus. »Ich schwöre dir, dass ich einfach keinerlei Nachkommen in Moose Creek haben kann. Das ist völlig unmöglich.« Die ganze Sache war absurd. »Und lass uns nicht vergessen«, setzte er hinzu, »dass meine Spermienzahl, wie du mir so oft vorhältst, drei Erbsen in einem Eimer entspricht.«

»Ja, ich weiß«, stimmte Isabel zu. »Aber das ist heute so.« Sie ließ sich gegen das Kopfende sinken und nippte nervös an ihrem Kaffee. Sein heftiges Abstreiten hatte sie offensichtlich nicht beruhigt. Keiner der beiden sagte ein Wort.

Dafydd schloss die Augen und ließ sein Jahr in Kanada Revue passieren. Konnte er jemanden geschwängert und nie davon erfahren haben? Er war nie promiskuitiv gewesen, das war nicht sein Stil. Aber es war nicht unmöglich. Er hatte damals nicht gerade zölibatär gelebt. Aber angesichts seiner Übervorsicht, eine unerwünschte Vaterschaft zu verhindern, war es unwahrscheinlich. Außerdem ging es hier um eine spezielle Frau, Sheila Hailey, und dieser Frau war er nie nahegekommen.

»Kann es sein, dass du dich betrunken, diese Frau gevögelt und das Ganze einfach vergessen hast?«, fragte Isabel.

Er verstand, dass sie bestürzt war, aber ihm gefiel die Schärfe in ihrer Stimme nicht. »Isabel, du kennst mich doch und müsstest wissen, dass das nicht zu mir passt. Und verzeih mir, aber gevögelt habe ich noch nie.«

Isabel lächelte. »Natürlich hast du das, Schatz. Warum gehst du so in die Defensive? Das ist eine absolut plausible Möglichkeit.«

Er lachte auf. »Ich gehe nicht in die Defensive. Verdammt, du weißt alles über mich, was man nur wissen kann. Ich garantiere dir, dass es sich um einen Irrtum handelt. Oder irgendjemand dort ist total verrückt geworden. Vor lauter Einsamkeit, oder was weiß ich.«

Er wollte nichts vor ihr verheimlichen, das hatte sie nicht verdient, aber tatsächlich wusste sie nicht alles über ihn, was man wissen konnte, nicht restlos alles. In all den Jahren, in denen sie einander ihre Vergangenheit und ihre Einstellung sowie all die kleinen begangenen Sünden, die beschämendsten und die unsittlichsten, offenbart hatten, war es ihm gelungen, den größten Teil seiner arktischen Erfahrungen auszulassen – ein Fenster seines Lebens, das zu zerbrechlich und in mancher Hinsicht auch zu kostbar war, um es ihrem scharfen Blick auszusetzen.

Das auf acht Uhr eingestellte Radio erwachte plötzlich

zum Leben. Isabel reckte sich, um es auszuschalten, aber Dafydd streckte die Hand aus, um sie davon abzuhalten. »Lass uns die Nachrichten hören.«

»Jetzt? Ist das dein Ernst?« Sie funkelte ihn zornig an und drehte es laut. Beide taten, als lauschten sie den schnell aufeinanderfolgenden Berichten über die Schrecken und Katastrophen des Tages – Autobomben im Irak, Überschwemmungen in China und das andauernde humanitäre Elend im Sudan. Nach ein paar Minuten schaltete sie den Apparat einfach ab. »Dafydd. Sollten wir nicht miteinander sprechen?«

Er brauchte einige Sekunden, um in die Gegenwart zurückzukehren und den Blick auf seine Umgebung zu konzentrieren. Er betrachtete seine Frau. Das Licht vom Fenster fiel auf ihr dichtes blondes Haar; es veränderte sich ständig und irisierte, als träfen Sonnenstrahlen auf Wasser. Die Störung des Morgens ließ ihre adlerartigen Gesichtszüge schärfer hervortreten. Ihre Nase erschien hakenförmiger, und ihre wachen braunen Augen sahen stechend aus. Isabel war eine beeindruckende Frau, vor allem in schwierigen Situationen. Sie hatte sich stets über die Nachteile beklagt, die es mit sich brachte, wenn man groß war und stark wirkte. Männer hielten solche Frauen nie für verletzlich. Sie mussten für sich selbst sorgen, sich selbst die Türen öffnen. Sie hatte Recht – Dafydd lächelte unwillkürlich –, sie sah auf eine Weise furchteinflößend aus, wie nur sie es konnte.

Sie bemerkte sein Lächeln, und mit demonstrativer Verärgerung begann sie, in der Schublade ihres Nachttisches herumzuwühlen. Bei ihrer lautstarken Suche fand sie ein Päckchen Tabak und etwas Zigarettenpapier. Dafydd beobachtete, wie ihre langen, schlanken Finger mit dem dünnen Papier kämpften, während sie sich eine wellige, unebene Zigarette drehte. Ihre nasse Zunge fuhr an der gummierten Papierkante hin und her.

»Bist du sicher, dass du das tun willst?«, fragte er sie, obwohl ihr Laster etwas leicht Verführerisches hatte. »Du hast damit aufgehört, erinnere dich daran. Es sind schon drei Wochen.«

»Wen schert's denn?«, gab sie zurück und zündete sich den Glimmstängel an, um dann genussvoll daran zu ziehen. »Dafydd, könnte das irgendein Streich sein? Vielleicht handelt es sich um einen üblen Scherz eines deiner Freunde, der ein perverses Verständnis von Humor hat.«

Geistesabwesend streichelte er ihren Oberschenkel. »Wer von unseren Bekannten würde auf so etwas kommen? Das glaube ich nicht. Ich habe weder Freunde noch Feinde mit ausreichender Fantasie.«

Isabel hustete und drückte den stinkenden Stummel auf der Geburtstagskarte aus, die er ihr in der vergangenen Woche überreicht hatte. »Was ist mit jemandem von damals, aus jener hinterwäldlerischen Ödnis? Bist du jemandem auf die Füße getreten? Und was ist mit dieser Krankenschwester? Will sie irgendetwas von dir? Könnte es eine Art Erpressung sein?«

Dafydd schüttelte den Kopf. »Nein … Ich wüsste nicht, was oder warum. Wir sprechen über etwas, das vierzehn Jahre zurückliegt.«

»Im Ernst. Warum sollte eine Frau versuchen, einem so weit entfernt lebenden Mann eine Vaterschaft anzuhängen, und dann auch noch ausgerechnet einem Arzt?« Energisch umarmte Isabel ihre Knie. »Ein einfacher Gentest würde sie der Unwahrheit überführen. Jeder mit einer einigermaßen ausgeprägten Intelligenz würde das wissen. Ich meine, schließlich ist sie *Krankenschwester.* Und die armen Kinder – Zwillinge –, welche Mutter würde ein Kind grundlos einen Brief schreiben lassen … an einen Vater, der gar keiner ist?«

»Ich vermute, es handelt sich einfach um ein junges Mädchen mit ausgeprägter Fantasie.« Er schaute auf die

Uhr. Er konnte es sich nicht leisten, noch länger im Bett zu liegen. Nachdem er ihr beruhigend den Arm getätschelt hatte, richtete er sich auf. »Wer auch immer sie sein mag, sie tut mir leid.«

»Wach auf, Dafydd«, erwiderte Isabel und schlug mit der Faust aufs Bett, wodurch sie ihre Geburtstagskarte hochwarf und die Asche auf dem Bettzeug verstreute. »Das ist nicht irgendein Mädchen mit einem Hirngespinst. Die Mutter hat offensichtlich einige Anstrengungen unternommen, um dich zu finden. Du glaubst, du kannst einfach die Augen schließen und schnipp, wird die ganze Angelegenheit verschwinden? Das ist so typisch für dich.«

Verärgert über ihren Ausbruch stand er auf und ging duschen. Er ließ das heiße Wasser in einem Strahl auf seinen Kopf plätschern, sodass sich jene verschwommene Kuppel bildete, unter der er sich keine unerfreulichen Gedanken gestattete. Aber an diesem Morgen funktionierte die Übung nicht. Sheila Hailey. Er sah sie deutlich vor sich – zu deutlich. Er drehte das Gesicht in den stachelig auf ihn einprasselnden Wasserstrahl der Dusche, um sich von ihrem Bild zu reinigen.

Dafydd saß zwischen zwei Operationen auf einem Hocker und wartete darauf, dass Jim Wiseman, der Anästhesist, den nächsten Patienten für die OP vorbereitete. Er rutschte herum, blickte auf die Uhr an der Wand und spürte, wie seine Ungeduld wuchs. Ihm war klar, dass er sich nicht von der anstehenden Arbeit ablenken lassen durfte. Er atmete ein paar Mal tief durch und streckte und beugte seine in Gummihandschuhen steckenden Finger, um seine zusammengepressten Hände zu lockern.

Der Tag schien nie angenehm zu verlaufen, wenn Isabel und er nicht wirklich liebevoll auseinandergingen, und in den letzten Wochen hatte jene unausgesprochene Spannung zwischen ihnen vor allem ihr morgendliches Miteinander beeinträchtigt. Isabels biologischer Herzschlag pochte in der fahlen Morgendämmerung am lautesten, und sie war häufig nervös. Und jetzt dieser verdammte Brief. Aber er war sich absolut sicher: Es war absurd, ihm eine Vaterschaft zu unterstellen. Warum also machte er sich Gedanken darüber? Warum sollte er überhaupt auf einen törichten Brief reagieren, auf eine alberne Vermutung, die sich aus einer Entfernung von vielen tausend Kilometern wild gegen die falsche Person richtete?

»Alles fertig«, rief Jim ihm zu, nachdem er den Patienten anästhetisiert hatte. Die fröhliche neue Operationsschwester, eine junge Jamaikanerin, schwang ihre enormen Hüften zu irgendeiner Musik in ihrem Kopf. Dafydds andere Mitarbeiter standen da und warteten auf ihn, ihre Gesichter unergründlich hinter den Masken verborgen.

»Zu was für einer Musik tanzen Sie denn da?«, fragte er die Schwester, während er den Bauch vor sich aufschnitt.

»Ich kann nichts hören«, antwortete sie, und ihre riesige Brust bebte vor Lachen. »Vielleicht gefällt Ihnen diese Art von Musik nicht, Mr Woodrot.«

»Ich heiße Woodruff ... Und ja, Ihr ständiges Herumgetanze stört ein wenig. Macht es Ihnen etwas aus ...?«

Sie verstand ihn falsch. »Warum sollte mir das was ausmachen, Mann? Jeder hat seine eigene Meinung. Ich fühle mich nicht angegriffen.« Sie kicherte und schwang weiter die Hüften.

Ihre unverschämte Reaktion erheiterte ihn einen Moment lang. Zum Teufel, sie konnten hier ruhig mal ein wenig unbritische Sinnlichkeit gebrauchen; alle waren so schrecklich griesgrämig. Schweigend arbeiteten sie weiter, und die tanzende Schwester erledigte ihre Aufgabe mit außerordentlichem Geschick.

»Verfluchte Sheila«, flüsterte Dafydd vor sich hin, während er den entzündeten Blinddarm abschnitt und in den dafür vorgesehenen Behälter warf.

Die Schwester blickte zu ihm hoch. »Verzeihung, haben Sie etwas gesagt?«

»Nein, nichts.«

Sie reichte ihm ein Instrument, und er starrte es einen Augenblick lang an, ohne genau zu wissen, welchen Zweck es erfüllte. Das war es. Schlagartig wurde ihm klar, dass seine bohrende Besorgnis nicht so sehr dem Brief des Mädchens und ihrem unsinnigen Anspruch galt, als vielmehr Sheila Hailey selbst. Wenn diese Frau ihre Tochter hierzu angestiftet hatte, würde es sicher noch Ärger geben. Da hatte Isabel Recht. Aber warum jetzt, nachdem vierzehn Jahre vergangen waren und er auf der anderen Seite der Erdkugel lebte? Vielleicht kannten Bitterkeit und Hass keine Grenzen. Ein kurzes Schaudern lief ihm über Nacken und Schultern.

»Ist alles okay mit Ihnen?«, fragte die Schwester und sah ihn an.

Jim reckte den Kopf um die Vorhänge. Die Masken machten es unmöglich zu erkennen, was sie dachten. Sowohl Jim als auch die Schwester – er kannte noch nicht einmal ihren Namen – wirkten besorgt. Dafydd beugte sich über seine Arbeit und zwang sich erneut zur Konzentration. Er suchte das untere Ende des Dünndarms gründlich nach einem Meckelschen Divertikel ab, bevor er damit begann, das Peritoneum zu schließen. Die Patientin war ein Mädchen Anfang zwanzig mit einem erfreulich glatten Bauch. Sie würde zufrieden sein.

Dafydd streifte Handschuhe und Kittel ab und ging zum Pausenraum. Gerade saß er an seinem Laptop und schrieb seine Kommentare für die Krankenakte der Patientin, als Jim in seiner üblichen vorgebeugten Haltung durch die Tür geschlendert kam.

»Alles klar?«, fragte Jim beiläufig und goss sich eine Tasse der teerschwarzen Flüssigkeit aus der Kaffeemaschine ein.

Dafydd schaute auf. »Ja ... Wieso?«

»Ist alles in Ordnung?«

War sein Konzentrationsmangel so auffällig gewesen? Jim war einer der wenigen Kollegen, die ihn gut kannten. Er wusste von den Schwierigkeiten zwischen Isabel und ihm, von den vergeblichen Fruchtbarkeitsbehandlungen und all dem damit verbundenen Kummer.

»Ja, alles bestens«, log Dafydd und wandte sich wieder dem Bildschirm zu.

»Und Isabel?«

»Oh, na ja, es hat sich bisher noch nichts getan. Sie kann es nicht dabei bewenden lassen. Zumindest hat sie eine Menge Aufträge. Sie reist überall hin. Ich sollte mich wirklich darüber freuen. Wer weiß ...« Er lachte ungeduldig. »Vielleicht sollte ich mich ja um eine Frühpensionierung bemühen.«

»Sei nicht albern. Bei deinem Aussehen«, erwiderte Jim und blickte auf seine eigene ständig zunehmende Taille hinab.

Dafydd klappte den Laptop zu und begann, seine Sachen einzusammeln. Einen Moment lang war er versucht, Jim von dem Brief zu erzählen. Aber stattdessen knuffte er ihn in den Bauch und meinte: »Schwing dich aufs Rad, Kumpel. Sprich nicht immer nur darüber.«

Eigentlich hatte er keine Lust, nach Hause zu gehen. Die Anschuldigung konnte nicht einfach zu den Akten gelegt werden. Isabel würde den ganzen Abend darüber sprechen wollen. Sie würden den Brief auf Hinweise überprüfen. Weitere Fragen würden sich stellen, und es gab nichts, was er zur Klärung beitragen konnte.

Dafydd ging den Korridor entlang und bog in die Herrentoilette ab. Dort schloss er sich in eine Kabine ein. Er stellte seine Aktentasche auf den Boden und setzte sich auf den Toilettendeckel. Jemand kam herein, pinkelte, hustete laut, spuckte aus und drückte dann auf die Spülung.

Er sah, wie ein paar Pantoffeln vorbeischlurften und aus der Tür gingen. Wie blöd. Was, zum Teufel, machte er hier eigentlich? Er konnte sich in die Kantine oder auf eine Parkbank oder, noch besser, in eine Kneipe setzen und ein Bier trinken.

Er legte den Kopf in die Hände. Ausgerechnet Moose Creek … Dafydd kniff die Augen zu und versuchte, sich die Stadt vorzustellen. Aber alles, was vor seinem geistigen Auge auftauchte, war eine riesige Weite aus Eis.

Vor allem die Erinnerung daran, warum er überhaupt dorthin gereist war, schien er verdrängen zu wollen – das Ereignis, das ihn dazu getrieben hatte, seine in all den Jahren zuvor erfolgreich aufgebaute Karriere als Chirurg abzubrechen und an jenen gottverlassenen Außenposten zu reisen, an den sich kein normaler Mensch, geschweige denn ein Arzt, auch nur im Traum freiwillig begeben würde. Aber die Wucht der Katastrophe war nie ganz von ihm gewichen. Die Erinnerung war stets da und schlich lauernd in den verborgenen Winkeln seines Bewusstseins herum. Das war einer von vielen Gründen, warum er nie über sein Jahr in der kanadischen Wildnis sprach.

Naiverweise hatte er gehofft, Moose Creek werde ihn von seiner Schande erlösen. Er war so verzweifelt bemüht gewesen wegzukommen, dass er keinerlei Ahnung hatte, was ihm bevorstand. Sein einziges Ziel war es gewesen, so weit wie möglich fortzukommen; an den entlegensten Ort der Welt, der sich finden ließ.

KAPITEL

Moose Creek, 1992

DAFYDDS FINGER VERGRUBEN sich in den Armlehnen, seine Knöchel waren weiß. Das winzige Flugzeug schien senkrecht zu Boden zu fallen, um dann wie ein über die Oberfläche eines Teiches hüpfender Kiesel die Landepiste entlangzuholpern. Schließlich schaukelte es heftig hin und her, bevor es kurz vor dem Ende der Landebahn zum Stehen kam. Dafydd atmete langsam aus, dankte einem höheren Wesen und schüttelte seine Hände, damit sie wieder durchblutet wurden.

Er sammelte seine Habseligkeiten zusammen und lächelte der stämmigen Stewardess zu, die ihn und drei weitere Passagiere energisch zu der herbeigerollten Treppe geleitete. Die Zeit drängte, denn die Maschine musste noch nach Resolute weiterfliegen, dem letzten Außenposten vor dem Nordpol. Als Dafydd aus dem Flugzeug stieg, schlug ihm die Hitze wie eine Wand entgegen. Die Luft war feucht und reglos. Innerhalb von Sekunden fühlte er sich klebrig. Ein stetiges dunkles Summen durchdrang die Stille, das offenbar von Insekten stammte, auch wenn keine zu sehen waren.

Vor der in Fertigbauweise errichteten Halle des Flughafens warteten zwei Taxis. Dafydds Mitreisende schnappten sich schnell das sauberere von beiden. Das übrig gebliebene war ein heruntergekommener alter Valiant – ein Automobil, das er als Junge bewundert hatte. Die vordere

Stoßstange wies eine scheußliche Beule auf. Dafydd hob die Augenbrauen, und die Frau hinter dem Steuer nickte. Er griff seine beiden Koffer und schleppte sie zum Auto.

»Ich will verflucht sein«, meinte die Frau mit einem starken, nicht einzuordnenden Akzent, als sie Dafydd helfen wollte, die Koffer ins Auto zu laden. »So, wie Sie aussehen, werden Sie sicher eine Ewigkeit bei uns bleiben.«

»Ja, zehn Monate«, sagte Dafydd. Er erwiderte ihr Grinsen, das ihr Doppelkinn beben ließ, und schob sich auf den Beifahrersitz, der mit Hundehaaren übersät war.

»Was machen … arbeiten Sie für die Forstbehörde?« Die Frau sprang in den Wagen und schaute ihn unbefangen an.

»Nein«, erwiderte er energisch, als er merkte, dass er ausgehorcht werden sollte. »Würden Sie mich bitte zum Klondike Hotel fahren?«

»Klar.« Sie brachte den Motor auf Touren und fuhr mit Karacho von dem kiesbestreuten Parkplatz, wobei sie in der stillstehenden Luft hohe Staubwolken hinter sich ließ. »Was machen Sie denn beruflich, Mister?«, setzte sie nach und musterte seinen makellosen Anzug. »Der edle Zwirn da wird in ein oder zwei Tagen reichlich ramponiert aussehn.«

»Was soll ich Ihrer Meinung nach denn tragen?«, fragte Dafydd gereizt und beobachtete, wie seine Hosenbeine die Hundehaare wie durch Osmose in sich aufsaugten.

»Hängt von Ihrem Beruf ab, Mister«, versuchte sie es erneut. »Holzfäller sind Sie jedenfalls nich.« Bei dieser Feststellung kicherte sie herzlich, und dann wandte sie ihre Augen ganz von der Fahrbahn ab und drehte sich erwartungsvoll zu ihm hin.

»Ich bin Arzt«, informierte er sie schnell.

»Wunderbar!«, jubelte sie. »Das hab ich mir gedacht.« Sie scherte leicht aus, um nicht im Graben zu landen. »Niemand ist so froh, Ihnen zu begegnen, wie ich, das sag ich

Ihnen.« Sie nahm eine ihrer molligen Hände vom Steuer und drückte Dafydds. »Ich bin Martha Kusugaq. Hab ein schlimmes Geschwür am Fuß, das schrecklich weh tut. Macht das Fahren wirklich zur Qual. Sehn Sie.« Sie griff nach unten und ließ ihren Schuh auf den Boden fallen, um ihm eine eitergefüllte Wucherung an der Seite ihres Fußrückens zu zeigen.

»Schlimm«, bestätigte Dafydd und richtete seine Augen in der Hoffnung, sie werde es ihm nachtun, auf die vor ihnen liegende holprige, gewundene Straße.

»Sind Sie morgen in der Klinik?«, fragte sie und drehte sich erwartungsvoll zu ihm hin.

»Das vermute ich.« Seine erste Patientin ... jetzt schon!

»Okay, also morgen. Abgemacht.« Sie schlüpfte wieder in den Schuh. »Die Ärzte, die wir hier haben, sind scheiße, das sag ich Ihnen. Wenn Sie mich irgendwas fragen wollen – gern. Ich erzähl Ihnen die volle Wahrheit.« Offensichtlich spekulierte sie darauf, nun mit Fragen bombardiert zu werden. Als keine kamen, blickte sie ihn unter ihrem Pony hervor erneut an und erkundigte sich mit leichtem Misstrauen: »Was führt einen netten Herrn wie Sie in diese einsame Gegend?«

Es gab absolut keinen Grund, aus der Fassung zu geraten, sagte er sich. Niemand wusste irgendetwas über seine Geschichte, von einem knappen Lebenslauf abgesehen. Der Krankenhausdirektor Dr. Hogg hatte noch nicht einmal seine Referenzen überprüft. Außerdem war er sich sicher, dass eine Kenntnis seiner Motive keinerlei Bedeutung gehabt hätte. Junge Chirurgen kamen schließlich nicht aus Spaß nach Moose Creek.

Martha musterte ihn mit unverhohlener Neugier und wartete auf seine Antwort.

»Warum fragen Sie das?«, gab er neckend zurück, um sein Unbehagen zu überdecken. »Wollen Sie damit sagen, dass dies kein geeigneter Ort für einen netten Burschen wie mich ist?«

»Einen Burschen?«, kicherte Martha. Sie trat kräftig auf die Bremse, um nicht ein kleines Pelztier zu überfahren, das über die Straße raste. »Oh, der Ort hier ist ganz in Ordnung, für solche wie mich sowieso. Wir nennen's hier das Arschl... den Hintern der Welt.« Sie wandte sich ihm wieder in ihrer direkten Art zu. »Die kommen alle her, weil sie sonst nirgends hin können. Arbeitsmäßig mein ich.«

»Wer?«

»Na ja ... Ärzte.«

Dafydd spürte, wie sich sein Kiefer unwillkürlich verkrampfte. »Ist es noch weit?«

»Wir haben unsere eigene Medizin, wissen Sie. Ich hab ein paar Tricks von meiner Oma aufgeschnappt.« Wieder warf sie ihm einen seitlichen Blick zu und gluckste tief in der Kehle. »Ich wette, ich könnte Ihnen noch das eine oder andere beibringen.«

Er kapitulierte und brach in Gelächter aus. Sie schloss sich ihm an. Er fühlte sich anerkannt, zumindest als Mensch, da ja alle Ärzte scheiße waren (wenn sie wüsste).

»Soll ich anfangen, mir Sorgen zu machen?«, fragte er. »Sie fahren mich ja ganz schön weit raus.«

»Dann passen Sie mal schön auf sich auf, so'n hübscher Junge wie Sie. Es gibt 'ne Menge Frauen, die nicht zögern würden, Sie mit ihren schmutzigen Pfoten anzutatschen, das sag ich Ihnen. Wie alt sind Sie? Höchstens um die dreißig, oder?«

Er lächelte. »So in etwa. Aber ich verrat's nicht.«

Verstohlen betrachtete er sie. Sie war zwischen vierzig und fünfzig. Es gab keinen Zweifel, dass sie eine eingeborene Kanadierin war. Ihr Kopf und ihr Nacken waren kräftig und saßen bequem auf breiten, gut bepackten Schultern. Ihr struppiges schwarzes Haar hing ihr zu einem einzigen Zopf geflochten über den Rücken. Im Verhältnis zu ihrem dicken Bauch hatte sie eine kleine Brust. Ihre Beine waren ziemlich dünn, aber muskulös und steckten in Leggings. Aber sie hatte ein glattes, frisches Gesicht, und ihre Augen funkelten mutwillig.

Die Stadt kam in Sichtweite. Sie wirkte völlig flach. Kein Gebäude war mehr als zwei Stockwerke hoch. Ein trostloser und langweiliger Anblick. Um die Stadt zog sich spärlich mit Nadelbäumen bestandenes Waldland, und in der Ferne waren Hügel oder Berge zu sehen. Über den Gebäuden waberte die Hitze.

Sie kamen an einem ausgedehnten Motel vorbei, einem instabilen Schindelgebäude. Seine niedrigen, wackeligen Hütten säumten die Straße, gefolgt von Colleen's Café, das ebenfalls baufällig war. Das Auto sauste eine breite Hauptstraße entlang. Dafydd starrte in einer Mischung aus Bestürzung und Faszination auf seine Umgebung. Das war's? Er hatte eine verblichene Ansichtspostkarte von der Stadt gesehen, die Dr. Hogg ihm zusammen mit der Arbeitsplatzbeschreibung zugesandt hatte. Das Foto hatte ziemlich exotisch gewirkt, ein echter, mit Schnee und Eis bedeckter subarktischer Außenposten. In einem Touristen-Informationsblatt hieß es, der Ort liege »mitten in einer eindrucksvollen Landschaft mit hohen Bergen, reißenden Flüssen und funkelnden Seen; endlose nördliche Wälder lichten sich zur arktischen Tundra hin«.

Die Realität war eine Ansammlung aus hässlichen, staubigen, heruntergekommenen Häusern, die mitten in einen Tausende von Quadratkilometern umfassenden, trostlosen Wald gesetzt worden waren. Er musste sich in Erinnerung rufen, dass es Spätsommer war. Jene weiße, unheimliche und geheimnisvolle Landschaft entstammte dem tiefsten Winter, wenn die Temperaturen auf fünfzig Grad unter null fielen. Dem würde er noch früh genug ausgesetzt sein.

Marthas Wagen kam mit quietschenden Reifen neben

einem seltsam grandios wirkenden Gebäude zum Stehen. Es hatte eine falsche Fassade, wie in der Kulisse zu einem Western. Die kunstvoll geschnitzten Fensterrahmen und die eleganten Balkone waren eine Täuschung aus billigem, in Form gegossenem Plastik, das nun aufplatzte und dessen Farbe verblichen war. Von vergoldeten Ketten hing ein Schild mit der Aufschrift: Klondike Hotel.

»Da sind wir«, erklärte Martha mit einer Spur von Lokalstolz. »Könnten nichts Besseres kriegen ... nicht in dieser Gegend.« Sie sah ihm direkt in die Augen. »Nun hören Sie mal zu, Doc. Wenn Sie irgendwann ein Taxi brauchen, bei Tag oder bei Nacht, dann rufen Se mich an, ja?«

»Danke, Martha, aber ich gehe lieber überall zu Fuß hin. Es ist eine winzige Stadt.« Lachend zeigte er die Straße entlang. »Wann werde ich hier schon ein Taxi brauchen?«

»Warten Sie's ab«, spottete Martha. »Sie werden schon bald so sein wie alle anderen. Niemand geht hier zu Fuß. Es ist entweder zu heiß und zu staubig oder zu kalt und zu rutschig, oder Sie sind zu betrunken. Meistens wahrscheinlich Letzteres.« Ihre Stimme wurde ein wenig weicher, als sie den Zwanzigdollarschein annahm, ohne Wechselgeld herausgeben zu müssen. »Passen Sie auf sich auf, junger Mann. Ich meine es ernst. Diese Stadt ist nicht ohne.«

Mehrere Männer lungerten vor den Plastikportalen des Klondike Hotels herum. Fast alle schienen eingeborene Kanadier zu sein. In der hellen Sonne wirkten sie vertrocknet und verschrumpelt; kleine, untersetzte, ärmliche Männer. Einige von ihnen waren offenbar betrunken, obwohl es erst drei Uhr nachmittags war.

Als Dafydd seine Koffer zur Tür schleppte, sprang einer von ihnen vor und versuchte, ihm einen Koffer aus der Hand zu reißen. Irritiert von dem plötzlichen Angriff, wehrte sich Dafydd. Ein kurzes Gerangel folgte, bei dem beide Männer den Griff umklammerten und versuchten, dem anderen den Koffer zu entwinden. Die übrigen Männer, die an der Wand des Hotels lehnten, begannen zu kichern. Niemand machte Anstalten, sich einzumischen.

»Ich will Sie nicht berauben, Mister«, rief der Angreifer und ließ plötzlich los. Dafydd verlor das Gleichgewicht, stolperte nach hinten und stürzte über seinen anderen Koffer, den er auf den Boden gestellt hatte. »Ich wollte Ihnen nur helfen«, sagte der Mann und blickte auf ihn hinab, wie er, alle viere von sich gestreckt, auf dem staubigen Bürgersteig lag. »Hier bekommen Sie 'nen guten alten nordischen Empfang.« Mit einem unverschämten Grinsen im dunklen Gesicht fügte er hinzu: »Aber das liegt ganz an Ihnen.«

Dafydd sprang auf und klopfte den Staub von seinem Anzug. »Sie hätten etwas sagen können.« Er war sich sicher, dass der Mann ihn absichtlich hatte stolpern lassen.

»Okay«, meinte der Mann. »Haben Sie ein bisschen Kleingeld übrig?«

Dafydd schaute ihn einen Moment lang kalt an. Er war über die Konfrontation verärgert und fragte sich, ob diese Kerle ihn für einen durchreisenden Geschäftsmann und damit für Freiwild gehalten hatten, oder ob diese Art verdeckter Feindseligkeit eine alltägliche Plage war.

»Ist das Ihr Ernst?«, erwiderte er zornig und fest entschlossen, das letzte Wort zu behalten.

Die Männer lachten. Irgendwie schienen sie nun auf seiner Seite zu sein, und der Vorfall wirkte plötzlich weniger bedrohlich. Als er sich umdrehte, stellte er fest, dass Martha Kusugaq mit verschränkten Armen neben ihrem Taxi stand. Er hatte den Eindruck, dass sie ihm unmerklich zunickte, eine strenge Ermunterung. So gelassen wie möglich trug er seine schweren Koffer in die Lobby.

Im Hotelrestaurant bekam er ein erstaunlich gutes Essen serviert. Die Spezialität des Hauses: Elchpastete mit Lingonbeerensauce und Reis. Der Hauswein war gut, wenn auch ein wenig süß. Doch er trank ihn, weil er die erwünschte Wirkung hatte. Außer einem älteren Paar in einer Ecke war er allein. Sie leerten eine Flasche dunklen, bernsteinfarbigen Alkohols. Dazu rauchten sie in schweigender Hartnäckigkeit je ein Päckchen Zigaretten.

Im Gegensatz dazu war der »Biersalon« brechend voll. Durch den Bogengang, durch den ein Schwall von Rauch und Lärm ins Restaurant herüberzog, hatte Dafydd einen guten Blick auf die Bar. Männer in Arbeitskleidung drängten sich um kleine Tische, während Serviererinnen in Miniröcken hin und her rannten. Den Arm über die Köpfe der Gäste erhoben, balancierten sie riesige Tabletts mit randvollen Biergläsern auf einer Hand.

Durch den Bogen kam ein Paar herein. Sie entdeckten Dafydd und gingen auf ihn zu.

»Dafydd Woodruff?«, fragte der Mann.

»Das bin ich.«

In dem schummrig-rötlichen Licht wirkte der Mann stattlich und gerade, wenn auch ein wenig mager. Seine Haare waren blond und gewellt und reichten ein ganzes Stück über seine Schultern. Er trug enge, abgewetzte Jeans, die von einem geprägten Ledergürtel mit einer großen, verschlungenen Silberschnalle gehalten wurden. Die Frau war eine beeindruckende Rothaarige in einem kurzen, engen Lederrock. Über ihrer Brust spannte sich eine knappe weiße Hemdbluse. Trotz ihrer provozierenden Kleidung sah sie streng aus. Sie waren in seinem Alter, etwa Anfang dreißig.

Ein wenig irritiert versuchte Dafydd, die beiden einzuordnen, während er die ausgestreckte Hand schüttelte. Aber die langen Haare und die zwanglose Kleidung des Mannes boten ihm keinen Hinweis.

»Ian Brannagan«, stellte sich der Mann schließlich vor.

»Natürlich«, rief Dafydd und versuchte, seine Überraschung zu verbergen. Sein künftiger Kollege hatte etwas eindeutig Unärztliches. »Ich habe nicht damit gerechnet, dass Sie … Ich dachte, dass ich alle erst morgen treffen würde.«

»Morgen werden Sie viel um die Ohren haben.« Ian Brannagan klopfte ihm leicht auf die Schulter, setzte sich hin und zog für die Frau einen weiteren Stuhl heran. Ihr Gesichtsausdruck war unergründlich, aber Ian Brannagan hatte trotz seiner scharfkantigen Züge eine freundliche und offene Ausstrahlung. Sein Kinn war eckig, und er hatte eine lange Nase. Seine Lippen waren dünn und farblos, doch sein Lächeln war breit und zeigte eine große Zahl gesunder Zähne. Bei näherer Betrachtung wirkte er sowohl vom Gesicht als auch von der Kleidung her vergrämt und müde.

Dafydd wandte sich der Frau zu und wartete darauf, ihr vorgestellt zu werden.

»Ich bin Sheila Hailey«, sagte sie und drückte seine Hand ohne weitere Erklärung mit festem Griff.

»Sie sind ein Geschenk des Himmels, mein Freund«, versicherte Ian Brannagan. »Wir sind am Verzweifeln, seit uns unser letzter, Monsieur Docteur Odent, vor zwei Wochen verlassen hat. Im Krankenhaus herrscht ein höllisches Chaos.«

»Tatsächlich?« Dafydd lehnte sich auf seinem Stuhl zurück und versuchte, entspannt auszusehen. Höllisches Chaos! Und da brauchen sie jemanden wie mich?

Ian Brannagan steckte sich eine Zigarette an und sah auf die Reste der Elchpastete auf dem Teller. »Stört es Sie, wenn ich rauche?« Er schob sich zurück und musterte Dafydd auf unvoreingenommene, doch freundliche Art. Die Frau neben ihm richtete den Blick ebenfalls auf Dafydd, wenn auch weniger freundlich. Sie hatte sich mit zwanglos übereinandergeschlagenen Beinen ein wenig entfernt von ihnen hingesetzt.

»Wie lange sind Sie schon hier, Ian?«, fragte Dafydd.

»Oh, erst ein Jahr oder so.« Ian runzelte die Brauen. »Immerhin zwei Winter. Mein Gott, wie die Zeit vergeht.«

»Aber es gefällt Ihnen hier?«

»So lala«, antwortete Brannagan gleichmütig und nahm einen tiefen Zug aus seiner Zigarette. Ein langes Stück Asche bildete sich an ihrem Ende, und er bemerkte, dass Dafydd es anschaute. Auf dem Tisch stand kein Aschenbecher. Also ließ er die Asche in die Pastetenhülle fallen, die das saftige Elchfleisch enthalten hatte. Dafydd zuckte unwillkürlich zusammen. Lektion Nummer eins, dachte er entschieden, keine Allüren.

Eine attraktive dunkelhaarige Kellnerin erschien aus Richtung der Bar und kam an ihren Tisch. Sie wandte sich mit erkennbarer Vertrautheit an Ian und fragte: »Darf ich dir und deinem Freund etwas zu trinken bringen?«

»Bitte.« Ians Augen verschränkten sich kurz mit ihren. »Bring uns ein paar Flaschen Extra Old Stock und Eistee für die Dame.«

»Ich weiß, was ›die Dame‹ trinkt«, gab das Mädchen frech zurück. Dann zögerte sie. »Sind Sie der neue Arzt?« Sie stützte ihre Hand in die Hüfte und begutachtete Dafydd mit scharfem Kennerblick.

»Das ist Brenda«, mischte sich Brannagan ein und streckte die Hand aus, um die Kellnerin irgendwo in der Körpermitte zu berühren. »Bei ihr müssen Sie sich vorsehen. Sie lässt sich von niemandem was gefallen. Nicht wahr, mein Sonnenschein?«

Sheila Hailey stieß ein trockenes Glucksen hervor, während die beiden Männer zusahen, wie sich Brenda umdrehte und ging. Sie hatte stramme Beine, die energisch unter einem engen roten Rock hervorkamen und in prächtigen zweifarbigen Cowboystiefeln verschwanden. Ihr glattes schwarzes Haar schwang mit jedem scharfen kleinen Schritt absichtsvoll hin und her. Brannagan murmelte irgendetwas Anerkennendes. Dann rief er: »Herrgott, Sie trinken doch Bier, oder? Mal wieder typisch für mich, nicht zu fragen.«

Dafydd lachte. Er begriff, dass er keinen guten Eindruck zu machen brauchte. Jedenfalls nicht bei Brannagan. Er schien ein merkwürdiger Arzt zu sein.

»Sind Sie gebunden?«, fragte Sheila Hailey plötzlich.

»Wie bitte?«

»Sind Sie Single?«

»Ah, nun – ja.«

Brendas Stiefel klackten über den Holzfußboden zurück, und sie öffnete die Flaschenverschlüsse geschickt mit einer Hand. Kokett machte sie auf den Absätzen kehrt und marschierte klackend zurück zur Bar, wobei sich ihre Gesäßbacken unter dem eng anliegenden roten Stoff stolz aneinanderrieben.

»Gib dem Mann doch erst mal einen Moment, sich einzugewöhnen, ja?«, sagte Brannagan zu Sheila und versetzte ihr einen sanften Stoß mit dem Ellenbogen.

»O Gott, ich habe keinerlei Absichten«, versicherte sie und lächelte zum ersten Mal. »Ich versuche nur herauszufinden, wie lange er bleibt.«

Dafydd spürte ein empörtes Kribbeln im Nacken, aber er wollte nicht humorlos erscheinen. »Wieso interessiert Sie das?«, fragte er leichthin.

Obwohl die Frau mit ihrem herzförmigen Gesicht, ihren großen, durchdringenden Augen und ihren dichten roten Locken wunderschön war, hatte sie etwas bewusst Gehässiges an sich. »Nur mit der Ruhe«, meinte sie mit einem leicht herablassenden Lächeln. »Sie werden hier sehr gefragt sein. Das heißt, wenn Sie was taugen.«

Ian und Sheila lachten, doch Dafydd errötete peinlicherweise.

»Kein Grund zur Sorge«, sagte Ian und tätschelte seinen Arm. »Sie meint, als Chirurg, nicht als Mann.«

Dafydd versuchte, seinen Ärger zu verbergen, und wandte sich an Sheila. »Haben Sie etwas mit dem Krankenhaus zu tun, oder sind Sie … eine Freundin von Ian?«

Sheila und Ian wechselten einen kurzen Blick. Dafydd bemerkte die kurze Übereinkunft. Es war keine Wärme oder Zuneigung und auch keine Leidenschaft, sondern etwas anderes. Irgendetwas verband sie.

»Ich bin Ihre Oberschwester«, erklärte Sheila in einer Weise, die zweifellos zum Ausdruck bringen sollte, dass sie seine Chefin war. Ian sah sie ehrerbietig an. Offenbar akzeptierte er ihre Autorität vorbehaltlos.

Das kettenrauchende Paar in der Ecke hatte sich aus seiner Erstarrung gelöst und stritt sich nun. Die drei hörten dem betrunkenen Zwist ein paar Minuten lang zu. Es schien um die Rechte des Paares an einem Kleintransporter zu gehen. Sheila hob ihr Glas und kippte den Rest ihres Eistees hinunter. Dafydd betrachtete ihren Nacken. Er war zart und weiß wie Porzellan, abgesehen von zahlreichen Sommersprossen, die in dem gedämpften Licht jedoch kaum zu erkennen waren.

Sie stand auf. »Wir fangen um genau 7.45 Uhr an. Seien Sie pünktlich.« Als wolle sie ihren Befehl entweder unterstreichen oder abschwächen, legte sie, während sie an Dafydds Stuhl vorbeiging, eine gertenschlanke Hand auf seine Schulter. Die Berührung kühlte die Haut unter seinem Hemd und ließ ihn erschauern. »Bitte«, fügte sie im Nachhinein hinzu, und ohne noch ein weiteres Wort an Ian zu richten, war sie verschwunden.

Ian lächelte resigniert und zuckte die Schultern. »So ist Sheila«, seufzte er.

Eine Gruppe massiger Frauen stürmte durch den Bogengang herein. Sie trugen Jeans, Schirmmützen und Karohemden und sahen aus wie weibliche Versionen typischer Holzfäller. Lärmend setzten sie sich an einen Nachbartisch.

Ian warf den Kopf zurück und lachte über Dafydds erschrockenen Gesichtsausdruck. »Absolut nette Mädchen«, flüsterte er ihm warnend zu. »Sie können hier nicht allzu hohe Ansprüche stellen.«

»Gut, dann erzählen Sie mir, wie man hier seine Freizeit verbringt«, raunte Dafydd.

»Meinen Sie in Bezug auf Frauen oder allgemein?«

»Ich meine allgemein.«

»Wenn Sie an einer interessiert sind, können Sie mich vorher immer über sie befragen.« Brannagan zwinkerte ihm zu. »Ich sage Ihnen dann, ob sie's wert ist.«

Dafydd spürte wieder ein Unbehagen in sich aufsteigen. Okay, er war neu hier, aber er war nicht blöd. Zugleich wusste er, dass er sich nichts anmerken lassen durfte. Es konnte durchaus sein, dass er einen Verbündeten brauchte. Brannagan war ein Außenseiter wie er selbst, aber fraglos der Mann mit den erforderlichen Kenntnissen.

»Erzählen Sie mir etwas über Moose Creek.«

»Ach, Sie werden es schon bald herausfinden. Knapp über viertausend Seelen, etwa die Hälfte sind eingeborene Dene und Métis, ein paar Inuit und alle nur denkbaren weißen Eigenbrötler unter der Sonne. Eine ungute Mischung. Lebern wie Schweizer Käse. Wenn Sie keine Menschen mögen, gibt es hier jede Menge Bären – schwarze, Grizzlys …«

»Wie viele Personen arbeiten im Gaswerk?«

»So um die fünfhundert.«

»Und der Rest … was machen die?«

»Es gibt ziemlich viele Holzfällerarbeiten. Das Holz wird nur im Winter transportiert, wenn die Eisstraße offen ist. Das Neueste ist der Tourismus. Die Leute wollen auf die Jagd gehen oder mit dem Kanu über die Stromschnellen fahren.« Er zögerte einen Moment. »Sie können so ziemlich alles hier kaufen. Illegale Substanzen; alles, was Sie wollen.« Er hielt kurz inne, um sich einen Niednagel abzubeißen. »Ein bisschen Fallenstellerei ... illegale Hundekämpfe ... Sozialhilfe natürlich.«

»Es sieht nicht gerade nach einem prosperierenden Ort aus.«

»Hätte er sein können.« Mit plötzlicher Lebhaftigkeit lehnte sich Brannagan vor. »Vor drei, vier Jahren planten sie eine riesige Pipeline. Eine große Sache. Hier gibt's genug Öl und Gas, um den gesamten Nahen Osten aus dem Geschäft zu werfen. Aber haben sie's getan?«

»Ich hab darüber gelesen. Muss ein ziemlicher Schlag gewesen sein.«

»Und ob. Alle möglichen Blindgänger sind erwartungsvoll in den Norden geströmt. Fast wie ein Goldrausch. Ein paar von ihnen sind noch immer hier. Jeder hat darauf gehofft, einen Topf voller Gold zu bekommen, ohne viel dafür tun zu müssen. Warum, glauben Sie wohl, hat man dieses alberne Ding gebaut?« Brannagan machte eine höhnische Bewegung durch den Raum, der in einem Pseudo-Rokoko-Stil eingerichtet war. Dann hielt er zwei Finger in Richtung Bar hoch und nickte. Der von der Bar kommende Lärm war selbst aus der Entfernung noch ohrenbetäubend. Heiseres männliches Gelächter dominierte die Kakofonie, die mit gelegentlichen Rufen und schrillem weiblichem Gekreisch durchsetzt war. Kurz darauf brachte eine andere Kellnerin zwei weitere Flaschen.

»Das ist Tillie«, stellte Brannagan sie mit einem Zwinkern vor.

Tillie war eine Frau von unbestimmtem Alter zwischen zwanzig und vierzig. Sie war sehr klein, aber ungeheuer üppig. Dennoch wirkte sie eigenartig attraktiv. Ihre funkelnden blauen Augen, eine Stupsnase und ein Rosenmund glichen einsamen Inseln in einem wogenden Meer aus Gesichtsfleisch. Sie hatte dichtgelocktes blondes Haar. Ihre gesamte Erscheinung ließ an eine sehr sinnliche und erwachsene Shirley Temple denken.

»Hallo Doktor«, sagte sie mit süßer Stimme. »Willkommen in Moose Creek. Ich hoffe, Ihnen gefällt es hier.«

»Das wäre eine warme, mütterliche Brust, auf die man sein müdes Haupt betten könnte«, seufzte Brannagan, nachdem Tillie gegangen war. »Aber sie ist an solchen Sachen nicht interessiert.«

Brannagans hemmungsloses Verhalten und sein völliges Fehlen von Manieren steckten Dafydd plötzlich an. Vielleicht wurde er allmählich betrunken. Er stellte sich vor, seine Erbärmlichkeit an diesem Ort abzuschütteln, an dem ihn niemand kannte und an dem er sein konnte, was er verdammt noch mal sein wollte.

Brannagan lächelte ihn an, als wisse er ganz genau, was Dafydd dachte. »Also haben Sie irgendwas hinter sich gelassen. Gibt es niemanden, der zu Hause sehnsüchtig auf Ihre Heimkehr wartet?«

»Nein«, erwiderte Dafydd knapp, um sich nach einer Pause zu korrigieren: »Das stimmt nicht ganz. Ich musste meine Mutter in ein Pflegeheim bringen, bevor ich hier rauskam. Parkinson. Aber sie ist noch völlig auf Draht. Es war nicht schön, das tun zu müssen. Meine einzige Schwester ist mit einem Australier verheiratet. Wir haben sie seit vier Jahren nicht mehr gesehen. Ich hab versucht, einen Job in Australien zu bekommen, um wieder eine Verbindung zu ihr herzustellen, aber dann bot sich das hier an.«

Brannagan musterte ihn mit schweren Lidern und zur Seite geneigtem Kopf. »Ja, das habe ich gemeint. Warum das hier?«

Es ging wieder los. Wenn man ihm doch nur erlauben würde, die ganze Sache vollständig hinter sich zu lassen. Er würde nie wieder darüber sprechen, wenn er die Wahl hätte. Er musste es vergessen, wenn er sich sicher fühlen und effektiv sein wollte.

»Ich war gelangweilt, rastlos, brauchte eine Veränderung«, antwortete Dafydd und versuchte, unbeschwert zu klingen. »Ich hatte gerade meine Ausbildung beendet und wollte keine Chirurgentätigkeit annehmen, die mich für die nächsten dreißig Jahre eingekerkert hätte.«

»Wirklich? Trotzdem haben Sie sich ein komisches Ziel ausgesucht«, insistierte Brannagan und blickte ihn durch den Rauch seiner Zigarette eindringlich an. »Ich habe Ihren Lebenslauf gesehen. Ziemlich beeindruckend. Sie hätten unter den besten Angeboten wählen können.«

Dafydd nickte müde, da ihm die Rechtfertigungen ausgingen. »Und wie lautet Ihre Ausrede?«

»O Gott«, seufzte Brannagan und versuchte offenbar, noch betrunkener zu klingen, als er war. »Wie viel Zeit haben Sie?« Er schaute auf eine imaginäre Uhr an seinem Handgelenk. »Ich vermute, dass Sie morgen in Ihren Wohnwagen ziehen werden. Ich hab die dunkle Ahnung, dass er nicht aufgeräumt wurde, seit Odent fortgegangen ist, und er hatte einige merkwürdige Angewohnheiten. Ich werde Ihnen irgendwann darüber berichten. Am besten, Sie misten selbst aus, das ist sicherer.« Er schwankte leicht auf seinem Stuhl, dann kippte er den Rest seines Bieres hinunter. »Übrigens, Sie brauchen da nicht einzuziehen, nur weil Hogg ihn den ›Wohnwagen für Vertretungen‹ nennt. Er steckt die Miete ein, weil ihm das beschissene Ding gehört.« Ians Gelächter hatte einen spöttischen Unterton, und er schlug Dafydd auf die Schulter. »Wenn er Ihnen nicht gefällt, sagen Sie's ihm … Okay, Kumpel?«

»In Ordnung.« Dafydd erhob sich steif. Er hatte genug.

»Nein, Mann, ich übernehm das.« Ian legte eine Hand auf Dafydds Portemonnaie, während er mit der anderen in seinen Taschen herumsuchte. »Sie sind der Neue. Das geht auf die Klinik.«

Dafydd tat jeder Knochen und Muskel weh. Sein Kopf drehte sich, und ihm schmerzte die Brust. Eine Kombination aus Jetlag, Luftveränderung und allgemeiner Überlastung, außerdem zu viel süßer Wein und Extra Old Stock. Plötzlich sehnte er sich danach, sich aufs Ohr zu legen.

»In aller Frühe also, mein Junge.« Brannagan stieß die Stühle lärmend aneinander, als er sich erhob. »Hogg ist ein jämmerlicher Manager, aber er pocht auf Pünktlichkeit. Ebenso ›der Boss‹, wie Sie zweifellos bemerkt haben.«

Dafydd verabschiedete sich von Ian Brannagan und suchte nach den Treppen, die ihn in die Sicherheit seines Zimmers führten. Er durchwühlte seine Sachen, bis er seinen Bademantel fand, und huschte über den Flur zum Badezimmer, wo er das Wasser einließ. Bis zum Hals untergetaucht, döste er vor sich hin, aber schließlich ließ ihn das auskühlende Wasser zittern und aufwachen. Die Geräusche von unten waren abgeflaut. Vielleicht schloss die Bar. Dafydd hatte keine Ahnung, wie spät es war. Er stieg aus der Wanne und trocknete sich mit einem schmuddeligen gelben Handtuch ab, zog seinen Bademantel über und machte sich auf den Weg zu seinem Zimmer. In dem schmalen Flur stieß er mit der dunkelhaarigen Kellnerin zusammen.

»Hallo Dafydd«, sagte sie und ließ ihren Blick über seinen locker zusammengebundenen Bademantel streifen.

»Ja, gute Nacht.« Er schob sich an ihr vorbei.

»Kann ich Ihnen irgendetwas bringen … einen Schlummertrunk? Ich bringe ihn in Ihr Zimmer, wenn Sie das wünschen.«

Dafydd sah sie sprachlos an. War dies das, wofür er es hielt? »… 'ne Menge Frauen, die nicht zögern würden …« Hatte das nicht seine geriebene Taxifahrerin gesagt? Und sie verloren offenbar keine Zeit.

»Danke, äh … Brenda. Ich habe alles. Aber trotzdem danke.« Er fürchtete, sehr naiv zu erscheinen. Sie war ausgesprochen sexy. Aber einfach so … heute Abend?

Brenda lächelte. »Sind Sie sich da ganz sicher?«

»Mhm … ja«, nickte er.

»Okay.« Sie zuckte unbeschwert die Schultern und zeigte damit, dass sie wegen der Zurückweisung nicht gekränkt war. »Dann schlafen Sie gut.« Sie drehte sich flink um, und ihr Gesäß wackelte sinnlich hin und her, während er gebannt zusah, wie sie sich den Flur entlang von ihm entfernte.

Er spürte, wie etwas regelmäßig gegen das Bett stieß. Die Erschütterungen stiegen sein gesamtes Rückgrat bis in seinen Schädel hoch. Gleichzeitig war es, als klopfe jemand mit einem kleinen Hammer gegen seinen Kopf – schnelle, böse Schläge. Dafydd fuhr senkrecht aus dem Schlaf hoch und spähte in der Dunkelheit um sich. Es schien niemand da zu sein, aber das Gehämmer ging weiter, wurde schneller und heftiger. Jäh hörte es auf, und ein langes tiefes Stöhnen folgte. Dafydd spitzte die Ohren, um die Quelle des mysteriösen Lärms auszumachen. Dann hörte er Stimmen und Gelächter.

Verflucht. Die Wand, die ihn von dem kopulierenden Paar trennte, war dünn wie Pappe, und ihr Bett stand direkt an seinem. Nach ein paar Minuten heiserer Unterhaltung schienen seine erschöpften Nachbarn einzuschlafen. Während er ihren Geräuschen lauschte, glaubte er deutlich zu spüren, wie der kitzelnde Luftzug ihres Atems über sein Gesicht hinwegstreifte. Er stieg aus dem Bett und begutachtete die Wand. An mehreren Stellen tippte er sie vorsichtig an, und sie begann leicht zu schwingen. Tatsächlich Pappe. Einer der beiden Liebenden schlug mit der Faust gegen das dünne Material. Es bebte bedenklich.

»Verdammt noch mal!«, erscholl die schroffe Stimme eines Mannes. »Es gibt hier Leute, die schlafen wollen!«

»So ist es«, gab Dafydd ruhig zurück.

Er versuchte, es sich wieder auf der knubbeligen Matratze bequem zu machen. Unter seinen nackten Hinterbacken spürte er etwas Grobkörniges. Seine Hand tastete prüfend nach unten. Es fühlte sich wie kleine Krümel an. Vielleicht war es sogar Dreck von jemandem, der sich nicht die Mühe gemacht hatte, seine Stiefel auszuziehen. Hoggs verschmutzter Wohnwagen konnte wohl kaum schlimmer sein, egal, was Dafydds Vorgänger, »Monsieur Docteur Odent«, dort angerichtet haben mochte. Einer seiner Nachbarn furzte. Verärgert drehte Dafydd ihnen den Rücken zu und nahm mit angezogenen Knien eine Embryohaltung ein, um sich vor weiteren Beleidigungen zu schützen. Eine kurze Zeit schlief er unruhig, um dann plötzlich wieder hochzufahren.

Es war auf den Tag genau sieben Monate her. Selbst jetzt konnte er sich noch an die unzähligen Gläser Tequila erinnern, die er hatte hinunterschütten müssen, unterbrochen von dreifachen Jack Daniels und mehreren Glas Bier. Jerry und Phillipa, zwei seiner lebensfrohen Kollegen in Bristol, hatten diese Party ihm zu Ehren organisiert. Teilweise, um seinen zweiunddreißigsten Geburtstag zu feiern, aber vor allem, weil er seine Ausbildung abgeschlossen hatte und sich nun um einen Facharztposten bewerben konnte. Erst um fünf Uhr morgens war er ins Bett gekommen – froh, dass er sich den Tag als Teil seines Jahresurlaubs freigenommen hatte.

Um sieben Uhr morgens klingelte das Telefon.

»Woodruff«, hörte er Briggs, den leitenden Facharzt, »ich kann Sie auf keiner der Listen finden.«

»Ah … nein, ich habe heute frei.«

»Egal. Ich möchte, dass Sie mir einen Gefallen tun.«

Kaum hatte Dafydd aufgelegt, da überkam ihn eine dunkle Vorahnung. Es war, als habe der Schaden, den die Unmengen konsumierten Alkohols in seinem Gehirn angerichtet hatten, seinen sechsten Sinn mobilisiert. Wenn er den blöden Kerl bloß zurückgerufen und sich geweigert hätte, seine Bitte zu erfüllen; er hätte Briggs erzählen sollen, dass er noch immer betrunken und arbeitsunfähig war oder was auch immer. Stattdessen stolperte er unter die Dusche, schluckte Paracetamol, Mundwasser und Instantkaffee, zog sich das am wenigsten verschmutzte Hemd über, das er finden konnte, und dazu eine Trainingshose und fuhr – auch das noch – zum Krankenhaus. Na, und wenn schon; viele Leute taten das, betranken sich und fuhren am nächsten Tag zur Arbeit. Assistenzärzte waren für ihre Sauforgien bekannt – eine Art von Flucht vor dem gnadenlosen Arbeitsplan, der erdrückenden Verantwortung und den Stunden, in denen sie für ihre Examina pauken mussten.

Dafydd war sofort auf die Station gegangen, um nach dem kleinen Jungen, Derek Rose, und seiner Mutter zu sehen. Er war sich seiner rot geränderten Augen und seines verräterischen Atems bewusst. Aber er hätte sich nicht zu sorgen brauchen, dass er keinen guten Eindruck machte. Sharon Rose war eine arme, alleinerziehende Mutter um die zwanzig. Sie trug durchgescheuerte Jeans und eine billige Arbeitsjacke, und ihre gelb verfärbten Finger wirkten nervös, als giere die Frau nach einem Glimmstängel. Sie gehörte zu jenen Unglückseligen, die an die Allmacht der Ärzte glaubten – Männer und Frauen in weißen Kitteln, deren Meinung nicht in Frage gestellt werden sollte, weil sie sich nicht irren konnten.

Dafydd wünschte, er hätte sie gleich dort eines Besseren belehrt und ihr mitgeteilt, dass er ihren Sohn aufgrund seines Zustands nicht operieren konnte. Aber Briggs hatte ihn eingeschüchtert und seine Einwände beiseitegewischt. Dafydd galt jetzt als fertig ausgebildeter pädiatrischer Chirurg, auf der Schwelle zum Facharzt, und Briggs' Empfehlung würde außerordentlich wichtig für seine weitere Laufbahn sein.

Während er sich für die Operation die Hände desinfizierte, blieb seine Besorgnis bestehen. Es war nicht nur seine Übelkeit und sein leicht zittriger Blick. Es war vor allem die Vorahnung drohenden Unheils. Aber er war Realist, nicht abergläubisch. Obwohl seine Instinkte ihm rieten, sich zurückzuziehen, machte er weiter und zog sich die Latexhandschuhe über.

Alles schien nach Plan zu verlaufen. Die Organentnahme war leicht, und er dachte schon, er habe sich grundlos gesorgt. Einen Moment lang hielt er die Niere des Jungen in der Hand. Dann betrachtete er sie genauer und war erstaunt. Außer einer kleineren Entzündung sah sie nicht besonders erkrankt aus, obwohl die Röntgenaufnahme eine gewisse kanzeröse Vergrößerung zeigte. Fraglos befand sich der Tumor innen, aber dennoch …

Als er die Hände ausstreckte, um die Niere in die Schale zu legen, welche die Schwester ihm hinhielt, flüsterte ihm die Assistenzärztin plötzlich etwas ins Ohr. Ihre Stimme hatte eine scharfe Dringlichkeit, und sie ergriff, viel zu fest, seinen Arm und zeigte auf die Röntgenaufnahme. Seine Hand verharrte mitten in der Luft, und er blickte auf das Bild. Sein Herz verkrampfte sich schmerzhaft, und er spürte, wie das Blut aus seinem Gesicht wich.

Es konnte passieren, und es passierte; nicht oft, aber es geschah. Trotz all seiner Sorgfalt und Konzentration hatte das Unglück durch ein Etikett seinen Lauf genommen. Er hatte das Etikett auf der Röntgenaufnahme nicht genau genug geprüft, und jetzt bemerkte er, dass sich der kleine weiße Aufkleber auf der Rückseite befand. Das Bild von den inneren Organen des Jungen war falsch herum gedreht worden. Es war so verrückt, dass es den Stoff für Cartoons hätte abgeben können, wäre dadurch nicht das gesamte künftige Leben des Jungen in schreckliche Gefahr geraten. Er hatte sich zu sehr auf die bevorstehende Operation konzentriert, auf das Fleisch und Blut des Jungen, und vergessen, sich vorsichtshalber noch einmal bei der Mutter zu erkundigen oder die Krankenakte gründlich zu lesen.

Der katastrophale Fehler ließ ihn taumeln. Er musste sich von der Assistenzärztin ablösen lassen. Magensaft stieg in seiner Kehle hoch, und er rannte zur Toilette. Zurück blieb ein geschocktes und von Panik erfülltes Team, dem er es überließ, sich mit den Folgen seines Handelns zu befassen und in rasender Eile nach einem Transplantationschirurgen zu suchen, der die Niere retransplantieren konnte.

Sein eigener Anteil an der Wiedergutmachung hatte darin bestanden, Sharon Rose gegenüberzutreten und sie darüber zu informieren, was er getan hatte. Zumindest das hatte er getan. Ihre Ungläubigkeit war niederschmetternd, seine Scham und Reue grenzenlos. Danach verfiel er in eine schwere Depression, die ihn bis ins Mark lähmte. Es war leicht zu verstehen, warum sich manche Ärzte das Leben nahmen.

Er wurde sofort vom Dienst suspendiert, und man leitete eine Untersuchung gegen ihn ein. Briggs rief ihn zu Hause an und meinte, er solle seinen »Gartenurlaub« genießen. Er werde Dafydds Kompetenz bescheinigen. Schließlich sei das alles unter »außergewöhnlichen Umständen« geschehen.

»Ja. Ein blödsinniges Golfspiel«, rief Dafydd in die Dunkelheit des fremden Raumes und dachte dabei an die »außergewöhnlichen Umstände«, die Briggs bewogen hatten, ihn um den unheilvollen Gefallen zu bitten.

Damals schien seine Karriere ruiniert zu sein. Er wusste nicht, ob er, unabhängig vom Ausgang der Untersuchung, künftig noch als Arzt arbeiten konnte. Zwei Monate später wurde er entlastet. Man gab Briggs die Schuld an dem Fehler, weil er als leitender Facharzt die Verantwortung trug und Derek Rose sein Patient war. Die ganze Angelegenheit wurde als »Systemfehler« heruntergespielt.

Für Dafydd war es kein Sieg. Dem kleinen Jungen war inzwischen seine von Krebs befallene Niere entfernt worden, und seine andere, einst völlig gesunde Niere arbeitete nicht mehr einwandfrei und war verwundbar. Daran trug Dafydd die Schuld. Er hätte Derek mit Freuden eine seiner eigenen Nieren überlassen, wenn das machbar gewesen wäre. Ein lautes Prasseln war zu hören, und heißes Wasser begann zischend durch Leitungen zu fließen. Offenbar nahte der Morgen. Dafydd stemmte sich aus dem Bett, trat ans Fenster und zog den dunklen Vorhang zur Seite. Zu seiner Überraschung herrschte draußen schon helles Tageslicht, obwohl es erst 3.45 Uhr war. Er zog an dem Fenster. Es war so konstruiert, dass es sich nur einen Spaltbreit aufklappen ließ, aber er genoss die hereinströmende kalte Luft. Am Fensterrahmen hing lose ein Insektennetz. Als Dafydd auf die Straße hinunterblickte, stellte er fest, dass alles mit einer Staubschicht bedeckt war. Die Umgebung schien mit einem feinen grauen Puder besprüht worden zu sein. Kein Wunder, dass sich Martha Kusugaq über seinen guten Anzug lustig gemacht hatte.

Ein einsamer Hund streunte die Straßenmitte entlang. Ein ausgezehrtes, räudiges Geschöpf, das dennoch frech wirkte. Der Hund blieb stehen und sah aus runden Augen zu Dafydd empor. Dann trabte er weiter, auf sein Ziel zu. Dafydd schirmte seine Augen gegen das helle Licht ab und blickte ihm nach, bis sein knochiges Hinterteil auf der Straße gen Norden in der Ferne verschwunden war. Irgendwo dort, am Ufer des Nordpolarmeeres, lagen Inuvik und Tuktoyaktuk. Knapp tausend Kilometer südöstlich befand sich Yellowknife. Dazwischen gab es nichts als ein paar winzige Siedlungen.

Von einer plötzlichen Niedergeschlagenheit ergriffen, zog Dafydd den staubigen Vorhang vor die taghelle Nacht und legte sich wieder ins Bett, zwischen das Decklaken und die fleckige rosafarbene Daunendecke aus Satin.

KAPITEL

Cardiff, 2006

Lieber Dafydd,
ich bin froh, dass Du den Brief von Miranda beantwortet hast, obwohl ich nicht verstehe, warum Du sie, in diesem Stadium, völlig desillusionieren willst. Nun, ich vermute, dass es ein gewisser Schock gewesen sein muss, erst all diese Jahre verstreichen zu lassen und zu vergessen, was geschehen ist, und dann daran erinnert zu werden, was Du zurückgelassen hast. Du hattest offensichtlich keinerlei Interesse oder Pflichtgefühl, da wir nie ein Wort von Dir gehört haben.

Du hattest fast dreizehn Jahre der Freiheit von Pflichten und Sorgen, aber ich fürchte, dass das Problem jetzt angesprochen werden muss. Zwillinge ohne Vater aufzuziehen war nicht leicht, weder finanziell noch sonst wie.

Ich weiß, dass Du verheiratet bist, aber ich bin sicher, Deine Partnerin wird als Frau verstehen, dass Du Pflichten gegenüber Deinen natürlichen Kindern hast.

Du hast meine Nummer. Es hat keinen Sinn, es aufzuschieben.

Mit den besten Grüßen
Sheila Hailey

Ein Sturm war angekündigt worden, und der Wind fegte heftig um die Rückseite des Hauses. Dafydd saß am Küchentisch, goss sich ein Glas Wein ein und wartete darauf, dass Isabel den Brief las. Sie stand am Fenster und hielt den Brief gegen das Licht, wie sie es manchmal mit Geldscheinen tat, um deren Echtheit zu überprüfen. Aber er wusste, dass dieses kleine Ritual für ihn gedacht war. Die Art, wie sie auf das Papier schielte, wobei sich ihre Augenbrauen fast in der Mitte trafen …

Was er ihr nicht gezeigt hatte, war ein dem Brief beigelegter Schnappschuss: ein molliges dunkelhaariges Mädchen, das ihren Arm um einen dünnen, schlaksigen Jungen mit langem rotem Haar gelegt hatte. Für Zwillinge sahen sie völlig unterschiedlich aus, und keiner von beiden hatte auch nur eine entfernte Ähnlichkeit mit ihm.

»Lies ihn doch endlich.« Unter dem Tisch falteten seine Hände den Umschlag wieder und wieder, bis ein fester kleiner Würfel entstanden war. »Was glaubst du finden zu können? Fingerabdrücke?«

Sie starrte ihn wütend an. Nachdem sie den Brief gelesen hatte, drehte sie ihm das Gesicht zu. »Du hast ihnen geschrieben. Warum um alles in der Welt hast du das getan? Ich dachte, wir hätten vereinbart …«

Ein lautes Klirren rettete ihn vor ihrer Verärgerung, wenigstens zunächst einmal. Dafydd eilte ins Speisezimmer und blickte durch das Fenster nach unten in den langen, schmalen Garten. Der Werkzeugschuppen schaukelte bei jedem Windstoß auf seinem Fundament hin und her. Isabel war ihm gefolgt.

»Der Schuppen fliegt gleich weg.« Dafydd schaute auf das winzige Gebäude und spürte eine klammheimliche Freude über die Kräfte der Natur, auch wenn sie zuweilen zerstörerisch waren.

»Warum tust du solche Dinge hinter meinem Rücken? Wir hatten doch vereinbart, gemeinsam damit umzugehen.«

»Wenn der Schuppen gegen das Gewächshaus knallt … Herrje, sieh mal die Bäume!«

Das Haus war eine kräftige viktorianische Konstruktion, aber die beiden riesigen Blutbuchen im Garten standen viel zu dicht daran.

»Lass uns hoffen, dass mit unserer Versicherung alles stimmt.«

Isabel packte ihn am Arm und riss ihn zu sich herum. »Zur Hölle mit den Bäumen! Zur Hölle mit der Versicherung! Sag etwas zu dem hier!« Ihre Stimme übertönte den heulenden Wind, und sie stach mit dem Finger auf den Brief ein, der sich noch immer in ihrer anderen Hand befand.

Es war noch keine Woche vergangen, seit er dem Mädchen geschrieben hatte. Er hatte angenommen, dass die Post lange brauchen würde, um in die Nordwestlichen Territorien zu gelangen. Früher war das so gewesen.

Er blickte in Isabels erregtes Gesicht. Ihre Augen, dunkel und intensiv, bohrten sich zornig in seine.

»Hör mal, ich habe darüber nachgedacht und beschlossen, es nicht länger über mir schweben zu lassen. Darum habe ich einfach zurückgeschrieben und dem Mädchen erklärt, dass ihrer Mutter irgendein Irrtum unterlaufen ist und dass ich unmöglich ihr Vater sein kann. Und dass ich ihr Glück bei der Suche nach ihrem wirklichen Vater wünsche. Das ist alles.«

»Ich würde gern sehen, was du geschrieben hast.«

Er hatte keine Kopie seines Briefes aufbewahrt, und nun wurde ihm klar, dass es klug gewesen wäre, das zu tun. »He … tut mir leid …« Er griff nach ihrer Hand und zog sie an sich. »Ich weiß, dass wir beide davon betroffen sind, aber lass mich die Sache erledigen. Ich habe Andy angerufen, und er riet mir zu schreiben und ihnen mitzuteilen, dass sie die falsche Person ausgewählt haben. Ich bring das in Ordnung. Vertrau mir, ja?«

Er wollte zuversichtlich klingen, aber Sheila Haileys Brief war schockierend eindeutig. Er war ein echter Test für Isabels Vertrauen, und er spürte ihre Zweifel. Ihr Körper versteifte sich in seinen Armen.

»Nein.« Isabel entwand sich seiner Umarmung. »Geh den offiziellen Weg. Bitte Andy, direkt an diese Frau, diese Sheila zu schreiben.« Sie zog ihren alten Tabakbeutel aus der Tasche ihres Hemdes und drehte sich eine Zigarette. »Ich weiß, was du mir über Sheila und all das Zeug zwischen euch beiden erzählt hast, also spar dir die Mühe, es zu wiederholen. Aber sie klingt sehr sicher. Offenkundig will sie Geld und denkt, dass du es ihr geben wirst.«

Isabel schätzte Sheila vielleicht richtig ein, aber er konnte nicht begreifen, dass Sheila für ein bisschen Geld bereit war, ihre Kinder den Problemen und Verletzungen auszusetzen, die möglicherweise durch diese Farce erzeugt wurden. Er spielte mit dem Gedanken, eine kanadische Kinderschutzorganisation zu kontaktieren und sie um eine Überprüfung zu bitten. Schließlich war die Frau gestört, sie musste es sein. Sollte sie wirklich die Verantwortung für zwei verletzliche Jugendliche tragen? Er regte sich heftig darüber auf. Das Mädchen war in eine Fantasiewelt gezogen worden, in der er die Rolle des Vaters spielte, nach dem sie sich sehnte, der Mann, der eventuell die Rettung war vor … Nur Gott wusste, aus welchem merkwürdigen und zerrütteten Umfeld.

Er ließ Isabel am Fenster stehen und ging in die Küche, um die Weingläser zu holen. Er stellte sie in den Wintergarten, eine Spezialanfertigung, in der sie während der sechs Sommer ihrer Ehe oft geschlafen hatten. Jetzt wirkte er feucht, zugig und instabil. Die Konstruktion würde bald unsicher sein. Ihm kam der Gedanke, dass es keinen weiteren Sommer mehr geben würde.

»Komm her«, rief er Isabel zu. »Lass uns ein Teil der Elemente sein.«

Isabel folgte ihm und schaute ängstlich zum Glasdach hoch. Sie wickelte eine alte Steppdecke um sich und drückte sich in eine Ecke des Sofas, ziemlich weit weg von ihm. Ihre große Gestalt wirkte zusammengestutzt, und sie hatte etwas von dem kleinen Fettpolster an den Hüften verloren, das sie schon immer hatte loswerden wollen. Ihr Gesicht war blass, ihre hervorstehenden Wangenknochen warfen tiefe Schatten auf die Wangen, und ihr dickes, schulterlanges Haar war kürzlich geschnitten worden, aus einer Laune heraus ziemlich plump zu einem Bubikopf abgesäbelt, der ihr nicht sonderlich gut stand. Sie war nie hübsch gewesen, zu keinem Zeitpunkt bezaubernd, aber sie verfügte über eine außergewöhnliche erotische Ausstrahlung, eine Anmut und Gelassenheit, die andere dazu brachte, sich nach ihr umzudrehen. Er erinnerte sich daran, welche Ehrfurcht sie ihm anfangs eingeflößt hatte.

Als er sie betrachtete, spürte er, wie seine Frustration wuchs. Der Zeitpunkt dieser Sendschreiben aus Kanada lag überaus unglücklich. Er hatte auf den richtigen Augenblick gewartet, es ihr zu erzählen. Aber wie konnte er sie jetzt damit überfallen?

»Weißt du was, Dafydd, du solltest sie bitten, sich einem DNA-Test zu unterziehen. Ich glaube, dass sie nicht damit aufhören werden, wenn du nicht klar Stellung beziehst. Diese Geschichte könnte sich in die Länge ziehen ...«

Er setzte sich neben sie und nahm ihre Hand. »Du hast recht.« Ihre Hand war kalt und sah bläulich aus. Er küsste sie sanft. »Lass es uns zu Ende bringen. Ich werde Sheila Hailey anrufen und sie auffordern, sofort einen Gentest zu machen und keinerlei Verbindung mehr zu mir aufzunehmen, bis alles abgeschlossen ist. Ich bin sicher, dass wir dann nichts mehr von ihnen hören werden.«

»Mir tun die Kinder leid«, seufzte Isabel und legte den Kopf auf seine Schulter. »Du wärest solch ein wunderbarer Vater.« Er konnte den Kummer in ihrer Stimme hören. Sie hob die Hand und strich mit den Fingern durch sein Haar. »Vielleicht hört es sich verrückt an, aber in gewisser Weise wäre es nicht nur negativ gewesen. Eine Teilzeit-Elternschaft mit Besuch der Kinder während der Sommerferien. Ich glaube, ich hätte damit klarkommen können. Vielleicht wäre das die beste Sache gewesen, die uns hätte passieren können. Zumindest wären es deine Kinder gewesen.«

Dafydd atmete tief durch und schloss die Augen. »Oh, das meinst du doch bestimmt nicht so.«

»Sagt man nicht, dass kinderlose Paare, die Kinder adoptieren, plötzlich, wenn der Druck weg ist, feststellen, dass sie schwang...«

»Das ist ein Märchen«, unterbrach er sie schroff. Vielleicht war jetzt der richtige Zeitpunkt gekommen, es ihr zu sagen? Ja, warum nicht.

»Isabel, es gibt da etwas, worüber wir sprechen müssen.«

Ein heftiger Windstoß rüttelte an den Glasscheiben, und beide sprangen gleichzeitig auf. Der Sturm riss an dem Gebäude und ließ die hölzernen Verbindungen quietschen und heulen wie ein schmerzerfülltes Kind. Der Schuppen am Ende des Gartens hüpfte scheppernd, als der Wind ihn plötzlich umschlang und wie einen Strandball über das Gras rollen ließ. Er verkeilte sich am Zaun.

»Mein Gott«, stieß Dafydd hervor. »Lass uns die Luken sichern und die Türen verriegeln.«

»Ich werde dich festbinden«, flüsterte Isabel ihm ins Ohr. Sie ergriff seine Hand und zog ihn vom Fenster weg zur Treppe. »Es gibt kein besseres Mittel gegen sinkende Geburtenraten als einen Hurrikan.«

Der Wind wurde stärker, als er mühsam durch den tiefen Schnee stapfte und einem kleinen Fuchs folgte. Es war trockener Pulverschnee, der laut unter seinen Füßen knirschte. Über ihm ragten hohe Bäume empor, Fichten und Tannen. Mit jedem Schritt sanken seine Füße tiefer ein, und der Wind blies ihm die eisigen Flocken in die Augen. Er konnte nicht sehen, wohin er ging, und merkte, dass er die Spuren des Fuchses verloren hatte. Das Tier war vorangeflitzt. Er rief hinter ihm her, weil er wusste, dass der Fuchs versuchte, ihn irgendwohin zu führen. An irgendeinen wichtigen Ort.

Plötzlich spürte er einen unerträglichen Schmerz an einem Bein. Er warf den Kopf zurück und schrie. Das Echo hallte zwischen den Bäumen wider. Wölfe antworteten ihm heulend aus der Ferne. Er wand und drehte sich heftig, um sich zu befreien. Dann sah er, dass die Fänge einer Schlagfalle sein Bein umklammerten. Die schwarzen Stahlzähne hatten seinen Knöchel durchbohrt. Blut pulsierte aus der Wunde und färbte den weißen Schnee scharlachrot.

Die Wölfe waren herbeigeeilt und bildeten unter den Bäumen einen Kreis um ihn. Die Nacht war schwarz, und er konnte die Wölfe kaum erkennen, aber ihre gelben Augen leuchteten, während sie ihn lautlos beobachteten. Er zog sein Bein an den Mund und begann, an seinem Fleisch zu nagen, um sich zu befreien. Dabei schrie er.

Isabel strich ihm über die Stirn. »Wach auf«, rief sie und tätschelte seine Wangen. »Ich glaube, du brütest gerade eine Krankheit aus. Du bist schweißgebadet. Ich stehe auf und mache dir eine Tasse Tee.«

»Nein, bleib liegen, mir geht's gut. Es war bloß ein Traum.«

Es war vier Uhr morgens. Der Wind peitschte noch immer über den Dachgiebel direkt über ihren Köpfen. Der Traum hatte den Geruch der Angst in seiner Nase zurückgelassen. Er hatte einen tiefen Einblick bekommen, was es hieß, gejagt zu werden und gefangen zu sein. Zitternd spähte er zum Wecker. Dann erinnerte er sich an ihren Plan. Er berechnete den Zeitunterschied. Zögernd erhob er sich aus dem Bett.

»Möchtest du mithören, oder soll ich nach unten gehen?«

Als Isabel ihn irritiert ansah, zeigte er auf das Telefon. Sie schüttelte energisch den Kopf. Er zog sich seinen Trainingsanzug und ein Paar dicke Socken an. »Ich komm gleich wieder«, sagte er lächelnd.

Er trug das Telefon ins Wohnzimmer und entfaltete Mirandas Brief. Der Anblick brachte ihn immer noch aus der Fassung. Nicht wegen des Inhalts, sondern wegen der plötzlichen Turbulenz, die der Brief in seinem Leben ausgelöst hatte, weil mühsam verdrängte Dinge wieder hochgespült worden waren. Er fand die Telefonnummer und wählte die Ziffern.

»Hallo.«

Er erkannte die Stimme sofort, sogar nach all den Jahren.

»Hier ist Dafydd Woodruff«, begann er förmlich. »Wir müssen uns unterhalten.« Ärgerlicherweise zitterte seine Stimme leicht, und sein Mund war knochentrocken geworden.

»Keinen Moment zu früh, Dafydd«, erwiderte Sheila Hailey mit einem amüsierten Unterton. »Also hast du meinen Brief erhalten?«

»Warum tust du das?«

»Ich tue das, wie du es ausdrückst, weil mich Miranda seit zwei Jahre bedrängt und mich fragt, wer ihr Dad ist. Und irgendwann fand ich es nicht fair, sie weiter im Dunkeln tappen zu lassen. Mark ist es egal, aber er sollte es ebenfalls wissen.«

Lang verdrängte Gefühle stiegen wie die Flamme eines Lötbrenners in ihm hoch. »Was für ein idiotisches Spiel versuchst du hier abzuziehen?« Er bremste sich. Es war nicht gut, das Gespräch in diesem Ton zu beginnen.

»Du kannst herumtoben, so viel du willst, Dafydd«, sagte Sheila kühl, »es ändert überhaupt nichts. Du bist der

Vater meiner Zwillinge, und du solltest dich besser daran gewöhnen. Nimm dir Zeit. Unterdessen könntest du anfangen, ein wenig Unterhalt für sie zu zahlen. Schließlich habe ich dich fast dreizehn Jahre lang verschont.«

»Ich habe dich nie angerührt«, schrie Dafydd. Dann erinnerte er sich an das, was er getan hatte, und zuckte zusammen.

»Oh, Dafydd, tu nicht so. Ich weiß, dass du betrunken warst, aber du kannst es unmöglich vergessen haben.« Sie klang ruhig und vernünftig. »Erst hast du mich unter Drogen gesetzt, um mich ins Bett zu kriegen, und als ich dann schwanger war und dich bat, es zumindest abzutreiben, hast du mir das nicht nur verweigert, sondern mich sogar noch angegriffen. Du kannst froh sein, dass ich nicht zur Polizei gegangen bin. Hinter deinem schmierigen britischen Snobismus bist du wirklich nichts als ein Verbrecher.«

»Wie bitte? Die Abtreibung ... natürlich, die habe ich verweigert ... das hatte nichts mit mir zu tun. Wovon, zum Teufel, redest du – ich soll dich unter Drogen gesetzt haben, um dich ins Bett zu kriegen? Nichts davon ist geschehen.« Dafydd hielt ungläubig inne. »Du beschuldigst mich der Vergewaltigung?«

»Was war es denn deiner Meinung nach? Ein freundschaftlicher Fick? Schwer zu beweisen, weil es bei dir passiert ist, und ich konnte auf den Ärger gern verzichten. Du weißt ja, wie die Gerüchteküche von Moose Creek beschaffen ist.« Sie lachte. »Die wären begeistert, stimmt's? Stell dir das mal vor.«

Ein klares Bild von Sheila tauchte vor ihm auf. Ihr anstößiges rotes Haar, die spöttischen blauen Augen. Er zwang sich, seine Empörung hinunterzuschlucken, und bemühte sich, gefasst zu klingen.

»Ich will nichts mit dir oder deinen Kindern zu tun haben. Wenn du vorhast, mich noch weiter zu belästigen, verlange ich einen DNA-Test.« Er legte eine Pause ein und wartete auf ihre Reaktion, aber sie schwieg. »Mir war klar, dass du nicht sonderlich erpicht darauf sein würdest.«

»Kein Problem, mein Lieber«, antwortete sie ruhig. »Willst du es organisieren, oder soll ich das tun?«

»Oh, das erledige ich schon, keine Sorge. Und lass es uns so schnell wie möglich hinter uns bringen.«

»Das ist mir sehr recht. Dann wirst du es bezahlen müssen. Ich werde die Blutabnahme morgen machen lassen, wenn's dir recht ist.«

Sie hatte zugestimmt. Gott sei Dank. Damit würde die Sache vermutlich bald beendet sein.

»Nein, warte, bis du von meinem Anwalt gehört hast. Andrew McCloud. Ich werde noch heute mit ihm sprechen. Er wird veranlassen, dass ein amtlich geprüftes Labor den Test durchführt.«

»Ich werde deinetwegen nirgendwohin gehen«, sagte sie mit fester Stimme. »Ich werde tun, was ich tun muss, aber die Blutproben können gleich hier im Krankenhaus entnommen werden.«

»Ich bin sicher, dass das in Ordnung ist. Es ist egal, wo oder wie du das Blut abnehmen lässt. Schließlich steht meine DNA in Zweifel, nicht deine.«

»Hör mal, Dafydd, ich wusste, dass du einen DNA-Test verlangen würdest. Dagegen habe ich nichts. Mir ist klar, dass es sein muss. Aber du bist der Vater meiner Kinder, und ich weiß, dass du es weißt. Ich bitte dich, sei realistisch. Warum sollte ich solch einen Aufstand machen, wenn du's nicht wärst? Warum sollte ich meine Zeit damit vergeuden?«

»Dieses Gespräch ist sinnlos.«

»Möchtest du kurz mit Miranda reden? Sie sehnt sich danach, mit dir zu sprechen.«

»Nein …« Er zögerte. Dann hörte er, wie Sheila den Namen des Mädchens rief. War es sinnvoll, mit dem Mädchen zu sprechen und zumindest ihr gegenüber die Dinge zurechtzurücken? Ein paar Sekunden verstrichen, und dann hatte er keine Wahl mehr.

»Hi, Dad«, meldete sich eine aufgeweckte, selbstsichere Stimme. »Wie geht's dir?«

»Hallo Miranda. Schau mal, ich fürchte, deine Mom hat einen sehr großen Fehler begangen. Es tut mir sehr leid, dass du das alles durchstehen musst … und das ganz ohne Grund …«

»Mach dir keine Sorgen, Dad.« Sie sprach mit solch einer Wärme und Begeisterung, dass es ihm wehtat.

»Doch, ich mache mir sogar sehr große Sorgen. Du darfst nicht denken, dass deine Mutter recht hat. Ich fürchte, ich muss dir beweisen, dass ich nicht dein Vater bin. Du darfst all das nicht zu ernst nehmen.«

»Hast du das Foto bekommen, dass dir meine Mom geschickt hat? Ich glaube, dass ich dir ein wenig ähnlich sehe«, zirpte Miranda unbeeindruckt. »Uns ist es gelungen, von den *Moose Creek News* ein Foto von dir zu beschaffen, aus der Zeit, als du hier ankamst, um zu arbeiten, und ein zweites von einer Party bei Mr Bowlby. Ich weiß, es ist Ewigkeiten her, aber du siehst wirklich gut aus. Mark hat rote Haare wie meine Mom, aber ich bin so wie du …«

Der Hörer wurde dem Mädchen aus der Hand genommen.

»Okay, du hast deinem Vater guten Tag gesagt«, meinte Sheila sachlich.

»Tschüss, Dad«, rief das Mädchen ins Telefon.

Dafydd legte auf und saß ein paar Minuten still da, um sich von dem Gespräch zu erholen und sich zu überlegen, was er Isabel mitteilen konnte. Sheilas Anschuldigung, er habe sie vergewaltigt, war grotesk, absurd, geradezu komisch. Irgendwo musste ihr etwas durcheinandergeraten sein. Oder vielleicht hatte sie auch so viele Männer gehabt, dass sie nicht mehr wusste, mit wem sie was getan hatte.

Vielleicht war sie auch ganz einfach verrückt. Aber das war gleichgültig, solange die Sache mit dem Test vorankam. Wenn die Ergebnisse vorlagen, würde das vermutlich allen weiteren Belästigungen ein Ende setzen. Sie würde sich einen anderen aussuchen, einen armen Trottel in ihrer Nähe.

Langsam erhob er sich. Er war froh, dass Isabel nicht hatte zuhören wollen. Es hätte sie zutiefst schockiert. Sheila hatte so erstaunlich sicher und rational geklungen, dass Isabel bis zum Eintreffen der Testergebnisse an seiner Aufrichtigkeit gezweifelt hätte.

Dafydd stieg die Treppen wie ein alter Mann empor. Er fühlte sich ausgebrannt. Im Schlafzimmer lag Isabel zusammengerollt auf dem Bett. Als er die Hand ausstreckte, um ihr übers Haar zu streichen, hob sie den Kopf und blickte ihn mit kalten Augen an. In der Hand hielt sie den Nebenanschluss des Telefons und zeigte damit auf ihn. »Fass mich nicht an, okay?«

»Was? Isabel, nun hör mal ...«

»Nein, du hörst mal«, fauchte sie. »Ich habe gehört, was sie gesagt hat, und es ist offensichtlich, oder? Sie würde das nicht tun. Warum willst du unbedingt abstreiten, dass du sie gefickt hast? Zumindest das solltest du zugeben. Halte mich nicht für ...«

»Verflucht, ich hab's nicht gemacht«, protestierte er mit lauter werdender Stimme. »Ich hatte verdammt noch mal absolut keinen Geschlechtsverkehr mit dieser Frau.«

Isabel starrte ihn an. »Ich bin beeindruckt. Du hattest verdammt noch mal keinen Geschlechtsverkehr mit dieser Frau, aber *irgendwie* hast du sie geschwängert. Ha! Ich würde nur zu gern wissen, wie ihr beide das zustande gebracht habt.«

»Isabel. Um Gottes willen. Jetzt bist du ...«

»Wenn du so höllisch clever bist, warum kannst du's dann nicht mit *mir* machen?«

»O Gott, jetzt reicht es!«

»Mir reicht's nicht, *Schatz*. Du solltest dich mehr anstrengen, da du es offenbar so gut kannst.«

»Nein, ich hab genug von der Anstrengung«, brüllte er wütend. »Ich habe *nie* jemanden geschwängert, und weißt du was, Isabel? Die ganze beschissene Angelegenheit steht mir bis hier. Ich will keine Kinder; nicht ihre, nicht deine, nicht die von sonst wem. Hörst du mich? Ich habe dich immer wieder besamt und versucht, mit Gewalt eine Schwangerschaft herbeizuführen. Und nun sieh uns an. Was ist aus unserer Liebe geworden? Ich wollte es dir sagen, aber du hast nur …«

Er hielt inne. Was tat er da? Sie starrten einander sekundenlang an. Angeekelt von sich selbst und entsetzt über seinen taktlosen Ausbruch, beobachtete er voller Bedauern, wie sich der Schock in Isabels Gesicht abzuzeichnen begann. Sie hatte ihn endlich gehört, ihm wirklich zugehört. Sie stand vom Bett auf, hob den Arm und warf das Telefon mit aller Kraft nach ihm. Es verfehlte seine Schulter und krachte an die Wand, wo es einen stumpfen Keil im Verputz hinterließ.

KAPITEL

Moose Creek, 1992

DAFYDD FUMMELTE AN dem Bund ungleicher Schlüssel herum. Sie waren angelaufen und rostig. Aber er brauchte sie gar nicht, denn das Schloss war aufgebrochen worden. Man hatte die Tür mit einem groben Gerät aufgehebelt, möglicherweise mit einem ganz gewöhnlichen Schraubenzieher.

Hogg hatte ihn vor dem Zustand des Wohnwagens gewarnt und ihm sogar angeboten, ein oder zwei zusätzliche Übernachtungen im Klondike zu bezahlen, damit die Einbruchsschäden repariert werden konnten. »Nur ein paar kleine Sachen«, hatte er vage versichert. »Der Herd muss wieder angeschlossen werden, und eines der Fenster ist geborsten.«

Dafydd entschied, auf keinen Fall eine weitere Nacht damit zu verbringen, von den Bewegungen eines kopulierenden Paares durchgerüttelt zu werden und sich den Hintern an dem Dreck eines anderen wund zu scheuern.

»Dr. Hogg … Andrew … Mir ist egal, was repariert werden muss«, entgegnete er und war von seiner eigenen Entschlossenheit überrascht. »Aber wenn Sie meinen, dass er unbewohnbar ist, dann werde ich mich nach etwas anderem umsehen. Ian hat mir erzählt, dass es in der Stadt eine ganze Menge leerstehender Wohnwagen gibt und dass ich innerhalb kürzester Zeit einen bekommen könnte.«

Als Seniorpartner sowohl im Krankenhaus als auch in der Klinik wirkte Hogg, mit Sheila Hailey als Helferin, wie eine One-Man-Band. Der kleine, korpulente Mann von Mitte bis Ende vierzig gehörte zu den ersten Ärzten, die nach Moose Creek gekommen waren. Er besaß den Wohnwagenpark und ein paar weitere Einnahmequellen, und er schien es für selbstverständlich zu halten, dass Neuankömmlinge wie Dafydd seine Taschen füllten. Das werden wir später klären, dachte Dafydd.

Hogg reichte ihm rasch ein paar Zwanzigdollarscheine aus seiner Brieftasche. »Besorgen Sie sich eine Putzfrau. In dem Wohnwagen neben dem Tor wohnt eine sehr willige Dame, Mrs Breummer. Sie wird das heute Abend erledigen – ist immer knapp bei Kasse.«

Die Tür schwang auf und hing lose in den Scharnieren. Dafydd ließ seine Koffer auf der Veranda stehen. Martha hatte sie hertransportiert. Sie schien vor dem Klondike auf ihn gewartet zu haben; als er am Nachmittag ausgecheckt hatte, stand sie da. Dafydd betrat den Wohnwagen. Der Boden war mit zersplittertem Glas, Zigarettenstummeln, gebrauchten Kondomen und schmutziger Kleidung übersät. Ein Fenster war zertrümmert, und jemand hatte einen elektrischen Herd von seiner verdreckten Standfläche weggerissen und zu einem Sofa geschleppt. An einer Wand waren rötlich-braune Spritzer zu sehen, die aussahen wie getrocknetes Blut. Dafydd fragte sich, ob jemand getötet worden war, aber bei einem raschen Blick ins Schlafzimmer und ins Badezimmer entdeckte er keine Leiche.

Ein »Einbruch« war das wohl kaum. Eher hatte hier eine Bande Hausbesetzer eine wilde Sauferei veranstaltet. Wut stieg in ihm auf. Was für eine Art, einen Neuankömmling zu begrüßen, der um die halbe Erde gereist war – zu einer Arbeit, die kein anderer normaler Mensch anrühren würde. Aber gut, es war seine eigene Schuld. Er hatte darauf bestanden, die Schlüssel zu bekommen.

Die an Geldmangel leidende Dame konnte er wohl kaum bitten, diese Scheußlichkeiten zu beseitigen. Am liebsten wäre er sofort wieder verschwunden. Aber Martha war inzwischen mit ihrem klapprigen Taxi fortgefahren, und es wurde Abend. Verdammt, dachte er verärgert, das passt ja wirklich wie die Faust aufs Auge, absolut perfekt. Aber zumindest für eine Nacht geht's.

Er zerrte seine Koffer durch die Tür, zog sein einziges Paar Jeans hervor und schlüpfte hinein. Dann krempelte er sich die Ärmel hoch und begann mit der Arbeit.

»Heilige Mutter Gottes!« Martha trat durch die Tür und schlug die Hände über dem Kopf zusammen. »Mir ist gerade eingefallen, dass mein Neffe mir erzählt hat, er habe hier irgendwo eine Party gefeiert. Deshalb dachte ich, dass ich besser nachschaue, ob es nicht genau dieser Wohnwagen war.« Sie blickte sich um und schüttelte traurig den Kopf. »Ist das noch zu fassen?«

»Was um Himmels willen haben die denn hier bloß getrieben?«, stieß Dafydd hervor. »So was habe ich noch nie gesehen.«

»Es sind nur Jugendliche, die sich ein bisschen amüsieren.« Martha kreuzte ihre kurzen, kräftigen Arme vor dem Bauch. »Ich habe wahrhaftig schon Schlimmeres erlebt. Man vermietet eben keinen Wohnwagen an einen eingeborenen Jugendlichen. An überhaupt keinen Jugendlichen. Das ist doch wohl klar.« Sie zuckte ausgiebig die Schultern, um deutlich zu machen, dass sich über Ursache und Wirkung nicht streiten ließ.

Dafydd schaute sie entsetzt an. »Also ist das hier völlig normal. Etwas Alltägliches. Wollen Sie das damit sagen?«

»Hören Sie«, meinte Martha und stemmte die Hände energisch in die Hüften. »Ich mach Ihnen 'nen Vorschlag. Sie geben mir ein paar Dollar, und ich helfe Ihnen. Hab meine Kotzausrüstung hinten im Valiant.«

Sie hielt ihm ihre dralle Handfläche hin, und Dafydd

händigte ihr die Zwanziger aus, die noch in seiner Hemdstasche steckten.

Erst nachdem Martha mit ihrem Kotzspachtel den Dreck vom Boden gekratzt hatte, machten sie sich daran, den Herd gemeinsam zurück an seinen Platz zu schleppen. Sie fegten die Trümmer zusammen und kippten ein Bleichmittel über das Ganze.

Die Frau mit den finanziellen Problemen kam ebenfalls, genau wie ein paar andere Nachbarn, die durch Neugier und einen gewissen Gemeinschaftssinn von der Szene angelockt wurden. Sie hatten ebenfalls unter der Bande zu leiden gehabt, die in dem Wohnwagen gefeiert hatte. Unterschiedliche Reinigungsgeräte wurden herbeigebracht, ebenso eine Thermoskanne mit Kaffee und ein paar vertrocknete Blaubeermuffins. Ein junger Mann besorgte ein trübes altes Stück Plexiglas, und es wurde geschickt mit Packklebeband vor dem eingeschlagenen Fenster befestigt.

Trotz der Großzügigkeit und der praktischen Hilfe spürte Dafydd, dass seine neuen Nachbarn ihm gegenüber vorsichtig waren. Sogar Martha legte ihre übliche Heiterkeit in Gegenwart der anderen ab und sprach in ziemlich schroffem Tonfall mit ihm. Vielleicht waren Ärzte ja wirklich so verachtenswert, wie sie angedeutet hatte.

»Wenn Se noch irgendwas brauchen, dann komm' Se einfach rüber, Doktor«, meinte ein ausgemergelter Mann mittleren Alters mit struppigem Bart und langen, buschigen Koteletten. Er trug eine verdreckte Mütze, unter der ein strähniger grauer Pferdeschwanz hervorhing, und seine Hose wurde von mexikanisch aussehenden Trägern gehalten.

»Bitte sagen Sie Dafydd zu mir«, bat er die Anwesenden, »und ich bin Ihnen sehr dankbar für Ihre Hilfe. Wenn ich mich irgendwie erkenntlich zeigen kann, dann lassen Sie mich's bitte wissen.«

Der ausgemergelte Mann ging als Letzter. Er blieb auf der Veranda stehen und griff Dafydd leicht am Arm, während er ihm sein Gesicht näherte. Sein Atem roch überwältigend sauer.

»Ich bin Ted O'Reilly … von nebenan. Was Sie gerade gesagt haben … na, da gibt es was. Der Franzmann … der Kerl aus Montreal, der hier vor Ihnen gewohnt hat, der hat mir was für mein Bein gegeben. Da hab ich was Schlimmes dran. Die ganze Zeit Schmerzen.« Der Mann krümmte sich demonstrativ, um zu zeigen, wie sehr er litt.

»Soll ich es mir mal anschauen?«

»Nee, nichts zu sehen … Es is' drinnen … da … im Knochen, verstehn Se?«

»Was hat er Ihnen denn verschrieben?«

»O nee, so war's nich'.« Verlegen zog der Mann die Schultern hoch. »Er fand, dass es leichter ist, wenn er das Zeug … direkt vom Krankenhaus mitbringt … Weil ich ja gleich nebenan wohn'.«

»Wie hieß das Medikament denn?«

»Valium oder so.«

»Aber das ist ein Beruhigungsmittel.« Dafydd merkte, dass das Gespräch in eine Richtung lief, in die er nicht wollte.

»Das ist in Ordnung. Es hat mächtig geholfen.«

Ich wette, dass es das hat, dachte Dafydd und fragte sich, was Dr. Odent als Gegenleistung für seine »Behandlung« dieses gesundheitlichen Wracks erhalten hatte.

»Ich glaube nicht, dass Valium Ihrem Bein tatsächlich guttut.«

»Ich hab ihm immer etwas Geld für seine Mühe gegeben.«

»Am besten kommen Sie in die chirurgische Sprechstunde.«

Der Mann fuhr zurück. »In die Chirurgie? Nein, wirklich, ich brauch da keine Operation dran.«

Dafydd unterdrückte ein Grinsen. »Ich meine, kommen Sie in die Klinik.«

»Ich geh kaum raus. Wegen der Schmerzen, verstehn Se?«

Dafydd wurde klar, dass er diese Bitte nicht das letzte Mal hören würde. Der Mann stank nach Alkohol und Schweiß, und seine dürren Hände zitterten leicht. Er sah aus wie sechzig, aber er konnte durchaus auch erst vierzig sein.

»Ich nehme Sie zur Chir… zur Klinik mit. An irgendeinem Morgen, der Ihnen passt. Und Sie können mit dem Taxi zurückfahren.«

»Ich bring Sie nach Hause, O'Reilly«, mischte sich Martha ein, die hinter der Tür stand.

Der Mann zuckte erneut zusammen. Er war von jemandem, der sich auskannte, auf frischer Tat ertappt worden.

»Na schön«, antwortete er und eilte die Verandatreppe hinunter. Kein Hinken war zu sehen.

Martha tauchte aus ihrem Versteck auf und strich mit ihren dicken Fingern heftig an ihrer Kleidung entlang, als wolle sie diese von dem Dreck befreien.

»Jetzt hatten Sie ein gutes Beispiel dafür, von welchen Leuten Sie sich besser fernhalten«, warnte sie Dafydd. »Dumm nur, dass er gleich nebenan wohnt.«

»Ich dachte, dass Sie heute Morgen mit Ihrem schlimmen Fuß vorbeikommen. Ich habe auf Sie gewartet.«

»Tja nun«, gab sie mürrisch zurück. »Manche von uns müssen sich eben für ihren Lebensunterhalt abrackern, ob Sie's glauben oder nicht.« In der einen Hand hielt sie zwei nicht zusammenpassende Turnschuhe und unter dem anderen Arm ihre Kotzausrüstung. Sie wirkte zufrieden, als habe sie etwas Großartiges vollbracht und sei der Meinung, dass Dafydd ihr in absehbarer Zukunft etwas schulde.

»Ich nehm diese Turnschuhe mit, wenn's Ihnen recht

ist«, sagte sie und hielt ihm die verschmutzten Schuhe zur Prüfung hin.

»Ach kommen Sie«, lachte er. »Werfen Sie die in den Abfallsack. Die passen ja noch nicht mal zusammen.«

»In den Abfallsack? Sie meinen, in den Müll?«, höhnte sie. »Sie haben offenbar keinen blassen Schimmer, wo Sie sich hier befinden.« Sie stieg in ihr Auto und fuhr mit schlingernden Reifen los, auf die niedrige rote Scheibe der Sonne zu.

In dem Wohnwagen gab es weder Laken noch Decken, und Dafydd ließ sich sich in voller Bekleidung auf die fleckige Matratze nieder. Den Hinterkopf bettete er auf ein sauberes Handtuch, das er von zu Hause mitgebracht und auf einen zusammengefalteten Sweater gelegt hatte. Mit dem Bademantel, den er sich vor seiner Abreise in seiner Heimatstadt Swansea bei Marks und Spencer gekauft hatte, deckte er sich zu. Swansea schien Lichtjahre von diesem Dreckloch entfernt zu sein. Er schloss die Augen vor dem ständigen Licht und stellte sich die makellose Lebensmittelabteilung von M&S vor. Saubere, anständige Menschen in gut geschnittener Kleidung, die sich ordentlich und gesittet benahmen, kauften vertrauenswürdige, gut verpackte Nahrungsmittel. Ein Bild von Gesundheit, Glück und Intelligenz.

Er brach in eine laute Mischung aus Schluchzen und Gelächter aus. Dann hielt er inne. Die Wände hier waren ebenfalls dünn, und zwischen den Wohnwagen gab es keine fünf Meter Abstand. Möglicherweise hatte O'Reilly seinen wahnsinnigen Ausbruch gehört und dachte, er sei ein weiterer durchgedrehter Arzt. Einer, den man schließlich doch noch mühelos herumbekommen konnte und der vielleicht am Ende selbst alles Mögliche in sich hineinschluckte. Dafydd fragte sich, ob es der Ort war, der die Menschen in die Apathie und in die Sucht trieb, oder ob es vor allem daran lag, dass der gesellschaftliche Abschaum von diesem Ort angezogen wurde. Wie auch immer, er musste sich an die letzten Überreste seiner Vernunft klammern.

Sosehr er sich dauernd bemühte, seine Schuldgefühle und seinen Verlust an Selbstvertrauen zu überwinden – das kleine Gesicht von Derek Rose tauchte immer wieder vor ihm auf. Es war jedoch kein ebenes, rundes Kindergesicht, sondern eine Art spitz zulaufender Fuchskopf, der von glattem blondem Haar eingerahmt war. Es sah so aus, als habe man ihm beim Haareschneiden einen Kochtopf übergestülpt. In diesem Moment war Sharon Rose, seine Mutter, möglicherweise zu Hause in ihrer Wohnung, die zu einer tristen städtischen Siedlung in Bristol gehörte, und pflegte ihr krankes Kind. Dafydd wünschte, sie hätte ihn und Briggs auf Entschädigung verklagt. Dann hätte sie in eine nettere Bleibe umziehen und sich vielleicht sogar ein anständiges Haus kaufen können; aber solch eine Frau war sie nicht. Man hatte ihm verboten, etwas für sie und Derek zu tun, ihnen etwas anzubieten, weil das einem Schuldeingeständnis gleichgekommen wäre.

Es spielte keine Rolle, dass die Kommission ihn »nicht schuldig« der Fahrlässigkeit oder des Fehlverhaltens befunden hatte und dass seine Suspendierung aufgehoben worden war. Er war dennoch inkompetent und verantwortungslos. Die Frage, die ständig in seinem Kopf kreiste, lautete: Soll ich tatsächlich als Arzt weiterarbeiten? Aber wie sonst konnte er seinen Lebensunterhalt verdienen? Und wo? Daheim in Wales? Sicherlich nicht so bald. Für eine sehr lange Zeit nicht. Vielleicht nie mehr.

Er fiel in einen unruhigen Schlaf, der von traurigen kleinen Kindern und einer Prozession von Männern wie O'Reilly bevölkert war, während er wild um sich schlagend in einem Meer aus Zigarettenkippen und schmutzigen Turnschuhen versank.

»Schön früh«, grinste Hogg ihn gönnerhaft an, als er Dafydd im Krankenhausflur begegnete. Er blieb stehen und hielt Dafydd mit seinen dicken, recht weiblich wirkenden Fingern am Ärmel fest. Hogg war offenbar schon eine ganze Reihe von Jahren da, aber der Akzent und das Benehmen des kleinen Mannes wirkten noch immer ganz und gar britisch, und Dafydd musste unwillkürlich lächeln.

»Ich habe Sie gestern niemandem vorgestellt … Entschuldigung. Morgen habe ich mehr Zeit.«

»Was du heute kannst besorgen, das verschiebe nicht auf morgen«, erwiderte Dafydd und lächelte erfreut über die Gelegenheit, dem Mann dessen eigene Zeitnutzungsklischees um die Ohren zu schlagen.

»Da haben Sie recht, da haben Sie recht«, stimmte ihm Hogg lebhaft zu und führte ihn den Korridor entlang. »Hier ist das Büro … Faxgerät, Fotokopierer, Krankenakten.« Hogg beschrieb mit einem Wurstfinger eine Kreisbewegung durch den schmuddeligen Raum. Darin saßen zwei rauchende Sekretärinnen, aber er verzichtete darauf, ihn vorzustellen. Dann drängte er ihn weiter den Flur entlang, als wäre Dafydd ein lästiger Schuljunge, der in der neuen Schule herumgeführt werden wollte.

»Da ist die Apotheke«, erklärte Hogg und wies im Vorbeigehen auf eine metallverstärkte Tür. »Wir halten sie verschlossen. Mit einigen Ihrer Vorgänger hatten wir ein paar Probleme, aber ich sollte besser keine Namen nennen. Drogen sind hier sehr beliebt, und zwar nicht nur zum Stillen von Schmerzen.« Er lachte und blickte Dafydd zum ersten Mal in die Augen. »Mein Gott, machen Sie sich keine Sorgen. Ich verstehe – wir alle verstehen –, wenn Ihnen dieser Ort zunächst ein wenig wie der Wilde Westen vorkommt. Ein junger Mann wie Sie, der aus einem ziemlich behüteten Umfeld kommt. Glauben Sie mir, ich weiß, wie das ist. Ich habe die gleiche Erfahrung gemacht. Als ich hierherkam, fühlte ich mich ziemlich überfordert.«

»Ich bin kein junger Hüpfer mehr«, protestierte Dafydd lachend. »Ich habe vielmehr gerade …«

Hogg hob die Hand, um ihn zum Schweigen zu bringen. »Ah, da sind wir.« Er war vor einer weiteren Tür stehen geblieben, und seine Haltung veränderte sich kaum merklich. Seine Schultern krümmten sich ein wenig stärker, und die weiblichen Züge seiner Persönlichkeit traten deutlicher hervor. Mit einem einschmeichelnden Lächeln auf den Lippen klopfte er äußerst behutsam an die Tür. Dafydd las die Aufschrift des Plastikschilds an der Tür: Sheila Hailey – Oberschwester.

»Die Dame, zu der wir wollten, ist nicht in ihrem Büro, aber Sie werden ihr bald genug begegnen. Sie ist meine wichtigste Stütze hier, müssen Sie wissen.« Er beugte sich zu Dafydd vor und flüsterte: »Es lohnt sich sehr, sich gut mit ihr zu stellen.«

»Ich habe sie bereits kennen gelernt«, sagte Dafydd. »Sie bildete einen Teil meines Empfangskomitees.«

»Ach so?« Hogg wirkte einen Moment lang verunsichert. »Gut, gut, natürlich. Sie ist sehr gründlich, nichts entgeht ihr.« Wieder griff er Dafydds Ärmel und zog ihn weiter. »Sheila kennt sich sogar besser als ich aus. Wenden Sie sich mit allem, was Sie brauchen, wirklich mit allem, auch aus der Apotheke, an sie.«

»Hogg, sprechen Sie über mich?« Sheila Hailey schritt aus einer Station hinter ihnen auf sie zu. »Der junge Mann bekommt ja einen ganz falschen Eindruck.«

Sie schloss sich ihnen an, und alle lachten verlegen über ihre kleine Anspielung. Hogg legte den Arm besitzergreifend um ihre Schultern.

»Sheila, Sie haben Woodright, unseren neuen Mitarbeiter, bereits kennen gelernt. Seine Referenzen weisen ihn als erstklassigen Chirurgen aus, und er zeigt sich bereits als Frühaufsteher. Genau wie Sie und ich.« Er drückte ihre Schultern leicht, sodass sich ihre vollen Brüste ein wenig hoben. »Vielleicht müssen wir gemeinsam mit ihm unseren Morgenkaffee trinken. Das wäre doch mal was, oder?«

Dafydd wurde übel, ein Gefühl, das ihn häufig überkam, wenn er unbedingt eine schlagfertige Antwort geben wollte, jedoch keine fand. »Ich bin … Ich heiße Woodruff«, erklärte er matt, während ihn beide wie ein Ausstellungsstück musterten, jeder auf seine Art und offenbar aus ziemlich unterschiedlichen Gründen.

»Ja, sehr schön. Es wird schon klappen mit ihm«, sagte Sheila, und ihre Augen trafen sich für einen Moment. Sie strahlte eine deutliche Autorität aus, die von ihrer spielerischen Anmache überdeckt wurde. Ihre Augen waren von einem ungewöhnlich tiefen Blau und unnötigerweise stark geschminkt. Ihr restliches Gesicht war frei von Make-up, milchig-weiß und mit hellrosa Sommersprossen bedeckt. Bei hellem Tageslicht wirkte ihr Haar explosiv, eine hinabfallende Flut aus roten Locken. Überwältigend, aber er war bereits auf der Hut vor ihr, ohne einen besonderen Grund.

Hogg hatte keine derartigen Vorbehalte. Er betrachtete sie mit unverhohlener Bewunderung. Doch anscheinend hatte er eine Frau, Anita. Eine nette Schwester namens Janie, der Dafydd am Vortag begegnet war, hatte ihm erzählt: »Anita leidet an einer postviralen Müdigkeit, aber Hogg glaubt nicht, dass diese Krankheit existiert. Er hält das für Quatsch.« Sie hatten herzlich darüber gelacht. Janie war die einzige wahrhaft sympathische Person, der er bisher in Moose Creek begegnet war. Sie war sechsundzwanzig Jahre alt, mit einem fleißigen Fallensteller verheiratet und hatte bereits zwei Kinder. Ein weiteres war unterwegs.

»Hogg hat recht«, bestätigte Sheila, entwand sich dessen besitzergreifender Umarmung und ging einen Schritt auf Dafydd zu, um ihm ihre schlanke, sommersprossige Hand auf den Unterarm zu legen. »Ich werde mich um Sie kümmern.«

Nach knapp einer Woche an seinem neuen Arbeitsplatz kam es zu seiner ersten wirklichen Herausforderung. Der Vorarbeiter des Sägewerks rief im Krankenhaus an und verlangte nach einem Arzt, der vor Ort kommen sollte. Allerdings erklärte er nicht näher, um was für einen Unfall es sich handelte. Hogg schlug Dafydd vor hinauszufahren, damit er sich mit den »industriellen Unglücksfällen« in seinem neuen Arbeitsumfeld vertraut machte. Aus Hoggs hinterhältigem Gesichtsausdruck schloss Dafydd, dass ihn etwas Grauenhaftes erwartete. Aus gutem Grund. Eine später durchgeführte Zählung ergab, dass der Körper des Mannes in 142 Teile gerissen worden war.

Während Dafydd im Krankenwagen saß und darauf wartete, auf das Hauptgelände gelassen zu werden, fragte er sich, ob das Einsammeln von Leichenteilen zu seinen Aufgaben gehörte. Die Arbeitsplatzbeschreibung war vage gewesen: allgemeine ärztliche Tätigkeiten, Routineoperationen, gelegentlich Geburtshilfe, psychiatrische Erfahrungen erwünscht. Leichenbestattung? Er wusste, dass dieser Außeneinsatz etwas mit toten Körpern, mit Leichenteilen zu tun hatte. Vielleicht hatte Hogg recht mit seinem Hinweis darauf, dass Dafydd möglicherweise ein bisschen »überfordert« sei. Er war nicht daran gewöhnt, mit vielen Toten umzugehen, vor allem nicht mit in Stücken gerissenen.

Der Vorarbeiter empfing ihn an der Tür seines Bauwagens. Er entschuldigte sich, dass er den Doktor belästigte, und verwies auf dessen überlegene Anatomiekenntnisse. »Meine Männer können nicht wissen, was was ist«, sagte er und wandte den Blick von dem hinter ihm liegenden Hof ab. »Aber einige von ihnen wären bereit, Ihnen eine helfende Hand zu reichen.« Er zuckte ein wenig zusammen und fügte schnell hinzu. »Das war nicht sonderlich passend ausgedrückt, oder?«

Dafydd musste über das Wortspiel unwillkürlich lächeln. Die ganze Situation hatte etwas Surreales, sodass er sie nicht ganz ernst nehmen konnte. Noch hatte er nichts gesehen und wusste nicht so recht, womit er anfangen sollte.

»Ich hol Ihnen mal ein paar feste Plastiksäcke«, schlug der Vorarbeiter hilfsbereit vor und verschwand in seinem Büro. Ein paar Männer in orangenen Overalls liefen schweigend herum und warteten. »Oh … und das hier.« Der Vorarbeiter war zurückgekehrt und hielt Dafydd ein gelbes Plastikbündel hin. »Vielleicht sollten Sie lieber Handschuhe tragen.«

»Was ist denn eigentlich passiert?«, fragte Dafydd einen dunkelhäutigen Teenager, der ihn begleitete und ihm einen orangenen Plastiksack hinhielt, in den Dafydd die Teile legen konnte.

»Er hat einen Reifen vom Schlepper dort aufgepumpt«, erklärte der Junge und zeigte auf ein wuchtiges Fahrzeug, dessen Räder zweieinhalb Meter hoch waren. »Der Reifen ist einfach geplatzt, regelrecht explodiert.« Der Junge warf die Arme hoch und ahmte das Geräusch der Explosion nach, wobei eine Wolke feiner Speicheltropfen aus seinem Mund stob.

»Nein«, schaltete sich ein älterer Ureinwohner ein. »Du hast das ganz falsch verstanden. Er hat nämlich versucht, die Mutter mit einem Lötkolben zu erhitzen, um sie zu lockern. Es war die Hitze, die den Reifen knallen ließ.«

Der Körper des Mannes war durch die Explosion zerrissen worden. Sie hatte Fleisch- und Knochenstücke sowie Haarbüschel fast fünfzig Meter weit weggeschleudert. Schwarze Reifenfetzen bedeckten alles wie der Auswurf geschmolzener Lava. Größere Körperteile lagen herum, funkelten rot in der Sonne und hoben sich von der Schwärze des Hofes mit seinen öligen Maschinen ab.

Ein Teil des Schädels lag leer und staubbedeckt da wie die Scherbe eines uralten Gefäßes. Dafydd hob es auf und begutachtete es kurz. Dieses schüsselförmige Knochenstück hatte das Gehirn eines Mannes in seinem Alter enthalten. Vor einer Stunde noch hatte es gedacht und gefühlt. Der Mann hatte dem Ende seiner Schicht entgegengesehen und sich darauf gefreut, nach Hause zu seiner Frau und seinen Kindern zurückzukehren. Dafydd ließ das Teil in den Plastiksack fallen, den der Heranwachsende ihm höchst eifrig entgegenhielt. Ihm war schwindelig von der Hitze, und durch den Geruch wurde ihm übel. Seine Handschuhe waren blutverschmiert und seine Achselhöhlen schweißnass. Von der Stirn rannen ihm Schweißperlen in die Augen.

Der Junge zeigte keinerlei Ekel. Vielmehr starrte er fasziniert auf die verschiedenen Organe und Gliedmaßen, die sie in dem Sack sammelten. Er stellte den bis zum Bersten gefüllten Sack auf den Boden und flitzte los, um einen neuen zu holen.

Die anderen zur Unterstützung abgestellten Männer blieben im Hintergrund und stocherten mit den Spitzen ihrer stahlverstärkten Arbeitsstiefel im Dreck herum. Selbst diesen abgebrühten Menschen war es unmöglich, die Fleischteile ihres toten Kollegen anzufassen. Der Fahrer, der Dafydd zum Gelände gebracht hatte, war dazu ebenfalls nicht bereit. Er hätte seinen Teil zur Erledigung der Aufgabe beitragen können, aber er hantierte lieber neben dem Krankenwagen an einer zusammenklappbaren Trage herum und tat so, als müsse sie repariert werden.

Der Vorarbeiter hatte die Frau des tödlich Verunglückten angerufen, und nun kam er heraus, um Dafydd mitzuteilen, sie warte im Krankenhaus darauf, dass ihr Mann dorthin gebracht wurde, damit sie ihn identifizieren konnte. Offenbar wollte sie das so schnell wie möglich erledigen. Der Vorarbeiter zuckte die Schultern und spreizte seine schmutzigen Finger zu einer hilflosen Geste.

»Ich kann das hier nicht schneller erledigen, als ich es bereits tue«, fuhr Dafydd ihn an. »Vielleicht helfen Sie mir freundlicherweise.«

Der Vorarbeiter schüttelte den Kopf, und seine wettergebräunten Gesichtszüge zeigten plötzlich Furcht. Er warf seinen Männern einen Blick zu, und in der offensichtlichen Sorge, das Gesicht zu verlieren, drehte er sich wieder zu Dafydd um und sagte: »Ich mache meine Arbeit, und Sie machen Ihre. Auf diese Weise treten wir einander nicht auf die Zehen.«

Er zwinkerte den Männern zu und kicherte verlegen. Aber die Männer schwiegen und stocherten weiter mit ihren Stiefeln im Staub herum. Nur der Junge lachte. Er griff in den Sack und zog mit bloßer Hand den Teil eines Fußes hervor. »Hier«, meinte er und streckte dem Vorarbeiter den blutigen Klumpen entgegen. »Sie würden ihm nicht auf die Zehen treten. Sehen Sie, ich habe sie hier drin.«

Der Vorarbeiter erbleichte entsetzt und wich zurück, wobei er fast auf dem Kies ausrutschte. Ohne ein weiteres Wort drehte er sich um und ging schnellen Schritts zu seinem Bauwagen. Jetzt grinsten und kicherten einige der Männer. Die Demütigung des Chefs bot eine gewisse Erleichterung nach dem traumatischen Unfall. Der Junge sah Dafydd selbstzufrieden an. Dafydd lächelte nickend zurück. Er fragte sich, ob das Kind wirklich schon alt genug war, um im Sägewerk zu arbeiten. Vielleicht würde er wegen seiner Unverschämtheit gefeuert werden.

Sie transportierten die grauenhafte Fracht in die Stadt. Der Fahrer des Krankenwagens war ein untersetzter Mann osteuropäischer Herkunft. Er redete endlos über die Schrecken seiner Arbeit und unterbrach sich nur, um auf einem abgenutzten Kaugummi herumzukauen und Blasen platzen zu lassen. Dafydd schaltete ab und betrachtete die brütenden Wälder zu beiden Seiten der Straße, die sich Hunderte von Kilometern ausdehnten. Wie leicht jemand darin verlorengehen konnte …

»Sie lag in einem Abflussgraben unter der Brücke – wissen Sie, die bei Mile Sixteen. Ihr Körper hatte ihn verstopft, und das Wasser überflutete die Straße. Sonst wäre sie möglicherweise nie gefunden worden.« Der Fahrer machte eine Pause, um die Wirkung seiner Erzählung zu verstärken, und sah Dafydd bedeutungsvoll an. »Der Mörder wird noch immer gesucht. Vielleicht lebt er hier in der Stadt, direkt vor unserer Nase. Sie konnten niemanden mit einem Motiv finden. Ich meine, ihr Ehemann hatte eine andere Frau, aber es lief mit gegenseitigem Einverständnis und so. Niemand hatte irgendeinen Grund, das arme Mädchen zu ermorden.«

»Schrecklich«, kommentierte Dafydd geistesabwesend. Er dachte an Bristol und daran, welch ein Glück es war, dass er mit seiner Inkompetenz niemanden getötet hatte. Er musste Hogg noch mitteilen, dass er auf keinen Fall Kinder operieren würde. Er biss sich kräftig auf die Lippe, wandte sich an den Fahrer und fragte ihn ohne jedes Interesse: »Wie lange sind Sie schon hier?«

»Ah, lassen Sie mich nachrechnen …« Der Mann verengte seine kleinen Augen und rieb sich nachdenklich das unrasierte Kinn. »Tja, das war so um '84. Meine Alte …«

Dafydd nickte. In seiner Vorstellung setzte er die Teile des Verunglückten zusammen. Wie sollte er es machen? Sie auf einem Tisch im Krankenhauskeller in der sogenannten pathologischen Abteilung ausbreiten und sie dann wie ein gigantisches Puzzle zusammensetzen? Er richtete sich ruckartig auf, als er sich an die wartende Frau erinnerte, die den Körper identifizieren wollte. Verwandten schlechte Nachrichten zu überbringen war eine weitere Sache, der er vielleicht nicht mehr gewachsen war. Außerdem hatte ihr der Vorarbeiter nicht beschrieben, in welchem Zustand sich die Leiche ihres Mannes befand. Er würde es ihr irgendwie ausreden müssen.

»... und ich musste meine Arme um die Brust des Mannes legen und ziehen, damit Brannagan die Füße sauber abschneiden konnte. Sie hätten miterleben sollen, wie das Blut aus ihnen herausquoll, trotz Aderpresse. Es gab keine andere Möglichkeit, ihn unter dem Balken hervorzukriegen. Die Art, wie das verflixte Ding verkeilt war ...«

Sheila Hailey erwartete ihn bereits auf der Treppe des Personaleingangs, als der Krankenwagen vorfuhr.

»Ich habe der verdammten Frau gesagt, dass sie den Körper nicht sehen kann, aber sie lässt sich nicht überzeugen«, erklärte sie Dafydd, während sie ausdruckslos zusah, wie der Krankenwagenfahrer die fünf Säcke nach hinten zur Kellertür trug.

»Ich werde mit ihr sprechen«, antwortete Dafydd ein wenig überrascht über Sheilas gefühlloses Verhalten. Obwohl er Sheila ein paar Tage kannte, war er immer noch nicht in der Lage, sie zu durchschauen. Sie war eine hervorragende Schwester und konnte unglaublich hart arbeiten, aber sie war von einer Kälte umgeben, die er im ersten Moment ihrer Begegnung gespürt hatte und die sich hinter Koketterie und einer grenzenlosen Hilfsbereitschaft verbarg. Er vermutete, dass ihre unbarmherzige Haltung gegenüber einigen Patienten durch die Brutalität der Arbeit entstanden war. Sie hatte die schlimmsten Dinge erlebt und war dadurch abgestumpft. Das größte Rätsel an ihr war, warum sich eine Frau mit ihrem Aussehen und ihren fraglosen Fähigkeiten in einem Ort wie Moose Creek vergrub. Möglicherweise hatte sie, genau wie er, etwas angerichtet ... Er würde jemanden über sie befragen, Ian oder vielleicht auch Janie, wenn er sie besser kennengelernt hatte. Irgendwie konnte er sich nicht vorstellen, ihr nahe genug zu kommen, um von ihr selbst etwas zu erfahren.

Während er sich an Sheila vorbei durch die schmale Tür zwängte, überlegte er, warum er solch ein starkes Interesse an ihr hatte. Sie trat nicht zur Seite, und sein Arm streifte ihre Brust. Er riss die Schulter hoch, um dem Kontakt auszuweichen, und ging rasch den Korridor hinunter.

»Ich sag's Ihnen«, rief sie hinter ihm her, »sie wird nicht zuhören. Sie ist völlig hysterisch. Ich hab versucht, ihr was reinzudrücken, aber sie ist …«

Verärgert fuhr Dafydd herum. »Hören Sie auf zu schreien«, zischte er. »Jeder kann Sie hören.«

Sie wirkte verblüfft, dann lächelte sie. »Wir haben hier keine Heimlichkeiten voreinander.«

Dafydd wandte sich ab und eilte zu dem Raum, in dem die plötzlich zur Witwe Gewordene auf ihn wartete.

»Was ist los?«, fragte Ian Brannagan, als sie sich im Flur trafen. »Sie sehen ziemlich blass aus.«

»Wenn je ein Mann einen Drink benötigt hat …«, stieß Dafydd hervor.

»Da sprechen Sie mit dem Richtigen«, erwiderte Ian und nahm Dafydd beim Arm. »Ich wollte gerade ins Klondike, um schnell einen zu nehmen. Schnappen Sie sich Ihre Klamotten, und nichts wie weg.«

Sie sprangen die Treppen hinunter und eilten den Hügel hinab zur Hauptstraße. Mit jedem Schritt wirbelten sie Staub auf. Es war kurz nach sechs, aber die Sonne brannte noch immer auf sie herab, und die Luft flirrte. Durch die Hitze haftete der Gestank des Fleisches Dafydd noch immer in der Nase. Er fühlte die Spuren der Faustschläge an seiner Brust, auf welche die Witwe in ihrem hysterischen Gram eingehämmert hatte. Und seine Hände kribbelten noch immer von dem Griff, mit dem er ihre Handgelenke festgehalten hatte. Es war eine Erleichterung, durch die marmorierten Plastiksäulen in die kühle, belebende Dunkelheit der Bar zu treten.

Sie setzten sich an einen kleinen Tisch unter der Klimaanlage. Wegen der relativen Frühe war der Raum noch halb leer. Brenda kam angesegelt, auf dem Tablett die gefüllten Gläser.

»Nein, Schatz, Extra Old Stock«, sagte Ian.

Brenda sah Dafydd an. »Und was willst du, Süßer?«

»Scotch bitte. Einen doppelten, mit Eis.«

Brendas Gesicht war sehr ernst, und als sie ihm seinen Drink brachte, hatte sie großzügig eingeschenkt.

»Ich hab's gehört«, sagte sie und tätschelte ihm mitfühlend die Schulter.

»Schon?«

»Ein paar Burschen aus dem Sägewerk waren gerade hier«, flüsterte Brenda.

»Stopp«, mischte sich Ian mit gerunzelter Stirn ein. »Erzählen Sie mir nicht, zu welcher Art von ›Willkommen in Moose Creek‹-Einsatz Sie geschickt wurden, bevor ich nicht ein paar intus habe.«

Kaum hatte Ian seine Flasche in einem Schluck halb leer getrunken, als Brenda zurückkam und ihm auf die Schulter klopfte. »Anruf für dich, Kumpel. Du musst sofort zur Notaufnahme.«

»Scheiße.« Ian kippte den Rest des Inhalts hinunter. »Kann der diensthabende Arzt nicht mal einen Moment haben, um sich zu stärken?«

Als Ian hinausschlenderte, blieb Brenda am Tisch stehen. Mit einem Seufzer stellte sie ihre schwere Last ab und begann, ihre Schultern kreisen zu lassen. Dabei stöhnte sie übertrieben. Sie setzte sich auf den Stuhl, den Ian freigemacht hatte, und drehte Dafydd den Rücken zu. »Tun Sie mir einen Gefallen, Doc, und kneten Sie meine Schultern, ja? Eine Kurzmassage.«

Dafydd drehte sich zur Bar um, aber niemand schien sich für ihr Verhalten zu interessieren. Er legte die Hände auf ihre wohlgeformten Schultern und begann, sie kräftig zu massieren. Sie trug ein knappes rotes Top, das von zwei dünnen Trägern gehalten wurde. Die Wärme ihres Fleisches hatte eine wohltuende Wirkung auf seine Hände, nachdem diese so grauenvolle Pflichten erfüllt hatten, und mit geschlossenen Augen gab er sich ganz dem Kneten und Streichen hin. Ihr weiches schwarzes Haar liebkoste seine Unterarme, und ohne darüber nachzudenken, nahm er es in seine Hände und ließ es durch seine Finger gleiten. Brenda stöhnte sanft, und er öffnete die Augen.

»So, fertig«, sagte er forsch und gab ihr einen flüchtigen Klaps auf den Rücken. »Berufsrisiko, schätze ich, aber Sie müssen stark wie ein Ochse sein.«

Sie drehte sich um und blickte ihn an. Dann griff sie ihr Tablett und hob es auf die Schulter. »Ich hab um sieben Uhr Schluss«, erwiderte sie. »Haben Sie Lust auf einen Ausflug? Ich könnte Sie zum Jackfish Lake fahren.« Sie lachte leise. »Es ist die Riviera des Nordens. Wir könnten ein wenig schwimmen.«

»Na gut, warum nicht?« Nach den Heimsuchungen des Tages konnte er sich fraglos jede Eskapade gönnen, die ihm gefiel. Schwimmen … das würde ihm sicher guttun.

Um neun stand die Sonne immer noch hoch am Horizont. Er schwamm auf dem Rücken in einem trüben braunen Teich, und um seine Knöchel schlängelte sich herumtreibendes Schilf. In regelmäßigen Abständen stürzten Pferdebremsen auf ihn herab, und er hatte bereits festgestellt, dass ihre Stiche außerordentlich unangenehm waren. Es gab nur eine Möglichkeit, wenn er das herannahende Summen hörte: tief Luft holen und mit dem Kopf unter Wasser tauchen – ein Wasser, das ebenfalls eine Fülle fremder Tiere beherbergte. Er hoffte nur, dass keines von ihnen in eine seiner unteren Körperöffnungen kriechen oder sich an seiner Haut festsaugen würde.

Brenda stand in einem orangenen Bikini am steinigen Ufer und zündete in einer rostigen alten Trommel, die zu diesem Zweck dorthin gestellt worden war, Grillkohle an. Was für eine Riviera, dachte er lächelnd. Trotzdem, ein angenehmes Ende eines schrecklichen Tages.

»Sie können jetzt rauskommen«, rief Brenda ihm zu. »Der Rauch hält sie fern.«

Er schwamm zum Ufer, dann sprintete er, verlegen wegen seiner blau-weiß gestreiften Boxershorts, aus dem Wasser. Eine Familie packte gerade ihre Utensilien zusammen und verschwand, sodass sie den Rest des Abends für sich allein genießen konnten. Brenda warf ihm einen Blick zu, als er sich mühte, sein Hemd über die nasse Haut zu ziehen.

»Sie brauchen sich nicht anzuziehen. Es wird noch ewig lange warm bleiben, und ich überfalle Sie nicht«, lachte sie. »Obwohl Sie in verdammt guter Form sind.«

Sie hatte recht, es war noch immer heiß, und der Rauch hielt die Sturzbomber fern. Also zog er sein Hemd wieder aus und legte sich auf die Decke, die sie mitgebracht hatte.

»Also, ich habe zwei Hamburger, zwei süße Semmeln und zwei Kartoffeln und nichts zum Drauftun außer Ketchup«, entschuldigte sie sich. »Und das Wichtigste: kaltes Bier.« Sie öffnete den Verschluss einer Flasche und reichte sie ihm. Er blickte auf die Schultern, die er so intim berührt hatte. Ihr Oberkörper glich dem eines Hafenarbeiters mit einem breiten, muskulösen Rücken und kleinen, harten Brüsten. Ihre Taille war schmal; ihre Schenkel und ihr Gesäß wirkten sehr weiblich und schienen vor glattem braunem Fleisch zu bersten. Da sie ihm so nahe kam, konnte er ihre Haut riechen und die Wärme spüren, die sie ausstrahlte. Hastig drehte er sich auf den Bauch, um seine beginnende Erregung zu verbergen, und drückte die kalte Bierflasche an seine Stirn. Dann trank er einen Schluck und legte den Kopf kurz nieder, um die kühle Haut auf seinem Rücken von der Sonne erwärmen zu lassen. Zum ersten Mal seit seiner Ankunft begann er, sich zu lockern und zu entspannen.

Brenda streichelte ihn zwischen den Schulterblättern. »Hallo, es wird spät. Und Ihr Burger ist kalt.«

Dafydd fuhr hoch und merkte, dass vermutlich eine ganze Stunde verstrichen war. Die Sonne schien noch immer hoch zu stehen, aber es war kühler, und die Wälder waren völlig stumm. Er setzte sich auf und rieb die Augen. Der Grill rauchte noch immer stark, aber die Luft war angenehm, und plötzlich sah der trübe Teich, in dessen stillem schwarzem Wasser sich rosa Wolken spiegelten, wunderschön aus.

»Wie langweilig von mir einzuschlafen«, sagte er.

»Ich habe Ihnen gern zugesehen«, antwortete Brenda. »Sie boten einen erfreulichen Anblick, wie ein gefallener Engel.«

Er lachte verlegen. Ein Windstoß fuhr über sie hinweg, und der Rauch ballte sich über dem Wasser. Dafydd griff zitternd nach seinem Hemd, aber sie kniete sich vor ihn hin und drückte ihn sanft, ohne ein Wort zu sagen, an den Schultern zurück. Er protestierte nicht, als sie sich mit ihrer ganzen Länge auf ihn legte. Es fühlte sich so behaglich und sicher an, dass es kaum sexuell wirkte. Ihr heißes Fleisch glich einer schweren Decke. Er umarmte sie, und sie lagen einen Moment lang ruhig da. Mit einer Hand strich er über ihr Haar, und mit der anderen fummelte er geistesabwesend an ein paar Schnüren an ihrer Hüfte. Plötzlich löste sich das Bikinihöschen, und seine Hand lag auf ihrem nackten Hintern. Brenda hob den Kopf, und sie schauten einander an.

»Die andere Seite auch«, sagte sie.

Da war er nun, unter einer zielstrebigen, fordernden Frau festgeklemmt, an einem Ufer in der Mitte eines subarktischen Waldes, ohne einen Menschen im Umkreis von vielen Kilometern. Und jetzt wollte sich sein Schwanz unter dem Druck ihres Bauches aufrichten. Es schien kein Zurück mehr zu geben. Schnell löste er die andere Schnur und zog das orangene Höschen mit einem heftigen Ruck von ihr weg. Sie stöhnte heiser und legte ihren Mund auf seinen.

In der Anspannung der letzten Monate hatte er seine sexuellen Bedürfnisse ignoriert oder vergessen, und dieses plötzliche Wiedererwachen ließ ihn schmerzhaft hart werden. Er zog sie hoch, sodass er nach unten fassen und sie berühren konnte, während sie vergeblich an seinen Shorts zog. Während sie keuchend und lachend herumrangelten, rieben sich ihre Hüftknochen schmerzvoll aneinander. Er packte ihre Hüften und zog ihre Knie hoch, sodass sie über ihm kniete.

»Mach weiter«, drängte sie ihn mit gerötetem Gesicht und großen, strahlenden Augen. »Es ist okay … Ich nehme die Pille.«

Dafydd dachte flüchtig an die Notwendigkeit, sich selbst zu schützen, aber bevor der Gedanke auch nur beendet war, wurden seine Hüften von den Shorts befreit. Er fand sein Ziel, zog Brenda auf sich herunter und drang mit einem einzigen kräftigen Stoß in sie ein. Sie keuchte und grinste ihn dann schamlos an, als ob sie dies von Anfang an vorgehabt hatte. Sie stellte die Füße flach auf den Boden und begann, über ihm hockend, kraftvoll auf ihm zu reiten.

Etwas an ihrem absoluten Mangel an Raffinesse erregte ihn, aber es verhinderte auch jedes andere Gefühl. Ihre Augen waren glasig, und sie nahm ihn nicht mehr wahr, sondern war ganz mit der Erreichung ihres eigenen

Ziels beschäftigt. Er brauchte sich nicht zu bewegen. Diese Frau fickt mich, dachte er, überrascht von der Stärke ihrer Oberschenkel. Ziemlich unbeteiligt blickte er nach unten auf ihre entblößten Genitalien, die einem Kolben in einem Schaft glichen, als würde er von einer gut geölten Maschine gepumpt werden. Dahinter sah er seine heruntergezogenen Boxershorts mit den albernen Streifen (sie hatten ausgedient) und noch weiter hinten den leicht gekräuselten Teich und die von Rosa zu Grau wechselnden Wolken. Trotzdem brachte ihn die Intensität ihres Fickens schon bald an den Rand, und er packte ihre Hüften, um sie zu bremsen, aber sie war in voller Fahrt und schien seine Geste nicht zu bemerken.

»Warte, hör auf«, flüsterte er, obwohl er wusste, dass es bereits zu spät war. Er schrie auf. Es war eher schmerzhaft als angenehm, einfach zu intensiv. Sein ganzes Inneres schrak zurück. Sie wurde langsamer, offensichtlich enttäuscht.

»Entschuldige«, sagte er. »Es ist eine Weile her.«

»Entspann dich«, meinte sie und flutschte beiläufig von ihm hinunter. »Wir versuchen's in einer Minute noch mal.«

In einer Minute … o Gott! Er wusste, dass er zumindest etwas tun konnte, um sie kommen zu lassen, doch er wurde von einer ungeheuren Lethargie überwältigt, fast als hätte er Drogen genommen. Er legte den Arm um sie, und sie kühlten sich in der leichten Abendbrise ab. In der Nähe heulte schauerlich eine Eule. Trotz seiner Trägheit waren seine Sinne hellwach, als würde selbst seine Haut die Geräusche des Waldes hören und den Geruch von Sex und Rauch und Kiefern wahrnehmen. Ein kräftiges Platschen war zu hören, als schlüge ein großer Fisch mit den Flossen auf die Wasseroberfläche.

Sie küssten sich, aber jetzt wirkte es fast zu intim. Schließlich kannten sie einander nicht. Ihr Atem beschleunigte sich, und er zog sich zurück. Er wollte sie nicht erneut lieben oder vielmehr Sex mit ihr haben. Er schob seine Hand zwischen ihre Beine, und schon bald war klar, was ebenfalls zum Ziel führte. Nach einer halben Minute hatte er sie zum Höhepunkt gebracht.

»Mach das noch mal«, befahl sie nach einer kurzen Erholung, und er tat es mit einem ebenso schnellen Ergebnis. Sie schien mehr oder weniger zufrieden mit der arbeitssparenden Rückvergütung ihrer Anstrengungen zu sein.

»Ich glaube, wir sollten allmählich an den Aufbruch denken«, meinte sie und setzte sich auf. »Hier gibt es Bären.«

Dafydd richtete sich ebenfalls auf und spähte alarmiert um sich. Sie lachte. »Warum glaubst du wohl, habe ich den Grill angezündet? Wegen der Pferdebremsen?«

Schweigend zogen sie sich an und packten ihre Picknicksachen ein. Dann fuhren sie in der zunehmenden Dämmerung nach Moose Creek zurück. Sie kamen am Sägewerk vorbei, wo er nur ein paar Stunden zuvor die Überbleibsel eines Mannes in Plastiksäcke eingesammelt hatte. Und nun saß er neben einer Frau, die lebte, deren Fleisch unversehrt war und von Blut durchpulst wurde. Er befand sich an einem sehr fremden Ort und fragte sich, was diese Begegnung bedeutete. Vielleicht hegte sie einige Erwartungen und Annahmen, doch wahrscheinlich nicht. Brenda war eine emanzipierte Frau, die ihren eigenen Regungen zu folgen schien. Außerdem hatte sie ihn wohl als einen zu zurückhaltenden und unbefriedigenden Liebhaber empfunden. Wie auch immer, er war weder fähig noch bereit, sein angeschlagenes Ich irgendjemandem anzuvertrauen.

KAPITEL

5

Cardiff, 2006

EINE DICKE GRAUE Wolke hing über Cardiff. Dafydd warf einen prüfenden Blick zum Himmel, beugte den Kopf vor dem Nieselregen und ging zum Ärzteparkplatz, wo sein uraltes Velocette-Venom-Motorrad unpassend inmitten einer Reihe glänzender Jaguars und BMWs geparkt war. Normalerweise bereitete es ihm große Freude, die alte Kiste mitten zwischen den Erektions-Substituten zu parken, aber aus irgendeinem Grund glich seine Transportart heute einer armseligen Aussage, unreif und peinlich. Er hatte sich den größten Teils seines Lebens hindurch auf Motorrädern nassregnen lassen, aber im Moment hätte er gern darauf verzichtet.

Er setzte seinen schüsselartigen Helm auf, machte den Reißverschluss seiner Lederjacke zu, zog seine wasserdichte Hose an, gurtete seine Aktentasche auf dem Soziussitz fest und startete die Maschine. Der Kickstarter hatte die Angewohnheit, wie ein Hammerschlag zurückzustoßen, was sein Knie der Gefahr einer frühen Arthritis aussetzte.

»Mach schon«, knurrte Dafydd und hob die Augen. Er bemerkte, dass Ed Marshall herablassend in seine Richtung lächelte, während er seinen brandneuen Saab aufschloss und sich in dessen mit weichem Leder ausgekleidetes Inneres gleiten ließ. Zum Glück explodierte die Velocette zum Leben, und Dafydd brauste von dannen, wobei er eine blaue Rauchwolke hinter sich ließ.

Es war Ende September, und die Tage wurden kürzer. Statt sich auf den Heimweg zu einem leeren Haus zu begeben, fuhr er ziellos zum Meer. Es hatte fast zu regnen aufgehört, als er an der Küste in Penarth parkte. Die Esplanade war verlassen, bis auf eine Frau, die sich damit abmühte, einen durchnässten und verdreckten Retriever in den hinteren Teil ihres Coupés zu stopfen. Der Hund wollte nicht, und der Kampf setzte sich fort, bis die Frau nachgab und den Hund auf den Beifahrersitz ließ. Das Rattern eines fernen Spielautomaten in einem Pub mischte sich mit dem sanften Rasseln der Kiesel, die das Meer am Ufer hochspülte.

Er saß mit gespreizten Beinen auf dem Motorrad und sah zu, wie sich das Grau verdunkelte. Zwei mit Jugendlichen besetzte Autos hielten neben ihm. Laute Rap-Musik dröhnte durch die Scheiben, begleitet von heiserem Gebrüll und mädchenhaftem Gelächter. Er wunderte sich über ihren sträflichen Leichtsinn. Als Teenager hatte er nie Bier getrunken, Hasch geraucht oder mit Mädchen im Auto herumgeknutscht. Erst als er die medizinische Fakultät besuchte, hatte er sich einen fahrbaren Untersatz zugelegt. Er war der Traum seiner verwitweten Mutter gewesen, diszipliniert und lerneifrig. Seine Jungfräulichkeit verlor er nicht vor seinem einundzwanzigsten Lebensjahr. Später hatte er dann sein Bestes gegeben, um die verlorene Zeit wettzumachen.

Ein Mädchen in einem der Autos bemerkte, dass er sie betrachtete, und warf ihm einen Was-glotzt-du-so-Blick zu. Sie streckte ihm die Zunge heraus und bewegte sie provozierend hin und her. Einen Moment lang war er von ihrer Verwegenheit fasziniert, aber ihre Augen hatten etwas Hartes. Dann lächelte sie, kurbelte ihr Fenster herunter und rief: »Hey du, du bist ganz schön knackig – für einen alten Knaben.« Ihre Freunde kreischten vor Gelächter.

Dafydd verstand Teenager nicht. Sie gehörten einer anderen Spezies an und schüchterten ihn ein. Er richtete die Augen wieder aufs Meer.

Er dachte an Jim Wiseman. Seine Frau war mit einem holländischen Piloten durchgebrannt und hatte Jim mit ihren drei Kindern im Teenageralter zurückgelassen. Dafydd war eines Abends zu ihm hinübergegangen, um ihm sein Mitgefühl auszusprechen. Alle möglichen Jugendlichen hingen auf den Möbeln herum, der Fernseher plärrte, auf allen Oberflächen standen Teller mit halb aufgegessenen Mahlzeiten, das Telefon war ständig besetzt. Der arme Teufel sah einer Zukunft als Alleinerziehender entgegen, aber er lebte für seine Kinder. Er liebte diese pickeligen, schlaksigen, bescheuerten Dinger. Ein Teil von Dafydd hatte sich danach gesehnt, dies zu verstehen und es ebenfalls zu erfahren, ein anderer Teil fand es unbegreiflich und erschreckend. Wie auch immer, es war nicht geschehen, und jetzt war es zu spät.

Er stieg von seinem Motorrad, durchsuchte seine Aktentasche und zog eine fast leere Flasche Glenfiddich hervor, die ihm ein dankbarer Patient geschenkt hatte. Es gab keinen Grund, nach Hause zu fahren, da sich Isabel auf einer Geschäftsreise in Glasgow befand. Ihr neuer Auftraggeber Paul Deveraux, ein außergewöhnlicher Bauunternehmer, drängte sie, hauptberuflich als Innenarchitektin für ihn zu arbeiten. Seit ein paar Wochen hielt er ihr eine Karotte vor die Nase – ein großes neues Hotel in Glasgow, das zu einer bedeutenden Kette gehörte, und Dafydd hatte sie ermutigt zu reisen. Auf diese Weise konnte sie den Knaben kennen lernen und sich darüber klar werden, ob sie ihre hart erkämpfte Unabhängigkeit aufgeben wollte.

Bei Gott, sie brauchten Abstand voneinander, zumindest bis die DNA-Bestätigung vorlag. Ihre Kälte ihm gegenüber hatte sie zu Fremden werden lassen. Ob sie seinen Beteuerungen in Sachen Sheila Hailey glaubte oder nicht, war dabei nicht ausschlaggebend. Was sie wirklich bedrückte, war das Auftauchen einer Kondomschachtel auf seinem Nachttisch. Sie hatte begriffen, dass sein Entschluss das Ergebnis monatelangen Nachdenkens war und dass er tatsächlich meinte, was er ihr in der Sturmnacht so heftig entgegengeschleudert hatte, aber die technische Umsetzung der Entscheidung war einfach zu viel für sie.

»Die wirst du nicht brauchen.«

Er hatte geschwiegen und gehofft, dass sie es nicht so meinte, wie es klang. Auch er war verärgert. Er musste nicht nur Hunderte von Pfund hinblättern, um die Behauptungen einer Verrückten aus ferner Vergangenheit zu widerlegen, sondern er wurde auch noch von seiner eigenen Frau wie etwas behandelt, das aus einem Abwasserkanal gekrochen war. Isabel hatte ihm keine Chance gegeben, über seine Gefühle zu sprechen, und sich erst recht nicht zu dem geäußert, was sie selbst empfand. Sosehr er sich auch für seine Gefühllosigkeit entschuldigte, sie zog sich einfach in ein kaltes Schweigen zurück und sprach nur, wenn es nötig war.

Verstohlen nahm er einen Schluck. Vortreffliches Zeug. Er nahm noch einen. Dann steckte er die Flasche in die Innentasche seiner Jacke. Er blickte über den Kanal, aber es herrschte dichter Nebel, und die Küste von Devon war kaum zu erkennen. Der Pier von Penarth reichte weit ins Wasser hinaus, ein anmutiges Bauwerk und offenbar schon sehr alt. Er hatte ihn nicht mehr betreten, seit er vor acht Jahren nach Cardiff gezogen war. Das schien sehr lange her zu sein.

Dafydd hatte die Stelle teils angenommen, weil sie absolut respektabel war, und teils wegen des Bedürfnisses, zu seinen Wurzeln zurückzukehren. Seine Mutter, Delyth, war in Wales geboren worden und dort aufgewachsen, aber als sie seinen Vater, einen bärbeißigen Nordländer, heiratete, war sie nach Newcastle gezogen. Erst als Dafydd 1992 beschlossen hatte, nach Moose Creek zu gehen, und ihr Mann längst gestorben war, kehrte Delyth in ihre Heimat zurück. Sie war in ein Pflegeheim in Swansea umgesiedelt und dort nicht lange nach seiner Rückkehr gestorben.

Seit seiner Heirat mit Isabel waren ihre walisischen Wurzeln ein weiterer Anreiz, in Cardiff zu bleiben. Ihre Eltern waren Italiener und betrieben ihre Eiscafés in Südwales noch immer. Damit hatten sie, ein armes Einwandererpaar, das der Krieg nach Wales verschlagen hatte, ein Riesenvermögen gemacht.

Dafydd passierte die seit langem außer Betrieb gesetzten Drehkreuze und ging den Holzsteg entlang. Ein paar Angler in unförmiger, wasserfester Kleidung saßen reglos am Geländer und starrten, jeder ganz für sich, auf ihre Ruten. Wovor sie auch geflohen sein mochten, dieser Treffpunkt war so gut wie jeder andere, da keiner von ihnen je einen Fisch zu fangen schien. Dafydd ging an ihnen vorbei und lugte in ihre Eimer, aber niemand von ihnen blickte auf oder schien auf eine Unterhaltung erpicht zu sein.

Auf beiden Seiten des Bauwerks standen überdachte Bänke, kleine Hütten, die über das Wasser ragten und in denen Liebende Schutz vor dem Wind finden konnten. Heute fehlten die Liebespaare, denn der Abend war nicht romantisch. Doch die Sitze waren trocken. Er ließ sich dort nieder und nahm kleine Schlucke aus der Flasche, während er den Tankern zusah, die sich auf dem glatten Wasser hin und her schoben. Ebbe setzte im Kanal ein und saugte das Wasser mit einiger Geschwindigkeit ab. Dabei wurde der braune Schlamm unter dem Pier sichtbar.

Dafydd zog die Jacke um sich zusammen und dachte an seine Arbeit. Diese Geschichte mit der ungerechtfertigten Vaterschaftszuweisung hatte für ihn immerhin einen Vorteil. Sie hatte seine generelle Trägheit hervortreten lassen, eine Schwerfälligkeit, die nach und nach in sein

Leben gekrochen war. Er schien sich mit dem abgefunden zu haben, was jeder andere Facharzt tat: gewissenhaft arbeiten, Geld auf die hohe Kante legen, die Hypothek abbezahlen und auf die Pensionierung warten. Dann sollte das wirkliche Leben beginnen, in Form eines langen verdammten Golfspiels. Doch vorher hatten die meisten von ihnen Herzinfarkte und starben.

Er kannte das alles, so war es auch bei seinem Vater abgelaufen. Doch seine eigenen erbärmlichen kleinen Rebellionen gegen den Sog dieses Trends – wie die Weigerung, ein Auto zu besitzen, oder die Ablehnung von Privatpatienten – vermittelten ihm in Wahrheit kein heroisches Gefühl. Vielleicht würden sich die Dinge ändern, wenn die DNA-Geschichte erledigt war. Eine Art Neubeginn, sowohl in seinem Leben als auch in seiner Ehe.

Inzwischen war es dunkel, aber das störte ihn nicht. Die Wolken hatten sich ein wenig geteilt, und die Lichter von Western-Super-Mare flimmerten schwach. Dafydd hatte sich versprochen, eines Tages mit dem alten Raddampfer hinüberzufahren, es jedoch nie getan. Er setzte die Flasche an den Hals und leerte den restlichen Whisky. Der Alkohol sickerte in seinen Blutkreislauf und hinterließ ein glühendes Gefühl in seinen Gliedern. Er stand auf, warf die Flasche in einen Abfalleimer und ging den Steg zurück. Die Angler hatten sich nicht bewegt.

Die Kneipe an der Esplanade war geöffnet, und er musste pinkeln. Dann konnte er auch gleich ein Glas trinken und sich dazu einen Beutel Erdnüsse bestellen. Im Haus gab es nichts. Der Kühlschrank war leer – von Isabels Flaschen mit Vitamintabletten und chinesischen Kräutermitteln, die angeblich die Fruchtbarkeit stärkten, einmal abgesehen.

Zwei Stunden später kehrte er zu der Velocette zurück. Er fühlte sich richtig gut. Es war wunderbar, etwas Zeit für sich selbst, zum Nachdenken, zu haben. Er würde alles anders machen, wenn diese ganze alberne Angelegenheit vorbei war. Er würde den Staub von seiner Gitarre wischen, vielleicht sogar mit dem blöden Angeln anfangen, er konnte allein ein wenig meditieren, wieder mit dem Laufen anfangen und einen eisenharten Hintern bekommen. Mit dem Fernsehen aufhören und all die Bücher lesen, die er sich dauernd kaufte, ohne sich die Zeit zum Lesen zu nehmen …

Dafydd schwankte ein wenig, als er wiederholt auf den Kickstarter trat. Er dachte kurz darüber nach, ob es ratsam war, auf sein Motorrad zu steigen, aber zur Hölle, es musste mindestens neun Uhr sein, vielleicht sogar zehn; der Verkehr hatte sich bestimmt schon abgeschwächt. Er war solch ein Musterknabe, dass er keinen einzigen Strafpunkt auf dem Konto hatte.

Hurra! Das Motorrad startete sofort. Zärtlich tätschelte er den Benzintank. Wunderbares altes Mädchen. Er fuhr den Hügel hoch an den Klippen entlang, die sich vom Ufer erhoben, und folgte dem Einbahnstraßensystem, das zurück in die Stadt führte. An der Westbourne Road übersah er das Vorfahrtsschild, und als er vorsichtig, aber total betrunken weiterrollte, krachte ihm ein grüner Volvo mit fast fünfzig Stundenkilometern in die Seite.

In weiter Ferne bemerkte Dafydd ein Licht. Es verteilte sich wie winzige Quecksilbertropfen über seine Netzhaut. Sie sprangen und hüpften und ließen seine Augäpfel unerträglich schmerzen. Er versuchte, die Augen zu schließen, aber dann stellte er fest, dass sie bereits geschlossen waren. Um dem quälenden Licht zu entkommen, wandte er den Kopf ab. Sein Kopf war groß und schwer wie eine Bleikugel, und er spürte pulsierende Schmerzwellen.

Langsam erkannte er Erweiterungen seines Kopfes. Schwere, taube Anhängsel: seine Arme und Beine. Er öffnete die Augen einen Spaltbreit, und wenige Zentimeter von seinem Gesicht entfernt sah er Metallrohre auf grünem Hintergrund. Das kannte er, und dadurch fühlte er sich ermutigt. Er gestattete sich, zurück in die Dunkelheit eines tiefen Schlafs zu fallen.

Ein Schmerz schoss durch sein Handgelenk, und er schaute hin. Ein Fuchs hatte hineingebissen. Der Fuchs war noch immer da und musterte ihn mit grünen Augen. Rastlos hin und her laufend, schrie das Tier plötzlich. Es war ein beängstigender Schrei, eine Warnung. Der Fuchs drehte sich um und rannte über einen öden, schneebedeckten Boden davon. Dafydd wollte ihm folgen und rief, das Tier solle warten. Er mühte sich voranzukommen, aber seine Beine waren schwer und starr wie Baumstämme. Die Anstrengung ließ Übelkeit in ihm hochsteigen und zwang ihn, die Augen zu öffnen.

Er war in einem Raum und versuchte, sich aufzusetzen, aber sein Körper wollte ihm nicht gehorchen. In seinem Kopf hämmerte es gnadenlos, und er ließ ihn behutsam wieder auf die weiche Unterlage sinken. In der Ferne erklang ein durchdringendes Geräusch wie das eines Weckers. Er fuhr mit der Hand nach oben und merkte, dass etwas seinen Mund bedeckte. Er tastete über die Oberfläche. Sie war hart und kalt, und er riss den Gegenstand ab. Seine Stirn fühlte sich geschwollen und isoliert an, als trüge er einen Hut.

Allmählich kehrte sein Bewusstsein zurück, und dann erwachte er vollständig. Er lag in einem Krankenhauszimmer, und sein Kopf war bandagiert. Jetzt konnte er die Ränder des Verbandes mit den Fingern fühlen. Er erschrak und setzte sich auf. Die plötzliche Bewegung ließ ihn würgen, und verzweifelt blickte er sich nach einem Gefäß um. Auf einem Gestell neben ihm stand ein Aluminiumtopf. Als er sich erbrach, hatte er den Eindruck, sein Kopf würde wie eine überreife, auf Beton knallende Melone zerbersten.

Eine Schwester kam zu ihm und legte seinen Kopf behutsam zurück auf das Kissen. »Mr Woodruff, sie sind in der Notaufnahme. Keine Sorge, mit Ihnen ist alles in Ordnung. Sie hatten einen Motorradunfall.«

»Wann?«

»Vor ein paar Stunden. Es sind nur eine Gehirnerschütterung und ein paar Abschürfungen.«

»Was ist passiert? Wurde sonst noch jemand verletzt?«

»Dem Fahrer des anderen Fahrzeugs geht es gut; offenbar hatten Sie Glück. Nichts außer ein paar Schnitten und Quetschungen. Ihr Motorrad ... also das ist ein Totalschaden.«

»O Scheiße, nein«, stöhnte Dafydd, und sein Kopf begann wieder zu hämmern.

»Wir haben einen Scan gemacht, und das Innere Ihres Kopfes ist heil geblieben. Nur eine kleine Erschütterung.«

»Ich kann mich an nichts erinnern.«

»Das ist normal. Sie waren ... hm, haben Ihren Rausch ausgeschlafen. Sie waren bei vollem Bewusstsein, als der Krankenwagen Sie herbrachte.« Sie kicherte, als sie sein Gesicht mit einem feuchten Tuch abwischte. »Offenbar haben Sie ein bisschen Rabatz gemacht.« Sie hielt inne. »Aber schließlich haben Sie ... einem Bluttest zugestimmt.«

»Was meinen Sie mit zugestimmt?«

»Gegenüber der Polizei.«

»Der Polizei? Was habe ich ...«

»Dr. Thakurdas kommt gleich zu Ihnen«, sagte sie schnell. »Ärgern Sie sich jetzt nicht darüber. Betrachten Sie sich einfach nur als jemanden, der Glück gehabt hat, Mr Woodruff.«

Er verdrängte alles und fiel erneut in einen tiefen Schlummer. Jemand maß seinen Puls, und er konnte hören, wie man sich über ihn unterhielt und dabei seinen

Namen nannte, aber er war zu müde, um dem Gespräch zu folgen. Fraglos hatte man ihm etwas gegeben; der hartnäckige Schmerz in seinem Kopf schien verschwunden zu sein.

Dafydd hatte das Gefühl, nach hinten wegzurutschen. Er schrieb seinen Namen in ein Buch und küsste Isabel. Eine fremde Frau in einem Rüschenkleid mit Blümchenmuster leitete die Hochzeitszeremonie. Als sie durch eine schwere Eichentür hinaustrat, fegte ein heftiger Windstoß herein. Isabel drehte sich zu ihm um: »Bist du sicher, dass du das willst?« Natürlich war er sich sicher, er liebte sie. Sie war gefestigt, jemand, der einem im Sturm Halt gab.

Als er auf seinen Mantel hinabguckte, merkte er, dass dieser schäbig war, als gehöre er einem Obdachlosen. Er kehrte das Innere der Taschen nach außen und verfluchte sich selbst. Etwas hatte er in Kanada zurückgelassen. Er vermisste jemanden. Angst quälte ihn, weil er sie zurückgelassen hatte. Sie war sanft und schön und so unendlich weit weg, dass er nie wieder zu ihr konnte.

Sein Blick fiel auf die große Frau neben ihm. Sie hieß Isabel und trug nicht jenen anderen, fremden Namen. Mit aller Kraft biss er die Zähne zusammen, um nicht zu weinen. Dann drehte er sich auf die Seite und zog sich das dünne Laken fest über das Gesicht. Es klopfte an der Tür, klopfte und klopfte. Sheila kam herein und bat ihn, eine Abtreibung bei ihr vorzunehmen … Jetzt, sofort.

Er schüttelte den Kopf; langsam, damit es nicht weh tat. Eine Abtreibung? Hier?

»Mir geht es nicht allzu gut«, sagte er und versuchte, überzeugend zu klingen. »Warum fliegst du nicht nach Yellowknife? In ein oder zwei Tagen bist du wieder zurück. Niemand wird etwas merken.«

»Ach, hör auf … Solch ein Aufstand für solch eine Kleinigkeit? Außerdem weiß mein Freund nichts von der Schwangerschaft. Er könnte misstrauisch werden, wenn ich verreisen würde.« Sie setzte sich aufs Bett. Sie trug keine Uniform, sondern einen sehr kurzen grünen Wildlederrock, und obwohl er nicht hinzusehen versuchte, erhaschte er einen Blick auf das rotlockige Schamhaar zwischen ihren Oberschenkeln.

»Was meinst du mit: Er würde misstrauisch werden?«, fragte er in dem Wissen, dass die Sache etwas mit ihm zu tun hatte.

Nach einem kurzen Schweigen antwortete sie: »Weißt du, das Baby …« Sie beugte sich vor und legte ihre Hand auf seine. »Das Baby ist nicht von ihm.«

»Tatsächlich?« Dafydd riss seine Hand weg und steckte sie unter die Decken.

Sie lehnte sich zurück und sah ihn nachdenklich an. »Du kennst ihn nicht, oder? Lass es uns so ausdrücken: Wenn er es herausfinden würde … dann würde er Hackfleisch aus jedem Mann machen, den ich kenne. Auch aus dir. Aus dir auf jeden Fall. Du weißt warum, oder? Erinnerst du dich, was du mir angetan hast?«

Dafydd versuchte, darüber nachzudenken. Er verstand nicht, was sie meinte, aber er wollte auf gar keinen Fall zum Angriffsziel eines affenartig behaarten, eine Axt schwingenden Holzfällers werden.

»Frag Dr. Odent«, stöhnte er und wünschte sich, dass sie ging. »Er führt Abtreibungen in seinem Wohnwagen durch, und ich habe gehört, dass er sehr kurze Röcke mag. Oder Hogg. Du weißt, wie versessen er auf dich ist. Er würde es machen.«

»Nein. Du weißt, was für ein kleiner Ort Moose Creek ist«, lachte sie. »Ich will nicht, dass es sich rumspricht. Außerdem teilen wir beide ein schmachvolles Geheimnis.«

Moose Creek? Er war doch in Cardiff. Dafydd presste die Augen zusammen und hoffte, sie würde sich in Luft auflösen. Es war nicht fair. Er war krank.

»Na komm, Dafydd, sei nicht so unglaublich prüde.«

Sie stupste seinen Arm an. »Hier in der Wildnis werden solche Dinge dauernd gemacht. Wenn dein Empfinden derart leicht verletzt wird, solltest du überhaupt nicht hier sein. Du bist nicht in einem feinen britischen Krankenhaus.«

»Aber das bin ich doch«, protestierte er schwach. »Das hier ist ein feines britisches Krankenhaus.«

Sheila lachte. Ihre Zähne waren spitz wie die einer Katze.

Ihr spöttisches Gelächter machte ihn wütend. »Du weißt ganz genau, wie gefährlich es ist. Wirklich, du könntest verbluten. Es ist illegal, und es ist unethisch …«

»Oh, hör auf«, fauchte sie, »du und deine verfluchte Ethik …«

Jemand klopfte ihm auf die Schulter, und Sheila verblasste. Sein lädierter Körper wurde auf dem Bett auf die Seite gerollt, und er spürte einen Druck in den Ohren. Am liebsten hätte er sich übergeben. Vielleicht wurde er erlöst, wenn er sich erbrechen und von allem befreien konnte.

»Haben Sie Schmerzen, Mr Woodruff?«, fragte Dr. Thakurdas und schüttelte behutsam seine Schulter. »Sie haben im Schlaf geschrien und gewimmert. Wir sind ein wenig besorgt um Sie.«

KAPITEL

6

Moose Creek, 1992

ER WOLLTE GERADE klopfen, doch dann zögerte er und blickte auf seine Uhr: 8.38. Ian Brannagan war kein Morgenmensch, das war überdeutlich geworden. Er sah sich um. Das winzige einstöckige Haus hatte eine rundherum laufende Veranda, wie er sie aus dem Süden der USA kannte. Davor lag ein verwahrloster Garten, den die Reste eines weißen Lattenzauns umgaben. Sehr seltsam, hier draußen in der Walachei ganz allein zu wohnen, ohne jegliche Gesellschaft.

Doch diese Vermutung wurde widerlegt, als ein beigefarbener Hund aus dem Nichts angeschlendert kam und mit dem Schwanz wedelte. Dafydd hatte Hunde immer gemocht, aber nie einen besessen. »Du bist auch nicht gerade ein toller Wachhund«, sagte er und bemerkte erst jetzt, dass es sich um einen riesengroßen Welpen handelte. Er kraulte das zutrauliche Tier hinter den Ohren, das ihm daraufhin die nackten Knie ableckte.

Neben der Tür standen zwei Korbstühle. Auf einem lag ein Fell. Dafydd berührte es und beugte sich dann hinab, um an dem beißenden Geruch zu schnuppern. Ein kurioser Geruch nach Tier und konzentriertem Rauch. Ein Karibufell. Er kannte den Geruch von einem Paar bestickter Stiefel, *mukluks,* die er einer Ureinwohnerin abgekauft hatte.

Dafydd setzte sich auf den Stuhl und wartete. Der

Hund hockte sich neben ihn und lehnte sich schwer gegen seinen Oberschenkel. Die Sonne stach bereits, aber in der Kühle der Veranda summten die Mücken unbekümmert durch die Luft. Er war mit Insektenstichen übersät. Blutsaugende Kreaturen hatten sich schon immer freudig auf ihn gestürzt. Eine Dermatologin hatte ihm einmal erklärt – damals fand er das ziemlich unprofessionell –, dass es sein dunkler Teint und seine feine Haut seien, die ihn so appetitanregend machten. Er rieb sich die zerstochenen Knöchel, doch das verschlimmerte seine Qual nur.

Ein Flugzeug brauste über ihn hinweg. Er blickte ihm nach, wie es gen Süden flog. Obwohl er das Fliegen hasste, ergriff ihn eine Sehnsucht, an Bord genau jener Maschine zu sein. Aber sie verschwand ohne ihn in Richtung Zivilisation und ließ einen Kondensstreifen zurück. Die Blätter rollten sich bereits an den Rändern ein. Der Herbst kam früh im Norden.

»Zum Teufel, was ist das denn?«

Ian Brannagans Kopf ragte plötzlich aus einem der Fenster hervor. Morgens sah er Jahre älter aus. »Es ist Sonntag, Mann. Was machst du hier?«

Der Welpe überschlug sich vor Freude und rannte nach seinem Schwanz schnappend die Veranda entlang.

»Dachte, dass du vielleicht einen Spaziergang machen wolltest.«

»Einen Spaziergang?«

»Ja, ein bisschen Bewegung, frische Luft und so.«

»Du spinnst wohl.«

Ian zog den Kopf ins dunkle Hausinnere zurück, aber ein paar Minuten später trat er aus der Tür und schloss die beeindruckende Silberschnalle an seinem Gürtel. Sein Oberkörper war nackt. Er war weiß und mager, hatte jedoch gut ausgebildete Muskeln. Eine zackige, unebene Narbe verlief von der Brustwarze quer über den Rumpf und verschwand unter seinem Gürtel.

»Mein Gott, das war aber schlechte Arbeit«, rief Dafydd. »Was war's denn? Eine Herz-Lungen-Transplantation?«

»Nee, eine Prügelei.«

»Sieht aus, als hättest du Besuch von einem Präparator gehabt.«

»O nein, diese Knaben verrichten hier wirklich gute Arbeit. Wenn du irgendwas fängst, bringe ich dich zu einem guten. Einem richtigen Meister.«

»Mir macht das Töten von Tieren keinen Spaß. Aber wenn das nicht der Fall wäre, was gäbe es dann hier?«

»Kannst du dir aussuchen. Dallschafe, Bergkaribus und etwas höher Ziegen. Elche, Vielfraße, Schwarzbären, Grizzlys und Wölfe gibt's ganz in der Nähe. Aber pass auf, einige Arten sind geschützt, und du brauchst eine Lizenz. Aber es ist einfach, das zu umgehen. Brauchst mich bloß zu fragen.«

Einen Moment lang saßen sie schweigend da. Ian sah krank aus. Er war leichenblass. Sein leicht verzerrtes Gesicht verriet Schmerz.

»Alles klar mit dir?«

»Ja, alles in Ordnung«, seufzte Ian und rieb sich das Gesicht mit beiden Händen. »Nur ein mächtiger Kater. Nichts, was ein Spaziergang nicht kurieren könnte.«

Unter den Bäumen war die Luft kühl und still. Alles sah braun aus. Nur auf den Lichtungen schoss die Vegetation in lebhaftem Grün aus dem Boden und hob sich gegen das dunkle Innere des Waldes ab. Sie waren eine Stunde lang direkt von Ians Haus in den Wald gegangen. Dafydd schlug nach den Mücken, aber Ian schien immun gegen sie zu sein. Er hatte sein T-Shirt ausgezogen, und die Insekten ließen sich ständig auf seinem Körper nieder. An Orten, an denen sie wie schwarze Wolken auch in die Augen und Nase flogen, drosch Dafydd voller Panik auf sein Gesicht ein. Er hatte gelesen, dass Menschen ebenso wie

Karibus während der Insekten-Hauptsaison von diesen Wolken aus Mücken und Pferdebremsen an den Rand des Wahnsinns getrieben werden konnten.

Bevor sie eine Lichtung betraten, entdeckten sie etwas Großes, Braunes. Ein schwerer Elchbulle riss an dem Gras zu seinen Füßen. Ian hob mahnend den Arm. Thorn, der Hund, legte sich sofort flach auf den Boden, die Nase zwischen seine Vordertatzen gedrückt. Sie standen reglos da und beobachteten den Riesen der Natur. Seine Schulterhöhe überstieg die Größe eines Menschen, und sein Geweih hatte eine Breite von fast zwei Metern. Dafydd merkte, dass Ian langsam sein Gewehr hob.

»Bist du verrückt«, schrie Dafydd und schlug das Gewehr zur Seite. »Tu das nicht.«

Thorn sprang knurrend auf, und der Elch schwang den Kopf empor, wobei er die schwere Last des Geweihs elegant balancierte. Eine Sekunde lang stand er stocksteif mit zitternden Nüstern da, dann drehte er sich um und galoppierte zwischen den Bäumen davon, schwerelos wie in Zeitlupe.

»Wir sind ganz schön nervös, oder?«, meinte Ian gereizt. »So entstehen Unfälle.«

»Okay. Aber ich habe dir gesagt, dass ich so etwas nicht mag.«

»Ich wollte ihn nicht erschießen, Kumpel. Habe nur aus Spaß auf ihn gezielt. Wir hätten das Ding ohnehin nicht zurück nach Hause schleppen können.«

»Ach ja, und das hätte ich erraten sollen?« Dafydd hob seine Tasche auf und trat in den Sonnenschein hinaus. Aber Ian rief ihn zurück.

»Das ist weit genug. Man kann sich hier leicht verlaufen. Lass uns heimgehen.«

Auf einen Wink hin raste Thorn los, umkreiste Dafydd und trieb ihn zurück, wobei er bellend und tänzelnd um seine Füße sprang.

Eine Zeit lang gingen sie schweigend dahin. Dafydd hoffte, dass Ian ihm den Ausbruch nicht nachtragen würde. Er mochte seinen Kollegen trotz dessen gelegentlicher Unverschämtheit und seiner groben Manieren, und er brauchte unbedingt einen Freund. Ian war untypisch, verdammt untypisch für einen Arzt, ja, sogar ein wenig verrückt. Er hatte Probleme. Vielleicht mit Alkohol, vielleicht mit etwas anderem. Er war Kettenraucher und machte oft einen sehr angespannten Eindruck. Eine Frau schien es in seinem Leben nicht zu geben.

Dafydd brach das Schweigen. »Ian, hast du eine Freundin … oder eine Bekannte?«

»Nein, eigentlich nicht.«

»Keinerlei weibliche Gesellschaft? Du bist mit den Mädchen im Klondike sehr freundschaftlich umgegangen«, insistierte Dafydd. Er dachte unwillkürlich an Brenda.

Ian grinste. »Du möchtest wissen, ob ich flachgelegt werde?«

»Okay, wirst du flachgelegt?«

»Keine Sorge, dieser Ort ist das Paradies für lockeren Sex.«

»Das habe ich nicht gemeint …«

Ian schritt energisch weiter, und sie marschierten hintereinander her. Raben krähten laut, als sie unter ihren Nestern vorbeigingen. Der Lärm ihres Gekreisches hallte gespenstisch in den umstehenden Bäumen wider. Sie folgten keinem bestimmten Weg, es gab auch keinen, aber Ian wirkte zielstrebig. Er schien die Richtung zu kennen.

»Wenn du flachgelegt werden willst, mein Freund«, sagte er plötzlich, ohne sich umzudrehen, »dann such dir besser nicht unsere freundliche Oberschwester aus.«

»Oh, keine Chance«, versicherte Dafydd. »Aber warum die Warnung?«

»Hast du ihre scharfen, kleinen Zähne gesehen? Die können einem die Männlichkeit ganz schön ramponieren.«

Überrascht blieb Dafydd stehen. »Meinst du das wörtlich oder symbolisch?«

»Beides. Ich meine beides.«

»Herr im Himmel!«

»Es wird nicht lange dauern, und dann wird sie dich mit ihren scharfen Titten anmachen.«

Dafydd lachte. »Es klingt, als sprächest du aus Erfahrung.«

»Und ich will verflucht sein, wenn ich sie nicht wiederhole.«

Deutete Ian damit an, dass er sich von Sheila fernhalten sollte, weil er sie für sich beanspruchte? So klang es nicht. »Sie gehört dir«, sagte Dafydd, um sicher zu sein, dass er Ian richtig verstanden hatte.

»Um Gottes willen, nein. So läuft das bei Sheila nicht.«

»Stört dich das?«

»O Mann, du hast mich völlig falsch verstanden. Sie kann tun, was zum Teufel sie will. Es hat nichts mit mir zu tun. Wir haben nichts laufen, und erst recht nichts Verbindliches. Ich hab dich nur gewarnt, weil man leicht gefangen wird und dann dafür bezahlen muss.«

»Meinst du das wörtlich oder symbolisch?«

Ian warf lachend den Kopf zurück. Dabei zeigte er seine schönen Zähne und sah plötzlich jung und vital aus. Seine gute Laune war wiederhergestellt. Dann schien er über die Frage nachzudenken.

»Beides, Mensch. Beides. Du wirst schon sehen.«

Die Bäume standen noch immer dicht nebeneinander. Wahrscheinlich waren sie noch weit von der Hütte entfernt. Dafydd konzentrierte den Blick auf die Bewegung von Ians langen, dünnen Beinen. Er versuchte, in Ians Fußstapfen zu treten, aber sie harmonierten nicht mit seinen. Eine Zigarette baumelte von Ians Fingern. Er schnippte sie fort. Dafydd musterte die trockenen Kiefernnadeln auf dem Boden. Entstanden so nicht Waldbrände? Er hörte, wie hinter ihm ein Ast brach, und zuckte zusammen. Dann ein lautes Rascheln von Laub und Zweigen. Ein Bär? Ein Vielfraß?

»Ian, warte!«, rief Dafydd und rannte los, um ihn einzuholen. Ians Gewehr wippte beruhigend an seiner Schulter. Sie gingen Seite an Seite, freundschaftlich, aber im ungleichen Rhythmus.

»Deine Narbe, woher stammt die? Doch bestimmt nicht von einem Kampf?«

»Ach, die Narbe. Die ist alt. Ich war dreizehn. Hab versucht, einen Hund zu retten – meinen Hund. Aus einem brennenden Haus. Habe mich dabei fast an der Stange eines Metallgeländers erhängt.«

»O Gott, das klingt scheußlich.«

»Der Hund hat's wenigstens überlebt«, meinte Ian tonlos, »meine Eltern nicht.«

»Ian, das tut mir leid.«

Plötzlich stürzte Thorn ins Dickicht und knurrte irgendeinen realen oder fiktiven Feind an. Sie blieben stehen, und sogar Ian wirkte beunruhigt. Einen Moment später kehrte der Hund stolz mit einem Hasen im Maul zurück. Er ließ ihn vor seinem Herrn fallen.

»Braves Jungchen«, lobte Ian und tätschelte den beigen Kopf. Es war offensichtlich, warum er mit Menschen nicht sonderlich viel anfangen konnte. Er hatte früh erkannt, wer der beste Freund des Menschen ist. Aufmerksam beugte er sich vor und untersuchte Thorns Fell. »Scheiße, du bist voll von Flöhen«, rief er.

Dafydd blickte auf den toten Hasen hinab. Er sah, wie die Flöhe geradezu von ihm flüchteten, in alle Richtungen, aber vor allem zu Thorn. Wir alle verlassen das sinkende Schiff, dachte er. Das tun selbst die Flöhe. Nur Ian nicht …

Er hatte noch keine Operationen durchgeführt. Darüber war er froh, obwohl es zu seiner Arbeit gehörte. Wie sich herausstellte, wurden, von dringenden Notfällen abgesehen, die meisten Patienten, die operiert werden mussten, nach Edmonton oder Saskatoon geflogen. Nicht, weil das Krankenhaus nicht geeignet gewesen wäre – sein OP-Bereich verfügte über eine gute, moderne Ausstattung. Vielmehr lag es an Hoggs Strategie, allen größeren Risiken und Verantwortlichkeiten auszuweichen und bei maximalem Gewinn so wenig wie möglich zu tun.

Hogg hatte zweifellos gehofft, das Behandlungsspektrum auszuweiten, aber in Dafydd fand er einen zögerlichen Chirurgen. Doch welcher ehrgeizige Chirurg würde mit Freuden in einer heruntergekommenen Stadt mitten im Nirgendwo seine Haut für ein jämmerliches Gehalt riskieren? Stattdessen übernahm Dafydd die Rolle eines Allgemeinmediziners und empfing eine Prozession missgestimmter Patienten in seinem winzigen Sprechzimmer, das wie eine Gefängniszelle aussah und auch solch eine Atmosphäre hatte.

Zur großen Belustigung des Personals hatte er verkündet, dass er gern ein paar Hausbesuche machen würde. Man hatte sich über seine Bitte köstlich amüsiert und sie als britische Exzentrik abgetan. Warum sollte er sich die Mühe machen, fragten sie sich, wenn doch die meisten Patienten Autos hatten und der Rest per Taxi oder Krankenwagen in die Klinik gebracht wurde, wo er sie dann seinem eigenen Zeitplan entsprechend behandeln konnte.

»Wir wollen hier keine neuen Moden einführen«, hatte Hogg ihn gewarnt. »Die Leute sind auch so schon verwöhnt genug.«

»Nur ein paar Besuche«, hatte Dafydd insistiert. »Ich würde gern sehen, wie die Leute leben und was sie tun.«

Hogg hatte ihm auf die Schulter geklopft und erwidert: »Tun Sie, was Sie nicht lassen können, junger Mann. In ein oder zwei Tagen werden Sie nur allzu froh sein, es so tun zu können wie wir. Denken Sie an meine Worte.«

Ein paar Wochen nachdem er seine Stelle angetreten hatte, machte sich Dafydd also mit dem alten Chrysler der Klinik zu seinem ersten »Hausbesuch« auf. Es war Mitte September, und die Sonne, obwohl noch hell, wärmte nicht mehr. Die Kiesstraße schlängelte sich gemächlich durch dicht stehende Fichten und Tannen. Rund dreizehn Kilometer jenseits der Stadt erreichte er die Kuppe eines Hügels und erkannte sofort die schimmernde Landschaft auf der Postkarte, die Hogg ihm geschickt hatte. Er hielt an und stieg aus.

Die Aussicht war atemberaubend. Unregelmäßig geformte Seen glitzerten in der ausgedehnten Weite des Mackenzie Valley. Der Fluss selbst strömte mächtig zum Nordpolarmeer hin. In der Ferne begann im Norden die unfruchtbare Tundra, während im Westen die schneebedeckten Gipfel des Mackenzie-Gebirges gen Alaska zurückwichen. Eine so weite Sicht schien unmöglich zu sein, aber vielleicht war die Entfernung eine Art visueller Illusion, entstanden durch die klare Luft. Er meinte, die Krümmung der Erde ausmachen zu können, aber auch das war unmöglich, weil ihn der Horizont umschloss. Dafydd drehte sich langsam um und hatte plötzlich den Eindruck, in der Mitte von *allem* zu sein. Ein Gefühl der Euphorie überkam ihn.

Über sich sah er einen großen Vogel kreisen. Vermutlich handelte es sich um einen Kranich, denn er hatte einen langen Hals und eine große Flügelspanne. Der Vogel stieg höher auf, und seine Flügel leuchteten in einem intensiven Rosa. Dafydd folgte ihm mit dem Blick nach oben in Richtung Sonne, aber als der Vogel im hellen Licht verschwand, kam er ruckartig zu sich selbst zurück. Enttäuscht atmete er aus. Noch immer verbarg sich hinter dieser komplexen und perversen Existenz etwas anderes.

Vielleicht ein Fünkchen Hoffnung. Das Leben würde weitergehen.

Er stieg wieder ins Auto und blieb einen Moment lang sitzen. Dann nahm er den Zettel mit der Wegbeschreibung, den Sheila Hailey für ihn vorbereitet hatte.

»Beschilderung Mile 12,5. Links abbiegen und nicht ganz 5 Kilometer den Weg entlangfahren, bei der Gabelung rechts. Nach etwas mehr als 3 Kilometern kommt die Hütte.«

»Sie brauchen das nicht zu tun«, hatte sie gesagt. »Wir schicken einfach einen Krankenwagen und holen ihn, dafür ist der Wagen ja da. Außerdem hat der alte Mann einen Enkel, der ...«

»Ich will das aber tun«, beharrte Dafydd. »Sleeping Bear – Schlafender Bär – klingt interessant. Ich würde gern sehen, wie er wohnt.«

»Sie sind *wirklich* ein blauäugiger Wunderknabe, nicht wahr?« Durch ihre halb geschlossenen Augen warf sie ihm einen prüfenden Blick zu. »Nehmen Sie den Schlips ab. Sie wirken einfach lächerlich. Schließlich suchen Sie einen mottenzerfressenen, halb toten alten Eingeborenen auf, nicht irgendein Staatsoberhaupt.«

Der Weg war fast unpassierbar. Nach etwa einer halben Stunde Fahrzeit direkt in die unberührte Natur gelangte er schließlich in eine kleine, von hohen Tannen umstandene Lichtung. In der Mitte stand eine Hütte aus roh behauenen Baumstämmen mit Schindeldach. Mehrere Autos in unterschiedlichen Verfallsstadien waren auf dem Hof verstreut, und an einer Wäscheleine hingen ein paar Überreste zerfetzter Kleidung.

Als Dafydd aus dem Auto stieg, erschien ein alter Mann. Er trug ein Bündel Stöcke, Anmachholz möglicherweise. Sein Haar war hüftlang und dünn. Lederbänder teilten es in zwei Schwänze, einen unter jedem Ohr. Seine Kleidung war ebenfalls lederig, obwohl ihr Ursprung nicht zu erraten war. Von den Substanzen eines harten Lebens war sie steif und schwarz geworden.

»Mr Sleeping Bear?«

»Nennen Sie mich einfach Bear. Jeder tut das.« Der Mann reichte Dafydd eine schmutzige Hand. Sie war teilweise mit Stoffstreifen umwickelt, die möglicherweise einmal ein Verband gewesen waren.

»Ich bin Doktor Woodruff.« Dafydd schüttelte die uralte Hand und ging zur Hütte. »Ich wollte Ihnen die Fahrt in die Stadt ersparen. Sollen wir reingehen und Sie untersuchen?«

»Die Krankenschwester mit dem Karottenhaar hat mich angerufen und mir von Ihnen erzählt. Sie hätten nicht den ganzen Weg hier rauszukommen brauchen.« Der alte Mann musterte Dafydds frisch gebügeltes Hemd und seine Seidenkrawatte mit zusammengepressten Augen. Vermutlich fand er, dass Dafydd viel zu sauber war, um sich mit Krankheiten auseinanderzusetzen. »Ich brauch keine Hilfe mehr. Mir geht's schon wieder viel besser.«

»Aber ich bin extra den ganzen Weg hergekommen, um Sie zu sehen«, protestierte Dafydd. »Ich möchte Sie zumindest einmal untersuchen. Das schadet Ihnen doch nicht.«

»Kommen Sie rein«, lud ihn Bear mit einer Bewegung seines freien Armes ein. »Ich koch Ihnen einen Kaffee.«

In der Hütte war es sehr dunkel, und Dafydd atmete hastig ein, als ihn mehrere Augenpaare finster anblickten. Mehrere Paare behaarter Lippen wurden hochgezogen und entblößten gelbe Fänge. Alles in absoluter Stille.

»Ruhig, Jungs«, befahl Bear mit beschwichtigender Stimme.

Die Huskys, ungefähr sechs oder sieben, gehorchten sofort und legten sich wieder auf den Boden.

»Beachten Sie sie nicht«, lachte Bear, und Dafydd stieg vorsichtig über die Schwelle und betrat die Wohnung.

»Wieso haben sie nicht gebellt, als ich hier raufgefahren bin?«

»Ha!«, rief Bear triumphierend und sichtlich erfreut über die Frage. »Ich hab sie so trainiert. Und es ist 'ne Meisterleistung, das kann ich ruhig so sagen. Die meisten Leute behaupten, dass Sie es einem Husky nicht abgewöhnen können zu bellen, es sei denn, Sie haun ihm eins mit 'nem Knüppel über den Kopf.« Bear rieb sich vergnügt die Hände. »Wenn einer versucht, hier reinzukommen, während ich weg bin, erwartet ihn 'ne höllische Überraschung. Keinerlei Vorwarnung.«

Bear wies auf einen ramponierten alten Lehnstuhl, und Dafydd setzte sich. Er wünschte, er hätte auf die Krankenschwester mit dem Karottenhaar gehört und sich salopper angezogen. Sein Festhalten an beruflichen Gepflogenheiten war lächerlich deplatziert.

»Was ist, wenn die betreffende Person in freundlicher Absicht kommt?«, fragte er. »Beispielsweise der Postbote oder jemand, der sich verlaufen hat?«

»Der Postbote?«, wiederholte Bear überrascht. »So was gibt's hier draußen nicht.« Er begann, große Mengen Nescafé in zwei Blechbecher zu löffeln. »Wenn jemand dumm genug ist, uneingeladen in mein Haus zu kommen, und dabei ist es mir egal, ob er sich verlaufen hat oder freundliche Absichten hegt, dann bietet er meinen Hunden hier 'ne prima Mahlzeit.« Er kicherte böse und goss kochendes Wasser aus einem Aluminiumkessel in die verbeulten Becher. »Die Wahrheit ist, dass niemand ohne Grund herkommt. Und der Grund könnte alles Mögliche sein, nur nichts Freundschaftliches, stimmt's?«

Er humpelte zu Dafydd hin und reichte ihm einen dampfenden Becher schwarzen Kaffee. Die Flüssigkeit war mit etwas Süßem, fraglos Alkoholischem versetzt. »Ich hab da so 'ne Verdickung am Arsch.«

»Lassen Sie mich's in einer Minute anschauen.«

Der Kaffee war bitter, aber belebend. Inzwischen hatten sich Dafydds Augen an die Dunkelheit gewöhnt. In der Einzimmerhütte stand ein schwerer Holztisch mit je einem Stuhl an beiden Seiten; außerdem ein kleiner Gaskocher, dessen Kanister an die Wand gebunden war. Über einer Keramikschüssel auf einem Holzgestell hing ein gesprungener Spiegel. Offenbar gab es kein fließendes Wasser. In einer anderen Ecke des Raums stand ein Doppelbett mit einem schmuckvoll geschnitzten Kopfteil. Diese Heimstatt erinnerte ihn an ein Freilichtmuseum, das er als Kind geliebt hatte und in dem man das Leben im Mittelalter betrachten konnte.

Der alte Mann selbst wirkte wie ein typischer Indianerhäuptling, genau so, wie Dafydd sie in Wildwestfilmen gesehen hatte. Eine lange Hakennase und eine würdevolle Haltung. Ein hageres, sonnengebräuntes Gesicht, dünne Lippen und halb verdeckte Augen. Die Zöpfe. Das Einzige, was fehlte, waren der Federkopfschmuck und der Lendenschurz. Dafydd musterte ihn voller Entzücken und Bewunderung. Konnte er den Mann vielleicht bitten, sich von ihm fotografieren zu lassen, oder war das taktlos? Übrigens sah Sleeping Bear nicht so aus wie die meisten anderen Indianer, denen er in dieser Gegend begegnet war. Die Ureinwohner waren stämmiger und kleiner. Sie hatten eine Neigung zur Fettleibigkeit und runde Gesichter.

»Also leben Sie hier ganz allein?«

Der Mann hatte die achtzig längst überschritten, und seine robuste Erscheinung konnte seine Gebrechlichkeit nicht verdecken.

»Ja, sicher«, antwortete Bear stolz. »Und mischen Sie sich ja nicht ein, um das zu ändern. Ich geh auf gar keinen Fall in irgendeine Anstalt, das sag ich Ihnen.«

»Gut, dann lassen Sie uns mal sehen, was für eine Verdickung Sie am Arsch haben, damit Sie auch weiter für sich selbst sorgen können.«

»Ich hab einen Enkel, der ab und zu nach mir guckt. Er achtet darauf, dass ich alles habe, was ich brauche.«

Bear konnte seine Hose nicht hinunterziehen, und es bedurfte einiger Überredungskünste, ihn zu bewegen, sich über den Tisch zu beugen.

»Wie schaffen Sie es … auf die Toilette zu gehen?«, fragte Dafydd, während er mit einem Fadenziehmesser das hart gewordene Leder von Bears Hose an den Stellen wegschnitt, wo es an der eiternden Wunde seines Gesäßes festgeklebt war.

»Tu ich nicht«, antwortete Bear kleinlaut.

»Was macht er denn?«, fragte Dafydd und versuchte, sein Entsetzen über den heruntergekommenen Zustand des alten Mannes zu verbergen. »Ihr Enkel.«

»Dies und das«, meinte Bear ausweichend. »He, ruinieren Sie mir meine beste Hose?«

»Gütiger Himmel, Mann«, rief Dafydd, als er die infizierte Stelle freigelegt hatte. »Wie können Sie damit leben?«

Eine halbe Stunde später, als die Wunde gereinigt und verbunden war und Dafydd ihm intravenös eine hohe Dosis von einem Antibiotikum gespritzt hatte, wirkte Bear blass und schwach. Dafydd half ihm ins Bett und zog eine stinkende Decke um ihn.

»Ich geh in kein dämliches Krankenhaus, wenn es das ist, was Sie damit sagen wollen. Mein Enkel wird sich um mich kümmern. Er schaut vorbei.«

»Sie brauchen weitere Injektionen, und wir sollten ein paar Untersuchungen machen«, versuchte Dafydd ihn umzustimmen. »Sie müssen reinkommen, und wenn es nur für ein paar Tage ist.«

»Nein, Sie kriegen mich nicht von hier weg.« Er schien einzuschlafen, und Dafydd ging hinaus, um die ausgeblichenen Lumpen an der Wäscheleine zu inspizieren. Dort hing ein zweibeiniges Kleidungsstück, das möglicherweise einmal eine lange Unterhose gewesen war. Als er damit in die Hütte zurückkehrte, sprangen die Hunde auf und entblößten drohend die Zähne. Ihr Herr war verletzbar, und Dafydd hatte keinen Zweifel, dass sie ihn töten konnten.

»Aus«, befahl der alte Mann vom Bett her, und die Hunde legten sich wieder hin, ohne ihre blassen, misstrauischen Augen von dem Eindringling abzuwenden.

»Hier ist ein Paar sonst was.« Dafydd reichte ihm das Kleidungsstück und schüttelte ein paar Kissen hinter seinem Rücken auf. »Ich bringe Ihnen was anderes zum Anziehen mit, wenn ich wiederkomme, um nach Ihnen zu sehen.«

Sie saßen schweigend da, während Bear laut den restlichen Kaffee aus seinem Becher schlürfte.

»Warum sind Sie hier?«, fragte er plötzlich.

»Um Sie zu untersuchen und dafür zu sorgen, dass es Ihnen besser geht.«

»Nein ... Ich meine hier, hier an diesem Ort, an den niemand kommen will, außer denen, die einen Grund dafür haben, so wie ich.«

»Ich ... bin vor etwas davongelaufen«, antwortete Dafydd, sofort bestürzt über sein Geständnis.

»Das hab ich mir gedacht.« Bear zog einen schwarzen Krümel aus seinem linken Nasenloch und schnippte ihn auf den Boden. »Vor was genau?«

»Ein kleiner Junge ... Er heißt Derek Rose. Ich hab seine Operation versaut, und ich muss für den Rest meines Lebens damit klarkommen. Darum bin ich hier – um es hinter mir zu lassen.«

Die Hunde standen auf und wuselten herum, plötzlich weniger misstrauisch.

»Jeder macht Fehler.«

»Nicht dort, wo ich herkomme.«

»Ihr seid wohl die Herren des ganzen verflixten Universums.«

»Nein, aber man hofft, dass man über solche Fehler erhaben ist. Wenn nicht, sollte man die Finger davon lassen.«

»In Wolkenkuckucksheim, sicher. Im wirklichen Leben passiert so was ständig.« Er reckte sich vor und tätschelte Dafydds Hand. »Sie werden sich selbst vergeben. Es geht darum, den Dingen ihren Lauf zu lassen. Und das Pferd wieder zu besteigen, das einen abgeworfen hat.«

»Meinen Sie?«

»Das weiß ich.« Er dachte ein Weilchen nach, dann lächelte er. »Man erntet, was man sät, wie es heißt. Und genau das tun Sie jetzt, stimmt's? Ihre Buße, eine Wiedergutmachung, selbst wenn es in einem Kaff wie diesem ist.«

Dafydd nickte. Es gab viel zu tun, viel wiederherzustellen. Jeder Tag seines Arbeitslebens konnte der Wiedergutmachung gewidmet sein. Bear reichte ihm seinen Becher und gab ihm ein Zeichen, das Gefäß aus einer unetikettierten Flasche vollzuschenken.

»Ist Sleeping Bear Ihr richtiger Name?«

»Blödsinn, nein«, gluckste Bear. »Mein richtiger Name ist … oder war … Arwyn Jenkins.«

»Jenkins?« Nach einem kurzen irritierten Schweigen sagte Dafydd: »Ist einer Ihrer Vorfahren etwa Waliser oder etwas Ähnliches gewesen?«

Bear lachte so sehr, dass sich die obere Hälfte seines Gebisses vom Gaumen löste und heftig wackelte. »Mein lieber Junge, Sie unterschätzen mein Alter gewaltig.« Er gluckste und kicherte weiter, während er versuchte, sein Gebiss wieder auf den Gaumen zu drücken. »Als ich geboren wurde, hatte der weiße Mann noch nie einen Fuß in diesen Teil der Welt gesetzt. Ich war nämlich der erste Europäer, der nach Moose Creek kam. Damals gab es hier nur drei Hütten.«

»Europäer?«, wiederholte Dafydd verblüfft.

»Richtig. Ich bin in Wales geboren worden und dort auch aufgewachsen.«

»Sie meinen doch nicht … Aber Ihr Gesicht … und …«

»Die meisten Leute wissen das nicht von mir, außer den alten Knaben, und es gibt keinen Grund, sie an meine Herkunft zu erinnern. Oder?« Er blickte Dafydd durchdringend an.

»Sicher nicht, darauf können Sie sich verlassen. Ich bin selbst halber Waliser.«

Sleeping Bear enthüllte, dass er vor ein paar Problemen in Wales geflohen und 1934 in die Gegend gekommen war. Nach einigen harten Jahren hatte er schließlich eine kanadische Ureinwohnerin geheiratet, die ihm zwei Söhne schenkte. Dafydd hörte fasziniert zu und konnte oft nur mit Mühe den Drang unterdrücken, von einem Ohr zum anderen zu grinsen. Dieser typische, bilderbuchartige, weise alte Indianer entpuppte sich als Waliser aus Pontypridd und hatte möglicherweise Tür an Tür mit seinen eigenen Großeltern gelebt.

»Und wie sind Sie zu Ihrem Namen gekommen?«

»Ja wissen Sie, damals konnte ich die Winter zuerst nicht ertragen. Sie werden's noch erleben, junger Mann, und dann werden Sie verstehen, was ich meine. Sie müssen sich klarmachen, dass heute alles sehr komfortabel ist, mit beheizten Häusern und Autos, die Sie überall schnell hinbringen. Aber damals musste man alles zu Fuß erledigen und fror sich den Arsch ab. Ich hab ein paar Zehen verloren. War es nicht gewohnt, verstehn Sie?«

Dafydd warf einen Blick auf Bears ausgebleichte Schuhe und fragte sich, wie viele Zehen jemand verlieren und dennoch in solch einem Gelände überleben konnte.

»Also vergrub ich mich den gesamten Winter in meiner Hütte und ließ das Feuer brennen. Die Indianer haben mich ausgelacht, aber sie waren freundliche Leute und brachten mir was zu futtern und Feuerholz.«

»Also haben Sie Winterschlaf gehalten?«

»Sie haben's erfasst«, rief Sleeping Bear begeistert. »Und der Name ist mir irgendwie geblieben.«

Er machte sich daran, die zerlumpten langen Unterhosen über seine groben Stiefel zu ziehen, und kicherte leise über irgendwelche alten Erinnerungen.

»Und haben Sie sich schließlich an die Winter gewöhnt?«

»Sicher. Das musste ich. Sie werden sehen, wie es ist, wenn Sie Ihren ersten Winter hier erleben, und das wird schon bald sein. Im dritten Winter hatte ich mich mit meiner Frau zusammengetan, und ein Baby war unterwegs. Ich musste in den sauren Apfel beißen und rausgehen und Fallen stellen. Später, als die Stadt wuchs, verdiente ich mein Geld damit, Eisblöcke aus dem Fluss zu schneiden und sie mit einem Pferdegespann in die Stadt zu ziehen.

Man hörte ein schwaches Motorengeräusch, das die Hunde sofort in Alarmbereitschaft versetzte.

»Na, ich werd in Biberspucke tauchen und mich mit Elchscheiße bewerfen lassen«, rief Bear. »Das wird mein Enkel sein.«

Er sprang aus dem Bett und sauste in den Hof, alle Schmerzen und Gebrechen vergessend. Ein kleiner, stämmiger Mann mittleren Alters mit langem schwarzem Haar stieg aus einem funkelnden Kleintransporter. Er betrachtete Dafydd argwöhnisch, schüttelte ihm jedoch die Hand, als Bear sie einander vorstellte.

»Das hier ist der neue Medizinmann. Er hat meine Hose ruiniert, mich aber ziemlich gut wieder zusammengeflickt.« Bear hüpfte herum wie ein munterer Jugendlicher. »Er ist den ganzen Weg hier rausgekommen, um mich zu untersuchen.«

Der Enkel sagte nichts, sondern stand da und starrte Dafydd mit runden, pechschwarzen Augen an.

»Tja, dann will ich mal«, meinte Dafydd. »Ich komme

mit weiteren Ampullen wieder und zeige Ihnen, wie Sie's sich selbst spritzen können. Dann können Sie hier bleiben.« Er stieg ins Auto und fuhr los.

»Vergessen Sie die Hose nicht«, schrie Bear hinter ihm her.

Als er den holprigen Weg zurückfuhr, bemerkte Dafydd, dass seine Hemdsärmel schmutzig waren. Zudem hatte er sich eine Mischung aus Blut und Eiter auf die Vorderseite seines guten Hemdes geschmiert und es dadurch vermutlich ruiniert. Seine Krawatte hing schlaff herab wie eine abgestorbene Erektion. Er nahm eine Hand vom Lenkrad und strich sich mit den Fingern durchs Haar. Es wurde allmählich lang. An seinen Schläfen ringelten sich korkenzieherartige dunkle Locken. Aus den Augenwinkeln konnte er sie deutlich erkennen. Die frischen grauen Strähnen erinnerten ihn daran, warum er diesen staubigen Pfad in einem verbeulten alten Chrysler zurücklegte statt rittlings auf seiner funkelnden Velocette, mit der er sich elegant durch die Verkehrsstaus in Bristol geschlängelt hatte. Wenigstens arbeitete er noch und versuchte, etwas wiedergutzumachen. Ein weiser alter Ureinwohner, dachte Dafydd lächelnd, war der Erste, der die Tiefe seines Unglücks begriffen hatte.

Er hatte noch einen weiteren Hausbesuch zu machen, am Rand von Moose Creek, in einer der sogenannten Vorstädte. Schon bald waren die grauen Häuserreihen auf der linken Seite des Highway zu sehen. Er befeuchtete seine Hand mit Wasser aus der Flasche, die auf dem Beifahrersitz lag, und versuchte, seine ungebärdige Mähne zu glätten.

»Geben Sie ihm denn nichts?«, forderte die junge Frau und legte die Hände auf ihre mächtigen Schenkel. Ihre Haut war fahl und ihr Haar strähnig, als wäre es mit Speiseöl durchgekämmt worden. Der Blick ihres Mannes klebte an einem Baseballspiel, das gerade im Fernsehen lief, und er hatte sich weder umgedreht noch sonst wie signalisiert, dass er Dafydds Gegenwart zur Kenntnis nahm. Das periodische Jubelgeschrei der Massen klang in dem engen Raum seltsam und bildete einen unheimlichen Gegensatz zu der bedrückenden Existenz seiner Bewohner.

Der kleine Junge hustete. Es war ein schleimiger Husten, aber er hatte kein Fieber.

»Es ist nur eine normale Erkältung«, versicherte Dafydd der Frau.

»Sie können nich' einfach gehn und ihm nix geben«, sagte sie aggressiv und versperrte ihm mit ihren breiten Hüften den Weg.

»Dieser Zigarettenrauch«, meinte Dafydd und machte eine unbestimmte Handbewegung durch das Zimmer, »könnte etwas mit seinem Husten zu tun haben.«

»Quatsch«, erklärte die Frau, und der Mann auf dem Sofa drehte sich halb zu ihnen um. Sie deutete mit dem Zeigefinger auf Dafydds Brust. »Er hustet schon, seit er ganz klein war. Hogg hat zu mir gesagt, dass seine Lungen im Arsch sind.«

»Das wundert mich nicht«, gab Dafydd zurück und versuchte, nicht sarkastisch zu klingen. »Geben Sie ihm etwas Vitamin C, Junior Aspirin und etwas Frischluft, dann wird sich seine Erkältung in ein paar Tagen bessern.« Er kniete sich hin und rubbelte über die struppigen Haarbüschel des Jungen. »Warum gehen Sie mit ihm nicht nach draußen?«, wandte er sich an den Mann vor dem Fernseher. »Es ist ein herrlicher Tag. Ein wenig Sonne würde ihm guttun.«

Der Mann drehte den Kopf wieder halb zu ihm um, aber seine Augen lösten sich nicht vom Bildschirm.

»Was soll das heißen?«, protestierte die Frau. »Haste das gehört, Brent? Der Doktor will, dass du die versauten

Lungen vom Kleinen an die frische Luft bringst. Haste da noch Worte?«

Der Mann namens Brent antwortete noch immer nicht. Dafydd wusste nicht, ob etwas am Köcheln war und der Mann plötzlich mit einem Wutausbruch reagieren würde, oder ob seine Apathie und Gleichgültigkeit endgültig und unumkehrbar waren. Beides war beunruhigend.

»Das ist alles, was ich für Ihren Sohn tun kann. Das Übrige liegt wirklich bei Ihnen.«

»Sie haben nichts getan!«, keifte sie hinter ihm her, als er schnell zum Auto schritt. »Sie sind doch eine echte Gefahr für Kinder«, schrie sie. »Fahrlässigkeit, das ist es.«

Ein paar Frauen kamen auf ihre Veranden, um herauszufinden, worum es bei dem Geschrei ging. Dafydd spürte, wie sich sein Hals vor Beklemmung rötete, während er ins Auto stieg. Eine echte Gefahr für Kinder, wie recht sie hatte. Vielleicht sollte er die Hausbesuche besser aufgeben. Außerdem waren seine Fähigkeiten als Allgemeinmediziner in der Tat verkümmert, und die Menschen schienen irgendwelche Wunderpillen und Mittelchen zu erwarten, die sie im Nu wieder gesund machten. Offenbar war Dr. Odent eine wandelnde Apotheke gewesen und hatte gern Privatgeschäfte gemacht.

Dafydd ließ den Motor an. Dann zögerte er und suchte nach dem Rezeptblock in seiner Aktentasche. Natürlich würde ein Antibiotikum dem Jungen nicht schaden, auch wenn es ihm nicht nützte. Aber die Vorstellung, an die Tür zu klopfen und Abbitte zu tun ... Die Bezeichnung »weißer Abschaum« fiel ihm ein, und er sprach sie laut aus. Ein widerwärtiger Ausdruck, aber jetzt wusste er ganz genau, was er bedeutete.

»Also haben wir unser Ding gemacht?«, fragte Sheila.

Er hatte bemerkt, dass sie die Angewohnheit hatte, sich an Türrahmen zu lehnen und dabei die Arme so zu verschränken, dass ihre Brüste hochgeschoben wurden. Die glatten weißen Hügel quollen geradezu aus ihrer Uniform heraus. Lächelnd befeuchtete sie mit der Zunge ihre Unterlippe.

»Was für ein Ding meinen Sie?« Dafydd war nicht in der Stimmung für ihre Spötteleien. Er saß in der Ärztekantine und versuchte, aus den Patientenakten schlau zu werden. In die von Sleeping Bear war seit einigen Jahren nichts mehr eingetragen worden.

»Das Arztspielen.«

Dafydd hielt inne, um zu überlegen, wie er mit diesen immer häufiger werdenden Sticheleien umgehen sollte, die sich hinter vorgeblicher Witzelei und Schalkhaftigkeit verbargen. Sie schien eine Reaktion von ihm haben zu wollen. Das gab ihr einen Kick. Offenbar wollte sie wissen, wie weit sie bei ihm gehen konnte.

Er hob kurz die Augen und lächelte sie an. »Ja, das habe ich getan«, erwiderte er leichthin und fuhr fort, in den Unterlagen zu blättern. Aus der fernen Vergangenheit drang die Stimme seiner Mutter zu ihm: »Kraftmeier wollen dir Angst einjagen. Wenn du sie ignorierst, haben sie keinen Spaß und wenden sich dem nächsten Kind zu.« Das hatte sie ihm täglich eingebläut, und es war ein guter praktischer Rat gewesen.

Sheila blieb an der Tür stehen. Dafydd blickte kurz zu ihr hoch. »Gibt's sonst noch was?«

Ihre Dreistigkeit war beispiellos. Sie musterte ihn auf eine Art, die keine Abweisung zuließ.

»Wissen Sie was?«, fragte sie, legte eine wirkungsvolle Pause ein und zwang ihn, den Augenkontakt dabei aufrechtzuerhalten. Ungeduldig zuckte er die Schultern. »Wenn Sie nicht aufpassen, wird man Sie noch für humorlos halten.«

»Von welcher Art Humor sprechen wir denn?«, erkundigte er sich.

»Hören Sie, es würde Ihnen nicht schaden, etwas lockerer zu werden, statt solch ein sturer Bock zu sein. Wir arbeiten eng zusammen, und wir haben hier unsere eigenen Methoden. Es würde Ihnen helfen, sich anzupassen.«

»*Sturer Bock*«, sagte er gleichmütig und wandte sich wieder den Akten zu. »Haben Sie mich so genannt?«

Aus dem Augenwinkel sah er, dass sie ihre Brüste fallen ließ und die Hände an ihr Haar hob, um sich die wilden roten Strähnen aus dem Gesicht zu streichen. Sie war zu weit gegangen, und sie wusste es.

»Nehmen Sie's nicht persönlich«, lachte sie, »aber genau das meine ich mit humorlos. Wir sitzen hier alle in einem Boot. Keiner in diesem Krankenhaus ist besser als der andere.«

»Tatsächlich?« Dafydd hob den Blick wieder. Ihre Augen bohrten sich in seine, und mit leicht geöffnetem Mund wartete sie auf eine Herausforderung. »Ich habe den Eindruck, dass Sie große Macht über andere haben«, sagte er. »Ich wäre nie auf die Idee gekommen, dass Sie sich selbst mit anderen auf eine Stufe stellen, so wie Sie sich wichtig machen.«

»Wenn Sie meinen«, fauchte sie und wandte sich zum Gehen.

Er kicherte verstohlen. Humorlos …? Nach wessen Maßstäben? »Was wollen Sie eigentlich von mir?«, rief er, ohne an einer Antwort interessiert zu sein.

Sie verlangsamte ihre Schritte, aber sie konnte ihm sichtlich nichts entgegnen. Dafydd atmete tief aus. Er sollte sich auf ihre Sticheleien nicht einlassen. Vielleicht schmeichelte er sich, aber er spürte, dass sein Mitwirken schon bald zu einer sexuellen Annäherung führen würde. Doch sie machte ihm Angst.

Plötzlich drehte sich Sheila um und kehrte in den Raum zurück. »Hören Sie zu. Sie glauben, dass die Welt riesengroß ist, nicht wahr? Sie haben gedacht, Sie könnten herkommen und sich hier verstecken? Ich weiß, wovor Sie fliehen. Das habe ich in null Komma nichts herausgefunden. Also seien Sie mir gegenüber nicht so selbstgefällig.« Sheila verlagerte ihr Gewicht von einem Fuß auf den anderen. Ihr Gesicht war leicht gerötet, und ihre Augen funkelten vor kaum verhohlener Genugtuung.

Dafydd schnappte nach Luft. Verflucht.

»Na und?« Obwohl er geschockt war, versuchte er, gelassen zu klingen. Es hatte wirklich keinen Sinn, irgendetwas zu leugnen. »Was wollen Sie damit anfangen?«

»Nichts«, sagte sie lächelnd. »Geben Sie nur Ihre Arroganz auf, diese schmierige britische Selbstgerechtigkeit. Wenn man bedenkt, wo Sie herkommen, ist das völlig fehl am Platze.«

Sie stand vor ihm, und er fühlte sich in seiner sitzenden Position im Nachteil. Also erhob er sich und schaute sie an. »Arroganz? Selbstgerechtigkeit? Sheila, ich bin verblüfft. Glauben Sie mir, ich bin durch das, was ich getan habe, schon genug gedemütigt. Mein Selbstvertrauen ist auf dem Nullpunkt, und genau darauf prügeln Sie dauernd ein.«

Sheila antwortete nicht. Sie schien zu merken, dass er recht hatte, deshalb fuhr er mutig fort: »Ich versuche zu verstehen, wo Ihr Problem liegt. Sind es ganz allgemein Männer oder Briten oder Ärzte oder Verlierer oder jeder, der eine höhere Qualifikation besitzt als Sie? Oder vielleicht gefällt Ihnen auch ganz einfach mein Gesicht nicht. Ich bemühe mich hier nach Kräften, einfach den Job in den Griff zu bekommen, und ich verstehe beim besten Willen nicht, warum ich Sie so reize.«

Sheila gab nicht klein bei, aber sein direkter Appell hatte sie eindeutig aus der Fassung gebracht. »Nein«, sagte sie schließlich. »Sie reizen mich nicht im Geringsten. Ich bin viel zu beschäftigt, um mich durch stellvertretende Ärzte reizen zu lassen; durch Menschen, die diesen Ort nur als

Zwischenstation nutzen. Dies ist mein Revier. Ich möchte bloß dafür sorgen, dass alles richtig läuft.« Sie wirkte ein wenig durcheinander, als sie sich abwandte und ging.

Dies ist mein Revier. Es stimmte, sie war ein großer Fisch in einem kleinen Teich. Wo sonst konnte sie solch eine Macht ausüben? Das war sicherlich *ein* Grund, warum sie in Moose Creek steckengeblieben war. Dafydd sank auf seinen Stuhl und atmete aus. Er war hundemüde.

KAPITEL 7

Cardiff, 2006

DIE HELLE MORGENSONNE, die durch das Fenster hereinschien, passte irgendwie nicht zu seiner zugeschnürten Kehle. Er hatte den Eindruck, die Kontrolle verloren zu haben, da er sich nicht an die Einzelheiten des Unfalls in der vorherigen Nacht erinnern konnte. Der Zusammenstoß, die Polizeibeamten, der Krankenwagen, seine aggressive Weigerung, den Alkoholspiegel in seinem Blut testen zu lassen – an nichts davon konnte er sich erinnern.

Dafydd beobachtete, wie eine Krankenschwester, offenbar im Schulmädchenalter, die Vorhänge um sein Bett aufzog. Dann blieb sie mit eifriger und interessierter Miene stehen, während ein großer, gut aussehender Mann mit glatter, schokoladenfarbener Haut Dafydd sanft betastete und den Verband von seinem Kopf entfernte. Zafar Thakurdas lachte und witzelte, während er den oberflächlichen Schnitt an Dafydds Kopf begutachtete.

»Das war wohl 'ne Nudelholzattacke, Dr. Woodruff?«

»Nudelholz?«

»Sie kommen spät in der Nacht nach Hause, ziemlich angeschlagen, und die Frau wartet hinter der Tür mit einem Nudelholz. Und dann KNALL – sie hat Sie erwischt.«

Die junge Krankenschwester kicherte, und Zafar zwinkerte ihr zu. Dafydd war nicht in der Stimmung für Albernheiten und schloss protestierend die Augen.

»Mann, da hast du's: KNALL. Du schäkerst mit den

Mädchen rum, ha, ich werd dich schon hübsch durchwalken.« Zafar Thakurdas schwang ein imaginäres Nudelholz. »In meinem Land schleicht sich die Ehefrau nachts an einen ran und SCHNIPPS ...« Er nahm ein Fadenziehmesser vom Tablett und stieß damit über Dafydds Leiste in die Luft. Die Krankenschwester kicherte schamlos.

»Geben Sie nicht so an«, stöhnte Dafydd.

Ein strenges Gesicht erschien in der Tür. Zafar atmete tief durch und richtete sich ehrerbietig auf. »Dr. Payne-Lawson«, erklärte er mit breitem Lächeln, »ich sehe mir gerade Dr. Woodruffs ... äh ... Schramme am Kopf an.«

Dafydd reckte sich und fluchte leise beim Anblick des Medizinischen Direktors, eines unbeliebten Mannes, mit dem er nie ausgekommen war. Zu den sich ständig mehrenden Ärgernissen in seinem Leben gehörten nun auch noch seine physische Ramponiertheit und die Demütigung, die sein eigener Vorgesetzter an seinem eigenen Arbeitsplatz miterlebte.

Payne-Lawson kam herein und musterte ihn. »Was haben wir denn hier?« In den Augen des Mannes zeigte sich eine Spur hämischer Schadenfreude. Er schnupperte, und sein Gesicht verriet einen leichten Abscheu beim Anblick des Erbrochenen, das auf den Rand von Dafydds Kissen gespritzt war.

Dafydd wusste, dass er schrecklich aussah. Er hatte ein blaues Auge, einen Stoppelbart und schmutzige Fingernägel. Sein Mund schmeckte – und roch vermutlich – so, als wäre eine Herde algerischer Kamele hindurchmarschiert.

»Ich nehme an, dass Sie heute Morgen nicht arbeitsfähig sind«, lachte Payne-Lawson hochmütig, aber seine Augen blieben schmal und niederträchtig.

»Auf keinen Fall«, bestätigte Zafar Thakurdas. »Er braucht ein paar Tage Ruhe. Er hat eine Gehirnerschütterung.«

Payne-Lawson ignorierte den Assistenzarzt unhöflich.

»Wie ich höre, haben Sie zum Zeitpunkt des Unfalls unter Alkoholeinfluss gestanden.«

»Nicht sonderlich«, entgegnete Dafydd.

»Unsinn, Woodruff, ich bin sicher, dass Sie noch immer betrunken sind. Ihr Blutalkoholwert war extrem hoch. Die Polizeibeamten sagen, dass Ihnen die Fahrerlaubnis für mindestens ein Jahr entzogen wird. Ich hoffe aufrichtig, dass Ihre Bereitschaftsdienste dadurch nicht beeinträchtigt werden. Nun, darüber werden wir uns später unterhalten müssen.«

»Ja, später«, stimmte Dafydd zu. »Obwohl ich nicht glaube, dass Sie das alles irgendetwas angeht.«

»Falsch, mein Freund. In meiner Funktion als Medizinischer Direktor habe ich die Pflicht, mich mit dem ... äh ... gesetzwidrigen Verhalten des mir unterstellten medizinischen Personals zu befassen.«

Dafydd quälten stechende Kopfschmerzen, und er war kurz davor, sich zu übergeben, obwohl er nichts als eine Tasse Tee im Magen hatte.

»Momentan bin ich hier Patient, George. Ich hatte einen Unfall. Ich habe bitte schön einen Riss an meinem Kopf und eine schwere Gehirnerschütterung.« Dafydd rang nach Luft. »Also bitte, *mein Freund,* hören Sie auf, mir zuzusetzen, weil ich Ihnen sonst auf die Schuhe kotze.«

Er war über seine eigenen Worte überrascht. Vielleicht war es die Morphinspritze, die ihn so sorglos machte. Innerlich fuhr er zusammen, denn er wusste, dass er sich gerade ein tiefes, schwarzes Loch gegraben hatte – von der Größe eines Sarges. Payne-Lawson konnte ihm das Leben extrem schwer machen.

»Ich muss schon sagen, mir gefällt gar nicht, was ich hier sehe«, sagte Payne-Lawson frostig, aber er trat für den Fall zurück, dass seine Schuhe vollgespritzt wurden. »Ein paar Leute haben sich über Ihre Leistung in den vergangenen Wochen geäußert. Wenn Sie irgendwelche persönlichen Probleme haben, dann empfehle ich Ihnen, dass Sie sich etwas Urlaub nehmen. Ich habe gehört … dass Ihre Frau abgehauen ist.«

Dafydd war schockiert. Ärzte verleumdeten oder verrieten einander selten. Er fragte sich, wer mit Payne-Lawson über ihn gesprochen haben mochte. Jedenfalls irrte sich der Mann. Dafydds Frau war nicht »abgehauen«, verdammt noch mal.

»Soviel ich weiß – aber vielleicht wissen Sie ja mehr als ich –, befindet sich meine Frau auf einer Geschäftsreise. Ist es unbedingt nötig, mein Privatleben hier in aller Öffentlichkeit zu diskutieren?«

»Ich sage nur, dass es einen Einfluss auf Ihre Leistung zu haben scheint.«

Zafar war, wenn auch ein wenig kindisch, ein Mann von makelloser Ethik. Offensichtlich bedrückt wandte er sich nun an Payne-Lawson. »Bitte, bitte, könnten Sie vielleicht bis später warten? Dr. Woodruff befindet sich in meiner Obhut. Er regt sich auf. Das ist nicht gut. Er hat eine Kopfverletzung.«

Payne-Lawson öffnete den Mund, um etwas zu entgegnen, aber seine Stimme wurde durch das plötzliche, durchdringende Schreien eines Kleinkindes im Nebenzimmer übertönt. Die schrillen Töne erstickten all die anderen unzähligen Geräusche in der Notaufnahme. Dafydd hatte das Gefühl, selbst zu schreien. Die Vibration hallte in seinem Kopf wider und schellte wie eine Million Glöckchen. Schlafen … wenn es ihm nur erlaubt wäre zu schlafen. Einfach schlafen und dann aus diesem bösen Traum aufwachen. Aufwachen in seinem wirklichen Leben, so wie es gewesen war: eingebettet in Normalität und Zufriedenheit.

Am Nachmittag, zwanzig Stunden nach dem Unfall, glaubte man, ihn nach Hause entlassen zu können. Margaret, eine freundliche und mütterliche Krankenschwester, die er schon länger kannte, brachte ihm seine Kleidung. Mit der Hose hatte er Probleme, weil sich sein Knie nicht richtig beugen ließ. Und sein Kopf fühlte sich so groß an, als wäre sein Gehirn geschwollen.

»Ihre Frau hat gerade angerufen. Sie ist nahe der M4-Abzweigung und dürfte nicht länger als eine Stunde brauchen. Das arme Ding, sie ist den ganzen Tag durchgefahren. Die ganze Strecke von Glasgow – du liebe Güte.«

Dafydd versuchte, sein Hemd zuzuknöpfen, aber sein linkes Handgelenk war geprellt, und Margaret beugte sich vor, um ihm zu helfen.

»Sie müssen sich unbedingt noch ein paar Tage schonen«, meinte sie sanft. »Na los, Mr Woodruff, warum bitten Sie Ihre wunderbare Frau nicht, mit Ihnen ein paar Tage Urlaub an der Sonne zu machen? Auf Teneriffa beispielsweise oder auf einer der Inseln dort. Da ist's wirklich wunderschön. Sie können direkt von Cardiff aus hinfliegen. Ein Katzensprung.«

Dafydd musterte sie misstrauisch. »Sagen Sie ... wissen es tatsächlich schon alle?«

Margarets graue Augen, deren Winkel durch fünfzig Jahre Lächeln in feine Fältchen gelegt waren, blickten ernst. »Die tratschen gern ein wenig, Mr Woodruff, aber achten Sie einfach nicht darauf. Ich könnte Ihnen ein paar Geschichten erzählen, die Ihnen die Haare zu Berge stehen lassen würden.« Sie beugte sich zu ihm, legte ihre warme Hand auf seine und flüsterte: »Es tut mir leid, dass Ihnen die Fahrerlaubnis entzogen wurde. Ich wollte nur erwähnen, dass mein Sohn Llewellyn einen schönen Ford Fiesta besitzt. Er ist sechsundzwanzig und seit zwei Jahren arbeitslos. Er ist ein guter Fahrer. Verlässlich. Wenn Sie also jemanden brauchen ... Er würde auch nicht viel verlangen.«

Dafydd zuckte zusammen. Er hatte sich bisher noch keinerlei Gedanken über die Konsequenzen des Unfalls gemacht. Welche Bedeutung würde die Sache haben? Ein

Jahr, vielleicht auch mehr, ohne eigenes Transportmittel. Wie hatte er so etwas tun können? Vielleicht war das die Quittung für all die selbstgerechten moralischen Verurteilungen von betrunkenen Fahrern. Gott sei Dank hatte er niemanden verletzt oder noch etwas Schlimmeres angerichtet.

»Es kann durchaus sein, dass ich Ihr Angebot annehme. Danke, Margaret. Ich melde mich dann bei Ihnen.«

Er legte sich wieder auf das Bett und wartete. Ferien in der Sonne waren gar keine so schlechte Idee. Er würde es Isabel gleich vorschlagen. Bestimmt konnte er sich für ein paar Wochen krankschreiben lassen, und hoffentlich war ihre Arbeit in Glasgow bald beendet. Ideal wäre es, wenn sie vorher noch die Laborresultate zu Sheilas Vaterschaftsbehauptung erhielten.

Er erwachte schlagartig, als Isabel in den Raum marschiert kam. In ihrem hautengen schwarzen Hosenanzug und ihren hochhackigen Stiefeln sah sie glänzend aus. Jetzt war deutlich zu sehen, wie viel Gewicht sie in den vergangenen Wochen verloren hatte. Unzweifelhaft durch den Stress, aber es stand ihr gut. Sie hatte sich das Haar erneut schneiden lassen; es war fast geschoren, aber sehr stylish. Obwohl sie über vierzig war, wirkte sie jungenhaft, groß und selbstsicher wie jemand aus einem Modemagazin. Dafydd spürte eine Regung, die ihn daran erinnerte, dass er sie geliebt und seine Lust mit ihr geteilt hatte.

»Mannomann«, sagte er, »Glasgow steht dir aber.«

»Oh, Dafydd«, rief sie, setzte sich rasch an sein Bett und blickte ihm ins Gesicht. »Was um Himmels willen ist denn passiert? Gott, ich bin fast durchgedreht, als Jim mich anrief. Ich bin ins Auto gesprungen und ohne Unterbrechung hergefahren.«

»Aber du siehst frisch und munter aus.« Er erwiderte ihre Umarmung, die erste seit Wochen.

»O Schatz, dein Gesicht … dein atemberaubendes,

schönes, wunderbares Gesicht.« Sie nahm es in die Hände und küsste ihn auf beide Wangen. »Hast du irgendwo Schmerzen?«

»Kaum. Mir tun nur die Glieder weh, und ich habe ein paar Prellungen, als hätte ich einen Boxkampf hinter mir.«

»Wie konnte dir jemand nur so etwas antun?« Sie schüttelte den Kopf und schaute ihm ernst in die Augen. »Ich wusste, dass das passieren würde. Du bist viel zu gefährdet auf dem blöden Motorrad.«

Dafydd merkte, dass irgendetwas nicht ganz stimmte. Vielleicht quälten sie Schuldgefühle wegen der Art, wie sie ihn behandelt hatte, oder wegen ihrer Zweifel an seiner Ehrlichkeit. Und nun übertrieb sie, um es wiedergutzumachen. Das passte nicht zu ihr, es entsprach nicht ihrem Stil. In der Regel war sie direkt und freimütig, fast schon grob.

»Isabel, lass mich die Dinge gleich klarstellen. Es war meine Schuld. Ich war betrunken, und ich werde meinen Führerschein für mindestens ein Jahr verlieren.«

Isabels Hände fielen von seinen Schultern. »Das soll ein Witz sein, oder?«

»Nein.«

Einen Moment lang schwieg sie, dann fuhr sie ihn an: »Was, zum Teufel, hast du dir dabei gedacht?«

»So ist das Leben«, antwortete er und musterte sie.

Sie drehte sich weg und lachte trocken und ungläubig.

»Möchtest du nicht wissen, ob sonst noch jemand verletzt worden ist?«, erkundigte er sich.

»Na, du wirst es mir sicher erzählen.« Ihre Stimme hatte einen scharfen Ton angenommen, und es war leicht zu erraten, was sie dachte.

»Du hättest dir nicht die Mühe machen sollen herzukommen, stimmt's?«

Ihre wahren Gefühle zeichneten sich in ihrem Gesicht

ab. »Wenn du es unbedingt wissen willst: Es kommt mir höllisch ungelegen.«

»Entschuldige bitte, dass Jim dich angerufen hat. Er hätte mich vorher fragen sollen. Ich hätte dir keine Ungelegenheiten gemacht.«

»Nun, Paul hat darauf bestanden, dass ich runterfahre. Er will die Stellung für ein oder zwei Tage halten.«

»Wie lieb von Paul«, schnaubte Dafydd.

»Nun lass mal.« Isabel berührte seinen Arm. »Ich wollte kommen und dich nach Hause bringen und mit Essen und anderen Sachen versorgen. Aber ich muss morgen zurückfahren. Diese Arbeit ist zu wichtig.«

»Natürlich ist sie das.«

Sie wandten ihre Blicke voneinander ab, und Dafydd sah plötzlich, dass seine Aktentasche unter dem Nachttisch lag. Sie schien von einem Rudel großer Hunde zerfetzt worden zu sein. Von seinem geliebten Motorrad abgesehen, war das der schwerste Unfallschaden. Einen Moment lang starrte er sie bestürzt an. Dann dankte er dem Allmächtigen, dass es sich nicht um sein Gehirn handelte.

Er hätte froh sein sollen, aber er fühlte sich wie ausgeweidet. Es war schlimm genug. Er brauchte sie. Der Unfall war seine eigene Schuld, und eine gewisse Strafe dafür war zu erwarten, aber er wünschte sich, dass sie nicht von Isabel kam. Er wünschte sich, sie würde ihn verteidigen und entlasten – als den Menschen, der er wirklich war: verantwortungsbewusst, fähig, vertrauenswürdig; als den Mann, den sie kannte und angeblich liebte.

Aber er wusste, dass es nicht nur an dem Unfall lag, sondern an Sheila Hailey und ihren Behauptungen. Daran, dass es ihm immer wieder misslungen war, ein echter Mann mit echten, lebenden Spermien zu sein, die sie endlich zu einer echten Frau, einer ganzen Frau, einer Mutter machten. Und jetzt weigerte er sich sogar, es zu versuchen. Er hatte sie enttäuscht – in jeder Beziehung.

KAPITEL 8

Moose Creek, 1992

DER MONAT NOVEMBER war außergewöhnlich kalt. In einigen Nächten fiel die Temperatur auf minus fünfzig Grad. Der größte Teil des jährlichen Schneefalls überzog die Landschaft bereits. Eine weiße, reglose Decke hatte sich auf die Wälder gelegt. Die Luft war sehr still und klar.

Im Gegensatz dazu wirkten die Straßen von Moose Creek schmutzig. Die an allen Straßenecken hochgeschaufelten Berge aus Schnee und Eis waren mit dem Dreck der menschlichen Siedlung durchmischt und erneut durchmischt worden. Dafydd war auf dem schmuddeligen Eis des Bürgersteigs ausgerutscht und hatte sich den Knöchel verrenkt. Er war nicht der Einzige. Viele Glieder- und Schädelbrüche wurden durch diese gefährliche Situation verursacht. Niemand schien sich darüber zu beschweren. Gelegentlich, wenn es an einem Montag genug guten Willen, Material und Arbeitskräfte gab, streute man planlos eine Wagenladung Sand auf Straßen und Fußwege, aber im Großen und Ganzen erwartete man, dass die Bewohner selbst auf sich aufpassten.

Dafydd empfing seine Patienten in der Klinik, aber außerhalb seiner Arbeitszeit war er an seinen kalten Wohnwagen gefesselt. Der Ort war deprimierend und stank unerträglich, besonders seit sich ein Kater hineingeschlichen und einen ganzen Tag damit verbracht hatte, in aller Ruhe die Kleidung, das Mobiliar und die Bettwäsche vollzusprühen. Mrs Breummer, die noch immer unter starkem Geldmangel litt, hatte Dafydd geholfen, alles abzuschrubben, aber selbst die größten Mengen an Reinigungsmitteln konnten den Gestank nicht völlig entfernen.

Als der Winter mit seiner ganzen Macht nahte, hielt Dafydd sich häufiger in Ians Hütte auf. Manchmal bot ihm Ian eine Mahlzeit aus der Dose an, oder Dafydd kaufte Mitnehmpizzas, die bei seiner Ankunft allerdings schon weitgehend gefroren waren. Wenn es nach Ian gegangen wäre, hätten sie im Klondike gewohnt, vor allem in der Bar. Die süße, gesittete Tillie war trotz ihrer hinderlichen Korpulenz zur stellvertretenden Managerin befördert worden, und sie hatte Dafydd zu ihrem Favoriten unter den Gästen gemacht – zu dem einen, der großzügig bemessene Alkoholmengen am ehesten verdient hatte. Ian war in Tillies Augen kein solcher Vorzugskandidat, aber er profitierte durch seine Verbindung mit Dafydd.

Brenda war geschäftsmäßig wie immer, freundlich und mit einem beißenden Humor. Sie erwähnte ihr Zusammensein am Jackfish Lake nie mehr. Dafydd, obwohl dankbar dafür, war erstaunt über ihre Gleichgültigkeit. Hatte er sich derart blamiert, oder war sie vielleicht an jemand anderen gebunden? Möglicherweise wollte sie auch lieber allen Verwicklungen aus dem Wege gehen. Schließlich sprach sich in Moose Creek alles schnell herum. In Augenblicken reiner sexueller Frustration und der Erinnerung an ihre lüsternen Oberschenkel, die in jener magischen Wildnis auf ihm ritten, hätte er sie am liebsten gepackt und gebeten, die Erfahrung zu wiederholen (aber diesmal in einem Gebäude). Doch er hielt sich zurück, weil ihm das zu dreist und zu kompliziert erschien. Und als er bemerkte, dass Ian manchmal mit ihr schlief, wusste er, dass sein Entschluss richtig gewesen war.

Zweifellos bildete Sex, in all seiner Komplexität und

Vielfalt, einen wichtigen Bestandteil des arktischen Winters. Was sonst konnten die in ihren Häusern eingesperrten Menschen auch tun? Ein paarmal landete Dafydd in dem Motelzimmer einer sehr lebhaften Handelsreisenden. Anette Belanger war eine große Frau Mitte dreißig mit blondiertem Haar. Sie war bestens für die Härten ihrer Arbeit geeignet, die darin bestand, gefrorene Lebensmittel an Hotels und Restaurants in den entlegensten Orten zu verkaufen. Ihr schallendes Gelächter und ihre wilden Reisegeschichten über das Geschäft mit der Lebensmittelversorgung in allen Ecken Kanadas amüsierten ihn immer wieder. Sie brachte ein wenig Freude in sein beschwerliches Leben, und ihr kräftiger weißer Körper erschien ihm als ehrlicher Ruheort, zumal sie ihn häufig aufforderte, sich daraufzulegen.

Nach ihrem fünften Besuch in Moose Creek rief sie ihn an und teilte ihm mit, dass sie nicht mehr kommen werde. Ihr Mann wollte nicht, dass sie dauernd unterwegs war, und darum hatte sie eine andere Arbeit in ihrer Heimatstadt Calgary angenommen. Das war das erste Mal, dass Dafydd von einem Ehemann hörte. Sie musste gespürt haben, dass er sich von verheirateten Frauen fernhielt. So viel zur Ehrlichkeit.

Der geschwollene Knöchel setzte einem weiteren Abenteuer ein Ende. Ian hatte ihm ein Paar alte Langlaufskier gegeben. Außerdem hatte er sich aus einem Katalog ein Paar Skistiefel bestellt. Während er durch die Wälder glitt und dabei die bequemerweise von Motorschlitten hinterlassenen Spuren benutzte, hatte er eine Stille und eine blendende Weiße erlebt, die all seine bisherigen Erfahrungen übertraf. Diese Schönheit sprach mehr als nur die Sinne an. Sie brachte ihm etwas Ewigem näher, war ein Zeichen der Unsterblichkeit, ein langer, weißer Schlaf.

Die Tage waren kurz und wurden noch kürzer. Er hatte lediglich eine in seine Mittagspause gequetschte Stunde, um sich dort draußen mit Licht und Luft vollzupumpen. Doch mit dem Monat schritt auch die Kälte voran, und das Skifahren hing nicht mehr davon ab, ob er seinen Fuß belasten konnte oder nicht. Bei Temperaturen von unter minus dreißig Grad glitten die Skier nicht mehr, und die anästhesierende Wirkung der Kälte wurde zur Gefahr. Wenn ein Fuß, eine Wange oder ein Ohr empfindungslos wurden, konnte dies innerhalb von Minuten zu Erfrierungen führen, und wenn ein Mann anhielt, um zu pinkeln, setzte er sich ebenfalls einem zu großen Risiko aus. Dafydd hatte also keine andere Wahl, als an Ort und Stelle zu bleiben.

Er merkte, wie er durch die Untätigkeit und Platzangst halb verrückt wurde. Also bandagierte er seinen Knöchel und humpelte in seinen aus Elchleder gefertigten, auf dem Eis haftenden *mukluks* in der Stadt umher. Auf der Hauptstraße herrschte stets ein reges Treiben, doch der Rest der Stadt wirkte wie ausgestorben. Niemand ging zu Fuß, es sei denn zum Einkaufen, Trinken oder Krawallmachen.

Das erste Kälteopfer, mit dem Dafydd konfrontiert wurde, war ein junges Inuitmädchen, das entweder vergewaltigt worden oder eine betrunkene, doch willige Teilnehmerin einer Gruppenrammelei gewesen war. Die Tat fand in einem Lieferwagen auf einem verlassenen Parkplatz statt, und als die Jugendlichen fertig mit ihr waren, wurde das Mädchen aus dem Auto geworfen und sich selbst überlassen. Sie hatte sich noch nicht einmal ihren Parka wieder angezogen, und als sie am Morgen gefunden wurde, war ihr Körper zu Eis erstarrt. Die drei Jugendlichen saßen in einer ans Polizeirevier angrenzenden, für nur eine Person ausgelegten Zelle und warteten darauf, ins Gefängnis nach Yellowknife überführt zu werden.

Das Ereignis erschütterte Dafydd. Er hatte in den vier Monaten seit seiner Ankunft viele auf grausame Weise Gestorbene gesehen, aber dieser Fall war besonders schockierend. Als das Mädchen in die Klinik gebracht wurde, kannte er die genauen Umstände ihres Todes noch nicht. Aber es gab keinen Zweifel, dass sie in ihren letzten Lebensstunden an sexuellen Aktivitäten beteiligt gewesen war. Ihre durch die Kälte und die Totenstarre steifen Beine auseinanderzupressen, um die erforderlichen Abstriche vorzunehmen, war wie eine weitere Schändung. Aber er konnte nicht abwarten, bis Dr. Gupta, der in bestimmten Zeitabständen vorbeikommende Pathologe, seine Runden machte, denn schließlich konnte ein Verbrechen vorliegen.

Das Mädchen war noch so jung, sechzehn oder siebzehn. Ihre Haut war durchsichtig weiß, aber abgesehen von einem langen schwarzen Bluterguss an der Hüfte schien sie unverletzt zu sein und zu schlafen. Überreste roten Nagellacks tüpfelten ihre Fußnägel, abgestoßen und vergessen seit den letzten Tagen des Sonnenscheins und der Sandalen. Das gefrorene Lächeln auf ihren Lippen störte ihn. Er hätte lieber Zeichen der Qual entdeckt und dadurch erfahren, dass sie um ihr Leben gekämpft hatte. Aber hatte Ian nicht gesagt, ein Tod durch Erfrieren sei eine schmerzlose, ja sogar angenehme Erfahrung, die ein wenig dem Ertrinken gleiche?

Einen Teil seines Unbehagens bildete ein vages Gefühl der Begierde. Das Mädchen war schön. Nicht auf die Art, wie er normalerweise Schönheit wahrnahm, aber sie war das exotischste Geschöpf, das er je untersucht hatte. Ihr rabenschwarzes Haar fühlte sich rau an. Die Wangenknochen waren so hoch, dass sie an die unteren Augenlider stießen, als verzöge sie das Gesicht vor Lachen. Als er ihren straffen, festen Körper betrachtete, verspürte er den Drang, ihn zu streicheln. Zugleich fühlte er er sich angeekelt und abgestoßen. Was war los mit ihm, dass er halb erotische Gefühle für eine Leiche empfand? War das ein Anzeichen von Wahnsinn, ein Hüttenkoller, oder einfach Einsamkeit? Ihm wurde bewusst, dass er Anettes warmen, atmenden Körper vermisste, so kurz die Affäre auch gewesen war, und es gab niemanden sonst. Er zog ein Tuch über das tote Mädchen und ließ den Hilfspfleger kommen, damit er sie in den Leichenkeller rollte.

In derselben Nacht rief Sheila ihn an, damit er sich um einen Mann kümmerte, der bewusstlos ins Krankenhaus gebracht worden war. Als Dafydd dort eintraf, war es vier Uhr morgens, und die Nacht hatte ihren kältesten Punkt erreicht. Der Mann war von einer Kellnerin, die gerade von einem außerehelichen Rendezvous kam, in einem schneegefüllten Graben gefunden worden. (Dafydd unterließ es zu fragen, wieso Sheila die intimen Einzelheiten der armen Frau kannte.)

Der Patient, ein Ureinwohner namens David Chaquit, wärmte sich wieder auf und kehrte ins Leben zurück, wenn auch noch immer im Vollrausch. Er hatte Glück gehabt. Seine Kleidung war dick genug gewesen, und offenbar hatte er noch nicht lange im Schnee gelegen. Dafydd und Sheila wuchteten ihn auf eine Liege. Dort räkelte er sich, kicherte und zwinkerte ihr sabbernd zu. Sein Handgelenk war gebrochen, was sich problemlos behandeln ließ. Doch sein linkes Ohr hatte länger den Boden berührt. Es war geschwollen und weiß, transparent wie Glas.

Dafydd schiente das Gelenk. Dann zog er seine Gummihandschuhe aus, um zu seinem Wohnwagen zurückzukehren. Die Nacht war so kalt, dass er befürchtete, der Chrysler sei eingefroren, während die Ölwannenheizung auf dem Krankenhausparkplatz ausgeschaltet war.

»Was ist mit dem Ohr?«, fragte Sheila ziemlich scharf. »Warum behandeln Sie es nicht jetzt?«

»Das lasse ich bis morgen.«

»Jetzt ist morgen«, beharrte Sheila.

»Dann komme ich eben später wieder.«

»Ihre Empfindlichkeit gegenüber den schmutzigeren

Teilen der Arbeit ist ja schön und gut.« Sie lächelte, aber ihre Augen waren matt, und das klare Blau der Iris schien durch Schlafmangel abgedunkelt worden zu sein. »Trotzdem muss es jemand tun. Haben Sie daran gedacht?«

Dafydd spürte eine prickelnde Hitze in seinem Nacken aufsteigen. »Ich habe fest vor, mich darum zu kümmern. Allerdings meine ich, dass Mr Chaquit vorher besser wieder nüchtern sein sollte. Ich möchte mit ihm darüber sprechen. Das ist doch sinnvoll, oder? Wie würde es Ihnen gefallen, wenn Sie eines Morgens aufwachten und Ihnen fehlte ein Ohr? Außerdem will ich sehen, wie viel davon gerettet werden kann. Jetzt ist es noch viel zu früh, das zu beurteilen.«

Seine Erklärung ärgerte ihn sofort. Er brauchte sein Verhalten nicht zu begründen. Er war ihr nicht rechenschaftspflichtig. Sie betrachtete seinen Hals mit geneigtem Kopf, und er erinnerte sich daran, dass sie um den schwarzen Fleck auf seiner Seele wusste; sie kannte seine Ängste und Unsicherheiten. Sie konnte in ihm lesen wie in einem Buch. Zwar bezog sie sich nicht direkt darauf, aber sie ließ ihr Wissen permanent über ihm baumeln. Abrupt wandte er sich ab und humpelte aus dem Operationssaal.

»Also besteht nicht die Gefahr eines Wundbrands?«, rief sie hinter ihm her.

»Bestimmt nicht«, antwortete er, ohne sich umzudrehen.

Dämliches Weib; man könnte ebensogut *sie* als Ärztin einstellen. In jedem Fall hatte sie das letzte Wort. Er wusste, dass er sie bald zur Rede stellen, sie irgendwie herausfordern musste. Aber der Gedanke missfiel ihm, weil sie dann seine Schande zur Sprache bringen würde. Also musste er sich in die Defensive zurückziehen. Im Zorn neigte er dazu, wirres Zeug zu reden und Schnitzer zu begehen. Manchmal benahm er sich dann geradezu dumm, und sie würde sich freuen, wenn er ihr einen weiteren Anlass bot, ihn lächerlich zu machen und bloßzustellen. Ihr Wissen um menschliche Schwächen war wirklich bewundernswert. Und obwohl die meisten Menschen sie respektierten und manche sie sogar zu mögen schienen, gehorchten ihr alle – selbst Hogg beugte sich ihrem Willen.

»Ach, kommen Sie«, rief sie ihm nach. »Lassen Sie es uns abschneiden. Je eher wir's tun, desto eher können wir ihn wieder nach Hause schicken. Glauben Sie mir, Leute wie er können mit dem ästhetischen Aspekt des Hörapparats nichts anfangen. Es ist nur ein überflüssiges Stück Fleisch.« Sie war ihm in die Kantine nachgegangen. »Sie sind ja nun schon mal hier. Ich verspreche Ihnen, dafür zu sorgen, dass Sie am Morgen niemand anruft. Ich werde ihnen erzählen, dass Sie eine furchtbare Nacht hinter sich haben. Notfall über Notfall ...«

Dafydd blieb stehen und blickte ihr in die Augen. »Was für ein gutherziges Angebot – doch nein.« Er zog sich den Parka an. »Sie machen den Eindruck, als ob Sie selbst ein paar Stunden Schönheitsschlaf gebrauchen könnten. Bis zum Morgen dann.«

»Wohl kaum«, schnauzte sie ihn an. »In ein paar Stunden gehe ich nach Hause.«

»Oh, also gut.«

Aber Sheila war nicht berechenbar. Die Härte in ihrem Gesicht schmolz, und sie neigte den Kopf. »Ich könnte ein wenig Stimulation gebrauchen«, meinte sie mit heiserer Stimme.

Dafydd spürte, wie er wieder errötete. Sie lächelte verführerisch und faltete die Arme unter den Brüsten. »Ich mach's selbst ... und Sie können mir dabei zusehen«, flüsterte sie.

Er starrte sie verwirrt an.

»Die Amputation, Sie Trottel.« Jetzt lachte sie. »Ich hab's schon gemacht. Hogg lässt es mich oft tun.«

Sie hatte ihn erwischt, und es war ziemlich komisch. Er hätte lachen können, aber er wollte ihr die Genugtuung nicht gönnen. »Ich glaube nicht«, sagte er und ließ sie mit ihren hochgeschobenen Möpsen einfach stehen.

Dafydd verharrte auf dem Parkplatz, um die kalte Luft einzuatmen. Die Frau kannte keinerlei Skrupel. »Überflüssiges Stück Fleisch« ... Er hoffte nur, dass er nie ihrer pflegerischen Obhut anvertraut sein würde. Gott weiß, was sie sonst noch alles wegschneiden würde. Am besten blieb er stets gesund und nüchtern.

Er blickte zum Nachthimmel empor, der von den scharfen weißen Nadelstichen der Sterne durchbohrt war. Im arktischen Winter setzt die Dämmerung erst spät ein. Er konnte das Nahen des Morgens an den Lichtern erkennen, die in den Häusern und Wohnwagen eingeschaltet wurden. Die Menschen erwachten und bereiteten sich auf den Tag vor. Kinder mussten in mehrere Kleiderschichten eingemummelt werden, Ehemänner enteisten ihre Transporter in den Garagen, und Ehefrauen zogen sich Schneestiefel und Parkas über, um die kurze Strecke zur Schule und zum Supermarkt zu fahren.

Der Gedanke, sich mit jemandem in Moose Creek zu treffen, war ihm nie gekommen, aber was wäre, wenn er sich in jemanden verliebte? Er hatte noch nie jemanden geliebt, nicht richtig, dessen war er sich völlig sicher. Lust – sehr oft, sogar Leidenschaft ... Es hatte Katrina gegeben, seine erste Liebe. Er war viele Monate in sie vernarrt gewesen, aber das Gefühl verpuffte, als sie feststellten, dass sie keinerlei gemeinsame Interessen hatten.

Die einzige andere Frau, für die er ein intensives Gefühl empfunden hatte, war Leslie – eine Kollegin, die ihm ein Zimmer in ihrem Haus vermietet hatte, nachdem ihr Mann ausgezogen war. Sie wurden für ein Jahr zum Liebespaar und blieben anschließend gute Freunde. Sie war zwölf Jahre älter als er, aber attraktiv und anregend. Zudem war sie sehr praktisch veranlagt und außerordentlich hilfsbereit; während seines Examens war ihre Unterstützung für ihn von unschätzbarem Wert gewesen. Die Affäre war längst vorbei, als die Katastrophe mit Derek Rose passierte, aber sie erwies sich als seine einzige wirkliche Verbündete. Ja, er hatte sie sehr geliebt und tat das noch immer.

Zwei Wochen vor Weihnachten veranstalteten Charles und Shirley Bowlby eine Party. Ihnen gehörte eine Versicherungs- und Reiseagentur, und sie besaßen ein großes, bequemes Haus in einem neuen Unterbezirk am Stadtrand. Martha fuhr ihn hinaus. Unterwegs gab sie ihm ihre Anweisungen.

»Ich werde um Punkt zwei Uhr auf Sie warten. Um die Zeit hören sie meist auf. Also, achten Sie darauf, dass Sie mit mir nach Hause fahren, ja? Lassen Sie sich bloß nicht darauf ein, mit irgend 'ner Frau nach Hause zu gehn. Wenn Sie erst mal 'ne Nacht bleiben, werden Sie sie nicht mehr los, hören Sie? Und halten Sie sich auf jeden Fall von der Hailey fern. Ihr Freund wohnt nicht in der Stadt, aber Sie wollen doch nicht mit der Frau eines riesigen Holzfällers anbandeln, oder?«

»Da haben Sie recht, Martha.« Ihn störten ihre rücksichtslose Fahrweise und die Art, wie sie sich zu ihm umdrehte und auf seine Bestätigung wartete. Zwei Uhr morgens, und er war jetzt schon müde. »Mir wäre es lieber, Sie kämen um Mitternacht. Sicher brauchen auch Sie Ihren Schlaf.«

Sie lachte sarkastisch. »Glauben Sie, dass Sie mein einziger Fahrgast sind, Mann? Ich habe vor, mir heute Nacht ordentlich ein paar Dollar zu verdienen. Die Jungs werden nicht viel selbst fahren.« Sie nickte in Richtung der pechschwarzen Straße vor ihnen. »Ich vermute, dass mich ein paar Dutzend Leute bitten werden, sie nach Hause zu bringen. Kann's mir nicht leisten, die Nacht zu verpennen, eh? Und ich mache keine Doppelbuchung bei Ihnen.« Sie lachte schnaubend über das Konzept. »Nur einer zur Zeit … Sie scherzen wohl.«

»Sie sind eine tolle Geschäftsfrau.«

»Ich bin ebenso schlau, wie ich hässlich bin«, sagte sie und setzte ihn am Ende einer langen Auffahrt ab. »Hier werd ich auf Sie warten.«

Dafydd wurde von einem der heranwachsenden Söhne der Gastgeber eingelassen. Der Junge nahm ihm den Mantel ab und ließ ihn am Eingang eines großen Wohnzimmers stehen, das bereits voll von Menschen war. Hogg stolperte Dafydd mit ausgestreckten Armen entgegen. Er war kein Trinker, aber er hatte offenbar schon eine ganze Menge intus.

»Unser Goldjunge«, brüllte er. »Wen kennen Sie noch nicht?«

»Oh, ich glaube, dass ich fast alle kenne. Keine Sorge, ich stelle mich schon selbst vor.«

»Dieser Junge wird bei uns bleiben«, fuhr Hogg mit hoher Stimme fort, ohne eine bestimmte Person anzusprechen. »Er ist meine rechte Hand.« Er klopfte Dafydd auf die Schulter und kniff ihm in die Wange, bevor er zu einem Tisch mit Snacks ging. Anita, seine postviral angeschlagene Frau, war nirgends zu sehen.

Im Wohnzimmer hingen protzige Ölgemälde, und die Deckenbeleuchtung war zu grell. Sechzig oder siebzig Leute waren dort in ihrer ganzen Pracht versammelt, Moose Creeks gesamte Handelskammer, Vertreter der Royal Canadian Mounted Police und der Regierung, die Krankenhausleitung, zwei Schuldirektoren und ihre vorzeigbarsten Lehrer sowie die jeweiligen Ehepartner. Alle trugen das Beste, was Edmonton oder Yellowknife bei einer hastigen vorweihnachtlichen Einkaufsfahrt zu bieten hatten. Dennoch war es ein unerwarteter Glanz, und nach ein paar sehr starken Gin Tonics, die ihm der herzliche Gastgeber eingoss, spürte Dafydd so etwas wie Weihnachtsstimmung in sich aufkommen.

Auch er selbst sah nicht schlecht aus. Sein dunkler, schokoladenbrauner Anzug hob sich scharf von einem blütenweißen Hemd ab. Dazu trug er eine Krawatte, die er ein Jahr zuvor in Florenz, wo er an einer Konferenz teilnahm, gekauft hatte. Das war unmittelbar vor der Katastrophe mit Derek Rose gewesen. Er fummelte an dem weichen, seidigen Stoff herum, rückte den Knoten zurecht und dachte darüber nach, was er damals wohl empfunden hätte, wenn er sich nur ein Jahr später hier, am Rande der Zivilisation, hätte beobachten können.

Er schaute sich nach einem interessanten Gesprächspartner um und entdeckte Ian, der neben dem üppig geschmückten Weihnachtsbaum stand. Er drehte ihm den Rücken zu und unterhielt sich mit einem jungen Mädchen, das, wie Dafydd wusste, für die Stadtverwaltung arbeitete. Das Mädchen blickte kokett zu Ian hoch und lachte über jede seiner Äußerungen. Ian sah gut aus. Sein dunkelblondes Haar war ziemlich lang und ringelte sich über seinem Hemdkragen. Sowohl das Haar als auch der Kragen machten einen sauberen Eindruck. Er hatte seine Jeans gegen eine enge schwarze Lederhose getauscht, und selbst Dafydd war klar, was ein Mädchen an dem Mann attraktiv finden konnte.

Das Mädchen bemerkte, dass Dafydd zu ihnen hinübersah, und sagte etwas zu Ian. Der drehte sich um und ließ sie stehen, ohne noch ein weiteres Wort mit ihr zu wechseln.

»Mann, siehst du edel aus«, meinte er und zeigte auf die ungewöhnliche Krawatte.

»Du aber auch, Mann«, erwiderte Dafydd im gleichen Tonfall. »Übrigens – willst du dir das wunderbare Mädchen von jemand anderem weggeschnappen lassen?«

»Ich kann immer da weitermachen, wo ich aufgehört habe.« Ian zündete sich eine Zigarette an, nahm einen tiefen Zug und musterte Dafydd mit komisch zusammengekniffenen Augen. »Hey, reg dich ab. Es ist Weihnachten, verdammt, und du läufst herum, als hättest du ein Stethoskop im Arsch. Warum amüsierst du dich nicht ein bisschen?«

Wirkte er tatsächlich so? Wie ein verkrampfter, humorloser Trottel, der das alte kanadische Vorurteil gegenüber Briten bestätigte? Vielleicht setzte ihm Sheila ja gar nicht grundlos zu. Ian hatte recht: Es lag noch ein ganzes Leben vor ihm, in dem er sich um Patienten und ihre Meinung über ihn sorgen konnte. Es wurde Zeit, dass er sich von seiner dämlichen Neurose löste, von seiner Angst, Fehler zu machen.

»Ich nehme deinen Rat an und werde mir mehr Mühe geben.«

Ian lachte sein seltenes schallendes Lachen, und die Leute drehten den Kopf in seine Richtung. »Es geht nicht darum, sich Mühe zu geben, du Blödmann, sondern um das genaue Gegenteil. Du musst es laufen lassen.«

Dafydd fühlte eine Woge der Dankbarkeit für den Mann, auch wenn er nicht gerade der Richtige war, über Verhaltensweisen zu sprechen. Den Dingen ihren Lauf lassen und sich nicht um die Konsequenzen scheren tat ihm nicht sonderlich gut, jedenfalls nicht seiner Gesundheit.

Das Mädchen hatte sich von Ians ungehöriger Abfertigung erholt und kam zu ihnen. Sie war eine wohlgeformte, dunkelhaarige Schönheit mit haselnussbraunen Augen und einem breiten, ausdrucksstarken Mund. Unter ihrem dick aufgetragenen Make-up war sie ein ganzes Stück jünger, als es den Anschein hatte. Sie packte Ians Arm und zog ihn an sich heran.

»Hey, stell mich deinem Freund vor.«

»Dies ist Allegra …«

Allegra wandte sich Dafydd zu und begann zu sprechen. Und sie hatte eine Menge zu erzählen. Sie war erst ein Jahr zuvor von der High School abgegangen, doch beschwingt von einem Glas billigen Champagners nach dem anderen, gefiel sie sich in der Rolle der verführerischen, kultivierten *femme fatale.* Ihr Geplapper war einfältig, aber liebenswert: über das Fehlen *wirklich* guter Friseure, den Mangel an Bekleidungsgeschäften, ihren letzten Freund und seine zahlreichen Unzulänglichkeiten.

Ian entfernte sich. Spätankömmlinge drängten herein. Irgendjemand spielte auf einem schlecht gestimmten Klavier »Stille Nacht«. Ein Drink nach dem anderen tauchte in Dafydds Hand auf. Er fragte sich, ob es eine Verschwörung gab, die darauf abzielte, dass er die Fassung verlor, seine Stethoskop-im-Arsch-Art, und einfach über die Stränge schlug. Das schien eine völlig akzeptable Verhaltensweise in dieser Stadt zu sein. Die Leute kamen hierher, weil sie Ähnliches an irgendeinem anderen Ort zu oft getan hatten oder weil dies der Ort war, an dem sie sich hemmungslos ausleben konnten. Wo sonst auf der Welt konnte man derart leben und leben lassen?

Er entspannte sich und goss hinunter, was ihm gereicht wurde. Immer häufiger blickte er sich um und versuchte, sich von Allegra zu lösen, die an ihm klebte, als wären sie bereits Liebende. Er konnte sie ohne weiteres in seinen Wohnwagen einladen, aber er musste sich vor Martha rechtfertigen und wollte ihre Fahrdienste nicht für solche Zwecke nutzen. Auch befriedigten ihn One-Night-Stands nie sonderlich, so sehr er sich auch nach der warmen Umarmung einer Frau sehnte, und das Mädchen war niemand, mit dem er viel Zeit verbringen wollte. Zudem war sie zu jung, und er hatte keine Kondome. Er prägte seinem betrunkenen Geist ein, das selbst zu praktizieren, was er seinen jüngeren Patienten predigte: Wenn du frei und ungebunden bist, dann trag immer Kondome bei dir.

So taktvoll wie möglich trennte er sich von Allegra und ging zu Elaine, einer jüngeren Lehrerin, deren Mann kürzlich beim Absturz eines Kleinflugzeugs ums Leben gekommen war. Dafydd hatte die Überreste dieses großen, gut aussehenden Mannes begutachtet und war über seinen Zustand entsetzt gewesen. Er hatte in dichtem Nebel eine Notlandung auf einer gerodeten Strecke versucht. Die Rodung war zwar groß genug, doch mit Baumstümpfen übersät, und das Flugzeug zerschellte in mehrere Stücke. Der Körper des Mannes wurde an mehreren Stellen gebrochen, auch am Hals und am Rücken.

Elaine saß allein auf einem Stuhl am Fenster und blickte in die dunkle Nacht hinaus. Seit dem Tod ihres Mannes hatte sie stark zugenommen. Ihre Jugend und Schönheit schienen schlagartig verschwunden zu sein. Er begrüßte sie und blieb unbeholfen neben ihr stehen, weil es keine weitere Sitzgelegenheit gab. Der Lärm um sie herum war ohrenbetäubend.

»Amüsieren Sie sich?«, fragte sie teilnahmslos und mit kaum zu hörender Stimme.

Er kniete sich neben sie, um mit ihr auf einer Höhe zu sein. »Wie geht es den Mädchen?«

»Sie fragen noch immer, wann er zurückkommt. Sie fragen mich jeden Tag. Es macht mich wahnsinnig. Ich weiß nicht, was ich ihnen sagen soll.«

Dafydd versuchte zu lächeln, um ihre düstere Stimmung aufzuhellen. »Sie sind Lehrerin und sprechen dauernd mit Kindern. Ich bin ziemlich überzeugt davon, dass man die Dinge beim Namen nennen sollte, selbst Kindern gegenüber.«

»Wann wird es mir nicht mehr so weh tun?«, fragte sie flehentlich und schaute ihm direkt in die Augen. Ihr Gesicht war schmerzverzerrt. »Wenn die Mädchen nicht wären, würde ich noch diese Minute zu ihm gehen.« Sie packte ihn am Ärmel und wiederholte: »*Noch diese Minute!*«

Plötzlich wurde ihm schwindelig. Er balancierte in der Hocke, und seine Knie ächzten. Betrunken, wie er war, konnte er nicht auf die Trauer dieser Frau eingehen. Die Party hatte ihm neuen Schwung gegeben und seine Lebensfreude geweckt, aber er hatte die ganz allein hier sitzende Elaine nicht ignorieren können.

»Ich möchte, dass Sie mich besuchen. Reden hilft«, sagte er ohne Überzeugung.

»Wir reden jetzt.« Sie starrte ihn eisig an.

»Soll ich nachschenken?« Eine Karaffe wurde über sein Glas gehalten. Dafydd drehte sich um und sah, dass Sheila neben ihnen stand. Er nickte. »Ja bitte, Sheila.« Er hatte sein Herz allen gegenüber geöffnet, und seine neu entdeckte Weihnachtsstimmung schloss beinahe auch sie ein, zumal sie klug genug war zu bemerken, dass er vor der trauernden Elaine gerettet werden wollte.

»Dafydd, da ist jemand, den Sie unbedingt kennen lernen müssen.«

Er stand auf, und Sheila ergriff seinen Ellenbogen.

»Entschuldigen Sie mich«, sagte er zu Elaine, während er fortgeführt wurde.

Sie gingen in das Familienzimmer am anderen Ende des Hauses, wo eine Party ganz anderer Art stattfand. Die Musik war laut, das Licht schummerig, und die Luft war deutlich mit Haschisch-Schwaden durchzogen. Die jüngeren Gäste hatten offensichtlich noch mehr Spaß. Sheila zog ihn in ein kleines Vestibül, wo überall Mäntel herumlagen.

»Setz dich kurz hin«, sagte sie und stieß ihn auf einen mit Mänteln bedeckten Stuhl. Sie zog einen winzigen Flakon aus ihrer Handtasche. Dafydd beobachtete überrascht, wie sie behutsam eine winzige Menge Pulver auf ihren Handrücken schüttete und es sich mit einem dünnen Silberröhrchen in die Nase zog. Dann reichte sie Dafydd den Flakon. Der schüttelte den Kopf.

»Du Moralapostel, guck nicht so geschockt«, lachte sie. »Es bleibt ganz unter uns, niemand wird dich erwischen. Schließlich ist Weihnachten, und wir sind nicht bei der Arbeit.«

Er schüttelte erneut den Kopf, konnte aber ein Lächeln nicht unterdrücken. Wer hätte das gedacht? Unsere gestrenge Oberschwester zieht sich im stillen Kämmerlein Kokain rein. Aber gut, wenn jemand die Dinge laufen lassen und entspannen musste, dann sie.

»Wo ist denn die Person, der du mich vorstellen möchtest?«, fragte er.

»Sie steht direkt vor dir.«

»Ich kenne dich bereits.«

»O nein, das tust du nicht.«

»Also gut«, lachte er. »Wie ich sehe, hast du noch mehr zu bieten, als ich begreifen könnte.«

Sie wiederholte die Aktion mit ihrem anderen Nasenloch, blinzelte und rieb sich die Nase. Es stimmte, er kannte sie überhaupt nicht, und nun sah er eine andere Seite von ihr. Die kämpferische, ganz auf ihre Arbeit konzentrierte Oberschwester, die Kollegen wie Patienten Respekt und Angst einflößte, war verschwunden. Und wenn er sie jetzt betrachtete, konnte er sich kaum vorstellen, dass sie ihn ständig einzuschüchtern versuchte. Sie war sanft wie ein Lamm. In ihrem glückseligen Rauschzustand wirkte sie jung und geradezu rührend, wie ein Teenager. Ihre großen blauen Augen blickten engelhaft, und ihre dichten roten Locken umrahmten ihr Gesicht wie ein Feuerkranz. Sie trug ein smaragdgrünes Minikleid, und ihre glatten, muskulösen Beine steckten in einer hauchdünnen Strumpfhose. Als er an ihr hinabsah, entdeckte er unter dem blassen Nylon eine Fülle von Sommersprossen auf ihren Oberschenkeln. Plötzlich fühlte er sich unbehaglich und stand auf.

Als sie merkte, dass er hinausgehen wollte, machte sie einen Schritt auf ihn zu und drückte ihn gegen den Garderobenständer. »Können wir nicht Freunde sein?«, fragte sie und strich ihm eine Locke aus der Stirn. Die Berührung hatte etwas übertrieben Intimes, und er wollte sofort die stickige Nische verlassen, aber das hätte schwach und ängstlich gewirkt und ihr einen Vorteil verschafft.

»Sicher«, antwortete er. »Heißt das, dass du aufhörst, dich bei jeder Gelegenheit über mich zu mokieren?«

Sie fuhr mit den Fingerspitzen an seinen Lippenrändern entlang. »Ach, nun nimm dich doch nicht so verflucht ernst. Kannst du nicht begreifen, dass ich versuche, dir zu helfen? Du bist so verdammt überempfindlich …« Sie ließ die Hand auf seine Krawatte sinken und suchte nach einer passenden Bezeichnung. »… und *sensibel*. Du bist viel zu gewissenhaft und vorsichtig für einen Ort wie diesen. Obwohl ich natürlich weiß, warum das so ist.« Sie lachte sanft und zog ihn an der Krawatte zu sich. »Schatz, ich durchschaue dein kleines Spiel.«

Trotz seiner guten Weihnachtsstimmung und seines Alkoholpegels erstarrte er, als habe ihm jemand einen Hieb in den Magen versetzt. Nun stand er der anderen Sheila gegenüber, die er fürchtete und hasste. Während er die Zähne zusammenbiss, überkam ihn ein heftiges Verlangen: Er wollte sie auf all die Mäntel werfen, ihr dünnes, kurzes Kleid zerfetzen und ihre Strumpfhose aufreißen, in sie eindringen, ihr die feindselige Arroganz aus dem Leib nageln und sie um Gnade winseln lassen. Dieser plötzliche, unerklärliche Drang erregte und verwirrte ihn, und er schwankte zwischen dem Impuls, mit ihr zu tun, was er wollte (er vermutete, dass sie es zulassen würde), und dem Bedürfnis hinauszulaufen.

Er atmete tief ein, riss ihre Hand von seiner Krawatte

und ging zur Tür. Aber sie sprang um ihn herum und versperrte ihm den Weg. Die prachtvolle Verführerin vor ihm schien entschlossen zu bekommen, was sie wollte – aus welchem Grund auch immer. Ihr musste klar gewesen sein, dass er sie nicht wollte (oder wollte er sie doch?). Warum also versuchte sie es, warum setzte sie sich einer Zurückweisung aus, obwohl sie doch so viele andere Männer finden konnte – Männer, die alles für sie tun würden ...

Dafydd drehte sich zu ihr hin und sah ihr intensiv in die Augen, um herauszufinden, was hinter jenem geheimnisvollen Blau lag. Sie hatte ihm ihre Freundschaft angeboten, aber er wusste, dass mehr dahintersteckte; also warum glaubte sie, dass sie es bekommen würde, wenn sie ihn in Stücke riss? Herausgefordert durch die wortlose Konfrontation, erwiderte sie seinen Blick. Aber sie verstand ihn völlig falsch.

»Also gut, zeig's mir«, sagte sie, und ihr Atem wurde schneller, ihre Lippen öffneten sich. »Zeig mir, dass du kraftvoll sein kannst. Nimm mich. Mein Freund ist weg. Komm heute Nacht mit mir nach Hause. Nur dieses eine Mal.«

Verdrehterweise und fast bedauernd sah er seine Chance gekommen. »Es würde nicht funktionieren«, erwiderte er lächelnd und zuckte mit einer spöttischen Entschuldigungsgeste die Schultern. »Du erregst mich sexuell einfach nicht.«

Sheila starrte ihn ungläubig an. »Du bist eine beschissene Schwuchtel, das ist der Grund«, fauchte sie und ging hinaus. Er blieb zurück und atmete eine Mischung aus ihrem Parfüm und dem Geruch feuchter Wolle ein.

O Mist! Warum hatte er das gesagt? Seine Rache war alles andere als süß. Er war genauso schlimm wie sie. Als er sich eine Sekunde später aufraffen und gehen wollte, hörte er ein leises Klopfen an der Tür. Es war Hogg, der ängstlich an Dafydd vorbei in die Kammer lugte.

»Verzeihung, ich suche Sheila«, sagte Hogg verlegen. Er hatte nichts mehr von dem selbstgefälligen kleinen Autokraten des Krankenhauses an sich. »Ich dachte, dass sie vielleicht bei Ihnen ist.«

»Das war sie, aber keine Sorge, sie gehört ganz Ihnen«, antwortete Dafydd ohne jede Vorsicht. »Aber sie wird sauer sein, Andrew. Tun Sie sich selbst einen Gefallen, und lassen Sie sie in Ruhe.« Damit ließ er den gedemütigt auf seine Schuhe blickenden Hogg stehen.

Zwei Stunden später war Dafydd sturzbetrunken. Er hatte sich nicht betrinken wollen, jedenfalls nicht so stark. Nachdem er seinen Mantel gefunden hatte, torkelte er nach draußen, um nach Martha Ausschau zu halten. Der vereinbarte Zeitpunkt war noch nicht gekommen. Sie brachte erst einmal andere gestrandete Seelen zurück in Sicherheit. Dafydd wartete an der Straße und hoffte, sie oder sonst jemanden, der in die Stadt fuhr, abfangen zu können. Schon nach ein paar Minuten kroch die Kälte in seinen Körper und lähmte ihn. Es glich einer Verführung. Er war bereit, den eisigen Schlummer zu akzeptieren, die Trance voller Glückseligkeit und Licht …

Dies war genau die Gefahr, die er nie wirklich begriffen hatte. Er fühlte sich schläfrig und wollte sich in den Schnee setzen. Aber als er heftig zu zittern begann, kam er schlagartig zu sich. Er hüpfte auf der Stelle, rieb seine Handschuhe aneinander und wünschte sich sehnlichst, dass er einen Hut mitgenommen hätte.

Ein Auto näherte sich ihm über die lange Auffahrt und hielt an. »Steig ein«, befahl Sheilas Stimme durch einen Fensterspalt. »Du kannst hier nicht herumstehen. Du bist betrunken, und es ist gefährlich. Ich will nicht für deinen Erfrierungstod verantwortlich sein.« Als er zögerte, fügte sie spöttisch hinzu: »Ich würde dich nicht mit der Kneifzange anfassen, ich fahre dich direkt nach Hause.«

Unterwegs schwiegen sie. Sie wirkte eisig nüchtern. Er

hatte bemerkt, dass sie keinen Alkohol trank, aber das Kokain musste eine Wirkung auf sie gehabt haben. Jedenfalls war sie eine Frau, die stets wusste, was sie tat, egal, in welche Machenschaften sie gerade verwickelt war. Sie bog in den Wohnwagenpark und bremste vor seiner Veranda.

»Sieh mal!« Sie zeigte in die Höhe und stellte den Motor ab.

Dünne weiße Schleier zogen über den Himmel und zuckten hin und wieder wie Peitschen. Er hatte die Aurora borealis schon mehrere Male gesehen, doch sie hatte ihn stets ein wenig enttäuscht. Sie war nicht so, wie sie in Büchern beschrieben wurde: eine Lichtshow mit unterschiedlichen, wild am Himmel herumzuckenden Farben.

Sheila musterte ihn. Er hielt ihrem Blick einen Moment lang stand. Dann lehnte er sich an die Kopfstütze und schaute hinaus in die Nacht. Die tanzenden Schleier wirkten hynotisierend. In seinem Kopf drehte sich alles, aber ihm war recht behaglich zumute. Das Auto war wunderbar geheizt, und vom Kassettenplayer erschallten die Dire Straits, wodurch er sich wie zu Hause fühlte.

Er wollte sich für seinen gehässigen Kommentar entschuldigen. Warum denn nicht? Er war unnötig grob gewesen und hatte sie aus Rache für ihre dauernden Angriffe verletzen wollen. Aber obwohl sie schwierig war, konnte man sie nicht als schlecht bezeichnen. Sheila war eine außerordentlich fähige Schwester und fleißig dazu. Sie und er waren einfach völlig verschieden, absolute Gegensätze. Kein Wunder, dass es zwischen ihnen kein Verständnis, keine Einfühlung gab. Aber sie mussten noch ein paar Monate zusammenarbeiten ...

Gerade als er darüber nachdachte, ihr ein Friedensangebot zu machen, merkte er, wie sie die Hand nach ihm ausstreckte. Er rührte sich nicht. Er sehnte sich nach ein wenig körperlichem Kontakt ... wenn es nur nicht gerade mit ihr wäre. In Windeseile hatte sie sich durch die Kleiderschichten gearbeitet und seinen Reißverschluss fachkundig geöffnet. Ihre Handfläche fühlte sich angenehm und warm um seinen Schwanz an, und er spürte, wie er steif wurde. Sie war nicht dichter an ihn herangerückt. Mit geschlossenen Augen versuchte er, sich den Bewegungen ihrer Hand zu überlassen. Es war ein mechanisches Erlebnis, fast klinisch.

Er streckte die Hand nach ihr aus und berührte ihren Oberschenkel. Die dünne Nylonstrumpfhose fühlte sich kalt und glatt an, und sie schob sich seiner Hand entgegen, als ob sie ihn drängen wolle, seine Erkundung fortzusetzen.

Das Bild Kerstins tauchte vor ihm auf, des Mädchens, mit dem er einst eine feurige Affäre gehabt hatte. Kerstin hatte ihn masturbiert, und es funktionierte wunderbar. Seine Hand schloss sich über Sheilas und bedeutete ihr, das Tempo zu steigern.

»Warum gehen wir nicht rein«, schlug sie vor. Ihre Stimme war tief und rau.

Dafydd versuchte, diese Möglichkeit zu erwägen, aber seine Gedanken waren immer noch auf Kerstin konzentriert. Jetzt versuchte Sheila, die Hand wegzuziehen, aber er hielt sie energisch fest, und ein paar Sekunden später kam er, spürte die lustvollen Wellen, heftig und deutlich trotz seiner Trunkenheit.

Mit einem verächtlichen Stöhnen riss Sheila die Hand weg und wischte sie an seinem Mantel ab. Sie ließ den Motor an und legte den Gang ein.

Dafydd seufzte und schloss die Augen. Nun hatte er etwas angerichtet! Er wusste, dass es für ihn keine Rettung mehr gab. »Sheila, tut mir leid, ich wollte nicht …«

»Steig aus, verdammt«, befahl sie.

Dafydd stolperte aus dem Auto, und sie startete mit donnerndem Motor, wobei sie auf der vereisten Straße wie verrückt herumschleuderte. In dem Bewusstsein, dass seine Hose noch offen war, stöberte er in den Taschen nach seinen Schlüsseln. Eine Ahnung ließ ihn aufblicken, und dort, am dunklen Fenster des benachbarten Wohnwagens, stand Ted O'Reilly. Dafydd konnte deutlich das boshafte Grinsen in seinem unrasierten Gesicht sehen. Der Mann machte ein Daumen-hoch-Zeichen, das er mit ein paar obszönen Hüftbewegungen begleitete. Stöhnend wandte sich Dafydd ab und versuchte, den verflixten Schlüssel ins Schloss zu stecken.

KAPITEL

9

Cardiff, 2006

Lieber Dad,
ich hoffe, es macht Dir nichts aus, wenn ich Dich Dad nenne. Meine Mom hat mir alles über Deine Vorsicht und darüber erzählt, dass Du die Dinge nicht überstürzen willst, bevor die Bluttests nicht abgeschlossen sind. Das ist in Ordnung. Ich verstehe das alles, aber ich hoffe, dass Du ein kleines bisschen glücklich darüber sein wirst, eine Tochter und einen Sohn zu haben. Ich versichere Dir, dass ich wirklich glücklich bin, einen Dad zu haben. Alle meine Freunde haben Dads bis auf Melissa und Cas. Ihre Eltern sind geschieden, und sie hören nichts mehr von ihren Dads, weil ihre Dads Moose Creek verlassen haben. Das ist sehr traurig, findest Du nicht?

Wir haben den Test vor zwei Wochen gemacht, oder vielmehr musste sich meine Mom Blut abnehmen lassen, und Mark hat das auch getan. Ich habe Angst vor Nadeln, darum entschied meine Mom, dass es reichen würde, wenn nur Mark den Test macht. Schließlich sind wir Zwillinge, jeder weiß das. Ich würde gern wissen, ob Du uns vielleicht besuchen wirst, wenn Du herausgefunden hast, dass wir Deine Kinder sind. Das hoffe ich natürlich. Ich habe viel, was ich Dir zeigen kann, zum Beispiel Fotos von uns als Babys und so.

In Liebe
Miranda XXX

Dafydd las den Brief zweimal, dann ließ er ihn auf seinen Schoß fallen. Dort flatterte er in dem Luftzug, der sich kämpferisch seinen Weg durch jede Ritze zwischen den Fensterscheiben bahnte. Verflucht. Das arme Kind war fest davon überzeugt, dass er ihr Vater war. Verdammte Sheila. Die Erinnerungen an ihr aggressives Verhalten und ihre pathologische Arroganz waren nach und nach wieder an die Oberfläche seines Bewusstseins gelangt. Er entsann sich, dass sie jeden Tag irgendwelche Auseinandersetzungen gehabt hatten und wie heftig sie ihn schließlich gehasst hatte.

Aber was sollte all das? Es ergab einfach keinen Sinn. Was in aller Welt erhoffte sie sich? Wie sehr er seine Fantasie auch anstrengte, spekulierte und mutmaßte, er konnte es einfach nicht verstehen. Die einzige Erklärung bestand darin, dass sie irgendeinem Wahn aufsaß, vielleicht sogar verrückt war. Oder sie litt unter einem vollständigen Gedächtnisverlust und wusste nicht mehr, mit wem sie geschlafen hatte. Möglicherweise infolge von Drogen oder Alkohol. Vermutlich würde er das nie herausfinden.

Manchmal, wenn er nachts aufwachte, beschwor er alle möglichen albernen Szenarien herauf, wie sie an sein Sperma gekommen sein konnte. Sie hatte ihn einmal … masturbiert; er erschauderte, wenn er auch nur daran dachte. *Aber das war alles.* Es hatte in einem Auto stattgefunden, bei Minusgraden. Konnte es sein, dass sie später etwas davon in ihre Gebärmutter übertragen hatte? Nein. Das war so lächerlich wie die Vorstellung, durch das Sitzen auf einem Toilettendeckel, die Berührung mit einem Handtuch oder durch das Wasser in einem Schwimmbad schwanger zu werden.

Vielleicht war etwas Übleres geschehen? Hatte sie seinem Getränk etwas zugesetzt? Eine Vergewaltigungsdroge mit völliger postkoitaler Amnesie? Er tat den Gedanken als absurd und physisch unmöglich ab. Und warum sollte sie angesichts der Tatsache, dass sie ihn einmal gedrängt hatte, nach Dienstschluss eine Abtreibung bei ihr vorzunehmen, solch einen Aufwand betreiben, um schwanger zu werden, und dann auch noch ausgerechnet von ihm, *einem Mann, den sie verabscheute …*

Er ließ den Brief auf dem Sofa liegen und streifte durch das Haus. Dabei bemerkte er, wie verwahrlost es inzwischen war. Isabel und er teilten sich die Hausarbeit, aber in den zwei Wochen ihrer Abwesenheit hatte er keinerlei Lust verspürt, auch nur seine eigenen Pflichten zu erledigen. Welchen Sinn hatte das, wenn sowieso alles erneut getan werden musste? Und warum sollte man nicht ab und zu Pappteller benutzen? Seit Tagen hatte er keine normale Mahlzeit mehr zu sich genommen, sondern von verschiedenen undefinierbaren, in Frischhaltefolie eingewickelten Klumpen aus dem Gefrierschrank und den Pizzas und Fertigsalaten gelebt, die Isabel eilig nebenan bei Ved Chaudhury & Sons gekauft hatte, einem Laden, der in Wirklichkeit von Mrs Chaudhury und ihren Töchtern betrieben wurde. Mrs Chaudhury war entsetzt über Isabels Bericht von Dafydds Unfall gewesen und hatte angeboten, täglich eine ihrer Töchter mit frisch gekochten Mahlzeiten vorbeizuschicken, solange Isabel fort war. Zu Dafydds Enttäuschung hatte Isabel das freundliche Angebot abgelehnt.

Er ging nach oben, um sich zu duschen. Vermutlich lag die letzte Dusche schon mindestens zwei Tage zurück. Er warf seinen Bademantel ab und stellte sich in die Kabine. Aber so sehr er sich auch bemühte abzuschalten und seine Gedanken durch den Wasserstrahl reinigen zu lassen – er konnte nicht zur Ruhe kommen. Es war, als zerbrösele sein Leben, obwohl, wie er zugeben musste, nichts wirklich Bedrohliches geschehen war. Vielleicht war seine Existenz einfach viele Jahre hindurch so ereignislos gewesen, dass ihm diese kleinen Missgeschicke übermäßig verzerrt und aufgebläht erschienen.

Der Verlust seiner Velocette Venom war ein Schlag – eine wunderschöne Reliquie aus rostendem Metall auf zwei Rädern, die ihm so viele Jahre gedient hatte. Sie war so gut wie unersetzlich, aber zugleich bedeutete der Totalschaden auch eine klare Zäsur: das Ende eines Zeitalters. Das Verhältnis zu Isabel würde wieder vollständig hergestellt werden, sobald die DNA-Tests abgeschlossen waren. Und sein Fahrverbot – ein Jahr verstrich heutzutage ja im Nu. Der Ruf eines betrunkenen Fahrers mochte ihm allerdings noch länger anhängen.

Er stieg aus der Dusche und begann, seine Bartstoppeln abzurasieren. Sein Leben musste weitergehen; er würde die Hindernisse überwinden. Proaktiv sein. Er würde sich anziehen und wieder zur Arbeit gehen. Vier Tage reichten zur Genesung aus. Sein blaues Auge war nun giftig gelb geworden, aber was machte das schon? Sein Knie würde dem Tempo des Klinikalltags wohl gewachsen sein, und sein Handgelenk war fast wieder gesund. Und sein Stolz? Der würde eben hintanstehen müssen.

Die Woche näherte sich ihrem Ende. Es war ihm gelungen, wenig Aufsehen zu erregen und seine Arbeit fortzusetzen, ohne auf Anspielungen und Grinsen oder freundliches Schulterklopfen einzugehen. Nun lag das Wochenende vor ihm, und Isabel wollte am Nachmittag wieder zu Hause sein. Den gesamten Morgen hatte er in nervöser Erwartung verbracht. An den meisten Tagen hatten sie miteinander telefoniert, und sie wirkte schuldbewusst, vielleicht sogar verlegen. Sie spielte auf irgendeine Wiedergutmachung an, wobei ihm unklar war, ob sie das sexuell, emotional oder einfach nur häuslich meinte und warum sie glaubte, er habe es verdient.

Sein Piepser ertönte schrill, während er sich mit einer Frau über die anstehende Entfernung ihrer Gallenblase unterhielt.

»Ich bin wieder zu Hause«, stöhnte Isabel, als er schließlich ein Telefon erreichte. »Gott sei Dank. Was für eine Fahrt.«

»Das kann ich mir vorstellen. Hör mal, ich hatte gestern Abend Notdienst und bin seit dem Morgengrauen hier. Es sind keine Lebensmittel mehr im Haus. Warum gehen wir nicht einfach irgendwo essen? Ich möchte alles über deine Unternehmung hören. Lass uns doch nach unten an die Bucht fahren. Wie wär's mit Eduardo? Was hältst du davon?«

»Wunderbar«, antwortete sie und klang erfreut. »Kommst du erst nach Hause, oder sollen wir uns dort treffen?«

»Na ja«, meinte er zögernd. Sie hatte offenkundig den Entzug seines Führerscheins vergessen. »Am besten treffen wir uns dort. In der Bar. Wie wär's mit halb acht? Ich lasse einen Tisch reservieren.«

Sie trafen sich auf dem Parkplatz. Isabel kam mit dem Taxi und schien überrascht zu sein, als Dafydd aus Jim Wisemans Personentransporter kletterte, von dem er sich hatte mitnehmen lassen. Sie sah umwerfend in dem weichen schwarzen Kleid aus, das sich an ihren Körper schmiegte, als wäre es ihr aus einer Dose aufgesprüht worden. Um die Schultern trug sie einen neuen Kaschmirschal. Die durch harte Arbeit oder durchwachte Nächte entstandenen Ringe unter den Augen und der scharlachrote Lippenstift ließen sie ihrem Alter entsprechend aussehen, aber dennoch wirkte sie beeindruckend. Eine plötzliche Begierde stieg in ihm hoch, wie er sie schon seit sehr langer Zeit nicht mehr für sie empfunden hatte, aber dieses Gefühl enthielt nichts Zärtliches. Er wollte sie auf die gleiche Art, wie er sie einst gewollt hatte, vor Jahren, bevor Sex zur Anstrengung geworden war.

Das Restaurant war brechend voll wie immer in jüngster Zeit. Der angesagte Ort, um gesehen zu werden. Sie hatten es acht Monate vorher entdeckt, als es noch um sein Überleben kämpfte. In unverminderter Loyalität eilte Eduardo mit ausgestreckten Armen auf sie zu. »Wie schön, ich habe Ihren Lieblingstisch reserviert ... Isabella!« Er schürzte seine dicken Lippen und gab ihr auf jede Wange einen geräuschvollen Kuss. Dann umklammerte er Dafydds Hand und schüttelte sie mit beiden Händen.

Sie saßen am Fenster mit Blick auf die Anlegestation der Wassertaxis. Auf dem Meer war nur noch ein Schimmer des Sonnenlichts zu erkennen, und die Kliffs von Penarth sahen schwarz aus. Am Jachthafen funkelte eine Reihe Lichter, und die Promenade unterhalb des Restaurants war voller Paare, die spazieren gingen, lachten und tranken. Dafydd sank zufrieden auf seinen Stuhl und seufzte behaglich. Dies erschien so normal, so intakt. Er überflog die Karte und hob eine Augenbraue. Eduardos Geschäfte liefen gut, zu gut, wie die neuen Preise zeigten.

Der kleine Mann kam mit einer guten Flasche Wein herbeigeeilt. Er hatte ein vorzügliches Gedächtnis. »Auf Kosten des Hauses, meine Freunde.« Seine warmen, feuchten Augen wirkten traurig. »Sie kommen nicht mehr so oft. Ich mache immer Platz für Sie. Jederzeit, nur damit Sie's wissen.«

Das Paar am Nachbartisch fragte sich, wer sie wohl seien. Die beiden beugten sich zueinander vor und flüsterten sich ihre Mutmaßungen zu. Isabel sah im Kerzenschein wie ein Filmstar aus. Dann zog sie ihren stinkenden kleinen Tabakbeutel und ihre Rizlas hervor und rollte eine jointähnliche Zigarette, aus deren beiden Enden Tabakfäden hervorragten. Dafydd seufzte und schielte zu dem Ehepaar am Nachbartisch hinüber. Die Miene der Dame hatte sich schlagartig von Neugier in unverhohlenen Abscheu gewandelt. Der Mann schnippte mit den Fingern nach Eduardo, der sofort herbeigerannt kam.

»Ober, das hier soll doch ein Nichtraucherbereich sein«, meinte er und wies mit dem Daumen in Isabels Richtung. »Meine Frau hat Asthma.«

»Ist schon gut«, murmelte Dafydd und warf Isabel einen flehenden Blick zu. »Zünde sie einfach nicht an … bitte.«

Ihre riskante Heimkehrfeier erhielt einen kleinen Dämpfer. Isabel warf die Zigarette gereizt auf ihren Beilagenteller. Sie hatte wieder zu rauchen begonnen, basta, und solange sie das tat, wollte sie sich zu ihrem Drink auch eine anstecken.

Andere Tische waren nicht mehr frei. Merklich bedrückt warf Eduardo ihnen von seinem Platz nahe der Tür immer wieder Signale der Solidarität und der Hilflosigkeit zu. Es störte, und Dafydd wünschte, er könnte sich von dem wohlwollenden Wirt abwenden, aber dieser stand genau in seiner Blickrichtung.

Ein winziges Insekt umkreiste die drei Gänseblümchen in einer die Tischmitte schmückenden Vase. Isabel schlug danach, stieß die Vase um, und das Wasser lief über die gestärkte weiße Tischdecke. Dafydd versuchte, es mit seiner Serviette aufzutupfen, und sagte kichernd: »Selbst wenn sie sich in Gala wirft … man kann sie nirgendwo mit hinnehmen …« Sie verbarg ihr Lächeln hinter ihrem Weinglas; es war ein echtes Lächeln.

»Ich habe dich vermisst.« Er griff ihre Hand und bemerkte, dass ihr Ehering fehlte. Ein schmaler Kreis aus weißer Haut markierte die Stelle, wo er während der vergangenen sechs Jahre gesessen hatte. Dafydd streichelte den Kreis mit dem Daumen und sah sie fragend an.

»Ich hatte ihn abgenommen … Habe heute Morgen das Hotelzimmer auf den Kopf gestellt und alles abgesucht. Er muss irgendwo hingerutscht sein.«

»Ein freudscher Rutscher, wie?«, kommentierte er lächelnd. »Gut fürs Geschäft, ihn in Glasgow nicht zu tragen?«

Sie runzelte die Stirn, und Dafydd wünschte, er hätte es nicht gesagt. Sie war während der vergangenen Wochen so schlecht gelaunt gewesen, dass er das Gefühl hatte, ihren Stimmungen behutsam ausweichen zu müssen. Er hatte fast vergessen, was ihn an Isabel so angezogen hatte: ihre merkwürdige Mischung aus Kultiviertheit und Mutwillen. Ein mörderisches Temperament, und sie konnte überaus nachtragend sein. Aber für ihn machte das einen Teil ihres italienischen Reizes aus.

Er goss ihr nach. Der Wein war teuflisch stark. Sie trommelte mit ihren langen Nägeln auf dem Beilagenteller herum, was ein lautes rhythmisches Klicken erzeugte. Ihre Nachbarn starrten böse zu ihr rüber. Sie zeigte ihnen ihre nicht angezündete Zigarette, und sie wandten die Augen ab.

Obwohl das Restaurant voll war, sprachen alle gedämpft, sodass nur ein leises Summen aufkam. Die Tische standen zu dicht beeinander, jedes Wort konnte mitgehört werden.

Dafydd winkte Eduardo heran. Der lag schon auf der Lauer und eilte herbei.

»Eduardo, warum gibt's keine Musik? Können wir nicht die Achtziger-Auswahl hören – Sie wissen schon, die Sie selbst zusammengestellt haben?«

»Es tut mir sehr leid«, erwiderte Eduardo verlegen. »Das System ist heute zusammengebrochen – ganz schrecklich.«

Er stürmte davon und brachte ihnen eine weitere Flasche. Sie tranken zu schnell.

»Lass uns bestellen. Bald bin ich besoffen«, sagte Isabel ziemlich laut.

Eduardo nahm ihre Bestellung auf. Dann lehnten sie sich zurück und betrachteten einander. Isabel schien unbehaglich zumute zu sein.

»Was ist los?«

»Dafydd, ich glaube, heute Morgen ist der Brief gekommen. Cell-link Diagnostics, stimmt's?«

»O wirklich?« Er schwieg. Dann wurde ihm plötzlich klar, dass zumindest eine seiner Sorgen endlich begraben werden konnte. »Du hättest ihn öffnen sollen. Dann hätten wir einen richtigen Grund zum Feiern gehabt.« Er ärgerte sich, dass sie ihm nicht am Telefon von dem Brief erzählt hatte.

Sie schaute ihn einen Moment lang wortlos an, bevor sie sagte: »Ich hab ihn in der Handtasche.«

Irgendwie erschreckten ihn ihre Worte. Da war das Ergebnis, endlich in Reichweite.

»Na, was soll's. Öffne das verdammte Ding«, forderte er sie ärgerlicher auf, als er beabsichtigt hatte.

Sie zögerte. »Bist du sicher, dass du ihn jetzt aufmachen willst?«

»Du hast ihn doch mitgebracht. Warum warten? Öffne ihn.«

Sofort zog sie den Umschlag aus ihrer Tasche und schlitzte ihn mit ihrem Brotmesser auf. Er beobachtete sie, während sie las. Diesen Augenblick würde er lange in Erinnerung behalten, bis ans Ende seiner Tage.

Ihre Miene ließ ihn zusammenfahren, als hätte jemand einen Kübel mit eiskaltem Wasser über ihm ausgegossen. Er riss ihr das Stück Papier aus den Händen und las es ebenfalls. Dann fixierten sie einander.

»Du Lügner«, flüsterte sie. »Du verfluchter Lügner.«

Er war sprachlos. Es konnte nicht stimmen. Er starrte auf das Papier. Die Worte tanzten wild vor seinen Augen, aber er erkannte seinen Namen und den von Mark Hailey. Eine Sicherheit von mindestens 99,99 Prozent. Er wusste, was das bedeutete: Seine Vaterschaft stand außer Zweifel.

»Warum hast du es auf diese Weise gemacht?«, fragte ihn Isabel mit eisiger Ruhe. »Ich habe dich immer für einen intelligenten und sensiblen Mann gehalten. Du hast jede Möglichkeit gehabt, mir die Wahrheit zu sagen. Du wusstest, dass ich sie akzeptieren würde. Du hast vor Jahren eben jemanden gefickt – das wäre mir egal gewesen. Eine unbeabsichtigte Schwangerschaft kann jedem passieren. Du hättest zugeben können, dass du die Sache vergessen hast, betrunken gewesen bist, verführt oder vergewaltigt wurdest – alles Mögliche.« Ihre Stimme hob sich, und die Gäste an den umliegenden Tischen waren verstummt. »Selbst wenn du gesagt hättest, dass du verrückt nach der Frau bist und dich noch immer nach ihr sehnst – ich hätte alles akzeptiert, solange es ehrlich gewesen wäre. Aber nein, du hast immer wieder beteuert, dass du ihr noch nicht einmal nahegekommen bist. Du hast nicht davon abgelassen. Warum verletzt du mich so? Warum?«

Eduardo kam mit ihrer Fischsuppe auf ihren Tisch zu. Dafydd winkte heftig, um ihm Einhalt zu gebieten. Der verwirrte Mann näherte sich dennoch. Das Ehepaar neben ihnen starrte sie unverhohlen an, genau wie ein paar andere Personen. Isabel zündete ihre Zigarette an, nahm einen tiefen Zug, drehte den Kopf und blies den Rauch über ihren Tisch. Die Frau hustete hysterisch, kniff die Augen zusammen und wedelte mit der Hand vor ihrem Gesicht herum. Nervös stellte Eduardo die Teller mit dampfender Suppe ab. Dann entfernte er sich rückwärts und mit gesenktem Kopf, ohne sich um die Aufforderungen der wütenden Asthmatikerin zu kümmern.

»Und was ist mit den anderen Dingen, die sie behauptet hat?«, zischte Isabel.

»Bitte«, flehte Dafydd, »du kannst doch nicht …«

»Schließlich hast du mich über alles andere belogen. Du hast Glück, dass sie dir keine Vergewaltigung nachweisen kann.« Sie zog an dem Stummel, aber er war ausgegangen. »Dafür ist es zu spät, vermute ich.«

»Ich habe sie auf keinen Fall …«

»Oh, halt die Klappe. Warum gebe ich mich überhaupt

noch damit ab? Ich höre mir deinen Quatsch nun schon wochenlang an. Es reicht, ich kann es nicht mehr ertragen.«

Dafydd wusste nichts darauf zu sagen. Seine Gedanken waren so durcheinander, dass er nichts mehr verstand. Er blickte in seine Suppe und sah eine Krabbenschere zwischen den anderen Stücken herumtreiben. Er liebte Krabbenscheren, doch nun schwor er sich, dass er für den Rest seines Lebens nie wieder eine essen würde. Er hatte das Gefühl, irgendeinen Eid leisten zu müssen. Vielleicht wäre es besser gewesen, wenn er aufs Zölibat geschworen hätte.

»Was wirst du unternehmen?«, fragte sie und riss ihn aus seinen Gedanken.

Er schüttelte den Kopf. »Ich weiß es nicht. Hast du eine Idee?«

Sie zündete den Glimmstängel erneut an, und sie saßen eine Weile schweigend da. Dafydd sah zu ihr auf. Ihr Gesicht war hart, fast hässlich vor Wut geworden. Trotzdem wollte er sie unbedingt berühren, sie zu sich zurückholen. Sie schien von ihm zu weichen, und das machte ihm Angst. Er streckte die Hand über den Tisch nach ihrer aus, aber sie riss den Arm zurück.

»Wir werden das anfechten«, sagte er mit plötzlicher Zuversicht und schlug auf den vor ihm liegenden Brief. »Wir werden morgen mit Andy darüber sprechen.«

»Wir?«, fauchte sie ungläubig. »Damit stehst du ganz allein da, mein Freund.« Sie sprang auf und warf die glimmende Zigarette in ihre Suppe. Dann sammelte sie ihre Rauchutensilien ein, stopfte sie in ihre Handtasche und riss den Schal von der Rückenlehne ihres Stuhles.

Er versuchte, ihr Handgelenk zu packen. »Was meinst du damit?«, wollte er wissen. »Wohin willst du?«

Sie schüttelte ihn ab, rauschte an dem fasziniert zusehenden Paar vorbei, stieß an ihren Tisch und warf mit der Tasche beinahe das Glas der Frau um. Rotweintropfen spritzten auf das mit Butter bestrichene Brot der Frau. Sie griff nach einem Inhalationsgerät und atmete in gekünstelter Panik schnaubend ein. Der Mann ignorierte sie und starrte Dafydd fast mitfühlend an.

»Hey! Komm zurück ... Isabel!«, rief Dafydd hinter ihr her. »Sei nicht albern. Es stimmt nicht. Ich schwör's.«

»Oh ... verpiss dich!«, schrie sie ihm durch das halbe Restaurant zu.

Dafydd saß wie versteinert da. Er hätte ihr folgen sollen, aber er fühlte, dass er die dafür erforderliche physische und emotionale Stärke nicht aufbringen konnte. Scheiß drauf, lass sie gehen, dachte er ärgerlich. Offenbar legte es jeder darauf an, ihm eins auszuwischen. Entweder litt er an Demenz, Amnesie oder irgendeiner anderen geistigen Störung, oder jemand hatte einen Weg gefunden, sein Sperma zu stehlen. Wer konnte so etwas fertigbringen? Oder einen DNA-Test fälschen? Es war einfach abscheulich.

Er stützte sein Gesicht in die Hände, um sich vor den Menschen abzuschirmen, die ihn anglotzten. Nach ein paar Minuten trat Eduardo an den Tisch und legte Dafydd eine mitfühlende Hand auf die Schulter.

»Wollen Sie in mein Büro kommen und sich dort hinsetzen? Ich habe einen Amaretto aus meiner Heimatstadt. Den besten auf der Welt.«

Dafydd ließ sich zu einem tiefen Lehnstuhl in einem warmen, schoßartigen Raum führen und sich dort ein großes Glas mit dunkler Flüssigkeit in die Hand drücken.

»Machen Sie sich keine Sorgen. Ich habe Isabella ein Taxi besorgt. Ihr geht es gut. Ich streite mich ständig mit meiner Frau. Sie werden sich morgen wieder vertragen.«

KAPITEL

10

Moose Creek, 1993

DAFYDD DRÜCKTE MIT seiner linken Hand auf ihren glatten, weißen Unterleib, während er seine rechte Hand tief in ihre Vagina geschoben hatte. Die Situation hatte etwas völlig Surreales. Sheila hatte ihn in den drei Monaten nach jener fatalen Weihnachtsparty kaum angesehen oder mit ihm gesprochen, und jetzt berührte er sie auf die intimste Weise.

Sein erster Impuls war gewesen, sich zu weigern, vor allem, als sie einen Termin nach Feierabend *ohne Anwesenheit einer Krankenschwester* verlangte. Aber Sheila hatte ihn regelrecht angefleht, als sie sich an jenem Morgen im Korridor an ihn wandte. Ihre alarmierende Blässe und ihre rot geränderten Augen hatten eine erstaunliche Wirkung auf ihn: Sein Abscheu ihr gegenüber milderte sich sofort.

Natürlich wollte er auch herausfinden, was in aller Welt sie dazu veranlasste, *ihn* um einen ärztlichen Termin zu bitten. Auf einer anderen Ebene musste er sich gewünscht haben, eine gewisse Verwundbarkeit bei Sheila zu finden und den wahren Menschen hinter der Fassade zu entdecken. Aber er behielt solche Gedanken für sich. Er wollte lediglich ein gutes Arbeitsverhältnis zu dieser Frau haben.

Und da war sie nun, zum ersten Mal wirklich preisgegeben. Sie befand sich im Wortsinne in seinen Händen, und dies war möglicherweise die Gelegenheit für ihn, ein gewisses Maß an Frieden zwischen ihnen herzustellen.

»Sheila, wie konnte es geschehen, dass du nichts gemerkt hast?«, fragte er vorsichtig.

»Wie ich dir schon mitgeteilt habe, hatte ich zwei absolut normale Perioden und keinerlei Symptome«, antwortete sie. »Ich meine, ich bin noch nie schwanger gewesen und hätte es deshalb vermutlich ohnehin nicht sofort gemerkt.«

»Und was hat dich dann zu der Annahme veranlasst, dass du's bist?«

Sheila verdrehte in der für sie typischen beleidigenden Art die Augen. »Tja, irgendwann muss man's wohl merken. In meinem Bauch wächst ein großer dicker Klumpen.«

»Es ist alles andere als ein großer dicker Klumpen, aber es besteht kein Zweifel, was es ist«, erwiderte er. »Du bist mindestens im dritten Monat, vielleicht auch schon weiter.«

»Scheiße!« Sheila hielt sich eine Hand vors Gesicht, woraufhin Dafydd ihr ein Bündel Papiertaschentücher in die andere drückte. Er trat zurück und zog den Vorhang um den Untersuchungstisch zu. Während er auf seinem Stuhl auf sie wartete, überschlugen sich seine Gedanken. Drei Monate ... sie musste um die Weihnachtszeit empfangen haben. Sie war fruchtbar und verhütete offenbar nicht ... Er erschauderte bei dem Gedanken, was hätte geschehen können, wenn sie ihn herumgekriegt hätte.

Er blickte aus dem Fenster. Draußen war es dunkel. Irgendwie hatte er das Geühl, dass er um diese Zeit nicht mit ihr allein sein sollte. Dabei war es erst kurz nach sieben. Noch immer herrschte Winter. Er hatte erwartet, dass es jetzt im späten März nicht mehr schneien würde, aber da waren sie wieder: große, schwere Schneeflocken, die vom Himmel schwebten und sanft auf der Fensterbank landeten.

Sheila brauchte lange, um sich hinter dem Vorhang wieder anzuziehen, und als sie schließlich auftauchte, wirkte sie erschüttert.

»Setz dich hin und lass mich wissen, wie ich dir helfen kann«, sagte er sanft.

Sheila nahm ihm gegenüber Platz. Sie hatte ihre Schwesternkleidung abgelegt und trug einen grünen Minirock aus Wildleder, der weder zu der Situation noch zum Wetter passte.

»Du kannst mir helfen, Dafydd. Wir können es jetzt machen.«

Verwirrt fragte er: »Was denn?«

»Einen Abbruch.« Sheila schaute ihm fest in die Augen. »Du kannst das doch für mich tun, nicht?«

Dafydd nahm alle Kraft zusammen. Aus diesem Grund war sie zu ihm gekommen. Aber sie wusste, dass er prinzipiell keine Abtreibungen vornahm. Weshalb also wandte sie sich an ihn? Er befürwortete das Recht auf Abtreibung, aber er weigerte sich, selbst solch einen Eingriff vorzunehmen. Er hatte ihn nur zweimal in seiner Laufbahn, nämlich als Assistenzarzt, durchgeführt. Ohne es sich erklären zu können, war er beide Male anschließend sehr aufgewühlt gewesen und hatte unter Alpträumen gelitten. Sheila hatte viele Male versucht, ihn wegen dieser »Schwäche« zur Rede zu stellen und ihm klarzumachen, dass in Moose Creek Abbrüche üblicher seien als Geburten.

»Ich mach das nicht, wie du weißt. Aber Hogg und Ian tun's. Warum sprichst du nicht mit einem der beiden?«

»Unmöglich«, beschied sie ihn. »Ich will auf keinen Fall, dass einer von ihnen da reingezogen wird. Du bist der Durchreisende, und du kannst den Mund halten, soweit ich das mitbekommen habe.«

»Sheila, es ist kein Problem, das anderswo durchführen zu lassen. Du kannst nach Yellowknife fliegen und einen

Tag später zurückkommen. Ich rufe sie morgen früh an, wenn du das möchtest.«

»Nein, das ist zu nahe. Sie wissen alles über uns hier oben.«

»Gut, dann eben Edmonton. Das ist noch besser.«

Sheila schien ihm kaum zuzuhören. Mit glasigen Augen saß sie gedankenversunken da. Sie hielt die Papiertücher noch immer in der Hand und zerzupfte sie in kleine Fetzen, die sie anschließend zwischen Daumen und Zeigefinger hin und her rollte. Nach einer Weile sagte sie, als hätte sie seine Worte gar nicht wahrgenommen: »Ich meine es ernst. Wir könnten es jetzt machen. Hogg hat Bereitschaft, aber es gibt nichts zu tun. Niemand ist im OP. Janie hat mit Phil Stationsdienst. Es ist mir egal, wenn wir es nur mit einer Sedierung machen. Das kostet dich dann bloß eine Stunde deiner Zeit.«

»Um Himmels willen, Sheila, das kommt gar nicht in Frage. Du brauchst eine anständige Narkose, und es ist …« Es gab so viele Einwände, aber ihm fiel kein einziger ein, den sie nicht sofort abwürgen würde. Also änderte er das Thema. »Wie steht denn dein Freund zu der Sache?«

»Ich hab ihm nichts davon erzählt. Er macht nämlich nichts ohne Verhütung. Du würdest ihn nie ohne seine Kondome erwischen.«

Wollte sie ihm damit sagen, dass das Baby möglicherweise nicht von ihrem Freund war?

»Kondome können reißen«, meinte er wenig überzeugend, denn er wusste, dass so etwas nur selten vorkam.

Sheila überlegte ein paar Sekunden. »Ja, das können sie«, sagte sie schließlich.

»Hast du über die Möglichkeit nachgedacht, das Baby zu bekommen? Ich meine, du bist – was, zweiunddreißig?«

»Nein, ich habe nicht darüber nachgedacht.«

Sie lehnte sich zurück und sah durch ihn hindurch. Dafydd wusste, dass er nichts sagen oder vorschlagen konnte, was sie entscheidend beeinflussen würde, und wenn sie ihm nicht vertraute, konnte er ihr ohnehin nichts anbieten. Sie schien irgendwelche Gedanken in ihrem Kopf zu wälzen; vielleicht prüfte sie die Idee, tatsächlich Mutter zu werden.

Plötzlich richtete sie ihre stechenden blauen Augen auf ihn, beugte sich vor und sagte: »Nein, ich will wirklich einen Abbruch. Bitte tu das für mich.« Sie rutschte unruhig hin und her und schüttelte den Kopf, als wolle sie sich von dem Gedanken an eine Mutterschaft befreien. »Ich will das einfach heute Abend hinter mich bringen. Kannst du das nicht verstehen? Jetzt, wo ich weiß, was es ist, will ich nicht, dass es die ganze Zeit über mir schwebt. Ich fühle mich absolut unwohl damit. Mehr noch, ich halt's nicht aus. Los, Dafydd, bitte«, flehte sie. »Eine Valiumspritze, ein wenig Saugen, ein kurzes Schaben, und schon bist du mich los.«

Dafydd ordnete seine Gedanken. Er musste es ablehnen, aber er wollte sie nicht enttäuschen. Sie beugte sich noch immer zu ihm vor. Ihre merklich volleren, milchweißen Brüste quollen aus dem Ausschnitt ihres schwarzen Pullovers. Bevor er etwas sagen konnte, lachte sie, streckte den Arm aus und klopfte mit dem Zeigefinger auf seinen Schreibtisch.

»An einem Ort wie diesem muss man einander ab und zu einen Gefallen tun. Du schuldest mir was, nicht wahr? Schließlich habe ich dir auch einen Gefallen getan. Und ich würde es wieder tun … Oder wenn dir das lieber ist, bezahle ich dich.«

Dafydd fuhr zusammen. »Sheila, geh nicht so mit dir um. Du solltest mich besser kennen. Ich möchte dir helfen, glaub mir. Was ist so schlimm daran, wenn du noch ein paar Tage damit wartest?«

Plötzlich begann sie zu weinen. Das verblüffte Dafydd. Es waren echte Tränen. Echter Kummer bewegte ihn immer, und sie litt offenbar stärker, als er bemerkt hatte. Er eilte zu ihr und legte ihr die Hand auf die Schulter. »Es tut mir so leid«, beteuerte er.

Sie blickte zu ihm hoch. »Dann mach's verdammt noch mal.«

»Es tut mir leid«, wiederholte er.

»Es tut dir leid? Ist das alles? Du jämmerlicher Scheißengländer«, fauchte sie zwischen ihren Tränen hindurch. »Du bist ein nutzloser Idiot, weißt du das?«

Dafydds Hand lag noch immer auf ihrer Schulter. »Reg dich ab, Sheila«, sagte er streng. »Du bist durcheinander, das ist verständlich. Es ist ein Schock, aber keine Katastrophe. Du solltest das wissen. Möglicherweise spielen deine Hormone verrückt. Beruhige dich bitte, und wir werden uns etwas überlegen.«

Sie schob seine Hand weg und sprang vom Stuhl auf. »Glaubst du, das kann ich nicht selbst? Ich habe dich um einen simplen Gefallen gebeten. Aber nein, du bist viel zu egoistisch und vornehm, um jemandem aus der Klemme zu helfen. Was tust du hier überhaupt? Du versteckst dich nur, weil du es nicht erträgst, deiner eigenen Unfähigkeit ins Gesicht zu blicken. Ich hätte dich nicht an mich heranlassen sollen. Wenn du einem Kind die falsche Niere rausnimmst, dann würdest du womöglich auch einen Fötus nicht erkennen, den du vor der Nase hättest.«

Sie stieß ein vernichtendes Gelächter aus und versetzte ihm einen Stoß vor die Brust. Er packte ihr Handgelenk mit zu festem Griff. Später konnte er sich nicht mehr genau daran erinnern, wie es geschah. Jedenfalls stürzte sie sich wie eine Wildkatze auf ihn, und er ohrfeigte sie spontan.

Beide blieben wie angewurzelt stehen und starrten einander an, ihre Arme noch immer grotesk miteinander verschlungen. Die Ohrfeige hatte sie immerhin beruhigt. Sie schien zu erschlaffen.

»Das wirst du dein Leben lang bereuen«, sagte sie kalt und stieß ihn weg, wenn auch nicht zu heftig.

»Sheila, ich bereue es jetzt schon.« Seine Stimme bebte unter einer Mischung aus Bestürzung und verpufftem Zorn. »Das hätte ich auf keinen Fall tun sollen, und ich entschuldige mich dafür.«

»Du wirst dafür bezahlen.«

»Davon bin ich überzeugt. Aber bitte erinnere dich daran, dass du mich zuerst angegriffen hast. Trotzdem war es unverzeihlich.«

»Gut, dann tu es. Ich akzeptiere die Abtreibung als Entschuldigung.«

»Nein.« Dafydd geleitete sie entschlossen zur Tür. »Aber ich werde mit Freuden alles tun, um dir den Eingriff zu ermöglichen. Du brauchst mir nur Bescheid sagen.« Er hielt ihr die Tür auf.

Sheila knallte sie heftig hinter sich zu. Durch die Erschütterung fiel ein Druck von der Flurwand. Dafydd hörte den Aufprall, das Splittern von Glas und Sheilas sich hastig entfernende Schritte. Er öffnete die Tür, begutachtete den Schaden und las die Scherben mit zitternden Händen auf. Hatte sie ihn gezielt angegriffen, war sie derart gerissen? Er konnte es sich kaum vorstellen, alles war so schnell geschehen.

Die Kälte hatte nicht nachgelassen. Alle beschwerten sich, es sei der härteste Winter aller Zeiten. Sie gaben allerdings zu, dass dies jedes Jahr behauptet wurde, weil beinahe jeder Winter genauso höllisch kalt war. Die Stadt war hässlich und wurde von den betonharten Bergen aus schmutzigem Eis und Schnee fast erdrückt. Aller mögliche Abfall war innen und obendrauf festgefroren; selbst auf den Gehwegen lag eine bunte Mischung aus Müll, verewigt unter der vereisten Oberfläche.

Die Dunkelheit schien nicht zu weichen. Niemand bemerkte, dass die Tage länger wurden. Depression, häusliche Gewalt und Alkoholismus intensivierten sich zu dieser Jahreszeit. Diejenigen, die nicht in diesem Land der Extreme geboren worden waren, litten am meisten.

Dafydd, der um seine eigenen Schwächen wusste, ließ sich etwas einfallen. Sein Knöchel war schnell geheilt, und er stand wieder auf seinen Skiern. Je öfter das Licht es zuließ, desto mehr Zeit verbrachte er draußen in der Wildnis. Er hatte sich eine geeignete Ausrüstung kommen lassen, und die Kapuze seines neuen Parkas umgab sein Gesicht wie ein Rohr. Sie schränkte seinen Blickwinkel ein, aber sie schützte empfindliche Körperausstülpungen wie Nase oder Ohrläppchen. Der Zauber und die Stille der weißen Bäume milderten seine jahreszeitlich bedingte Angst. Es gab nur wenige Anzeichen von Leben, was sowohl tröstlich als auch unheimlich war. Die einzigen sichtbaren Geschöpfe waren die Raben. Ihre schwarzen, in den Baumgipfeln flatternden Schwingen lösten geräuschlose Lawinen aus Pulverschnee aus, und ihr überraschendes Geschrei zerriss gelegentlich die Stille.

Dafydd war vor den Grizzlys gewarnt worden. Nicht immer hielten sie Winterschlaf. Ein Grizzly schleicht sich lautlos an seine Beute heran. Im Gegensatz zu anderen Bären fürchtet er sich kaum vor Menschen, er meidet lediglich ihre Siedlungen. Hier draußen war Dafydd gezwungen, sich mit seiner Angst vor dem Tod auseinanderzusetzen.. Ein dramatisches Ende wäre ihm am liebsten gewesen. Seine Angst vor dem Tod hatte sich stets seiner seelischen Verfassung entsprechend geändert. In glücklichen Zeiten hasste er die Vorstellung, dass das Leben so unwiderruflich endete, doch im vergangenen Jahr war ihm der Tod als nichts sonderlich Erschreckendes erschienen. Jedenfalls wollte er, wenn seine Zeit kam, mit einem gewissen Stil abtreten. Von einem Bären zerfleischt zu werden oder in einer subpolaren Gegend zu erfrieren fand er akzeptabel, anders als an Prostatakrebs zu sterben oder, noch schlimmer, in einem Pflegeheim in Swansea dahinzuscheiden wie seine Mutter.

Samstags fuhr er meistens auf Skiern zu Ians Hütte hinaus. Dazu nahm er eine Abkürzung durch den Wald und näherte sich der Behausung aus einem Winkel, der keine Sicht auf die Straße bot. Der aus dem Schornstein steigende Rauch war schon von weitem zu erkennen. Da es kaum einen Windstoß gab, stieg der Rauch in einer starren Säule hoch in die Stratosphäre. Wenn er dann näher kam, sah er die kleine, bis an die Schindeln im Schnee versunkene Hütte, die von hohen, ganz und gar weißen Bäumen umstanden war. Der Anblick erinnerte ihn an die Elfen und Trolle aus seiner Kindheit und an die Tagträume seiner Jugend über Wildnis und Überlebenskampf.

Das temperamentvolle Hündchen, Thorn, das inzwischen zu einem schlanken Bernhardiner herangewachsen war, kam immer auf den Spuren der Motorschlitten angerannt, um ihn zu begrüßen. Er witterte Dafydd schon aus eineinhalb Kilometer Entfernung. Ian war ebenfalls stets froh, ihn zu sehen. Er war kein richtiger Einsiedler, da er dazu neigte, in Bars viele Stunden mit Leuten zu verschwatzen, die er nicht einmal mochte. Aber die Abgelegenheit der Hütte ließ ein gewisses Bedürfnis nach Distanz und Einsamkeit erkennen. Dafydd beneidete ihn um die Behausung und hatte sich sogar selbst schon nach etwas Ähnlichem umgesehen. Doch da sich nun das Ende seines Arbeitsvertrags näherte, erschien es ihm nicht mehr so dringend, aus dem grässlichen Wohnwagen auszuziehen.

Eines Samstagmorgens kam Thorn nicht, um ihn wie üblich zu begrüßen, und als Dafydd die Hütte erreichte, saß der Hund neben einem Auto. Sheilas Auto. Nach der Uhrzeit zu urteilen, bestand die Möglichkeit, dass sie über Nacht geblieben war. Mutiger Mann, dachte Dafydd, sich diesen hübschen scharfen, kleinen Zähnen auszusetzen. Hatte Ian nicht gesagt, er würde sich ihnen gern erneut überlassen? Dafydd fragte sich, wie oft es die beiden miteinander trieben. Und warum? Zuweilen war eine Feindseligkeit zwischen ihnen zu spüren. Dann wieder schien sie eine Art unterschwelliger gegenseitiger Abhängigkeit zu verbinden. Offenbar tauschten sie Gefälligkeiten aus und übten gegenseitig Nachsicht. Trotzdem: War es denkbar, dass Sheila mit Ian schlief, obwohl ihre Schwangerschaft ein so großes Problem für sie war? Und würde Ian mit Sheila schlafen, wenn er von der Schwangerschaft wusste? War er vielleicht der Vater?

Nur eine Woche war es her, dass ihn Sheila um eine Abtreibung gebeten hatte. Er schüttelte sich, halb vor Kälte und halb vor Widerwillen. Der unerfreuliche Vorfall hatte sein Verhältnis zu Moose Creek weiter getrübt. Seitdem hatte Hogg ihm jedenfalls kein einziges Mal mehr auf die Schulter geklopft und auch nicht erneut von seiner Hoffnung gesprochen, dass Dafydd seinen Vertrag verlängerte. Dabei hatte Dr. Odent beschlossen, nach seinem Forschungsurlaub nicht mehr zurückzukehren, und bisher waren keine Anstrengungen unternommen worden, einen Ersatz für ihn zu finden.

Dafydd bleib an der Hauswand stehen und zögerte. Der Rückweg war weit, und er hatte sich auf das üppig bemessene Glas (oder die Gläser) mit heißem Punsch gefreut, der ihn normalerweise erwartete. Thorn kauerte neben dem Auto, und Dafydd schnipste mit den Fingern, um ihn davon fortzulocken. Er fragte sich, ob der Hund gerade hinausgelassen worden war oder die ganze Nacht im Freien verbracht hatte. Vielleicht war Thorn auch Sheila gegenüber misstrauisch. Schließlich hatten Hunde eine sehr fein ausgeprägte Wahrnehmung.

Dafydd erstarrte, als er die Tür zur Veranda knarren hörte; dann ertönte Sheilas heisere Stimme.

»Du wirst mich noch brauchen.«

»Nein«, erwiderte Ian nervös. »Hast du mir nicht zugehört? Ich bin pleite.«

Sheila hob verärgert die Stimme. »Das hast du schon letztes Mal gesagt. Gut, du bist draußen. Auf so etwas kann ich verzichten. Es ist zu kompliziert.«

»Das Risiko muss ich eingehen, Sheila. Diesmal gebe ich mir wirklich alle Mühe.«

Dafydd stand reglos da, und als Sheila ins Auto stieg, bemerkte sie ihn nicht. Wie üblich trug sie eine für das Wetter völlig unpassende Kleidung. Eine provozierend hautenge, schwarze Hose mit einer hüftlangen Schaffelljacke und zierlichen Lederstiefeln. Kein Hut, kein Schal, keine Handschuhe. Das Auto startete sofort, und sie ließ den Motor zornig aufheulen. Aber dann blieb sie still sitzen und blickte auf ihren Schoß. Plötzlich bedeckte sie das Gesicht mit den Händen, und ihre Schultern krümmten sich. Sie schien zu weinen. Ihre zusammengekauerte Gestalt hatte etwas Erschütterndes. Anscheinend war sie doch normaler menschlicher Gefühle fähig und durchlebte gerade eine Krise, die sicher über eine bloße Schwangerschaft hinausging. Vielleicht war sie einfach labil, auch wenn ihre Maske nie in einer Arbeitssituation verrutschte, wie belastend diese auch sein mochte.

Dafydd wäre am liebsten unsichtbar geworden. Er wusste, was Sheila empfinden würde, falls sie merkte, dass er sie in ihrem Kummer beobachtete. Aber wenn er sich jetzt entfernte, würde er riskieren, von ihr gesehen zu werden. Eine Minute verging, dann wischte sie sich mit dem Handrücken über die Augen. Langsam und vorsichtig rollte sie rückwärts auf den Spuren zurück und verschwand in Richtung Straße.

Worüber hatten sie gesprochen? Ian war draußen? Woraus? Sicherlich nicht aus ihren sexuellen Gunstbezeigungen, das würde ihn nicht scheren. Oder vielleicht doch.

Jedenfalls waren die Dinge ganz anders, als es den Anschein hatte.

Dafydd wartete noch ein paar Minuten und fuhr dann auf seinen Skiern weiter bis zur Haustür. Thorns Lebensfreude war völlig wiederhergestellt. Begeistert sprang er Dafydd an, der lachend rückwärts in den Schnee fiel. Sein noch in die Kapuze eingepacktes Gesicht wurde ausgiebig von einer sehr langen, nassen Zunge abgeschleckt.

»Worum ging's denn eben?«, fragte er Ian, nachdem er zahlreiche übereinandergezogene Kleidungsstücke abgelegt und sich mit einem Glas in der Hand vor den Holzofen hatte plumpsen lassen. Der große beige Hund dampfte zu seinen Füßen. »Ich bin gerade gekommen und konnte nicht umhin mit anzuhören, was du und Sheila auf der Veranda gesagt habt.«

Ian wirkte verärgert, weil er belauscht worden war. Seine Augen verengten sich, und er blickte Dafydd scharf an. »Ich wohne genau deshalb hier draußen im Nirgendwo, um heimliche Zuhörer zu vermeiden.«

»Soll ich mich verpissen?«, bot Dafydd unverzüglich an und bemühte sich, ein Lächeln zu unterdrücken.

Ians Gesicht verzog sich zu einem ironischen Grinsen. »Nein, verpiss dich nicht. Ich habe sonst niemanden, der mit mir trinkt.« Er tätschelte Thorns Rumpf. »Der Hund verträgt keinen Alkohol. Er ist zu nichts zu gebrauchen.«

Ian schwieg lange nachdenklich und rauchte dabei eine Zigarette nach der anderen. Plötzlich umfing sie ein donnerndes Rauschen. Dafydd hob alarmiert die Augen.

»Das ist die aufsteigende Hitze«, erklärte Ian und betrachtete die geöffnete Ofentür. »Der angesammelte Schnee rutscht vom Dach.« Er zündete sich noch eine Zigarette an und schaute unter seinem wild in die Stirn hängenden Haar zu Dafydd hinüber. »*Dich* hat sie vermutlich nicht gefragt?«

»Sheila?« Dafydd war überrascht. »Wie ich höre, sind solche Dinge allgemein üblich … nach Dienstschluss.«

»Hat sie das gesagt?«

Beide Männer schwiegen unbehaglich und beugten sich gleichzeitig hinab, um Thorn zu streicheln. Der öffnete träge ein Auge und ließ es voller Glückseligkeit gleich wieder zufallen. Dafydd zögerte. Vielleicht hatte Sheila Ian gebeten, die Abtreibung vorzunehmen, aber es gehörte sich nicht, über die Behandlung einer Patientin zu sprechen, erst recht nicht, wenn es sich dabei um eine Kollegin handelte. Doch der Punsch ließ Dafydd unvorsichtig werden, und er war neugierig.

»Ich verstehe nicht, warum sie sich so gesträubt hat, anderswohin zu fahren und es dort machen zu lassen.«

»Also hat sie dich gefragt.«

»Ich habe mich einfach geweigert, es zu tun. Es gefällt mir nicht, wie du weißt. Ich hasse Schwangerschaftsabbrüche generell.«

Ian zuckte die Schultern. »Nun, sie hat ihre Meinung geändert.« Er zog intensiv an seiner Zigarette. Seine Finger hatten dunkelgelbe Flecke. »Sie will das Baby behalten.«

»Machst du Witze?«

»Sie hat mehr als eine Abtreibung machen lassen, und ich glaube, dass sie auf ihren gegenwärtigen Freund zählt. Er ist eine lohnende Investition. Sieht gut aus, hat viel Geld, war nie verheiratet, keine Altlasten. Ich persönlich glaube, dass sie mit Hogg besser fahren würde. Er liebt sie, seit er das erste Mal auf ihre Marmorbrüste gestarrt hat, und das ist mindestens sechs Jahre her. Er hat Geld, und er würde Anita auf ein Wort von Sheila hin wie eine heiße Kartoffel fallen lassen.«

»Das habe ich mir auch schon gedacht. Also besteht die Möglichkeit … Sind Hogg und sie …?«

»Was weiß ich denn darüber?«, lachte Ian. »Er würde nicht sehr oft an sie rankommen. Sie würde ihn knapphalten, so viel ist sicher. Er ist nützlich, aber nicht gerade sexy, oder?«

Dafydd hielt Ian sein Glas zum Nachfüllen hin. »Weißt du, manchmal begreife ich diesen Ort nicht. Gibt es hier keine Normen, keine Moral? Sheila scheint sich nichts dabei zu denken, wenn sie mit all diesen Kerlen herumjongliert. Mein Gott, sie ist wirklich schlimm. Verdorben. Aber ich bewundere ihre Dreistigkeit. Davon könnte ich selbst etwas gebrauchen. In Maßen.«

»Na, ich kann dir versichern: Sie ist nicht schlimm. Sie ist gut, teuflisch gut.«

»Nein, sie ist schlimm«, beharrte Dafydd, der sich durch den heißen Whisky locker und erhitzt fühlte.

»Aha«, kicherte Ian maliziös. »Du würdest ihr verderbtes Fleisch nur zu gern kosten. Und das weiß sie auch. Mach dir nichts draus, wir haben das alle durchgemacht.«

»Nichts da.« Dafydd zögerte einen Augenblick und fragte sich, ob nicht ein Körnchen Wahrheit an Ians Bemerkung war. »Ich bin nicht stolz darauf, aber als sie mich darum bat, hatten wir eine höllische Auseinandersetzung, und ich habe sie geohrfeigt. Ich kann nicht glauben, dass ich das getan habe, aber sie hat mich angegriffen, und da hab ich einfach die Beherrschung verloren. Ich warte darauf, verhaftet zu werden, obwohl ich auf Notwehr plädieren kann.«

»Tatsache?« Ian versuchte, besorgt auszusehen, aber in seinen Augen lag ein freudiges Glitzern. »Ich kann mir nicht vorstellen, dass du eine Frau verprügelst, und dazu noch eine schwangere. Du bist doch sonst immer die Sanftmut in Person.«

»Oh, um Gottes willen … Ich wollte es nicht, aber sie hat versucht, mir die Augen auszukratzen.«

»Uh!« Ian blies auf seine Fingerspitzen und schüttelte dann die Hände, als hätte er sie sich verbrannt. »Du wirst dir noch wünschen, das nie getan zu haben.«

Er lehnte sich zurück und zündete sich eine weitere Zigarette an. Er sah krank aus, wie so oft. Sein jugendliches Gesicht war faltig, was paradox wirkte. Sein durchdringendes Lachen deutete auf einen schelmischen Jungen voller Leben hin, der nichts Gutes im Schilde führte, während der grübelnde Mann zur Selbstzerstörung neigte und zutiefst einsam und entfremdet war. Dafydd hatte ihn genau beobachtet, doch er wusste immer noch nicht, wer dieser Mann wirklich war. Er wusste nichts über Ians Hintergrund, abgesehen von dem grauenvollen Flammentod seiner Eltern; er wusste nicht, woher er gekommen war und aus welchen Gründen. Ian sprach nie über sich selbst und wies Fragen stets ab. Dafydd wusste nur, dass Ian in Moose Creek als Einziger zu einer Art Freund geworden war. Allein aus diesem Grund war Dafydd bereit, ihm seine Launen und seine gelegentliche Unverschämtheit zu verzeihen.

Sie saßen noch nicht lange da und genossen das lodernde Feuer und das regelmäßige Tropfen von der Regenrinne, als die Dämmerung anbrach und es Zeit für Dafydd wurde, sich mit seinen Skiern auf den Heimweg zu begeben, wenn er nicht im Wald von der Finsternis überrascht werden wollte.

»Ach was, bleib doch noch«, schlug Ian mit leichtem Lallen vor. »Ich fahre dich später nach Hause.« Er hob die Whiskyflasche, die noch zu einem Drittel voll war, und schüttelte sie fröhlich.

»Aber klar doch«, lachte Dafydd. »Das wird 'ne schöne Fahrt werden.«

Die Menge und Stärke der heißen Punschgetränke verhinderten nicht, dass Dafydd in Panik geriet, als er auf dem Heimweg mit seinen Skiern direkt auf einen Bison zusteuerte. Das riesige Tier stand, von Bäumen verdeckt, unmittelbar hinter einer Biegung. Nicht weit von ihm entfernt stampften und scharrten ein Dutzend andere, um an die gefrorenen Pflanzen im Boden heranzukommen. Das blaue Licht der nahenden Finsternis tönte den Schnee, doch es ließ zugleich alle Einzelheiten der Umwelt mit furchterregender Schärfe hervortreten.

Der Bison blickte finster und drohend, und sein dunkel aufragender Körper bewegte sich über den bläulichen Schnee langsam auf den Eindringling zu. Dafydd hatte von einer widerspenstigen Herde außergewöhnlich großer Bisons erzählen gehört, die im Tal lebten und vor Jahrzehnten aus dem Park eines exzentrischen Züchters in Alberta ausgebrochen waren. Es war ähnlich wie mit dem Ungeheuer von Loch Ness: Unzählige Geschichten über die mysteriöse Herde kursierten, aber niemand kannte jemanden, der sie gesehen hatte.

Ein lautes Schnauben aus den feuchten Nüstern durchbrach die Stille; das rasselnde Einatmen und der gesenkte Kopf schienen einen Angriff anzukündigen. Dafydds instinktive Reaktion bestand darin, die Skier abzuwerfen und loszurennen, doch das erwies sich als nutzlos. Kaum hatte er die Spur verlassen, da versank er auch schon bis zur Brust im Schnee. Wild um sich schlagend und zappelnd, kam er kein Stück vorwärts. Ein paar Sekunden verstrichen, und die Panik ebbte ab. Dafydd drehte sich nach seinem blutrünstigen Gegner um.

Der stand seelenruhig da und kaute an einem Zweig, während er Dafydds Mätzchen beobachtete. Die sanften braunen Augen waren voller Mitleid auf ihn gerichtet. Dafydd arbeitete sich wieder bis auf knapp zwei Meter an den massigen Schädel heran und holte sich seine Skier und Stöcke zurück. Durch die zunehmende Finsternis fuhr er, von dem heftigen Adrenalinstoß vorangetrieben, nach Hause zurück. Er fühlte sich sehr eingeschüchtert und merkte, dass er für einen plötzlichen dramatischen Tod doch noch nicht bereit war.

Derek Rose war tot. Leslie, Dafydds Kollegin und frühere Geliebte in Bristol, rief ihn an einem späten Nachmittag im Krankenhaus an.

»Hast du Zeit, mit mir zu sprechen?«, fragte sie besorgt.

»Ja, ich bin gerade dabei, meine Arbeit für heute zu beenden. Wie geht es dir? Ist alles in Ordnung?«

Leslie teilte es ihm sofort mit. Sie hatte es gerade selbst von einem Kollegen erfahren.

»Aber hör mir jetzt mal zu«, forderte sie ihn energisch auf. »Es ist nicht deine Schuld. Der Krebs hatte auf seine Lungen übergegriffen. Er hat keine Chance gehabt. Vermutlich hatte er die nie.«

Dafydd war erschüttert und brachte kein Wort hervor.

»Hör zu«, bat Leslie. »Mit seiner Mutter ist alles in Ordnung. Sie hat einen netten Mann gefunden, und sie erwarten ein Baby. Sie wird es hier in diesem Krankenhaus bekommen.« Sie machte eine Pause und wartete auf seine Reaktion. »Dafydd, nun komm schon. Sie wusste schon sehr lange, dass Derek schwer krank war. Sie wusste, dass es geschehen würde.«

Dafydd sah Sheila auf sich zukommen und versuchte, sie wegzuwinken. Aber sie blieb mit gekreuzten Armen und kaltem, grimmigem Gesichtsausdruck stehen. Sie trommelte mit den Fingern auf ihren Ärmel und blickte auf ihre Uhr.

»Vielleicht hätte ich es dir nicht erzählen sollen«, meinte Leslie jetzt. »Ich dachte, es sei richtig, dich …«

»Ja … nein, unbedingt. Natürlich musstest du mir das sagen, Leslie. Es ist gut, dass du mich informierst. Ich … Ich werde etwas Zeit brauchen, um es sacken zu lassen. Kann ich dich später zurückrufen?«

Er legte den Hörer auf und schaute aus dem Fenster. Die Sonne strahlte, und das Versprechen des nahenden Frühlings berührte alles, nur das Land wusste es noch nicht. Es gab sich noch immer gefroren, weil es weiterhin unter einer Decke aus Schnee lag. Aber er konnte erkennen, dass das Eis zerfiel und aufbrach und einen grauen Schlamm hinterließ, der bald versickern würde. Dieser Frühling gehörte den Lebenden; nirgendwo sonst auf der Welt traf das in stärkerem Maße zu, und er war hier, sicher und lebendig. War das gerecht?

»Was ist los?«, fragte Sheila. »Du siehst beschissen aus. Hat dir jemand zu Hause den Laufpass gegeben?«

»Das könnte man vielleicht so nennen.« Dafydd drehte sich zu ihr um und fragte sich, ob sich irgendwo hinter ihren eisigen blauen Augen ein Fünkchen Mitgefühl verbarg. »Jemand ist gestorben.«

Sheila hielt inne. Die Feindseligkeit ihrer unerfreulichen Auseinandersetzung in seinem Sprechzimmer schwebte noch immer zwischen ihnen, aber jedenfalls war ihre Miene nun angemessen ernst. »Das tut mir leid«, sagte sie rasch, »aber versuch, das vorläufig zu vergessen. Wir haben drei potenzielle Leichen am Hals. Drei Jungen, halb ertrunken und stark unterkühlt. Sie haben Bowlbys Auto gestohlen und sind damit auf das Eis des Jackfish Lake gefahren. Den Rest kannst du dir denken.«

In jener Nacht glitt er nach mehreren Stunden unsteten, unruhigen Schlafs in einen Traum. Ein kleines Tier stieß ihn an. Seine feuchte, kalte Nase stupste ihn wieder und wieder in die Seite. Aber er fürchtete sich vor ihm, fürchtete sich so sehr, dass er sich nicht rühren konnte. Das Tier blickte in der Dunkelheit auf ihn herab. Es war ein Fuchs, klein und mit spitzer Nase. Er wusste, dass es sich um Derek handelte, der wissen wollte, warum er tot war, warum Dafydd ihn getötet hatte.

Er schrie, und Sheila tauchte auf. Auch sie verlangte Antworten: Was war los mit ihm, warum war er solch ein Feigling, warum rief er nach ihr, schrie ihren Namen? Er begehrte sie nicht, aber er war zornig, kochte vor Wut, darum nahm er sie. Er wollte sie verletzen, und sie ließ ihn gewähren. Es schien ihr zu gefallen. Ihr weißer Körper glühte in der Dunkelheit, und die Stelle zwischen ihren Beinen hatte die Farbe von Feuer. Er versuchte, in jede dunkle Aushöhlung ihres Fleisches einzudringen. Als sie sich schließlich zur Wehr setzte, biss er sie in die Brust, in den Bauch, in die Scham, wo sich die Haare wanden wie die Schlangen auf dem Haupt der Medusa.

KAPITEL 11

Cardiff, 2006

LIES DAS«, SAGTE Dafydd, und Leslie las den Bericht laut vor:

Eine Vaterschaft von Dafydd Eric Woodruff ist nicht auszuschließen. Den vorliegenden Ergebnissen zufolge besteht eine um das Zwölftausendfache höhere Wahrscheinlichkeit, dass Dafydd E. Woodruff der Vater von Mark Jeremy Hailey ist, als dass sie nicht verwandt sind. Die sich aus den DNA-Proben ergebende Wahrscheinlichkeit einer Vaterschaft liegt bei mindestens 99,99 Prozent.

»Ziemlich unwiderlegbar«, meinte sie kopfschüttelnd.

Sie saßen im Wintergarten. Bevor sie sich hinsetzten, hatten sie die Glasscherben vom Sofa fegen müssen. Eine Scheibe hatte sich schließlich aus ihrem morschen Rahmen gelöst und war auf den Fliesen zerschmettert. Sie hatte ein gähnendes Loch hinterlassen, aber es herrschten milde Temperaturen, eine Art Altweibersommer. Bei einer frischen Brise schien die Mittagssonne. Es war bestimmt das letzte schöne Wochenende vor einem langen, düsteren Winter.

Dafydd stand auf, um noch ein paar Oliven und Bierdosen aus dem Kühlschrank zu holen.

»Sag's noch einmal«, ermunterte ihn Leslie, während sie die Lasche eines weiteren Stella abzog.

»Ich wiederhole: Es stimmt nicht.« Dafydd atmete tief durch. »Ich habe sie einmal verletzt, das gebe ich zu, aber ich hatte keinen Sex mit ihr. Das weiß ich ganz genau. Es ist unmöglich. Ich konnte nicht …« Er sah seine beste Freundin und einstige Geliebte an und bemerkte den Zweifel in ihrer Miene.

»Was meinst du damit, dass du sie verletzt hast?«

»Ich wollte es nicht … Also, sie hat mich dazu getrieben. Es war nicht meine Absicht.«

»Sie hat dich zu was getrieben?« Leslie rückte mit konzentriertem Gesicht auf ihn zu. »Wie hast du sie verletzt?«

»O nein«, stöhnte Dafydd. »Du nicht auch noch. Ich habe ihr einmal zur Selbstverteidigung eine Ohrfeige gegeben.«

»Weißt du, Dafydd«, meinte Leslie traurig, »ich sollte dir Folgendes erzählen. Vor ein paar Tagen hat mich Isabel von London aus angerufen.«

»Isabel? Tatsächlich? Weshalb denn?«

Sie und Isabel waren nie miteinander ausgekommen; sie schienen nicht derselben Spezies anzugehören. Leslie gab sich so kühl und pragmatisch, wie Isabel feurig und impulsiv war.

»Sie hat mir erzählt, dass dich eine Frau beschuldigt, sie unter Drogen gesetzt und vergewaltigt zu haben.«

Dafydd war schockiert. »Isabel hat dich angerufen, um dir das zu sagen?«

»Allerdings, ja. Es war ausgesprochen peinlich. Sie fragte mich … ob du mir gegenüber je gewalttätig gewesen seist, als wir zusammen waren … in unserer sexuellen Beziehung.« Leslie wirkte verlegen. Sie war schließlich sehr geradlinig. Jahre des Singledaseins, harte Arbeit und eine Leidenschaft für obskure Forschungsprojekte hatten sie nicht ungezwungener im Umgang mit menschlichen Beziehungen werden lassen, und jetzt, mit achtundfünfzig, war sie zu weltfremd geworden, sich um sexuelle Neigungen zu scheren.

Dafydd starrte sie an. »Ist das dein Ernst?«

»Ich war, ehrlich gesagt, ziemlich bestürzt.« Leslie klang für seinen Geschmack *zu* betroffen. »Warum sollte sie mich so etwas fragen?«

Er dachte einen Moment lang nach. »Vielleicht, weil sie erwägt, mich zu verlassen, und eine richtig saftige Rechtfertigung dafür braucht.«

War das wirklich der Grund? Er merkte, dass er seine Frau und das, was in ihr vorging, nicht mehr kannte. Sie hatte sich verändert. Er wusste, dass er ihr gegenüber versagt, ihren Pakt gebrochen hatte. Ihr Ziel, ihr gegenseitiges Hochzeitsgeschenk füreinander war, ein Kind zu haben. Er hatte es damals gewollt, es schien der richtige Weg zu sein. Mehr als nach allem anderen hatte sie sich nach einem Kind gesehnt. Aber jetzt, nachdem es ihnen missglückt war und er keine Zeit mehr darauf verschwenden wollte, war sie kühl geworden. Sie hatte sich emotional und physisch von ihm entfernt, wobei sie seine angeblichen Lügen über seine Verganganheit als Vorwand nutzte.

Dann dachte er an den wohlhabenden, gut aussehenden, gewieften achtunddreißigjährigen Paul Deveraux, ihren neuen Partner. *Partner?* Dafydd war nicht völlig blind gewesen. Die Art, wie sie aussah: umgewandelt, schlank, selbstsicher, glühend. Ihr neues Parfüm, hautenge Kleidung, ein abwesender Gesichtsausdruck, ihr *verlorener* Ehering … Unwillkürlich atmete er tief durch. Sie hatte eine Affäre, das war es. Sie schlief mit dem Schleimer. Diese plötzliche sonnenklare Erkenntnis war erschütternd; nicht zuletzt, weil Isabel es darauf angelegt hatte, Dafydd in ihren eigenen Augen abzuwerten, um ihre Handlungen zu rechtfertigen. Warum sonst verunglimpfte sie ihn so gnadenlos wegen eines in ferner Vergangenheit begangenen Fehlers, eines Fehlers, an den er sich noch nicht einmal erinnern konnte (und der seiner Meinung nach auch nie stattgefunden hatte). Und der Anruf bei Leslie, in dem sie eine Neigung zu sexueller Gewalt andeutete. Das war ein abscheulicher, hinterhältiger Schritt, der ihrer nicht würdig war.

Sie konnte doch nicht wirklich der verrückten Behauptung glauben, dass er ein Vergewaltiger sei. Er war ein leidenschaftlicher Liebhaber – oder war es gewesen –, und in seinen Fantasien konnte er sich manchmal ausmalen, eine von ihm begehrte Frau zu überwältigen, zu unterwerfen und zu besitzen, *aber das war alles*. Hatte nicht jeder solche Fantasien? Isabel und er pflegten sie zu teilen. In ihren ersten Ehejahren wollte sie oft, dass er sich ihr wie ein Neandertaler näherte. Sie bat ihn darum, und er gehorchte ihr nur allzu gern. Was sie erregte, erregte auch ihn. Verdrehte sie diese kleinen privaten Szenen zwischen ihnen zu ihrem eigenen Nutzen, oder fragte sie sich etwa tatsächlich …?

Leslie klatschte vor seinem Gesicht in die Hände. »Hallo, ich bin noch immer da.«

»Entschuldige, Leslie.« Er überlegte, ob er ihr von seinem schrecklichen Verdacht erzählen sollte. Aber er hatte keinen konkreten Beweis für eine Affäre. Außerdem schuldete er Isabel noch immer Loyalität. Stattdessen fragte er: »Und wie lautete deine Antwort? Was hast du ihr gesagt?«

»Ich hätte ihr sagen sollen, dass sie sich verdammt noch mal um ihre eigenen Angelegenheiten kümmern soll, aber ich dachte, dass dir das nicht sonderlich helfen würde. Also habe ich geantwortet, du seist durch und durch ein Gentleman gewesen.«

Dafydd lachte. »Ein Gentleman? Wie sexy! Ich würde sagen, dass du dich einfach nicht daran erinnerst.«

Leslie kicherte und errötete schicklich. »Na, schließlich

ist es mindestens fünfzehn Jahre her. Was erwartest du denn?«

Dafydd nahm ihre Hand und blickte ihr in die Augen. »Leslie, du kennst mich. Es gibt keinen Grund, warum ich dich belügen sollte, oder? Glaubst du mir, wenn ich sage, dass ich nie mit dieser Frau in Kanada geschlafen habe? Ich möchte, dass wenigstens ein Mensch meinem Ehrenwort Glauben schenkt.«

»Um Himmels willen, sei nicht so melodramatisch«, wies Leslie ihn mit einem freudlosen Lachen ab. »Wie könnte ich das, Dafydd? Ich bin Wissenschaftlerin. Ich weiß, dass der DNA-Test narrensicher ist. Er ist ein wahres Wunder und hat alles verändert. Denk an all das, was wir damit erreichen, an die Verbrechen, die wir aufklären können …«

»… an all die Väter, die wir zu Unterhaltszahlungen verdonnern können«, unterbrach er. »Sicher, Leslie, ich stimme dir zu.« Dafydd spähte durch das klaffende Loch im Glas und sah den Geräteschuppen, der noch immer im Garten auf der Seite lag; die überall verstreuten Äste, die der Sturm abgebrochen hatte; den mit Torf gefüllten Schubkarren, der vor Wochen mitten in der Arbeit stehen gelassen worden war. All das musste warten. Er hatte genug. Es gab jetzt für ihn nur eine vorrangige Aufgabe.

»Hör mal, Les. Ich habe mich gerade entschieden. Ich fliege hin. Ich hab bald Urlaub und kann mir zusätzlich einige Zeit unbezahlt freinehmen. Ich fliege nach Kanada, um das Ganze in Ordnung zu bringen, und wenn das die letzte Sache auf der Welt ist, die ich erledige.«

Leslie ließ ihre Dose gegen seine scheppern, aber ihr Gesicht war neutral. »Was hast du denn vor?«

»Keine Ahnung. Wenn die Kinder so aussehen wie ich, werde ich es vermutlich akzeptieren müssen.« Er zog das Foto von Miranda und Mark aus seinem Portemonnaie und reichte es ihr. »Ich erkenne darauf keinerlei Ähnlichkeit mit mir, und du?«

Sie warf einen kurzen Blick über den Brillenrand auf das Foto. »Entschuldige, Dafydd, aber ich halte das für unerheblich.«

»Abwarten.«

»Na, dann *bon voyage.*« Mehr schien ihr dazu nicht einzufallen.

Das Wetter war von einem Tag auf den anderen umgeschlagen. Ein ungewöhnlicher Kälteeinbruch hatte Dafydd veranlasst, auf dem Dachboden nach dem alten Schaffellmantel seines Vaters zu suchen. Es drohte zu schneien, aber der Himmel hielt den Schnee zurück und wartete noch damit, die Flocken auszuschütten und die schlammigen Felder des Vale weiß werden zu lassen. Vorläufig regnete es eisige Nadeln, die in alle Richtungen gepeitscht wurden.

Dafydd hielt an der Straße unter der Burg an, stieg von seinem Fahrrad und kämpfte mit seiner hinderlichen Regenkleidung. Er schob sein Rad schnell den Hügel hinauf zur römischen Mauer, und als er das Gesicht im eisigen Regen hob, sah er zu seiner Bestürzung, dass Isabel schon vor ihm eingetroffen war. Er hatte ihr Auto nicht an der Straße oder auf dem Parkplatz bemerkt, und es gab auch sonst keinerlei Anzeichen, dass jemand anwesend war. Sie hatte diesen Treffpunkt bestimmt. Eine sonderbare Wahl, obwohl sie den Ort gut kannten. Isabel schien damit anzudeuten, dass selbst eine Gaststätte zu intim wäre.

Sie lehnte an der alten Mauer, um den Großteil des Regens von sich abzuhalten – als hielte sie Wache. Sie trug einen hellen Mantel, der in der Taille eng zusammengeschnürt war und ihr bis zu den Knöcheln reichte, sowie derbe Lederstiefel. Ihre Haltung war streng, ihr Profil römisch, und ihr kurzes, feuchtes Haar klebte ihr an den

Schläfen. Sie stand reglos da, einen Moment lang wie eine archaische Erscheinung. Er blieb stehen und musterte sie: Isabel schien weit fort zu sein, Teil einer fernen Vergangenheit. Die übliche Zärtlichkeit für sie kam in ihm auf, übermannte ihn. Er spürte, wie stechende Tränen in seinen Augen aufzusteigen drohten. Aber als Isabel sich umwandte, ließen ihn die Kälte und Selbstbeherrschung ihres Blickes frösteln. Er stellte sein Rad ab, kletterte über die Felsen und hockte sich neben sie hinter die Mauer.

»Dies ist meine neue Bude als alleinstehende Frau«, meinte sie lächelnd und schnipste mit dem Zeigefinger einen Tropfen Rotz von seiner Nasenspitze.

»Es wird ein einsames Leben werden. Kalt und unwirtlich«, erwiderte er.

»Nicht so kalt und unwirtlich, wie deines werden könnte.«

»Meines ist nur eine Erkundungsreise. Ich werde zurückkommen«, betonte er. »Das weißt du.« Er wartete einen Augenblick. »Was ist mit dir? Wirst du zurückkommen?«

»Ich weiß es nicht, Dafydd.« Isabel zupfte an einer Flechte an der Wand und betrachtete dann ihre Nägel. Sie waren glatt und eben. Anscheinend kaute sie nicht mehr daran. »Ich weiß nicht, ob wir die Dinge wieder in Ordnung bringen können, aber ich gebe zu, dass ich gern erfahren würde, welche Schlüsse du dort drüben ziehen wirst.« Sie kramte in den Taschen nach ihren Handschuhen und zog sie an. »Wenn ich doch nur verstehen könnte, was du im Schilde führst, was in deinem Kopf vorgeht. Wenn ich doch nur …« Sie brach ab und starrte auf ihre Stiefel.

Dafydd senkte ebenfalls den Blick, auf das nasse Gras, und fragte sich, ob sie an das Picknick dachte, das sie hier drei Sommer zuvor veranstaltet hatten. Nach einem unglaublichen Sonnenuntergang war das Licht noch lange verweilt. Sie hatten eingetrocknete Sandwiches aus der Tankstelle gegessen und dazu eine ganze Flasche billigen Cider getrunken, der stark wie Wein war, sodass sie kicherten und zotig wurden. Er hatte sie auf die schmuddelige Decke geworfen, ihr die Shorts und den Schlüpfer vom Leib gerissen und seinen Reißverschluss hinuntergezogen. Sie lagen in Löffelhaltung, und er hatte ein Stück der Decke über ihre nackten Hüften gezerrt. Während sie für ihre Verhältnisse ziemlich laut aufschrie, plapperte eine amerikanische Touristin selbstvergessen auf der anderen Seite der Mauer: »Mensch, ist das nicht toll. Er hat seine Soldaten gezwungen, das zu bauen, nur damit sie nicht faul wurden. Hier heißt es … nicht draufklettern, Schatz, sie könnte bröckeln, und du würdest dir ein Bein brechen.«

»Warum wolltest du, dass wir uns hier treffen?«, fragte Dafydd.

»Ich wollte herausfinden, ob eine Rückkehr etwas ungeschehen machen kann.« Sie drehte ihr nasses, bleiches Gesicht zu ihm. »Ich habe mich danach gesehnt, etwas zurückzubekommen. Es war furchtbar, alles zu verlieren.«

»Alles?« Dafydd runzelte die Stirn. »Es gibt noch immer mich, deinen Mann, und unser gemeinsames Zuhause.«

»Vertrauen ist etwas Wichtiges. Verharmlose das bitte nicht.« Kurz darauf fügte sie hinzu: »Und festzustellen, dass jemand, den man so gut zu kennen glaubte, in Wirklichkeit ein anderer ist. Das ist verheerend.«

»Ja, da hast du recht, das ist verheerend«, erwiderte Dafydd spitz. Sie schien nicht zu verstehen, was er meinte, doch sie stieß einen plötzlichen Schluchzer aus.

Auf einmal spürte er eine Distanz. Es war fast komisch. Nur wenige Monate zuvor hatten sie geglaubt, ihre Liebe werde für immer andauern … Unvereinbare Gegensätze – oder wie auch immer das vor Gericht genannt wurde –

konnten sich an einen heranschleichen wie ein Räuber in einer dunklen Gasse.

Isabel weinte. Dafydd wusste nicht genau, worauf sich ihr Kummer bezog: auf ihn, ihre Ehe, das Kind, das sie nie haben würden … oder auf ihre eigene Falschheit. Er legte die Arme um sie, und sie stieß ihn nicht weg.

»Ich hoffe, dass ich zurückkommen werde und es dir erklären kann.« Er küsste ihr Haar und wiegte sie sanft. »Aber ich muss es erst einmal mir selbst erklären.«

Es hatte keinen Sinn, noch etwas hinzuzufügen. Nach einem langen Augenblick in seinen Armen blickte sie zu seinem Gesicht hoch. Dann fuhr sie mit dem Daumen die rote Narbe an seiner Kopfhaut entlang. »Lass dich nicht wieder auf solche Unfälle ein.«

»Du hättest bei mir bleiben sollen. Ich habe dich dringend gebraucht.« Seine Stimme enthielt eine Spur Unmut, und er hoffte, dass Isabel ein wenig Bedauern zum Ausdruck bringen würde. »Du hast dich von mir entfernt, und wir hatten nie die Möglichkeit, miteinander zu sprechen.«

Aber Isabel empfand weder Bedauern noch das Bedürfnis, sich zu entschuldigen. Sie wischte ihre zerlaufene Wimperntusche mit einem Papiertaschentuch fort, und ihr Gesicht war nicht mehr sanft. Sie löste sich aus seinen Armen.

»Es gab nichts zu sagen, und ich war zornig.«

»Du kannst auch unnatürlich gefühllos sein.«

Isabel lachte. »Bezeichnest du mich als Schlampe?« Vor Kälte war sie blau angelaufen. Sie steckte die Hände tief in die Taschen und zog die Schultern hoch. »Außerdem hat Paul mich in London gebraucht. Da ist das neue Projekt … Das Leben muss weitergehen. Er hat eine Menge Pläne für uns.«

Darauf könnte ich wetten! Dieser Bastard, dachte Dafydd, und in ihm stieg Bitterkeit auf. Er wusste, dass er sie direkt auf seinen Verdacht ansprechen musste, aber ihm fehlte die dafür erforderliche Kraft. Es würde die Kluft zwischen ihnen nur vertiefen, und er flog am folgenden Tag ab. Isabel würde ohnehin tun, was sie wollte. Warum sollte er ihr das Leben schwer machen? Warum sollte er versuchen, sie aufzuhalten? Sie würde selbst entscheiden müssen, was sie wollte, ohne dass er um sie kämpfte.

»Ich möchte gehen. Ich friere«, sagte sie.

Sie begannen, den Hügel hinunterzusteigen. Dafydd schob sein Fahrrad, und nach einer Weile löste Isabel sich von seiner Seite und ging nach Westen. Dafydd, in Gedanken verloren, bemerkte es zunächst nicht. Dann lief er hinter ihr her.

»Ich begleite dich zu deinem Auto.«

»Nein, lass uns hier auseinandergehen. Ich bin im Haus gewesen und habe ein paar Sachen geholt. Jetzt werde ich direkt nach London zurückfahren.« Sie blieb stehen und küsste ihn auf die Wange, zögerte und küsste ihn dann auch auf die andere. »Viel Glück, Dafydd.«

»Liebst du mich?«, rief er ihr kläglich hinterher, aber vielleicht konnte sie ihn nicht hören.

Er stand da und sah zu, wie sie sich entfernte, während ihn kleine weiße Punkte umtanzten. Endlich hatte es angefangen zu schneien.

KAPITEL

12

Moose Creek, 1993

DAFYDD MACHTE NUN wöchentliche Hausbesuche bei Sleeping Bear. Der alte Mann hatte den Winter wie durch ein Wunder aus eigener Kraft überlebt. Seine Gesundheit war ausgezeichnet, und die Besuche dienten vor allem dem Auffüllen von Bears Getränke-, Tabak- und Zeitungsvorräten. Sein Essen kam aus irgendeiner ungenannten Quelle und bestand aus ekelerregenden Fleischklumpen und anderen grotesken Substanzen tierischer Herkunft. Er schien bestens davon leben zu können, aber er war klug genug, Dafydd nicht zu seinen Mahlzeiten einzuladen. Seine Zähigkeit war in der Tat bemerkenswert.

Aber als der Frühling gerade alles zum Tauen brachte, fand Dafydd bei einem seiner Besuche Sleeping Bear eingewickelt auf dem Bett vor. Er litt unter hohem Fieber, und Dafydd war sicher, dass er sich eine Lungenentzündung zugezogen hatte. Daheim nannten seine erfahrenen Kollegen die Lungenentzündung den »Freund des alten Menschen«, weil sie die Älteren durch einen friedlichen, schmerzlosen Tod vor weiterem Siechtum bewahrte. Auch Dafydd hielt eine künstliche Lebensverlängerung für unnötig und unbarmherzig, aber Sleeping Bear schien noch nicht zum Abschied bereit zu sein. Er war wie ein altes Stück Leder: Weiche es in heißem Wasser ein, beschmiere es mit Fett, und es ist so gut wie neu. Bear nützte niemandem mehr außer seinen Hunden, doch es gab immer noch Anmachholz, das für den Ofen zu sammeln war, Pfeifen, die gestopft werden wollten, und starken Kaffee, den man mit Feuerwasser trinken musste.

Bear war wieder entschlossen, in seinem eigenen Bett zu bleiben und seine eigenen bewährten Mittel zu nehmen sowie zusätzlich ein paar Antibiotika zu schlucken, aber diesmal sprach Dafydd ein Machtwort. »Verflucht noch mal, du kommst mit, selbst wenn ich deine Füße an den Chrysler binden und dich hinschleifen muss.«

»Ich werd dir was, du kleiner Scheißer. Ich weiß, dass du mich in eurem dämlichen Krankenhaus saubermachen willst. Mich zieht da nichts hin. Du willst mich doch bloß in die Badewanne stecken.«

Während er sich aufregte, begann er stark zu zittern. Dafydd hob ihn hoch, und der Mann war trotz seiner beträchtlichen Größe leicht wie eine Pappfigur.

»Lass mich runter, oder …«, drohte Bear; allerdings begann sein Widerstand zu schwinden. »Ich werde nie mehr mit dir sprechen … jedenfalls jahrelang nicht.«

»Sieh mal, alter Mann, wenn du noch einen Tag lang allein bist, höchstens zwei, müssen sich deine Hunde von deinem Fleisch ernähren … oder von dem, was davon übrig geblieben ist.«

Dafydd setzte Bear vorsichtig auf den Rücksitz des Autos und hüllte ihn in seine schmutzige Steppdecke und in mehrere Wolldecken, die für Notfälle hinten im Chrysler lagen.

Vier Tage später war Bear wieder auf den Beinen und lief auf den Krankenhausfluren herum, wobei seine dürren Beine unter seinem grünen Kittel hervorragten. Er schien den Komfort des Krankenhauses tatsächlich zu genießen. Die Hunde wurden von seinem Enkel gefüttert, und Dafydd versorgte Bear heimlich mit dem Alkohol, der ihn für Gott weiß wie viele Jahrzehnte am Leben erhalten hatte und ohne den er den Kampf bestimmt aufgeben würde.

»So, mein junger Freund, nun hör mal zu. Pass auf, dass dich die Schwester mit dem Karottenhaar nicht dabei erwischt, wenn du mir das Zeug bringst. Sie ist ein reizbarer Drachen und würde uns beide hier rausschmeißen.«

»Ob du's glaubst oder nicht, sie hat mir nichts zu befehlen. Ich bin nämlich ihr Vorgesetzter.«

»Ei-di-dei«, rief Bear beeindruckt. »Da lass ich mich doch gleich freiwillig teeren und federn.«

»Ich mich auch«, stimmte ihm Dafydd zu.

Die Tage vergingen, und Bear machte keinerlei Anstalten, seine Sachen für eine Rückkehr in die Hütte zu packen. Dafydd beschloss, ihn im Krankenhaus zu behalten, bis er zur Heimkehr bereit war. Vielleicht gewöhnte er sich an die materiellen Annehmlichkeiten, nachdem er in einem bequemen Bett mit sauberer Wäsche geschlafen, schmackhafte Mahlzeiten gegessen und die Gesellschaft anderer alter Leute auf der Station genossen hatte. Fraglos hatten sich seine Wangen ein wenig gerundet. Er war glatt rasiert, und Janie hatte sein hüftlanges Haar gewaschen und geflochten.

Am zehnten Tag beschloss Dafydd jedoch, ihn zur Rede zu stellen. »Wirst du bequem oder was? Ich kann nicht glauben, dass du immer noch hier rumhängst wie ein Kranker. Das hätte ich nie von dir gedacht.«

Bear ging Dafydd nicht in die Falle, sondern bedeutete ihm, näher zu rücken. »Ich sag dir, was ich tue«, flüsterte er. »Ich sammle Kraft für eine große, lange Reise. Ich schätze, es wird meine letzte sein.«

»Was für eine Reise denn?«

»Nach Norden. Zur anderen Seite des Great Bear Lake. Westlich von Coppermine.« Voller Angst, dass seine Pläne von irgendeinem Wichtigtuer belauscht und vereitelt werden könnten, spähte Bear um sich.

»Das ist mächtig weit. Wie gedenkst du denn zu reisen?«, fragte Dafydd fasziniert.

»Ach, da gibt's 'ne ganze Latte von Möglichkeiten.« Er hielt inne, um verstohlen aus dem Becher zu trinken, den Dafydd ihm gebracht hatte. »Vor Jahren hätte ich die Hunde angespannt. Aber heutzutage kann man natürlich fliegen.« Er sah Dafydd vielsagend an.

»Ich glaube nicht, dass es von Moose Creek aus Flüge in die Nähe von Coppermine gibt. Wahrscheinlich musst du zunächst nach Yellowknife oder Inuvik fahren und von dort aus starten.«

Bear unterdrückte ein Lachen. »Wo ich hinwill, gibt's keine Linienflüge.«

»Vielleicht kann dir dein Enkel einen Piloten besorgen, der dich direkt hinbringt. Aber das kostet einen ganzen Batzen.«

»Nee, mein Enkel mag den Freund nicht, den ich besuchen will.«

»Freund?«

»Ja. Ich hab da rumgegrübelt. Ich dachte, dass du ein bisschen Rat gebrauchen könntest. Mein Freund ist ein *angatkuq*, ein Inuit-Schamane. Keiner von diesen neumodischen, selbsternannten Fahnenträgern. Nein, nein.« Bear schüttelte den Kopf und wedelte mit dem Finger. »Einer von der alten Sorte. Ein echter.«

»Du meinst also, dass ich Rat brauche, ja?« Dafydd lachte. »Woher kennst du diesen Mann?«

»Vor vielen Jahren, lange bevor du geboren wurdest, hat er ein wenig Zeit in Moose Creek verbracht. Er kam hierher, nachdem er von seinen eigenen Leuten verbannt worden war.«

»Was hatte er getan?«

Sleeping Bears breites Grinsen verschwand sofort, und er sah plötzlich unvorstellbar alt und ernst aus. »Er war gebeten worden, ein Kind zu heilen. Das Kind war tödlich verletzt worden und wäre ohnehin gestorben, aber er gab sich die Schuld an seinem Tod. Dann steckten der Missionar und die Leute von der Regierung ihre Nasen rein und verboten den Schamanismus. Das Volk gehorchte, und die Älteren beschlossen, den Schamanen auszustoßen. Nach vielen Jahren vergaßen die Leute die Sache, und man ließ ihn auf sein Land zurückkehren.«

Dafydd spürte einen plötzlichen bitteren Schmerz in der Brust. Er hatte seinen Kummer wochenlang ängstlich verborgen. Zwar hatte er den kleinen Derek noch nicht einmal gekannt, aber das Schicksal des Jungen schien untrennbar mit seinem eigenen verknüpft zu sein. Sein spitzes Gesichtchen und seine forschenden Augen erschienen seit seinem Tod häufiger als je zuvor in Dafydds Träumen.

Er kämpfte gegen die Tränen an, die tief aus seiner Kehle aufzustiegen schienen. Er schluckte mehrfach, aber er konnte seine Trauer nicht unterdrücken. Dann schlug er die Hände vors Gesicht und atmete einige Male tief durch.

»Ich glaube, dass es verdammt gut für dich wäre, ihn zu treffen.« Sleeping Bear tätschelte Dafydds Knie mit seiner ledrigen Hand. »Und außerdem könnte ich die Gesellschaft gebrauchen.«

Das Tauwetter hatte ernsthaft begonnen. Überall rann, tropfte, spritzte und gurgelte Wasser. In der Region gab es so wenig Regen, dass die Gegend nicht viel weiter nördlich als Wüste bezeichnet wurde. Aber der angehäufte Winterschnee speiste noch immer Sturzbäche, welche die Keller überfluteten und zu schmutzigen, die Straßen hinabsprudelnden Flüssen anschwollen, die Kanäle zum Überlaufen brachten und den Boden durchweichten. Einige Nächte waren kalt genug, um das Ganze wieder gefrieren zu lassen. Zurück blieb eine spiegelglatte Oberfläche, die ein

Chaos für Fußgänger und Fahrzeuge schuf. Trotzdem lag Optimismus in der Luft. Die Teenager konnten endlich wieder knappe Kleidung und leichte Schuhe tragen. Motorschlitten wurden weggestellt und leichte Motorräder herausgeholt, und Frauen planten die Bepflanzung ihrer nur für kurze Zeit nutzbaren Gemüsegärten.

Dafydds Vertrag mit dem Krankenhaus lief aus, und Hogg war zu der Auffassung gelangt, dass Dafydds Weggang ein großer Verlust für die Gemeinde sein würde. Das behauptete er jedenfalls, um Dafydd zum Bleiben zu bewegen.

»Ich weiß, dass Sie und Sheila nicht immer in allen Dingen übereinstimmen, aber ich bin sicher, dass die Meinungsverschiedenheiten im Laufe der Zeit beigelegt werden können«, sagte er. »Ich würde Sie gern bei einem vorzüglichen Gehalt zu einem ständigen Mitglied des Personals machen. Ein junger Mann wie Sie könnte eine große Zukunft in Moose Creek haben. Die Stadt wird wachsen. Die Zivilisation wird sich bis zu uns ausdehnen. Kommen Sie, David, ich meine Dafydd, denken Sie einmal darüber nach.«

Einen kurzen Moment lang hatte Dafydd geschwankt. Er wusste nicht, was ihn zu Hause erwartete, aber seine Mutter war schwerkrank und zunehmend bekümmert über seine Abwesenheit. Auch wollte er seine chirurgische Ausbildung zum Einsatz bringen, die er in Moose Creek trotz der haarsträubenden Unfälle, die manchmal seine Fähigkeiten forderten, kaum ausbauen konnte. Die Zivilisation würde noch lange auf sich warten lassen, wenn sie sich denn überhaupt bis in diesen fernen Ort vorschob. Aber vor allem musste er sich der Situation stellen, die er hinter sich gelassen hatte. Er konnte nicht ewig davor fliehen.

Vielleicht war er in diesen ungewöhnlichen und anstrengenden zehn Monaten ein wenig als Mensch und als Mann gewachsen, aber als Arzt fürchtete er sich noch immer vor sich selbst. Er begriff, dass er sich seinen Alpträumen so schnell wie möglich stellen musste. Und so sehr er sich auch sträubte, es einzugestehen – Sheila war ebenfalls ein Grund, den Posten aufzugeben. Er konnte sich eine harmonische Zusammenarbeit mit ihr nicht vorstellen, und für Hogg stand Sheila auf gar keinen Fall zur Disposition. – Er würde niemals zulassen, dass sie ging.

Dafydd verschob seine Rückreise nach Großbritannien, um Sleeping Bear auf dessen letzter Suche zu begleiten. Die Reisevorbereitungen nahmen zwei Wochen in Anspruch. Der Chrysler stand ihm nicht mehr zur Verfügung, und schließlich bot ihnen Bears Enkel für die lange Fahrt nach dem südöstlich gelegenen Yellowknife seinen Ford Kombi an. Von dort aus würden sie direkt nach Norden zu dem Land jenseits des nördlichen Polarkreises fliegen.

Da er den Verdacht hatte, Bear habe ihm aus finanziellen Gründen den Vorschlag gemacht, ihn zu begleiten, erklärte sich Dafydd bereit, die Reise zu bezahlen. Aber es gab kein derartiges Motiv. Bear besaß eine beträchtliche Summe, die auf der Bank Zinsen abwarf. Seine Jahre als Fallensteller und Eistransporteur waren profitabel gewesen, und er rührte seine Ersparnisse kaum an. Doch nun machte er sich daran, Geld auszugeben, und kaufte viele Geschenke, Werkzeuge, Kleidungsstücke und Geräte für seinen Gastgeber und dessen Tochter.

Unterdessen streifte Dafydd zu Fuß umher und genoss die umwälzende Wirkung des Frühlings auf die schneebedeckte Landschaft, die ihn so erfreut hatte. Nun, da er nicht mehr unter dem ständigen Druck lebte, zu schrecklichen medizinischen Notfällen gerufen zu werden, und sich nicht mehr zu Tode langweilte, weil er eine Husten-, Grippe- oder Schnupfeninfektion nach der anderen behandeln musste, sah er die Stadt aus einer neuen Perspektive. Er konnte tun und lassen, was er wollte, und brauchte sich nicht mehr um sein Verhalten Gedanken zu machen oder darum, ob die Menschen ihm trauten. Er war nur ein weiterer normaler arbeitsloser Bürger oder ein Tourist – je nachdem, was ihm besser gefiel.

Nachdem so viele Monate verstrichen waren, wagte er, Brenda zu einem Rendezvous einzuladen. »Ich möchte dir nur für dein strahlendes Gesicht und deine gute Laune danken«, sagte er, um Klarheit zu schaffen. »Ein paar Drinks und ein schönes Essen irgendwo. Wie wär's damit?«

Sie fragte nicht, warum er bis zur letzten Woche mit seiner Einladung gewartet hatte, obwohl er merkte, dass sie verwundert war. Darauf hätte er auch keine passende Antwort geben können, noch nicht einmal sich selbst. Er wusste nur, dass sie nicht die Art Frau war, in die er sich verlieben würde, und dass es zu viele andere gab, die sich um ihre Gunst rissen. Aber an der Lady war absolut nichts auszusetzen. Sie war witzig und sexy und gesprächig und hatte zu jeder Person, die in der Stadt etwas darstellte, einen geistreichen Kommentar. Er hörte ihr zu und lachte, war vergnügt, fühlte sich begehrt und wurde wahrgenommen, obwohl sie ihm bestimmt nicht wirklich zuhörte. Doch was machte das schon? Er fragte sich, warum er so lange auf ihre Gesellschaft verzichtet hatte. Sie hätte eine dringend benötigte Freundin sein können, wenn das nach ihrer Begegnung am Jackfish Lake noch möglich war.

Sie hatten ihre Mahlzeit in einem eleganten neuen Restaurant halb beendet, als Sheila am Arm eines derben, muskulösen Mannes mit kräftigem Kiefer und buschigen Augenbrauen hereinspazierte. Der sprichwörtliche Holzfäller war in Wirklichkeit ein gewiefter Geschäftsmann, wie Dafydd erfahren hatte, aber er sah auf jeden Fall wie ein grobklotziger Waldarbeiter aus. Sheila passte zweifellos gut zu ihm und machte mit einem Übermaß an weiblicher List wett, was ihr an Körpergröße fehlte. Sie sah umwerfend aus in ihrem kurzen, fließenden, orangefarbenen Kleid und ihren engen, kniehohen Schnürstiefeln. Dafydd schielte unwillkürlich nach ihrem Bauch und bemerkte die deutliche Schwellung.

Von der Tür aus musterte Sheila als Erstes Brenda von Kopf bis Fuß und taxierte die Konkurrenz mit raschem Expertenblick. Offenbar empfand sie Brenda nicht als Bedrohung, denn sie strich ihr rotes Haar zurück und zog ihren Freund mit sich, um ihn vorzustellen.

»Das ist Dafydd, der junge walisische Arzt, den du noch nicht kennst«, sagte sie, ohne Brenda weiter zu beachten. »Er ist derjenige, der mit den Härten des Nordens nicht klarkommt und die Stadt verlassen wird.«

Dafydd hatte sie nie Alkohol trinken sehen, doch sie wirkte geistesabwesend, und ihr schneidender Kommentar war unnötig aggressiv. Ihr Freund, irritiert und verlegen, nickte Dafydd kurz zu und wandte sich dann an Brenda. Er beugte sich vor und küsste ihre Wange. »Hallo Süße. Du siehst prächtig aus. Schmeckt dir das Essen?«

»Klar doch, Randy.« Brenda betrachtete ihn mit glänzenden Augen. »Warum setzt ihr Hübschen euch nicht zu uns?«

Als Antwort folgte ein unbehagliches Schweigen. Dafydd blickte auf seinen Teller mit Spaghetti. Er wusste, dass sein Mund mit Tomatensauce verschmiert und eine Gabel voll davon auf seine Hemdbrust gespritzt war. Die Peinlichkeit der Situation und die Vorstellung, den Tisch mit Sheila teilen zu müssen, ließen ihn kein Blatt vor den Mund nehmen.

»Nein, Brenda. Nicht heute Abend.« Er schaute Randy ernst an. »Es ist schön, euch beide zu treffen, aber wir beide haben eine Verabredung. Ich wünsche euch einen wirklich netten Abend.«

Sheila zog ihn langsam an der Krawatte zu sich, bis

sein Gesicht dicht an ihrem war. »Oho, ist das nicht raffiniert? Komm auf jeden Fall vorbei und verabschiede dich von uns allen, bevor du nach Hause in dein beschissenes kleines Land saust.«

Brenda und Randy schwiegen und blickten sie an. Sheilas Schroffheit wirkte äußerst übertrieben. Sie richtete sich auf, ergriff mit einem kühlen Lächeln den Arm ihres Freundes und zog ihn weg.

Brenda schaute zwischen Dafydd und Sheilas Rücken hin und her. »Mann, was sollte das denn? Bist du ihr etwa auf die Füße getreten?«

»Nicht im Geringsten«, grinste Dafydd. »Wir sind dicke Freunde.«

»Sie sah bekifft aus«, sinnierte Brenda. »Sie sollte lieber aufpassen. Randy ist ein ziemlich guter Fang, und er hat nichts mit Drogen am Hut. Das weiß ich mit Sicherheit über ihn, dazu ein oder zwei andere Dinge.«

Nachdem er die Rechnung bezahlt hatte, entschuldigte sich Dafydd und ging zur Herrentoilette. Als er hinaustrat, stand Sheila vor der Tür. Anscheinend hatte sie auf ihn gewartet.

»Was hast du mit ihr zu schaffen?«, fragte sie, mit verschränkten Armen an die Wand gelehnt.

»Wieso fragst du?« Er war verblüfft. Sheila hatte nie ein Zeichen der Eifersucht oder irgendein Interesse an seinem Privatleben erkennen lassen.

»Ich hatte gehofft, dich nie mehr zu sehen.« Es wirkte, als sei sie unsicher auf den Beinen, und auf ihrer Oberlippe standen winzige Schweißperlen. »Wie auch immer, du sollst wissen, dass ich etwas unternehmen werde.«

»Was denn?«, fragte er ahnungsvoll.

»Ich werde die Dinge in meine eigenen Hände nehmen. Nur dass du es weißt.«

»Wovon sprichst du?«

»Ich will deinen professionellen Rat. Was empfiehlst du,

Dr. Woodruff? Was würden sie in Kleinbritannien einsetzen? Eine mit einem Katheter eingeführte hypertonische Salzlösung und eine große Fünfzig-Milliliter-Spritze? Ich könnte es selbst tun, ohne Schwierigkeiten, oder? Das würde das Problem beseitigen, glaubst du nicht?«

»Oh, um Himmels willen, Sheila, das ist verrückt«, rief er. »Ich glaube dir ohnehin nicht. Du würdest es nicht tun. Du bist sowieso schon viel zu weit fortgeschritten.« Ihr Verhalten beunruhigte Dafydd. Er war sich nicht sicher, ob sie betrunken oder mit Drogen vollgepumpt oder krank war. »Hör mal, Sheila, du siehst nicht gut aus. Lass mich Randy holen …«

»Spar dir die Mühe. Dir hab ich's zu verdanken, dass diese Beziehung kurz vor dem Aus steht. Er hat mich schon auf meine dicke Taille angesprochen.«

»Das hat nichts mit mir zu tun, Sheila. Es ist nicht mein Werk. Warum projizierst du diesen ganzen Mist auf mich? Ich habe dir angeboten, dich an jemand anderen zu überweisen. Du hättest es in jedem soliden Krankenhaus machen lassen können.«

»Auf dich Mist projizieren? Machst du Witze?«, erwiderte sie. »Nach dem, was du getan hast …«

»Was meinst du damit?«

»Ist egal.« Sie taumelte leicht.

Randy näherte sich, und als er sie beieinanderstehen sah, veränderten sich seine Züge. Er hielt inne, musterte vorsichtig ihre Gesichter und wollte etwas sagen, aber dann überlegte er es sich anders und eilte an ihnen vorbei in die Herrentoilette.

»Hör mal, ich will mit dieser Sache nichts zu tun haben, das habe ich dir doch gesagt«, zischte Dafydd. »Nebenbei bemerkt ist mein Vertrag mit dem Krankenhaus beendet, vorbei, abgeschlossen! Das heißt lebe wohl, Sheila.«

»Es war dein beschissener Vorschlag, das Kind auszutragen. Du hast mir die Idee in den Kopf gesetzt, all den

Quatsch mit den platzenden Kondomen und so. Und nun rate mal, was ich gerade herausgefunden habe? Randy hat sich den Schnitt machen lassen, schon vor Jahren.«

Dafydd dachte über dieses uncharakteristische Geständnis nach. Die Vasektomie schloss Randys Vaterschaft endgültig aus, aber sie war ohnehin unwahrscheinlich gewesen, und Sheila musste das klar gewesen sein. Denn Randy legte, wie sie Dafydd verraten hatte, großen Wert auf Verhütung. Außerdem musste sich Randy schon allein deswegen geschützt haben, weil Geschlechtskrankheiten in der Stadt weit verbreitet waren und er seiner Geliebten nie getraut hatte, nie wusste, wo sie gewesen war, der Beziehung nie eine Zukunft gegeben hatte. Sheila war für ihn eine zeitweilige Ablenkung. Er benutzte sie nur, wie sie ihn benutzte.

Sheila deutete auf sein Gesicht. »Seit du hier gelandet bist mit deinem schicken Anzug und deiner gerümpften Nase, kotzt du mich an.«

Sie lehnte den Kopf an die Wand und entblößte ihren glatten weißen Hals. Plötzlich hatte Dafydd ein tiefes Mitleid mit ihr. Sheilas kleiner Plan, eine Familie zu gründen und ehrbar zu werden, war offenbar dem Scheitern nahe. Trotz ihres starken, fähigen Auftretens war sie in Wirklichkeit eine ziemlich vermurkste Person, deren Glasgehäuse auseinanderbrach und deren Plan katastrophal fehlgeschlagen war.

»Warum zielst mit all diesem Gift ausgerechnet auf *mich*, Sheila?«

Sie funkelte ihn an, ohne ihm zu antworten.

»Erinnere ich dich vielleicht an jemanden? Ist es das?«, fragte er bedächtig. »Ich habe versucht, nicht aufzufallen und einfach meine Arbeit zu machen, so gut ich konnte. Warum werde ich dadurch zu solch einem Arschloch?«

»Ja, jetzt wo du es sagst, erinnerst du mich an jemanden.« Sheila blickte ihn mit trüben Augen an. »Er war ein eingebildeter, aufgeblasener, herablassender Kotzbrocken. Genau wie du. Sooo unnahbar. Sooo distanziert. Ich war nie gut genug für ihn, was ich auch tat. Genau wie du dachte er, dass er …«

Dafydd hörte ihr nicht weiter zu. Dieser Schwall aus Beleidigungen enthielt ein interessantes Element, aber er war es plötzlich müde. Sheila redete noch immer auf ihn ein, aber er wusste, dass nichts, was er erwidern konnte, auch nur die geringste Wirkung haben würde. Er schaltete ab und wartete ungeduldig darauf, dass Randy wieder auftauchte, damit er Sheila sicheren Händen überlassen konnte.

Der Abend neigte sich seinem Ende zu. Dafydd und Brenda machten noch einen Spaziergang durch die Stadt. Ein lauer Frühlingswind wehte, und in der Luft lag der Geruch von Kiefern. Seit Wochen schien der Boden zum ersten Mal trocken zu sein.

Dafydd zeigte Brenda die neue Laufbahn hinter dem Sportzentrum. Der Boden war mit Holzspänen bestreut und entsprechend weich. Dafydd hatte kürzlich darauf ein paar Morgenrunden gedreht. Ein makelloser Halbmond schien auf die Bahn und ließ erkennen, dass sie mit Bierdosen und anderen Gegenständen des Teenager-Konsums übersät war.

»Wenn es nicht noch so früh im Jahr wäre, würde ich jetzt mit dir zum Schwimmen an den See fahren«, kicherte Brenda betrunken. »Du erinnerst dich doch noch, oder?«

»Und ob«, antwortete Dafydd, nahm ihre Hand und küsste sie sanft.

»Im Freien miteinander zu schlafen … es gibt nichts Tolleres.« Sie blickte ihn an. Er merkte, wohin dies führte, und ihm war klar, dass er sie am besten sofort von dem Thema abbringen sollte. Aber seine Entschlossenheit begann bereits zu bröckeln. Gott … es war Monate her. Er erinnerte sich an eine der merkwürdigen Erziehungsweisheiten seines Vaters: »Denk daran, mein Junge: Ein steifer Schwanz kennt kein Gewissen.« Die Vorstellung von einem steifen Schwanz mit einem winzigen Gehirn, tückisch und gottlos, hatte ihn in seiner Kindheit verwirrt, und als er in jungen Jahren das erste Mal mit einer Frau schlief, war plötzlich die Ermahnung seines Vaters vor ihm aufgetaucht. Unweigerlich spürte er eine kurze Trennung von seinem schamlosen, nur auf die eigene Befriedigung erpichten Glied.

Aber Brenda war eine erwachsene Frau, sagte er sich. Was war mit *ihrem* Gewissen? Warum lag es an ihm, sich zu beherrschen? Als Antwort darauf schob Brenda ihre Hand um seinen Rücken und streichelte beiläufig seinen Hintern. Er legte den Arm um ihre Schultern, und sie schlenderten weiter den Pfad entlang in das Weidenwäldchen, fort von dem Müll und dem hellen Licht des Halbmonds.

Der Zeitpunkt der Reise war endlich gekommen. Sie hatten alle Vorbereitungen erledigt. Dafydd war aus seinem Wohnwagen ausgezogen und hatte seine Sachen bei Ian untergestellt, wo er auch die letzte Woche seines Aufenthalts vor seinem Heimflug nach Großbritannien verbringen würde.

Die Eisstraße schmolz, und Bears Enkel hatte einen Rückzieher gemacht, weil er fürchtete, dass er sein Auto nicht rechtzeitig zurückbekommen würde. Daher nahmen sie den letzten Bus der Saison. Das Tauwetter hatte sich beschleunigt. Schon in wenigen Tagen würde die Straße unpassierbar werden, und Moose Creek würde von der zivilisierten Welt abgeschnitten sein, eine abgeschnittene Insel der Ausdauer.

In Yellowknife charterten sie ein kleines Flugzeug, das

sie nach Black River am Ufer des Nordpolarmeers brachte. Das winzige Dörfchen selbst war hässlich und bestand hauptsächlich aus seelenlosen kommunalen Fertighäusern. Vom Flugzeug aus machte es den Eindruck, als habe Gott höchstpersönlich eine Handvoll Würfel absichtslos über das Eis geworfen. Das einzige Gebäude, das ein wenig Schönheit ausstrahlte, war eine weiß gestrichene und offenbar alte, mit Schindeln gedeckte Kirche.

Die Gegend jedoch bot einen atemberaubenden Anblick. Am Ufer aufgereihte Eisblöcke und ferne, zerklüftete Eisberge schimmerten in der klaren Luft. Im Landesinneren schien sich die Tundra – flach und kahl – unendlich weit auszubreiten. Sie wies schwarze Flecke auf, wo der Schnee abgeschmolzen war. In der Ferne umrahmten weiße Berge den Horizont.

Sie sahen, wie eine winzige Gestalt zum Flugplatz hastete, und als die Maschine landete, wartete sie schon. Die beiden alten Männer begrüßten einander mit ausgiebigem Schulterklopfen und Händeschütteln. Angutitaq war ebenso alt wie Bear, wenn nicht sogar noch älter. Geschrumpft und o-beinig, hatte er ein von so vielen Falten durchzogenes Gesicht, dass sich seine Züge tief hinter ihnen verbargen. Wenn er lachte, teilten sich die Falten und Furchen, und ein breites Grinsen entblößte zwei restliche Zähne, die vom Alter und vom Tabak gelb gefärbt waren.

Sein Haus lag am Rand der Siedlung. Sie legten die kurze Entfernung vom Flugplatz zu Fuß zurück. Die Tochter erwartete sie am Haus, und Dafydd war überrascht, wie jung sie wirkte, das Alter ihres Vaters bedacht.

»Was ist mit seiner Frau? Wo ist sie?«, fragte Dafydd leise, an Bear gewandt.

»Sie ist an Grippe gestorben, als sie mit ihrem zweiten Kind schwanger war. Erwähne sie nicht. Es ist eine endlose Geschichte. Die Grippe hat auch die meisten seiner Freunde dahingerafft. Es ist ein äußerst wunder Punkt.«

Vater und Tochter sprachen in ihrer Eskimosprache miteinander. Dafydd war erstaunt, als sich Bear ihnen plötzlich anschloss; er klang sehr fließend in der geheimnisvollen Sprache. Dafydd hatte nicht gewusst, dass Bear Inuktitut beherrschte. Bear korrigierte ihn, die Sprache der Kupfer-Inuit sei Inuinnaqtun. »Ich bin rumgekommen.« Bear blähte seine magere Brust auf. »Ich war nicht immer in Moose Creek eingelocht.«

Den ersten Abend verbrachten sie in dem winzigen Wohnzimmer mit Rauchen, Teetrinken und Essen. Der Raum war mit vielen Stühlen in unterschiedlichen Verfallsstadien möbliert, außerdem gab es ein Sofa und in der Mitte einen kleinen Tisch. Dieser Tisch schien der zentrale Treffpunkt des Dorfes zu sein. Ständig strömten Dorfbewohner herbei, um einen Blick auf die Besucher zu werfen und um sich am Gespräch zu beteiligen. Einige der Älteren blieben bis tief in die Nacht. Sie unterhielten sich lebhaft und wechselten dabei zwischen Inuinnaqtun und, Dafydd zu Gefallen, einem merkwürdigen archaischen Englisch. Das Essen – Schüsseln mit Salznudeln und Seehundfleischstücken – sowie der Tee wurden von der Tochter serviert.

Angutitaq schien höchst erfreut über seine Gäste und die Faszination zu sein, die sie bei seinen Nachbarn auslösten. Er erzählte Geschichten und rauchte dabei ununterbrochen eine geborstene alte Pfeife. Ungeachtet dessen, dass er aussah wie etwas, das jahrhundertelang in einem Keller vor sich hin getrocknet hatte, war sein Geist scharf und sein Humor eigenwillig. Er sprach schnell. Seine Pfeife verwendete er dabei als Zeigestock und schwenkte sie, um seine Bemerkungen zu unterstreichen. Jede Äußerung wurde von einem komischen Lachen begleitet. Dafydd spürte, dass Angutitaq bereits wusste, warum Bear ihn eingeladen hatte – von seiner Rolle als nützlicher Begleiter abgesehen.

Uyarasuq, die Tochter, umschwebte die alten Männer und Frauen wie ein Schatten, füllte ihre Blechbecher mit Tee und schürte den Holzofen. Gelegentlich ließ sie ein perlendes, glockenartiges Lachen erklingen, meist über eine Bemerkung ihres Vaters. Dafydd nahm Bear zur Seite und fragte ihn nach dem ungefähren Alter der Frau, aber Bear hatte ein vages Zeitverständnis.

»Wo ist ihre Familie? Hat sie nicht einen Mann?«

»Psst«, flüsterte Bear, »erwähne ihren Mann nicht. Angutitaq hat ihm gegenüber sehr schlechte Gefühle. Eine endlose Geschichte. Er hatte ein Kind mit einer anderen Frau. Jetzt sitzt er im Gefängnis, weil er einem Mann bei einer Schlägerei die Finger abgehackt hat.« Bear gluckste leise vor sich hin. »Der Schuft hat ihnen allen einen Gefallen getan. Er war der Hauptgrund dafür, dass die Älteren für ein Alkoholverbot in Black River gestimmt haben.«

»Sind sie getrennt … oder geschieden?«

Bear blickte ihn verständnislos an. »Er ist im Gefängnis. Das habe ich dir doch gesagt. Nun psst.«

Angutitaq versuchte, Dafydd die Namen seiner Gäste beizubringen, und Dafydds Bemühungen, sie auszusprechen, löste unter den Alten eine riesige Heiterkeit aus. Sie krümmten sich vor Lachen; Tränen rannen ihnen von den Wangen, und sie baten ihn unablässig, die Namen zu wiederholen. Dafydd wusste nicht so recht, ob sie über ihn oder über seine Unfähigkeit lachten. Eine alte Dame namens Kenojuaq, die neben ihm saß, tätschelte seinen Schenkel und machte ihn auf eine Art Plakette aufmerksam, die sie an einer Lederschnur am Hals trug.

»Meine Eskimo-Nummer«, erklärte sie mit ihrer Singsang-Stimme. »Als ich noch ein junges Mädchen war, sagte uns die Regierung, dass wir sie ständig tragen und darauf achten müssten, sie nicht zu verschmutzen oder zu verlieren. Wir sollten unsere Namen aufgeben, weil sie zu schwer auszusprechen sind. Aber die meisten von uns haben sie wiederentdeckt und sind zu ihnen zurückgekehrt.«

»Müssen Sie die noch immer tragen?«, fragte Dafydd entsetzt und ließ seinen Blick über die Hälse der anderen Anwesenden schweifen. Dies löste weitere Heiterkeit aus.

Nur die Tochter lachte nicht, sondern wirkte gequält. Sie flüsterte Dafydd ins Ohr: »Sie würde es nicht zugeben, aber sie ist stolz auf ihr Schildchen. Es hat eine lange, lange Zeit überdauert.«

Dafydd drehte sich zu ihr um. Aus der Nähe schien ihr Gesicht sogar noch jünger zu sein. Ihre Haut war zart und glatt wie die eines Babys.

»Wohnen Sie in diesem Haus?«, fragte er.

»Nein, nicht immer.« Sie lächelte. »Ich habe mein eigenes Haus.«

Aber hatte sie auch ein eigenes Leben in dieser winzigen Siedlung ohne Straßen, Läden, Restaurants, ohne alles außer riesigen Flächen einer herrlichen, aber eisigen Landschaft? Die Menschen waren so alt. Er hätte sich gern länger mit ihr unterhalten, aber sie war beschäftigt oder gab ihm keine Gelegenheit zu einem Gespräch. Ihre Augen schienen ständig in Bewegung zu sein, obwohl er sie ein paarmal dabei ertappte, dass sie zu ihm hinschaute. Schließlich, ziemlich spät am Abend, setzte sie sich neben ihn.

»Mögen Sie ländliche Speisen?«

»Ich mag die meisten Gerichte. Was genau sind ländliche Speisen?«

Sie beugte sich seitlich zu ihm und zählte die Gerichte mit vor Konzentration zusammengezogenen Brauen an den Fingern auf.

»Na, Karibu, das ist am ländlichsten, entweder als *quaq* oder als *mipku* oder im Eintopf. Fisch, geräuchert oder getrocknet. Seehund ist gut, vor allem die Flossen. *Hikhik*. Ich habe schon ein paar Gänse und Enten gesehen.

Sie scheinen dieses Jahr früh gekommen zu sein. Wenn ich morgen eine entdecke, könnte ich sie schießen.« Sie blickte ihn an. »Was würden Sie gern probieren?«

»Mir ist alles davon recht«, antwortete er und fügte lächelnd hinzu: »Solange es ländlich ist.«

»Morgen«, sagte sie und kehrte in die Küche zurück.

Dafydd verbrachte eine unruhige Nacht in seinem Schlafsack auf dem durchgesessenen alten Sofa. Der zweite Tag begann und verstrich ähnlich wie der erste. Im Wohnzimmer herrschte ein Kommen und Gehen von Leuten, die aßen, rauchten und unendliche Mengen Tee tranken. Dafydd sehnte sich danach, die Umgebung zu erkunden, aber man konnte nur quer über die völlig plane Ebene wandern. Am Mittag ging er zum Ufer hinab, umringt von fünf Kindern, den einzigen im Dorf. Sie alle wollten unbedingt mit ihm über Motorräder und Filme sprechen. Das schmelzende und aufreißende Eis auf dem Meer polterte und krachte bedrohlich, und die Kinder brachen über Dafydds vorgespielte Angst in Gelächter aus.

Wieder in die kleine Behausung zurückgekehrt, entspannte er sich allmählich und begnügte sich damit, einfach nur dazusitzen und dem endlosen An- und Abschwellen der fremdartigen Unterhaltung der alten Männer zuzuhören. Er war so viel Müßiggang nicht gewohnt, und es war neu für ihn, sich einfach in einem alten Sessel zurückzulehnen und absolut faul zu sein. Er wurde in eine behagliche Benommenheit eingelullt und merkte, wie ihn die Bewegungen von Uyarasuq fesselten. Sie sah dem Mädchen, dessen erfrorenen Körper er begutachtet hatte, erschreckend ähnlich. Das breite Gesicht, das raue schwarze Haar, die hohen Wangenknochen und die weit auseinanderstehenden, östlichen Augen.

Schließlich waren alle Gäste gekommen und gegangen. Die Stimmen der beiden alten Männer vereinten sich zu einem angenehm rhythmischen Summen, während der

Rauch aus dem Holzofen das kleine Wohnzimmer in einen betörenden Schleier hüllte, als sähe er sich einen alten, körnigen Film an. Die Stille draußen war so umfassend, dass sie fast wie ein eigenständiges Geräusch wirkte – ein weißer, leerer, andauernder Ton.

Er fühlte sich derart entspannt, dass er sich sogar fragte, ob ihm die alten Knaben heimlich etwas in den Tee gekippt hatten. Oder vielleicht *sie*. Es war ein Luxus, die Stunden einfach dahinrinnen zu lassen, ein wenig in einem Roman zu lesen, den er mitgebracht hatte, zwischendurch immer wieder die Inuit-Frau zu beobachten und darüber nachzudenken, was sich hinter jenem exotischen, ziemlich reservierten Verhalten verbarg. Er musste es verstohlen tun, damit sie und die anderen seinen forschenden Blick nicht bemerkten.

Dafydd begann, sich Fantasien über sie hinzugeben. Er stellte sich vor, dass er sie hinter der Tür in der Küche an sich zog und sie leidenschaftlich darauf reagierte, ihre Brüste an ihn presste und ihre tintenschwarzen Augen in die seinen bohrte. In Gedanken streifte er ihr den Rock aus Karibuleder ab und zog ihr den dicken Strickpullover über den Kopf, um ihren Körper zu betrachten. Unter der unförmigen Kleidung war alles so versteckt, so verborgen. Aber als sie am dritten Tag seines Besuchs in engen Jeans und einem Sweatshirt mit der Aufschrift »Disneyland« quer über der Brust erschien und schlank und westlich aussah, war er enttäuscht.

»Sind Sie in Disneyland gewesen?«, fragte er überrascht.

Sie schüttelte kichernd den Kopf.

»Was tun Sie … wenn Sie sich nicht um Ihren Vater kümmern?« Er stand auf und folgte ihr in die Küche, um sie weiter Englisch sprechen zu hören.

»Ich bin Schnitzerin«, antwortete sie und drehte sich von ihm weg, um ein leichtes Erröten zu verbergen.

»Schnitzerin?« Dafydd ging um sie herum, damit sie ihn ansehen musste. »Was für eine Schnitzerin?«

»Steinschnitzerin. Speckstein meistens. Das ist am leichtesten. Manchmal Knochen. Unser Volk macht das. Die Hälfte von uns im Dorf verdient sich den Lebensunterhalt damit, Schnitzereien zu verkaufen.«

»Dürfte ich ein paar Ihrer Werke sehen?«

Sie trat um ihn herum zur Spüle. Er folgte ihr, lehnte sich über die Spüle und zog eine Grimasse. »Hallo, sprechen Sie mit mir.«

Sie lachte, und ihre Röte vertiefte sich. In dem durch das Fenster hereinfallenden Licht sah sie fast kindlich aus. Ihre Augen trafen sich für eine Sekunde, und angesichts der Intensität dieses Blicks schoss es ihm durch den Kopf, dass er sich in sie verliebt hatte. Das war kindisch und irrational, aber sobald er es zugab, spürte er einen wohligen Schauer. Er musste den Verstand verloren haben. Die Luft, die Stille, die plötzliche Befreiung und die Abwesenheit von Menschen wie Hogg und Sheila hatten ihn berauscht.

Er sah in Uyarasuqs unschuldiges Gesicht und wollte es in seine Hände nehmen und küssen, aber er traute sich nicht recht. Es kam ihm vor, als wäre er vierzehn; damals hatte er sich in die Tochter seines pakistanischen Nachbarn verliebt. Sie war zwölf, und ihre Schönheit stammte aus einer anderen Welt. Ihre Haare reichten bis zur Taille, und ihre Augen waren schwarz wie Höhlen. Damals war es ihm noch nicht einmal gelungen, dicht genug an das Objekt seiner jungen Liebe heranzukommen, um mit dem Mädchen sprechen zu können, aber in seinen Gedanken hatte er sie geliebt, Tag und Nacht. Die Intensität seiner Leidenschaft war so angenehm, so wunderbar gewesen, dass er nie genug davon bekommen hatte, sich ihr hinzugeben.

»Ich weiß, dass die Frage unverschämt ist … aber wie alt sind Sie?« Einen Moment lang verspürte er Schuldgefühle wegen seines erotischen Interesses an ihr. Dann erinnerte er sich daran, dass sie verheiratet gewesen war. Sie konnte nicht mehr so jung sein. Vielleicht war sie eine Kindbraut, aber keine Jungfrau.

»Ich werde es Ihnen sagen«, antwortete sie, »aber ich glaube nicht, dass es höflich ist, eine solche Frage zu stellen. Nächste Woche werde ich sechsundzwanzig ... am Mittwoch.« Nun blickte sie ihn an, kühner geworden. »Aber bis dahin werden Sie fort sein.«

Das war es. Natürlich. Er würde fort sein. Welchen Sinn hatte ein kleiner Flirt für sie, auch wenn er harmlos war und lediglich die Zeit vertrieb? Es bestand immer die Gefahr, sich nahezukommen, sich zu sehr zu mögen. Sie konnte sich den Luxus nicht leisten, Gefühle zu investieren. An einem Ort wie diesem war man entweder fest mit jemandem verbunden, oder er verschwand wieder. Dazwischen gab es nichts.

»Ich bin eigentlich nicht jemand, der sich bei Nacht und Nebel davonmacht«, begann er. Er wollte, dass sie ihm vertraute, aber was sonst konnte er ihr noch mitteilen? Da ihm bewusst war, dass es sich um eine Torheit handelte, verbarg er besser sein plötzliches, realitätsfernes Interesse an ihr.

Unvermutet streckte sie die Hand aus und berührte sein Haar. »Es ist wie das Fell eines Hasenbabys«, sagte sie lächelnd, »so fein und weich ...« Sie drehte seine dunklen Locken zwischen ihren Fingern.

Dafydd ergriff ihre Hand und führte sie an seine Lippen. Während er ihre Handfläche und ihr Handgelenk küsste, beobachtete er die Reaktion in ihrem Gesicht. Er wusste, dass er so etwas nicht tun sollte, es war nicht fair. Ihre Augen waren gesenkt, und nach einem Moment entzog sie sich ihm.

»Ihres ist wie der Schweif eines Pferdes«, sagte er.

»Was für ein Kompliment«, erwiderte sie und schlug

mit einem Geschirrtuch nach ihm. »Übrigens habe ich noch nie ein Pferd gesehen. Nur auf Bildern und in Filmen. Ich weiß, dass man Matratzen aus dem Haar von Pferdeschwänzen gemacht hat … früher.«

»Ihr Haar würde eine wundervolle Matratze ergeben«, meinte er.

Sie schnaubte in gespieltem Abscheu, aber in ihren Augen lag ein eindeutiges Glitzern. Sie ging zurück ins Wohnzimmer und warf große Stücke knorriges Holz in den Ofen. Ihr Hinterteil sah rund und keck aus, als sie sich bei ihrer Tätigkeit bückte; ihre Beine waren recht kurz, doch wohlgeformt. Die Jeans wirkten unpassend, aber vielleicht lag das an ihm, an seinen romantischen Vorstellungen und seinen albernen Fantasien. Trotz des ungewöhnlichen Umfelds und ihrer fremdartigen Gesichtszüge war sie wahrscheinlich eine ganz und gar moderne Frau.

Am nächsten Morgen stand er am Fenster und sah zu, wie ein Nachbar einen Seehund zerlegte. Das helle rote Blut tränkte zornig den weißen Schnee.

»Kommen Sie«, sagte Angutitaq und klopfte mit der flachen Hand auf den Platz neben sich auf dem alten Sofa. »Sind Sie gelangweilt oder frustriert?«

»Nicht im Geringsten. Ich genieße Ihre Gastfreundschaft sehr.«

Bear stand auf und ging in die Küche, wo Uyarasuq das Frühstücksgeschirr abspülte. Eine lebhafte Unterhaltung entspann sich, gemischt mit heftigem Gelächter. Dafydd lauschte erstaunt und eifersüchtig. In Wirklichkeit war sie gar nicht so schüchtern. Vielleicht traute sie nach ihrem treulosen Gatten jüngeren Männern nicht. Vielleicht war es auch seine Fremdheit, die zwischen ihnen stand, oder es gefiel ihr nicht, wie er sie anschaute.

Angutitaq musterte ihn eingehend. »Sie sind jemand, der seinen Schmerz überwinden muss, bevor er zurückkehren kann.«

»Ich? Wie meinen Sie das?«

»Sie werden eines Tages nach Kanada zurückkehren, wenn sich der Nebel über Ihrem Kopf verzogen hat. Sie werden zurückkehren und sich hier niederlassen.«

»So?« Dafydd wollte den alten Mann nicht enttäuschen, aber er glaubte nicht, dass es ihn in dieses nördliche Land zurückziehen würde. Trotz seiner eindrucksvollen Schönheit und der Härten, die er zu respektieren und sogar zu genießen gelernt hatte, war er letzten Endes in der ganzjährigen Trübsal des Regens und Nebels seiner Heimat und in der dort herrschenden Sicherheit zu Hause.

Angutitaq hustete und unterbrach damit Dafydds Gedankenfluss. Dann zeigte er mit dem Pfeifenstiel auf ihn. »Ich weiß vom *quattiaq*, dem Geist des Kindes, der Sie quält. Unser alter Freund hat mir erzählt, wie Sie zu dem *quattiaq* gekommen sind.«

»Ich glaube, dass ich es selbst bin«, meinte Dafydd ruhig. »Ich bin derjenige, der die Qual erzeugt, und das aus sehr gutem Grund.«

»Das auch«, stimmte ihm Angutitaq zu und nickte mehrfach. »Und die Menschen … Die Mensch müssen jemanden finden, dem sie die Schuld geben können, und es wird notwendig, ihr Leid auf sich zu nehmen und es mit sich fortzutragen, weit fort.«

»So war es nicht«, widersprach Dafydd. Er wollte nicht, dass an seiner Schuld herumgedeutet wurde. »Ich habe einen sehr schwerwiegenden Fehler gemacht, und ich muss damit leben. Ich bin weggelaufen, weil ich mich mit dem, was ich getan habe, nicht auseinandersetzen konnte. Das war der Grund, schlicht und einfach.«

Die Küchentür schloss sich, und die fröhliche Unterhaltung dahinter war nur noch dumpf zu hören. Der Holzklotz im Ofen knackte zornig.

»Natürlich. Ich kenne das selbst. Dennoch, Sie sind wie ein Torfklumpen, der das Leid aufsaugt und festhält, und sie tragen es mit sich in alle Ecken der Welt. Sie sind hier …«, Angutitaq warf seine Arme hoch, um die Weite der Arktis anzudeuten, »und Sie sind noch immer bedrückt und ziehen die Bürde hinter sich her wie einen überladenen *kamotik.*«

Es stimmte, das Gewicht seines Kummers zerrte geradezu an seinen Knochen. Sie saßen lange schweigend da und blickten ins Feuer. Angutitaq summte leise vor sich hin. Plötzlich klopfte er mit seinem Pfeifenstiel auf Dafydds Knie.

»Ich erkenne den *quattiaq.* Er scheint mir ein guter Geist zu sein. Er sieht aus wie ein kleiner Fuchs mit einer langen Nase. Aber er ist nicht zornig.« Angutitaq schaute Dafydd aufmerksam an. »Er ist ein unschuldiger Geist, aber in seinen Augen liegt sehr viel Weisheit. Wenn Sie es zulassen, könnte er Ihnen helfen.«

»NEIN«, stieß Dafydd hervor. »Begreifen Sie denn nicht? Ich bin schuld daran, dass …«

Der alte Mann hob abrupt die Hand und schloss die Augen. »Er ist hier. Ich werde ihn bitten, sich zu zeigen. Dann werden Sie nicht so viel Angst haben.«

Dafydd schüttelte den Kopf. »Ich weiß nicht …« Er schluckte mühsam. Das Kind, dessen Gesicht ihn in seinen Träumen heimsuchte – woher wusste der alte Mann, dass es fuchsartige Züge trug? Ihm gefiel nicht, wohin dies führte. Es erschreckte ihn.

»Unnirniaqqutit!«, rief Agutitaq.

Der Raum schien sich zu verdunkeln, als ob eine Zeitverschiebung stattgefunden hätte. Das bilde ich mir bloß ein, dachte Dafydd. Ich bin aufgewühlt, überspannt …

Dann begann der alte Mann zu singen. *»Alianait, alianait, alianait …«* Es war ein eindringlicher Gesang mit wenigen Tönen, vielleicht eine Beschwörung. Er hielt die Augen geschlossen und faltete seine knorrigen alten Hände über der Brust.

Dafydd fühlte sich befangen, denn er wusste nicht, ob irgendetwas von ihm erwartet wurde. Aber nach einiger Zeit wurde ihm behaglicher zumute, und er begann, Gefallen an dem Gesang zu finden. Die Geräusche aus der Küche waren verstummt, und um die Ecken des Hauses pfiff ein leichter Wind. Plötzlich verdunkelte sich der Raum erneut, als wäre die Nacht angebrochen. Dafydd fand das unheimlich, aber der Gesang hatte ihn beruhigt, und er wollte sich durch nichts ablenken lassen. Er lehnte sich zurück und schloss die Augen, um die Dunkelheit nicht wahrzunehmen.

Die eigenartige Melodie setzte sich fort wie eine archaische Hymne. Angutitaqs Stimme war so tief, dass Dafydd die Schwingungen an den Sohlen seiner Füße spüren konnte; sie durchdrangen ihn, stiegen in seinen Beinen hoch und füllten ihn aus. Er wollte mitsummen, fühlte sich jedoch schläfrig.

Dereks kleines Gesicht tauchte vor ihm auf. Aber es trug nicht die blassen, eingesunkenen Züge von Krankheit und Tod. Es war ein rosiges Gesicht mit strahlenden, lebendigen Augen. Dafydd lächelte. Dann bemerkte er den Fuchs in dem Gesicht, sein furchtloses Grinsen, seine lange, spitze Nase. Es waren die Schärfe und Weisheit der Augen, die Dafydd wirklich berührten, ihn mit Mut erfüllten und die Dunkelheit von ihm zogen.

Angutitaqs Stimme war nun leiser geworden und zitterte ein wenig, als hätte die Anstrengung des Singens ihm die Kraft geraubt. Dereks Gesichtszüge flimmerten, verblassten und verschwanden. Das Lied verebbte, wurde hohl – wie ein Echo, das von jenseits des schweigenden arktischen Himmels herüberklang.

Als Dafydd die Augen öffnete, befand er sich allein im Raum. Die Helligkeit draußen verwunderte ihn, und er war desorientiert. Die Asche im Ofen glühte noch, aber im Haus war alles still. Niemand schien da zu sein. Sein Körper war steif und sein Kopf schwer. Er stand auf und streckte sich. Dann gähnte er, bis die Kiefer knackten. Plötzlich verspürte er einen ungeheuren Durst, als hätte er sich durch eine Wüste geschleppt. Seine Zunge fühlte sich geschwollen an.

Er ging in das kleine Badezimmer. Da es kein Fenster hatte, zündete er ein Streichholz an, um die *qulliq* anzumachen, eine mit Seehundsfett gefüllte Lampe aus kunstvoll zu einem Halbmond geschnitztem Speckstein. Er trank mehrere Becher Wasser. Dann putzte er sich die Zähne.

Der Spiegel über dem Waschbecken zeigte einen Dreitagebart. Sein Haar war zu lang, lockig und ungebärdig. Es war seit langer Zeit das erste Mal, dass er sein Gesicht wieder einmal genau betrachtete, und er musste lachen. Es war eher das Gesicht eines drogensüchtigen Hippies oder das eines Wracks von einem Mann – was ja stimmte. Er erinnerte sich daran, wie es war, sich selbst zu respektieren – sein Gesicht im Spiegel zu sehen und es ziemlich attraktiv zu finden, sogar schneidig, verheißungsvoll. Mehr als ein Jahr war vergangen, seit sein Leben zerbrochen war. Vielleicht reichte ein Jahr.

Während er in dem schäbigen kleinen Badezimmer stand, besserte sich seine Stimmung plötzlich. Die Bürde lockerte sich und trieb fort. Der Torfklumpen wurde wie ein Schwamm ausgewrungen, und das stinkende Wasser lief ab. Er fühlte sich leicht, frisch, federnd.

Er pinkelte in den »Honigeimer«, dann zog er seine Kleidung aus und stellte sich in den kleinen Kasten, der als Dusche diente. Der winzige Strahl kalten, kupferhaltigen Wassers fühlte sich so ungewöhnlich an, als stünde er unter einem Wasserfall in den Bergen. Er trocknete sich ab und zog sich an. Dann schabte er wenig effektiv mit dem Rasiermesser eines der Männer in seinem Gesicht herum und fügte sich eine Schnittwunde an der Kehle zu.

In der Küche traf er auf Uyarasuq, die still und reglos am Tisch saß.

»Die Väter machen einen Besuch«, erklärte sie. »Sie kommen erst spät wieder.«

»Was tun Sie hier?«, fragte er erstaunt.

»Ich ruhe meine alten Knochen aus«, sagte sie mit dem frischen Gesicht eines Teenagers.

»Ich muss stundenlang geschlafen haben.«

»Sie sagten, dass Sie meine Schnitzereien sehen wollten.«

Er beobachtete, wie ihre weiße Haut errötete, und sie wandte das Gesicht ab, um es zu verbergen.

»Liebend gern. Wo sind sie?«

»In meinem Haus.«

Sie stand auf uns zog sofort ihren Parka über. Er schaute sich nach seinen eigenen Sachen um. Sie waren in seinen Schlafsack eingerollt, den er hinter das Sofa gepackt hatte.

Draußen war die Luft mild, und der Himmel zeigte ein schwaches Blau. Er hatte keine Ahnung, wie spät es war. Uyarasuq nahm ihn bei der Hand und führte ihn zielbewusst um die anderen Unterkünfte herum zu einem winzigen Haus in der Nähe des Ufers. Es war ein Einzimmerhäuschen und nicht größer als der Wohnwagen, den seine Eltern in seinen Kindertagen besessen hatten. Im Innern war die Luft feucht, und man roch den Gasofen. Lange, dünne Regale säumten die Wände vom Boden bis zur Decke. Darauf hatte sie all ihre Habseligkeiten untergebracht. Überall standen kleine Specksteinschnitzereien: Jäger mit Speeren, Wale, Eisbären, Seehunde und Vögel. Sie waren vortrefflich.

»Die sind hervorragend«, rief er. »Wo verkaufen Sie die Sachen?«

»In den Galerien der *kablunait*«, antwortete sie und zwinkerte. »Sie wissen schon … der weißen Männer.«

Wenn sie sich über ihn lustig machte, so störte es ihn nicht. »Also reisen Sie gelegentlich nach Süden?«

»Nein. Ein paar Kilometer von hier gibt es eine Forschungsstation. Sie nehmen die Stücke für uns mit ... gegen Provision natürlich.« Uyarasuq hatte einen Kessel auf einen winzigen Ofen gestellt und ihre Parkas an Haken gehängt, die an der Rückseite der Tür angebracht waren. »Sie sind ja eigentlich nicht so weiß. Warum habe ich nur gedacht, alle Europäer seien blond? Trotzdem sind Sie aus einem anderen Material gemacht als ich.«

Sie trat auf ihn zu. Er hatte sich auf einen kleinen Hocker gesetzt, drehte eine ihrer Schnitzereien in den Händen und betastete den kühlen, glatten Stein. Sie schob ihm die Hand ins Haar und rubbelte es wie das eines Kindes.

»Ein anderes Material, weich, vielleicht ein bisschen zart«, sagte sie lachend.

Er blickte zu ihr hoch. Wie viel wusste sie über ihn? Möglicherweise hatte sie seinen bizarren Austausch mit ihrem Vater, dem Schamanen, mit angehört. Oder vielleicht hatte Bear ihr erzählt, warum er Dafydd hergebracht hatte. Aber die Art, wie sie ihn ansah, hatte nichts Mitleidiges oder Wohltätiges. Er ließ die Schnitzerei auf seinen Schoß fallen und legte die Hände um ihre Taille. Dabei fühlte er die Verjüngung ihrer Hüften und erhielt einen Eindruck von ihrem Körper. Sie schien nichts dagegen zu haben. Einen Moment später ließ er die Hände sinken.

»Schon gut«, sagte sie.

»Verzeihen Sie ... Ich darf nicht meinen Impulsen folgen. *Kablu* ... oder wie Sie uns genannt haben; wir sind schrecklich dreist. Es ist diese weiße, imperialistische Unverschämtheit ...«

Sie lachte, nahm seine Hände und legte sie wieder um ihre Taille. Er lehnte seine Stirn an ihren Bauch. Darin rumpelte es hungrig. Er presste sein Ohr näher heran, um es besser zu hören. Die Geräusche hatten etwas Grobes und Kraftvolles wie ferner Donner, wie Eruptionen heißer Lava und Rufe im Dschungel, wie ein winziges inneres Universum. Ein anderer Ort, exotisch, faszinierend und verboten. Er wollte dort sein, in ihr, den geheimen Kosmos mit seinem eigenen Fleisch erforschen.

Der Kessel pfiff, und sie löste sich von ihm. Er blickte sich um und betrachtete die Möbel. Sie schien auf dem Bett zu leben. Auf ihm waren Bücher, Papiere, Kleidungsstücke, Näharbeiten und ein Teller mit Brotrinden verteilt. Während sie den Tee zubereitete, stand er auf, um weitere Skulpturen in die Hand zu nehmen; er musste sie einfach berühren. Jede erzählte eine Geschichte über die Beziehung der Inuit zur Welt und ihren Geschöpfen. Er nahm ein Liebespaar hoch. Die Frau saß mit gespreizten Beinen auf dem ebenfalls sitzenden Mann. Ihre Gesichter lächelten breit, und ihre stämmigen Gliedmaßen waren ineinander verschlungen.

Sie reichte ihm einen Becher, und sie standen nebeneinander, zwischen dem Bett und dem Tisch.

»Wann kommt Ihr Mann zurück?«

»Nie.«

Ihm fiel keine weitere Frage ein, und vielleicht hatte sie ja etwas gegen seine Neugier.

»Du willst mich, oder?«, sagte sie.

»Ja.« Er streckte die Hand aus, um ihre Wange zu berühren. »Das tue ich. Aber ich glaube nicht …«

»Es ist in Ordnung«, unterbrach sie ihn, »aber es ist drei Jahre her, seit ich mit einem Mann zusammengewesen bin. Ich wüsste nicht, was ich tun sollte.«

»Du musst nichts tun. Ich bin hier mit keinerlei Erwartung hergekommen«, antwortete er und fühlte eine Schwäche in den Knien. »Können wir uns hinsetzen?«

Sie setzten sich auf die Bettkante und schlürften den heißen Tee. Nach einem Moment stand sie auf und sammelte die auf dem Bett herumliegenden Sachen ein. Sie hatte einige Mühe, sie unterzubringen. Es gab keinen Kleiderschrank, und darum legte sie die zusammengefaltete Kleidung auf ein Regal. Die Bücher und Papiere stapelte sie auf dem Tisch.

Dafydd fühlte sich schwach, fast überwältigt von panischem Schrecken. Wie albern, schließlich war er keine Jungfrau mehr. Er wollte es so sehr, doch er fühlte sich wie ein absoluter Anfänger, hoffnungslos unbeholfen. Gleichzeitig spürte er eine heftige Regung in seinen Leisten. Der Teil von ihm scherte sich nicht um seinen Kampf mit Anstand und Etikette.

Als sie sämtliche Sachen weggelegt hatte, nahm sie ihm den Becher aus der Hand und ging zur anderen Seite des Raumes, um das Licht auszuschalten. Durch das Fenster fiel ein schwacher Dämmerschein. Dafydd stand auf und folgte ihr. Sie war kleiner, als sie wirkte, und er hob sie hoch, um sie küssen zu können. Sie lachte. Ihre Scheu war verschwunden, und ihre Augen funkelten in dem schummrigen Zimmer.

»Zieh dich aus«, sagte sie.

»Bist du sicher, dass du es willst?«

»Ich will es sehr.«

Sie lächelte und zog den Reißverschluss seiner wattierten Weste auf. Als es ihm gelungen war, aus seinen Sachen zu steigen, bemerkte er, dass er seit Monaten nicht mehr nackt gewesen war, von den Sprüngen unter die verdreckte Dusche in seinem Wohnwagen und seinem Duschbad vorhin abgesehen. Die schwüle Hitze auf seiner nackten Haut erregte ihn noch mehr. Sein erigiertes Glied schwang wie ein Bleigewicht vor ihm, während er ihr half, sich auszuziehen. Ihre Brustwarzen waren dunkel und saßen weit oben auf ihren kleinen Brüsten. Er beugte sich vor, um sie zu küssen, und sie verhärteten sich unter seiner Zunge wie winzige Kiesel. Er hörte nicht auf, bis ihm der Nacken schmerzte, und er zog sie aufs Bett.

Als er ihren hellroten Satinslip sah, musste er grinsen. Er fragte sie, wo in aller Welt sie ihn gefunden hatte.

»Im Katalog natürlich.« Sie kicherte und stupste ihn auf die Nase. »Was hast du denn erwartet? Damenslips aus Birkenrinde oder Seehundsfell?«

»Ja«, erwiderte er lachend. »Ich bin enttäuscht.«

»Und Moosklumpen als Hygienebinden?«

»Ganz genau.« Wie gut sie ihn durchschaut hatte.

Er zog ihr den Slip vorsichtig aus und achtete darauf, die zarten Nähte nicht aufzureißen.

»Hast du ihn absichtlich angezogen? Hattest du das hier geplant?«

»Ja … Aber ich trage immer schöne Unterwäsche, um mich selbst daran zu erinnern, dass ich eine Frau bin.«

Wenn der Slip nicht so auffällig präsent gewesen wäre, hätte er ihn ihr möglicherweise gestohlen. Aber sie würde es merken und denken, er wolle sich eine Trophäe sichern. Und damit hätte sie nicht ganz falsch gelegen. Hier zu sein, in diesem Bett mit dieser schönen und exotischen Frau, war für ihn der Höhepunkt des Jahres. Ein unvergesslicher Augenblick.

Er ließ den Blick über ihren blassen Körper streifen, dessen Einzelheiten durch die langsam hereinbrechende Dunkelheit verwischt wurden. Ihr kleines schwarzes Dreieck war genau so, wie er es sich in seinen erotischen Fantasien vorgestellt hatte. Er küsste es, rieb mit der Nase über die raue Krause ihres Schamhaars und roch sie. Er war bereits gefährlich nahe daran zu kommen, aber er hielt sich zurück und versuchte, an kalte Dinge zu denken, an schwierige Dinge. Sie küssten sich und lagen lange Seite an Seite, eng aneinandergepresst. Plötzlich lachte sie, ein Laut purer Freude, und das brachte ihn ebenfalls zum Lachen.

Er wollte ein wenig mit ihr sprechen, ihre Stimme hören und sie sich genauer ansehen, aber sie glitt an seinem Körper nach unten. Die Empfindung, als ihr Mund ihn umschloss, war überwältigend, doch innerhalb von Sekunden schrak er zurück. Da er diese Frau so sehr begehrte, konnte er seiner Selbstbeherrschung nicht vertrauen, und er wollte nicht auf diese Weise in sie eindringen und sich achtlos verlieren. Er entzog sich ihr und legte sie auf den Rücken, damit er ihr Vergnügen bereiten konnte.

Die zarten Falten unter dem schwarzen Dreieck waren jungfräulich, kindlich. Einen Moment lang war er besorgt und musste sich in Erinnerung rufen, dass sie ihn ebenfalls wollte, dass sie eine Frau war und das Mündigkeitsalter schon lange überschritten hatte. Dennoch brachte seine Aufmerksamkeit sie zum Weinen.

»Möchtest du das nicht?«, flüsterte er alarmiert.

»Doch, es ist wunderbar. Hör nicht auf.«

Sie hatte Gründe zu weinen – Trauer, Einsamkeit, Frustration. Hier war Liebe, selbst wenn sie nur ein paar kurze Stunden andauerte und ihr dann grausam entrissen wurde. Morgen würde er abreisen. Auch er mochte nicht daran denken – grauenvoll. Dann gewann seine Lust die Oberhand, und er hörte auf zu denken. Er stützte sich hoch und schwebte über ihr, leckte an den Tränen, die ihr über das Gesicht gelaufen waren.

»Kann ich? Bist du geschützt?«

Sie nickte. »Es ist eine sichere Zeit.«

Aber er wusste, dass es so etwas wie eine absolut sichere Zeit nicht gab, und warum sollte sie verhüten? Weshalb, hier draußen, ohne Mann? Also zog er sich von ihr zurück, sprang auf und durchsuchte in fliegender Hast seine Kleidung nach seiner Brieftache mit den zerknitterten Kondom-Päckchen, die er so viele Monate mit sich herumgetragen hatte.

»Das heißt nicht, dass ich …«, begann er, als er sich das hässliche Gummi überschob.

»Es ist gut. Alles ist gut«, versicherte sie ihm.

Ihre Enge tat ihnen beiden weh. Sie zuckte zusammen. Er flüsterte Entschuldigungen und begann, sich zurückzuziehen, aber sie packte sein Gesäß mit beiden Händen, um ihn zu behalten, wo er war. Und bald bat sie ihn, sich zu bewegen, zu stoßen. Als ihr Höhepunkt kam, ließ er sich fallen und erlöste sich mit einer Gewalt, die ihn Sterne hinter seinen Augen sehen ließ.

Dafydd ging zu dem Haus seines Gastgebers zurück. Der Himmel war inzwischen schwarz geworden, aber die Nacht war erleuchtet. Der Anblick der Milliarden gleißender Sterne ließ ihn staunend stehen bleiben. Die schiere Größe und der Glanz des Universums waren etwas, das er noch nie wirklich erfahren hatte. Das Licht würde nun täglich zunehmen, und die schwindende Dunkelheit würde rasch dem arktischen Sommer weichen, in dem man keine Sterne sah.

Lächelnd und summend schritt er den Pfad entlang. Der Dampf, den er beim Ausatmen in die kalte Luft entließ, glich Thors mächtigem Atem, der die Stürme und die Wolken und den Donner zum Leben erweckte. Er fühlte sich stark, voller Kraft und Energie, wie ein zum Mann werdender Junge. Stolz, erfüllt, zuversichtlich, heißblütig. Er lachte laut über sich selbst. Verdammt noch mal, er war wahnsinnig verliebt, verrückt vor Verlangen und völlig albern. Aber er spürte auch Frieden, einen milden Glanz, der sich sanft in ihm ausbreitete. Er erlaubte sich nicht, darüber hinaus zu denken. Auf keinen Fall an die Zukunft. Nichts durfte zerstören, was er erlebte.

Plötzlich ließ ihn ein fernes Geräusch wie von splitterndem Kristall stoppen und nach oben schauen. Die Aurora borealis zuckte in einem Ausbruch von Farben über den Nachthimmel. Lange rote, gelbe und grüne Schweife peitschten von einem Ende des Horizonts zum anderen.

Vielfarbige Schleier stiegen in einem verwickelten Tanz auf und wieder hinab. Es war ein höchst ungewöhnliches Schauspiel, und Dafydd stand reglos da, voller Ehrfurcht angesichts dieser Schönheit. Ihm war von dem Phänomen des überirdischen Klangs berichtet worden. Die Musik der Nordlichter war ein seltenes Ereignis. Viele Menschen verbrachten ihr gesamtes Leben in der Arktis, ohne sie je zu vernehmen.

Er wollte zurücklaufen, die schlafende Uyarasuq aus ihrem gemütlichen Bett ziehen und dieses Erlebnis mit ihr teilen. Es würde sie verbinden, in diesem riesigen Tempel unter dem Himmel, wie keine andere Zeremonie es vermocht hätte. Aber er wusste, dass es nicht sein konnte. Deshalb ging er weiter, Augen und Ohren hellwach. Zumindest würde er dies mit sich nehmen, diesen Tag, diese Nacht, wohin er sich auch wandte. Aus diesem Grund war er wiederhergestellt, wieder ganz.

Sleeping Bear war still, nicht zu Späßen aufgelegt wie sonst. »Rate mal, was passiert ist, junger Mann«, meinte er ohne Begeisterung. »Wir werden mit einem Hubschrauber fliegen.«

»Tatsächlich? Wie das?«, fragte Dafydd und ließ sich eine Scheibe *nattiaviniit* schmecken, das Fleisch eines im vergangenen Frühjahr geborenen Seehunds. Er hatte einen unverschämten Appetit und blinzelte Uyarasuq heimlich zu. Sie lächelte und schnitt ihm eine weitere Scheibe ab.

»Der junge Priester ... nicht der anglikanische, der blöde Jesuit«, erläuterte Bear und tat so, als spucke er auf den Boden neben sich, »hat dafür gesorgt, dass die Bande Wetterleute von der Forschungsstation uns mitnimmt.«

»Das ist nett von ihm ... und von ihnen«, sagte Dafydd mit vollem Mund. »Hast du unserem Piloten abgesagt?«

»Ja. Das wird uns ein paar Scheinchen sparen«, schloss

Bear grimmig und kämpfte mit seiner eigenen Mahlzeit, die er mit seinen verwitterten Zähnen nur schwer bewältigen konnte, obwohl Uyarasuq das Fleisch für ihn in winzige Stücke geschnitten hatte. »Sie fliegen zu einem Konzert nach Yellowknife. Stell dir das vor. Was für ein Geld sie für solche Frivolitäten ausgeben müssen.« Bear wies mit dem Daumen auf Uyarasuq. »Das verdanken sie zweifellos ihren Schnitzereien. Verdammte Vielfraße.«

Uyarasuq legte die Hand beruhigend auf Bears Schulter. »Uns geht's ganz gut, Großvater. Müssen wir denn auf etwas verzichten?«

Bear blickte sie mit einer Zärtlichkeit an, die Dafydd bei dem alten Mann noch nie beobachtet hatte, und tätschelte wortlos ihre Hand.

Angutitaq tauchte aus dem Badezimmer auf und wirkte gebrechlicher denn je. Es sah aus, als hätte sich sein Rücken noch stärker gekrümmt, und seine Beine bogen sich wackelig nach außen. Vielleicht hatte er sich einen heimlichen Schluck aus Bears Medizinflasche gegönnt.

Obwohl Dafydd bester Laune war, lag Schwermut über der Gesellschaft. Das Frühstück hatte etwas Endgültiges. Die beiden alten Männer wussten, dass dies bestimmt ihr letztes Zusammensein war. Uyarasuq hatte ihre eigenen Gründe, niedergeschlagen zu sein, und Dafydd schwebte in nie gekannten Höhen und wusste, dass er einen schrecklichen Absturz erleben würde, sobald er wieder in der harten Realität angekommen war und nach Hause zurückkehren musste. Nach Hause?

Bear hatte recht gehabt, dass er Rat brauchte. Aber Dafydd wäre nie darauf gekommen, welche Form dieser Rat annehmen und welch tiefgreifende Wirkung er haben würde. Dass er auf unerklärliche Weise sein Herz an eine Frau verloren hatte, die er kaum kannte, stand auf einem anderen Blatt. So etwas hatte er noch nie erlebt, und er hoffte, dass alles wieder ins Lot kommen würde, wenn er diesen außergewöhnlichen Ort verließ. Er war verhext worden, wie sonst ließ sich diese ganze Erfahrung erklären?

Eine halbe Stunde später war das Donnern des herannahenden Hubschraubers zu hören. Der Chor wild bellender Huskys mischte sich mit dem durchdringenden Lärm.

Angutitaq klopfte Dafydd auf die Schulter. »Wenn Sie lernen, ruhig zu sein, wird der kleine Fuchs zu Ihnen kommen. Er wird Ihnen Dinge erzählen, die Ihnen niemand sonst erzählen kann. Sprechen Sie mit ihm, wenn Sie Kummer haben.«

Während sich die beiden alten Männer vor der Tür leise miteinander unterhielten, zog Dafydd Uyarasuq in die Küche.

»Ich bereue es nicht«, sagte sie fest, aber ihre Augen waren zu groß und glänzend.

Er ergriff ihr raues Haar, zog ihren Kopf zurück und küsste sie innig. So sehr er sein Gehirn auch nach einer passenden Erklärung für seine Gefühle durchsuchte – ihm fiel keine einzige ein, die die Dinge wieder zurechtrücken konnte.

ZWEITER TEIL

KAPITEL

13

Moose Creek, 2006

MAN ERWARTETE NOCH mehr Schnee, wie ihm die Dame an der Rezeption mitteilte, die seine Anmeldung in dem Frühstückshotel The Happy Prospector entgegennahm. »Bald ist richtig Winter. Aber was können wir schon machen?«, meinte sie mit zur Seite geneigtem Kopf und wartete auf seine eigene Erklärung, warum er die kommende Qual ertragen wollte. Aber Dafydd nickte nur in weiser Zustimmung. Sie bat ihn um einen Ausweis und schrieb sorgfältig die Daten aus seinem Pass nieder. Dann betrachtete sie das Foto genauer und blickte zu ihm auf.

»Ich erinnere mich an Sie«, rief sie erfreut. »Dafydd Woodruff.«

»Verzeihen Sie«, sagte Dafydd und blickte prüfend in ihr Elfengesicht, »ich sollte mich vermutlich auch an Sie erinnern, aber leider gelingt mir das nicht.«

»Das macht nichts, ich kann das als großes Kompliment werten.« Sie lachte fröhlich und wirkte tatsächlich sehr zufrieden.

»Irgendwie muss ich ins Fettnäpfchen getreten sein«, meinte Dafydd verlegen.

»Überhaupt nicht … Ich habe früher im Klondike gearbeitet. Ich bin Tillie. Erinnern Sie sich?«

Dafydd betrachtete sie. Natürlich erinnerte er sich an Tillie. Sie war die fünfundneunzig Kilo schwere Shirley-Temple-Doppelgängerin, die stets ein nettes Wort und ein

Lächeln, ein echtes Lächeln, für ihn gehabt hatte. Er hatte ihre aufmerksame Betreuung im Klondike genossen, die sie ihm auf mütterliche Art angedeihen ließ, indem sie auf all seine das Essen und Trinken betreffenden Bedürfnisse achtete.

»Tillie … Ich kann's kaum glauben«, rief er. »Sie sehen wunderbar aus.«

Hinter dem Resopaltresen stand eine Frau Anfang vierzig, schlank und rank, mit einem hübschen, jugendlichen Gesicht und blonden Locken, die zu einem mädchenhaften Pferdeschwanz zusammengebunden waren.

»Was auch immer Sie gemacht haben, Sie sollten es patentieren lassen. Sie würden zur reichsten Frau der gesamten westlichen Welt werden.«

Tillie errötete geziemend. Sie war wirklich sehr hübsch. Eine makellos glatte Haut, eine winzige Stupsnase und ein kleiner Rosenmund wie der einer Puppe.

»Vielleicht finden Sie ja, dass mich das nichts angeht, aber wie haben Sie das geschafft?«

»Ein sehr netter Arzt, der hier eine Zeit lang arbeitete, hat mir geholfen, alles in Ordnung zu bringen. Ich war ständig müde, und er hat festgestellt, dass ich eine starke Schilddrüsenunterfunktion hatte. Ich bekam ein paar Tabletten, und das Übergewicht verschwand wie von selbst.«

»Verdammt, ich wünschte, diese Entdeckung wäre mir zu verdanken gewesen«, sagte Dafydd mit aufrichtigem Bedauern. »Ich habe meine Chance vertan, ein echter Held zu sein. Vielleicht war ich damals nicht sehr … einfallsreich.«

»Sie waren völlig in Ordnung«, widersprach Tillie. »Außerdem bin ich damit nie zu Ihnen gekommen. Also hatten Sie gar keine Chance.« Nach einem Moment fügte sie hinzu: »Viele Leute haben Sie wirklich geschätzt. Einige waren zutiefst enttäuscht, dass Sie nach solch einer kurzen Zeit schon wieder gegangen sind. Man fing an, sich an Sie zu gewöhnen … und an Ihre Art.«

»Ach ja, meine Art«, lächelte Dafydd. »Penibel bis zur Absurdität.«

Tillie lächelte zurück – offenbar ohne genau zu wissen, was er meinte. »Lassen Sie mich Ihnen Ihr Zimmer zeigen.«

Sie führte ihn eine schmale Treppe hinauf in den ersten Stock. Von einem dunklen Korridor ging eine Reihe Plastiktüren ab. Es sah unaussprechlich deprimierend aus. Als sie jedoch die Tür zu Nummer sechs aufriss, erwies sich der Raum als hell und geräumig. Er enthielt ein übergroßes Bett, über dem ein riesiger purpurner Baldachin hing.

»Dies ist mein bestes Zimmer«, versicherte Tillie und strich liebevoll über den purpurnen Samt. »Manchmal kommen Flitterwöchner zu mir. Sie sind gewöhnlich sehr zufrieden … mit dem Bett.«

»Das ist toll, Tillie. Ich bin sehr froh, dass ich Sie getroffen habe. Ich wäre direkt zum Klondike gefahren, aber der Taxifahrer kannte es überhaupt nicht.«

»Es ist vor ein paar Jahren abgebrannt. Bis auf die Grundmauern. Mr George wurde verhaftet.« Tillie glättete ein paar nicht vorhandene Falten auf dem purpurnen Bettüberwurf. »Er musste wegen Brandstiftung ins Gefängnis. Konnte die Hypothek nicht bezahlen. Wir alle hatten großes Mitleid mit ihm. Solch ein Pech.«

Dafydd musterte das Gesicht dieser unschuldig wirkenden Frau. Das war Moose Creek. Er hatte die Regeln vergessen, nach denen scheinbar normale Menschen hier ihr Leben führten und sich in Notsituationen freisprachen. Brandstiftung war vollauf gerechtfertigt, wenn man die Hypothek nicht bezahlen konnte. Ein Mann musste tun, was er tun musste.

Dafydd spürte einen überwältigenden Drang, Tillie zu

erzählen, warum er hier war. Sie zu fragen, warum sich ihrer Meinung nach eine Frau an diesem Ort schwängern ließ und dann viele Jahre verschwieg, wer der Erzeuger war. Vielleicht wusste sie ja sogar etwas darüber: über Sheila und die Kinder. Er spürte, dass sie seine schwierige Lage verstehen und mit ihm sympathisieren würde. Aber andererseits – warum sollte sie? Sie war eine Frau und betrachtete das Leben aus einer weiblichen Perspektive. Vor allem, wenn es um eine Geschlechtsgenossin ging, der Unrecht geschehen war; um eine alleinerziehende Mutter, die zusehen musste, wie sie ihre Zwillinge über die Runden brachte. Er überlegte es sich anders; vielleicht benötigte er das purpurne Bett noch einige Zeit.

»Wann gibt es Frühstück?«, fragte er.

Die Stadt hatte sich verändert, sie war gewachsen. Seit es eine Highway-Anbindung gab, kamen die Menschen in Scharen. Die meisten blieben nicht lange, aber die Suche nach Öl und Gas und die Gerüchte über den Abbau von Diamanten, ein ungeheurer Anstieg des Ökotourismus sowie seine Antithese – die Jagd, das Fischen, die Fallenstellerei und das Schürfen – und andere, zwielichtigere Beschäftigungen spülten einen ständigen Strom begeisterter Pioniere in die neuen Bars. Lautstark schwärmten sie davon, wie sie mit Taschen voller Geld oder Diamanten oder Gold nach Süden zurückkehren würden, und sie hoben in vorzeitiger Selbstbeweihräucherung ihre Biergläser.

Inzwischen hatten neue Verhandlungen über eine Pipeline begonnen, aber jetzt kamen die seit kurzem anerkannten Bodenrechte der Ureinwohner ins Spiel. Der Prozess verlief quälend langsam, weil sich die unterschiedlichen Eskimostämme sowohl untereinander als auch mit der Regierung und mit den Ölgiganten einigen mussten. Die Neuankömmlinge maßen diesen Details jedoch keine sonderliche Bedeutung bei. Sie lebten von der Hand in den

Mund und warteten darauf, dass sich der launische Goldregen über diejenigen ergoss, die genug Ausdauer bewiesen hatten.

Dafydd ließ sich durch Tillies anschaulichen Bericht auf den neuesten Stand bringen, bevor er The Happy Prospector verließ, ohne gleich seine Sachen auszupacken. Er schlenderte durch die Stadt und registrierte die Veränderungen. Neue trostlose Gebäude hatten die schäbigen alten ersetzt. Ästhetische Gesichtspunkte hatten dabei keinerlei Rolle gespielt, alles war rein funktionell. Er vermisste die idiotische Protzerei des Klondike, die der Hauptstraße ihren verrückten Wildwest-Touch gegeben hatte. Ein anderes großes und teures Hotel war errichtet worden. Sein Inneres sollte beeindruckend sein, aber es glich einem riesigen Schuhkarton.

Der erste Schnee war fast wieder weggetaut, aber die Kälte machte sich bereits bemerkbar. Um Viertel vor fünf war es schon fast dunkel. Die Geschäfte begannen zu schließen, und Dafydd überquerte rasch die Straße zum Kaufhaus The Hudson Bay Company, das inzwischen einfach in The Bay umbenannt worden war, um sich ein paar lange Unterhosen und einen Parka zu kaufen. Er war über das Warenangebot des Geschäfts überrascht, denn früher hatte es dort nur verstaubten Tand für frustrierte Hausfrauen gegeben – nichts, was man wirklich gebrauchen konnte. Er ging die Hauptstraße hinunter zum Spirituosenladen und erstand eine Flasche Southern Comfort.

In sein Zimmer zurückgekehrt, stellte er den Fernseher an, öffnete die Flasche und goss sich einen kräftigen Schluck in einen Becher. Er streifte die Schuhe ab und streckte sich auf einem rosa Lehnstuhl aus. Der Southern Comfort wirkte sofort; Wärme strömte ihm in die Glieder, und sein Schädel glühte von innen. Er erwischte noch den Schluss der Nachrichten: Man schilderte skizzenhaft eine Flugzeugkatastrophe in Europa, als sei *Europa* ein kleines Land wer weiß wo, so fern und unzugänglich wie Tibet. Es folgte eine nicht enden wollende Reihe von Werbespots. Dafydd hantierte erfolglos an der Fernbedienung herum, als jemand an die Tür klopfte.

»Ein Anruf für Sie, Dr. Woodruff. Leider müssen Sie ihn in der Rezeption entgegennehmen«, rief Tillie durch die Tür.

Dafydd zog seine Schuhe wieder an und ging nach unten. Verdutzt fragte er sich, wer wohl wissen konnte, dass er hier war. Tillie reichte ihm den Hörer und zog sich diskret hinter eine Tür mit der Aufschrift »Privat« zurück.

»Dafydd Woodruff.«

»Dafydd Woodruff«, erklang die unverwechselbare Stimme von Sheila Hailey. »Du hättest mir freundlicherweise mitteilen können, dass du herkommst.«

»Ich dachte, das sei das Mindeste, was du erwartet hast – ein sofortiger Besuch zur Übernahme meiner väterlichen Pflichten. Woher weißt du, dass ich …«

»Gut, es gibt Pflichten«, lachte sie gequält, »aber du brauchtest nicht hierherzukommen. Das habe ich dir doch in meinem Brief mitgeteilt.«

»Ich lasse mir nun mal nichts vorschreiben.« Dafydd spürte, wie sich die Feindschaft, die er ihr gegenüber empfand, wie Abwasser in einem verstopften Rohr staute. »Hier bin ich, und ich würde die Kinder gern so schnell wie möglich sehen.«

»He, immer schön langsam. Ich meine, dass wir uns vorher treffen und miteinander sprechen sollten.«

»Wo und wann willst du dich mit mir treffen?«

»Nirgendwo in der Öffentlichkeit. Soll ich bei dir vorbeikommen? Zumindest können wir uns dann unter vier Augen unterhalten.«

»Bist du sicher, dass du solch ein Risiko eingehen willst? Nach allem, was du durchgemacht hast«, meinte er sarkastisch. »Du erinnerst dich doch noch, nicht wahr?

Die Vergewaltigung und natürlich das Verabreichen von Drogen nicht zu vergessen.« Er biss die Zähne heftig zusammen, denn er wusste, dass es reine Dummheit war, diese Richtung einzuschlagen. Nichts, absolut nichts war dadurch zu gewinnen.

»Oh, hör auf mit dem Mist«, sagte sie verärgert. »Ich habe keine Angst vor dir. Nur Feiglinge verhalten sich so wie du.« Sie hielt inne. »Hör mal«, fuhr sie in sanfterem Tonfall fort, »lass uns miteinander reden ... vernünftig.«

»Gut. Dann hier. Wann?«

»Wie wär's mit jetzt sofort?«

Sie war noch immer schön. Schlanker als in seiner Erinnerung. Ihre ungewöhnlich hohen Brüste saßen etwas tiefer, aber sie waren nach wie vor prachtvoll. Ihr Haar war etwas stumpfer geworden und sah eher orange als rot aus. Die stechenden blauen Augen waren eingesunken, die Lider wölbten sich hoch und zogen sich dann tief hinunter. Sie erinnerten ihn an Greta Garbo. Ein auffälliges Fehlen von Falten im Gesicht und am Hals ließ ihn vermuten, dass sie sich mehrfach hatte liften und straffen lassen. Vielleicht war der getreue Hogg am Werk gewesen, oder Ian, wenn beide noch gesund und munter und hier waren. Sie wirkte noch wie Ende dreißig, obwohl sie nicht viel jünger als er war.

»Du siehst ... frisch aus«, sagte er und streckte ihr die Hand entgegen. In der Stunde seit ihrem Telefongespräch hatte er noch ein paar Schluck Southern Comfort getrunken und beschlossen, die Dinge so freundschaftlich zu gestalten, wie es menschenmöglich war.

»Ja, du siehst auch nicht allzu schlecht aus«, erwiderte sie und schüttelte ihm lächelnd die Hand. »Die Reife steht dir. Graue Schläfen sind bei einem Mann immer sehr erotisch, und all das Haar ...« Sie begutachtete ihn ungeniert. »Dein Körper sehr straff und keinerlei Ansatz zum

Bierbauch. So etwas sieht man bei Männern in deinem Alter hier nicht.«

Er zog den rosa Lehnstuhl für sie heran und setzte sich selbst aufs Bett.

»Aber hallo«, rief sie mit Blick auf das Bett. »Auf eine kitschige Art ist das ziemlich sexy. Bitte denk daran, dass du schon für zwei Kinder Unterhalt zahlen musst.«

»Dein Humor hat sich nicht verändert.« Dafydd lächelte höflich und zeigte ihr die Flasche, aber sie schüttelte den Kopf. Er goss sich noch einen Schluck ein. »Lass uns gleich zur Sache kommen«, sagte er. »Ich möchte die Kinder so bald wie möglich sehen. Nein, ich möchte sie sehen, bevor wir über irgendetwas anderes sprechen.«

»Mein Anwalt meint, dass ich mindestens zweitausend Dollar pro Monat bekommen sollte.«

Er musterte ihre angespannte Miene und fragte sich, ob es ihr wirklich nur um Geld ging. »Tja, weißt du, ich bin etwas irritiert über dein merkwürdiges Timing. All das Geld. All die Jahre. Was hat dich davon abgehalten, mich vorher in die Pfanne zu hauen?«

Sheila lehnte sich zurück und schlug ihre schlanken Beine übereinander. Sie antwortete ihm nicht sofort, sondern sah ihn mit unverhohlenem Interesse an, begutachtete sein Hemd, seine Jeans, seine Stiefel. »Ich wollte keine Verwicklungen«, sagte sie schließlich. »Miranda hat diese Farce in Bewegung gesetzt, weil sie wissen wollte, wer ihr Vater ist. Das kann man ihr wohl kaum verübeln.«

Er setzte den Becher an die Lippen. »Gutes Zeug.« Er versuchte, Zeit zu gewinnen, indem er das Etikett der Flasche studierte, wobei er sich unter ihrem durchdringenden Blick vor Unbehagen geradezu wand. Er musste darüber sprechen. Es musste geklärt werden. Da es schwierig werden würde, holte er tief Luft. »Du sollst wissen, dass ich es noch immer nicht akzeptiere. Ich weiß nicht, was du getan hast, um die Sache zu schaukeln, aber es muss eine Erklärung geben. Wir beide hatten *nie* Geschlechtsverkehr.«

»Ich glaub's nicht«, lachte Sheila. »Welche Verleugnung.« Ihre Amüsiertheit war echt und ließ sie recht hübsch aussehen. Ihr Gesichtsausdruck milderte sich, und sie blickte ihn fast mitfühlend an. »Du bist Arzt, um Himmels willen. Wenn du dein Sperma nicht freiwillig weitergegeben hättest, wie wäre es mir dann möglich gewesen, an es heranzukommen? Ich fühle mich ziemlich geschmeichelt, dass du mich für solch eine Zauberin hältst.«

Ärgerlicherweise hatte sie recht. So sehr er die verschiedenen Möglichkeiten auch von allen Seiten geprüft hatte, seine Vaterschaft war eindeutig bewiesen worden.

»Ich könnte vielleicht akzeptieren, dass ich mein Sperma weitergegeben habe, wie du es nennst. Die Frage ist nur, wie. Es ist durchaus möglich, dass du auf der Party eine Droge in meinen Drink geschüttet hast.«

Kaum hatte er die Worte ausgesprochen, kam er sich albern vor. Laut vorgebracht, klang es nach einer recht jämmerlichen Theorie.

Sheila schüttelte lächelnd den Kopf. »Das ist eine schlaue kleine Verdrehung. *Ich* soll *dich* mit Drogen vollgepumpt und vergewaltigt haben. Ich armes Wesen habe einen bewusstlosen Mann zu sich nach Hause gebracht und dann …«

»Bitte hör damit auf«, unterbrach Dafydd, aber sie war nicht aufzuhalten.

»Und warum sollte ich so etwas tun? Warum, bitte schön, sollte ich ausgerechnet *dein* Baby haben wollen?«

Ja, das war eine Frage, die er endlos in seinem Kopf herumgewälzt hatte und auf die er keine Antwort finden konnte.

Sie schlug wieder die Beine übereinander, und ihr Jeansrock rutschte ein wenig an ihrem schlanken Schenkel hoch. Sein Blick schweifte unwillkürlich nach unten, und er bemerkte die dunklen Sommersprossen an ihren Beinen, die sich durch die Strumpfhose abzeichneten. Er erinnerte sich, dass er von ihren zahllosen Sommersprossen sowohl fasziniert als auch abgestoßen worden war. Ihr ganzer Körper war damit bedeckt. Plötzlich fragte er sich mit Bangen, woher er so etwas wissen konnte. Wahrscheinlich hatte er sich ihren nackten Körper, ihre Oberschenkel, ihr Gesäß, ihren Rücken lediglich vorgestellt, und zwar sommersprossig. Aber dennoch: Warum sollte er sie in seiner Fantasie nackt ausziehen wollen?

»Wenn du möchtest, erzähle ich dir meine Seite der Geschichte, nur um deine Erinnerung aufzufrischen.«

Sie hielt inne, damit er protestieren konnte, aber er war zu neugierig zu erfahren, was für eine Geschichte sie sich ausgedacht hatte.

»Wir sind zu deinem Wohnwagen zurückgefahren, und ich fühlte mich benebelt. Zuerst hast du dich im Auto von mir masturbieren lassen, und ich gebe zu, dass ich *ein wenig* damit einverstanden war. Dann hast du mich auf eine Tasse Kaffee zu dir eingeladen – angeblich, weil ich in meinem ›Zustand‹ nicht mehr fahren solle. Ich kann mich sogar noch daran erinnern, dass du etwa dreimal gesagt hast, das sei eine ›ärztliche Anweisung‹. Du warst übrigens selbst ziemlich hinüber. Das Nächste, woran ich mich erinnere, ist, dass ich mit dem Gesicht nach unten nackt auf einem Bett lag, mit einem Kissen unter den Hüften, und du es mir von hinten besorgt hast. Du hast richtig losgelegt, und du bist ziemlich groß, nicht wahr …« Nachdenklich betrachtete sie seine Leistengegend.

»Ich hab dich mehrere Male gebeten aufzuhören, aber du warst nicht dazu bereit. Einmal hast du sogar versucht, in meinen Hintern einzudringen, aber ich weiß nicht mehr genau, wie weit du gekommen bist. All meine Öffnungen waren am nächsten Tag wund wie die Hölle. Sogar meine Kehle war aufgescheuert. Und ich hatte eine Migräne wie noch nie in meinem Leben. Was war das für ein Zeug? Ich dachte, ich würde mich in der Pharmakologie auskennen, mit den unterschiedlichen Vergewaltigungsdrogen, aber *das* Zeug … Ich habe das meiste von dem, was geschah, mitbekommen und mich anschließend daran erinnert, aber ich hatte keine Kraft, dir Widerstand zu leisten.«

Dafydd starrte sie an. Zunächst hatte er sie wegen ihrer gelassenen Ausführung fast bewundert – wie sie über die angebliche Vergewaltigung berichtete, als beschreibe sie eine Teeparty. Dann schauderte es ihn unwillkürlich, und ihm wurde übel. Das Bild, das sie gemalt hatte, war so lebendig, ihr Tatsachenbericht so erschreckend ungekünstelt, dass jeder, der ihn hörte, ihr glauben würde.

»Mein Gott, Weib«, stöhnte er, »du hast ein unglaubliches Talent. Diese ›Geschichte‹, wie du es nennst, war sehr realistisch.«

»Als ich später darüber nachdachte, hatte ich den Eindruck, dass du selbst auch irgendwas genommen haben musst. Das ist vielleicht der Grund, warum du dich an nichts erinnerst. Deine Ausdauer war erstaunlich. Du hast einfach weiter und weiter gemacht. Ich glaube nicht, dass ich je … so durchgerammelt worden bin.«

»Und du glaubst, dich zu erinnern, dass es sich dabei um mich gehandelt hat – so vollgepumpt mit Drogen, wie du warst.«

»Das Verrückte ist«, fuhr sie unbeirrt fort, »dass ich, obwohl ich dich wirklich nicht sonderlich mochte, möglicherweise mit dir ins Bett gegangen wäre, wenn du mich nur nett darum gebeten hättest. Du warst in der Tat ein leckerer kleiner Happen, wenn auch ohne jede Bedeutung. Aber, mein Lieber, du hast es von Grund auf vermasselt. Es war einfach unglaublich, dass du mir danach die Abtreibung verweigert hast.« Sie schüttelte den Kopf. »Wie du das jetzt bereuen musst.«

Ja, sie hatte recht. Er hätte in dem einen Fall seine

Prinzipien beiseiteschieben sollen, dann würde er sich jetzt möglicherweise nicht in dieser bizarren Situation befinden.

»Das ist etwas, das ich nie begriffen habe«, wechselte er das Thema. »Wenn du tatsächlich keine Kinder wolltest, warum hast du dich dann nicht bemüht, die Abtreibung woanders machen zu lassen? Das war doch ohne weiteres möglich.«

Sheila wurde zornig. »Du hast Nerven, mich das zu fragen. Du hast ja keine Vorstellung davon, was ich durchgemacht habe.« Sie erhob sich mit einiger Mühe aus dem Lehnstuhl. Durch die liegende Position fühlte sie sich im Nachteil. Mit geballten Fäusten blieb sie einen Moment stehen und trat dann ans Fenster. Die hellen Lichter des brodelnden Stadtzentrums und der Lärm der Autos und Menschen drangen deutlich und grob durch die Dreifachfenster. Sie blickte auf die Straße hinab und sprach mit dem Rücken zu ihm.

»Warum reden wir eigentlich darüber? Das geht dich überhaupt nichts an.«

»Gut. Aber ich glaube, dass du darauf spekuliert hast, den großen Kerl, Randy Soundso, zu heiraten. Und du hast zu spät herausgefunden, dass er eine Vasektomie hatte machen lassen.«

Sie lachte, als sei die Vorstellung völlig absurd. Dann kam sie vom Fenster zurück, setzte sich auf die Kante des Lehnstuhls und rückte viel zu dicht an ihn heran. »Du hast keine Ahnung, wovon du sprichst.«

Dafydd hakte nach. »Und was war mit einer Adoption? Ich meine, war das keine Möglichkeit, wo du derart angewidert von der Vorstellung warst, ein Kind zu bekommen?«

Irgendeine Emotion huschte über ihr Gesicht. Fast hatte es den Anschein, als fühle sie sich verletzt. Vielleicht liebte sie ihre Kinder wirklich, obwohl sie von allen

Frauen, die er kannte, die am wenigsten mütterliche war. Aber die meisten Mütter liebten schließlich ihre Kinder.

»Ich bin nicht bereit, derartige Fragen zu beantworten«, konterte sie kalt. »Lass uns zum Thema Unterhaltszahlungen zurückkehren.«

»Gut.«

»Du willst doch, dass sie all die Dinge bekommen, die ihnen ihre Eltern bieten können, oder?« Sie bemühte sich, ihre Stimme freundlicher klingen zu lassen, und richtete ihre großen Augen auf ihn. »Immerhin sind es deine *einzigen* Kinder ... unsere einzigen Kinder.«

»Wie kommst du darauf, dass sie *meine* einzigen Kinder sind?«

»Oh, du kannst mir glauben, dass ich eine Menge über dich weiß. Ich habe mehr als einmal mit deiner Frau gesprochen. Sie war so freundlich, mich über ein paar Dinge zu informieren ... und ich habe ihr gegenüber das Gleiche getan. Wir haben uns gut verstanden.«

Dafydd erstarrte. Das war eine Neuigkeit, mit der er überhaupt nicht gerechnet hatte: Isabel und Sheila tauschten miteinander Informationen aus. Vielleicht war das der Grund für Isabels Anruf bei Leslie gewesen. Und obwohl Isabel alles Recht der Welt hatte zu sprechen, mit wem sie wollte, fühlte er sich verraten. Sie war sich so verdammt sicher, dass er sie unablässig belogen hatte, dabei war sie ihm gegenüber selbst nicht aufrichtig gewesen. Sie hatte hinter seinem Rücken mit Sheila gesprochen und dabei zugelassen, dass diese ihr Denken vergiftete.

»Wie kannst du es wagen, meine Frau in die Sache reinzuziehen?«, fragte Dafydd eisig. Er lehnte sich zurück, um die maximale Distanz zu Sheila zu wahren. Am liebsten wäre er aufgestanden und hätte sich einen weiteren Drink eingegossen, aber sie fesselte ihn durch ihre schiere Nähe an seinen Platz.

Er konnte ihren Atem riechen. Er war warm und aromatisch. Ihre kleinen, gleichmäßigen Zähne glitzerten weiß, und ihre Kehle war milchig. Er konnte sich vorstellen, die Hände um ihren weichen, schlanken Hals zu legen und fest zuzudrücken. Ihm schoss durch den Kopf, dass er, wenn er je Sex mit Sheila gehabt hätte, ihr hätte wehtun, ihr das Grinsen aus dem Gesicht treiben und ihren sommersprossigen Körper mit blauen Flecken hätte bedecken wollen. Allein der Gedanke erschreckte ihn.

»Hör mal.« Sie musste seine Gedanken gelesen haben, da sie mit der Hand durch die Luft fuhr, als wolle sie seine Feindseligkeit fortwischen. »Wir sollten uns nicht streiten. Was bringt das? Die Sache ist doch ziemlich klar, oder nicht? Ich beabsichtige nicht, völlig unvernünftig zu sein. Es wäre nett, wenn du die Zwillinge ein wenig kennen lernen würdest, und sobald die Vereinbarungen für regelmäßige Zahlungen getroffen sind, kannst du nach Wales zurückkehren und dein Leben weiterleben. Alles, worum ich dich künftig bitten werde, ist ein monatlicher Scheck über eine angemessene Summe ... wobei zu bedenken ist, dass du mir für die vergangenen Jahre noch einiges schuldest.« Sie lächelte nun bemüht versöhnlich.

»Rechne mit nichts, Sheila«, entgegnete Dafydd. »Wenn ich die Kinder sehe, werde ich entscheiden, ob ich die Ergebnisse des DNA-Tests akzeptiere. Nach dem Foto, das du mir geschickt hast, zu urteilen, sehen sie mir überhaupt nicht ähnlich.«

»Sei nicht albern«, sagte sie, stand auf und begann, sich ihren rostfarbenen Mantel überzuziehen. Er wirkte teuer – nicht, als stamme er von The Bay. »Ich habe einen neuen Anwalt«, erklärte sie, »in Inuvik. Sein Name ist Michael McCready. Du kannst dich mit ihm unterhalten. Er ist wirklich gut und ein netter Mensch.« Sie reichte ihm die Visitenkarte des Anwalts.

Dafydd stand auf, um sie hinauszubegleiten. »Wann sehe ich sie?«

»Wie wär's mit Samstag? Dann hätte ich genug Zeit, sie darauf vorzubereiten. Komm zum Lunch.« An der Tür drehte sie sich noch einmal zu ihm um. »Tu mir den Gefallen und sprich nicht mit den Leuten über unsere Angelegenheiten und erzähl niemandem, warum du hier bist. Du kannst Tillie mitteilen, dass wir über eine mögliche ärztliche Vertretung irgendwann in der Zukunft sprechen. Nicht, dass es mir viel ausmachen würde. Es wäre bloß für uns alle viel einfacher, wenn wir all den Klatsch vermeiden könnten. Denk an die Kinder ... erspar es ihnen.«

Mal sehen, dachte Dafydd, als er die Tür hinter ihr schloss. Sie wird mich nicht daran hindern, ein paar Nachforschungen anzustellen.

Es war heller Tag, als Tillie an die Tür klopfte. Dafydd war, voll bekleidet, in dem Lehnstuhl eingeschlummert. Als er durch das hartnäckige Klopfen aufwachte, wusste er nicht, wo er sich befand oder wer er war. Der Jetlag und eine allgemeine Erschöpfung hatten schließlich ihr Recht gefordert, und eine halbe Flasche Southern Comfort hatte das Ihre dazu beigetragen.

Die schiere Unwirklichkeit, dort zu sein, wo er war, die ihm aufgebürdeten Erwartungen, der Verlust seines geordneten Lebens, seiner Ehe – all das sickerte wieder in sein Bewusstsein. Es glich dem langsamen Rinnen des Sandes in einem Stundenglas, der den empfindungslosen, leeren Raum mit Furcht füllte. Er taumelte auf das Klopfen zu.

»Dr. Woodruff«, rief Tillie durch die Tür, »ich schließe die Küche jetzt. Wenn Sie wollen, mach ich Ihnen noch schnell was.«

»Nein danke, Tillie. Ich esse später«, erwiderte er.

Einen Moment lang herrschte Schweigen. »Aber Sie sind gestern überhaupt nicht weg gewesen ... Soll ich

Ihnen nicht ein paar Eier und ein paar schöne warme Toastscheiben mit Butter machen? Ich bring's Ihnen hoch.«

Dafydd öffnete die Tür, und Tillie, die Brauen vor Sorge gerunzelt, schaute ihn prüfend an. »Und eine gute, starke Tasse Kaffee?«, fügte sie eifrig hinzu.

»Ja, in Ordnung, aber nur Kaffee.«

Dafydd rieb sich das Kinn. Es fühlte sich an wie Schmirgelpapier, und seine Augen waren so geschwollen, als hätte er die ganz Nacht hindurch geweint.

»Fühlen Sie sich wohl?« Tillie trat einen Schritt auf ihn zu und legte ihre winzige Hand auf seinen Arm.

»Sie sind sehr freundlich, Tillie. Ich will keine Sonderbehandlung. Morgen früh werde ich rechtzeitig da sein.« Er tätschelte die kleine Hand. »Aber der Kaffee wird meine Lebensgeister wecken. Und bitte nennen Sie mich Dafydd.«

KAPITEL 14

DAFYDD VERBRACHTE EIN paar Tage allein, um sich auf die Situation einzustellen. Er bemühte sich, ruhig und rational zu bleiben, und hielt sich vor Augen, dass keine wirkliche Katastrophe geschehen war. Er war gesund und munter, genau wie Isabel, und bisher war nicht von Scheidung gesprochen worden. Er hatte noch immer eine Arbeitsstelle, an die er zurückkehren konnte, auch wenn ihm die Aussicht wenig attraktiv erschien. Wenn er keine andere Wahl hatte, war er jung und fit genug, diese Kinder noch viele Jahre lang zu unterstützen, zumindest finanziell. Solche Dinge passierten Männern ständig. Seine Probleme waren verhältnismäßig unbedeutend.

Er ging viel spazieren und schlenderte auf den zahlreichen, für künftige Häuserreihen gebauten Kiesstraßen aus der Stadt hinaus. Auf großen viereckigen Feldern waren Bäume gefällt worden, um Parzellen für Behausungen zu schaffen. Er konnte nicht recht verstehen, wer derart isoliert leben wollte. Aber dann stellte er sich vor, dass sich all das zu einer netten Gegend mit Straßenlaternen und den Geräuschen von Rasenmähern oder Motorschlitten und Kinderlachen entwickelte. Hier konnte man sich unberührtes Land erschließen. Aus dieser Perspektive betrachtet, war alles möglich, wenn man nur die richtige Haltung, die notwendige Ausdauer und die geeigneten Werkzeuge besaß. Mancher würde große Opfer für die

Befreiung von den Menschenmengen und die herrliche Natur vor der Haustür bringen.

Er testete die neuen Bars. Als in einer Ecke sitzender Fremder konnte er ungehindert nachdenken und gleichzeitig die anderen beobachten und ihnen zuhören. Die Ureinwohner wurden meist pauschal als »Eingeborene« bezeichnet, obwohl sie aus unterschiedlichen Territorien stammten, unterschiedliche Gene aufwiesen und ihre Sprachen verschieden waren. Die Alten verständigten sich auf Inuktitut und Slavey, aber es gab auch ein paar Ausländer – Deutsche, Italiener und Amerikaner – sowie Frankokanadier und Leute aus dem Süden, die ihr breites Englisch sprachen. Dies war ein einzigartiger Ort, ein Schmelztiegel der Menschheit am Rand der Welt.

Dafydd kam ein Bild der außerterrestrischen Bar in *Krieg der Sterne* in den Sinn, und er musste lächeln. Er war an den Rand seines normalen, sicheren kleinen Universums gestoßen worden, verbannt an einen fremden Außenposten und eines Verbrechens angeklagt, das er nicht begangen hatte. Er hatte keine Ahnung, wie lange er bleiben musste, welche Formen seine Nachforschungen annehmen würden und wie er mit allem zurechtkommen sollte. Alles erschien ihm unvertraut. Dabei war er hier gewesen, hatte hier gearbeitet und dieses Exilgefühl auch damals schon empfunden.

Am späten Donnerstagnachmittag saß er im Golden Nugget und trank ein eiskaltes Labatts Blue, als ein Mann auf ihn zukam. Er war ein Indianer in mittleren Jahren oder älter, mit beachtlichem Übergewicht und einer griesgrämigen Miene.

»Hallo«, sagte er und nahm seine Schirmmütze ab. »Sie werden sich nicht an mich erinnern.«

»Um ehrlich zu sein, nein«, gestand Dafydd.

»Sie waren ziemlich eng mit meinem Großvater befreundet, vor einiger Zeit. Einmal haben Sie ihn ins Krankenhaus gesteckt, und ich bin mir sicher, dass Sie ihm das Leben gerettet haben.«

Dafydds Gesicht hellte sich auf. »Sie sind Sleeping Bears Enkel.« Er streckte die Hand aus, und der Mann schüttelte sie zögernd. »Darf ich fragen …«

»Er ist vor fünf Jahren gestorben. War gerade neunundneunzig geworden.«

»Gütiger Herr im Himmel, neunundneunzig … Wollen Sie sich nicht zu mir setzen? Ich bestelle Ihnen ein Bier.«

»Nein, kein Bier«, antwortete der Mann und setzte sich dennoch. »Grandpa war wild auf Alkohol, aber ich sage Ihnen, er tut dem Volk nicht gut … dem Volk der Dene.«

»Das gilt für alle Völker«, stimmte Dafydd zu. »Es ist das Lieblingsgift der Welt.«

»Für uns ist es in mehr als einer Beziehung Gift. Wir können es nicht verkraften … es passt nicht zu unseren Genen. Wie kommt es wohl, dass der weiße Mann uns völlig ausgeplündert und uns unser Land und unsere Rechte geraubt hat?«

Die unverhohlene Feindschaft gegenüber seinen eigenen Vorfahren störte Dafydd ein wenig, auch wenn er der Meinung von Bears Enkel grundsätzlich zustimmte. Der weiße Mann hatte überall gestohlen und geplündert.

»Erzählen Sie mir von Bear«, bat er. »Ich wusste, dass er nicht mehr am Leben sein konnte … aber neunundneunzig, das ist höllisch alt.«

»Stimmt«, sagte der Mann stockend. »Er war ein zäher alter Knochen. Eines Nachts ist er einfach eingeschlafen. Die Hunde ließen niemanden an ihn ran. Ich musste die verfluchten Dinger abknallen, sonst hätten wir ihn nie unter die Erde gekriegt.«

»Also hat er bis zu seinem Ende weiter da draußen in der Hütte gewohnt, wie er es immer gesagt hat?«

»Ja.«

»Erstaunlich.«

Sie verfielen in Schweigen. Bears Enkel schien sich nicht wohl zu fühlen. Dafydd fragte sich, warum der Mann sich überhaupt die Mühe gemacht hatte, ihn anzusprechen. Er war nie freundlich gewesen und hatte in keiner Weise zu erkennen gegeben, dass er die Fürsorge, die Dafydd seinem Großvater angedeihen ließ, zu würdigen wusste.

»Ich wollte nur sagen …«, begann der dicke Mann. Er blickte um sich und begann, sich von seinem Stuhl hochzuwuchten. »Der alte Mann hat Ihre Briefe bekommen und sie hoch geschätzt. Er bat mich, Ihnen etwas zu schreiben. Er hat es immer wieder gesagt, aber ich hab's nie weiterverfolgt. Seine Augen waren nicht mehr gut, und er war nie erpicht aufs Schreiben. Ich glaub, er hat's auch nie richtig gelernt.«

Er legte eine Pause ein, und Dafydd fragte sich, was er ihm mitzuteilen versuchte.

»Wissen Sie, worum es ging?«

»Nein. Ich hab irgendwie ein schlechtes Gewissen, weil ich mich nie darum gekümmert hab. Aber jetzt erzähl ich's Ihnen.«

Damit glaubte er wohl, sein Versäumnis wettgemacht und die damit verbundene Bürde abgelegt zu haben. Er stand auf und ging mit einem durch die Zähne gepressten Gruß in Richtung Ausgang.

»Wie heißen Sie?«, rief Dafydd hinter ihm her. »Ich hab's vergessen.«

»Joseph«, rief er zurück, ohne sich noch einmal umzudrehen.

Dafydd beobachtete, wie er aus der Kneipe watschelte, ohne irgendjemanden anzusehen. Seine Haltung sagte alles. Wie er am Morgen in den *Moose Creek News* gelesen hatte, gab es eine ziemlich große Anzahl militanter Indianer, die für ein Alkoholverbot eintraten. Die übrigen neunzig Prozent der Stadtbevölkerung hielten das für einen ungeheuren Witz. Geringe Aussichten, in der Tat.

Plötzlich empfand er eine starke Sympathie für den finsteren Mann. Einen Mann, der erlebt hatte, wie seine Kultur durch das stetige Vordringen der weißen Gefahr schrittweise vernichtet worden war. Dazu kamen der Selbstzerstörungsdrang der Ureinwohner und ihre genetische Veranlagung, die dazu geführt hatten, dass sich seine Landsleute bis zur Apathie und Betäubung betranken. Jetzt kamen auch noch Drogen hinzu. Wenn es nicht Marihuana oder Kokain waren, standen den Jugendlichen jederzeit Klebstoff und Benzin zum Schnüffeln zur Verfügung. Den einen Fuß hatten sie auf den schnellen Pfad gesetzt, einen leeren, seichten Ort der Computerspiele und des Fernsehens, den anderen auf ein weites, schönes Land mit unbeschreiblichen Reichtümern, die zu nutzen und zu achten sie verlernt hatten.

Während Dafydd durch die kalten, von strahlend gelben Lampen erleuchteten Straßen zurückging, wanderten seine Gedanken zu Sleeping Bear. Arwyn … Jones oder Jenkins. Also hatte der alte Lump doch versucht, ihm zu schreiben. Dafydd war für die äußerst spät überbrachte Nachricht dankbar. Seine Briefe hatten den alten Mann erreicht und ihm ein wenig Freude bereitet. Er dachte an ihre Reise. Die Reise, die Bear seine letzte Pilgerfahrt genannt hatte und die auch für Dafydd selbst zu einer ganz besonderen Pilgerfahrt geworden war.

So viel ihm diese Erfahrung auch gegeben hatte – anschließend war er von einer tiefen Traurigkeit erfüllt gewesen. Er hatte mehrere Briefe an die Frau mit den kohlrabenschwarzen Augen und den pferdeschweifartigen Haaren geschrieben, aber nie eine Antwort erhalten. Er konnte sich den Grund vorstellen. Das Leben musste weitergehen, und jemandem, der in solch einer harten Umgebung überleben musste, half es nichts, einer Erinnerung oder Illusion nachzutrauern. Das hätte sie zermürbt. Es war ihr Land und ihr Leben, und dort wollte sie sein.

Dennoch erschütterte ihn eine schreckliche Traurigkeit, nachdem er sie verlassen hatte. Er hatte gedacht, dass es sich bei seinem Gefühl lediglich um eine Vernarrtheit handelte, oberflächlich und kurzlebig. Aber seine Sehnsucht nach ihr hatte noch viele Monate angedauert. Allmählich war der Schmerz abgeklungen, und sie verwandelte sich in ein Fantasiegeschöpf, in jemanden, den er in seinem Geist heraufbeschworen hatte, ebenso wie ihre leidenschaftliche Begegnung … der Stoff unerfüllbarer Träume.

An seinem Quartier blieb er stehen und betrachtete das Schild über der Tür: The Happy Prospector – der glückliche Schürfer. Er lachte laut auf und schüttelte den Kopf.

»Eigentlich passe ich überhaupt nicht hierher«, sagte er zu Tillie, die ihm die Tür öffnete und augenscheinlich auf ihn gewartet hatte. Tillie schaute ihn irritiert an. »Aber Ihr Haus ist wunderbar, eine wahre Zuflucht für eine verlorene Seele«, ergänzte er schnell.

»Ich habe Ihnen die Decke umgeschlagen, Dafydd«, sagte die zierliche Frau mit ihrer üblichen Fürsorglichkeit. »Kann ich sonst noch etwas für Sie tun? Haben Sie zu Abend gegessen?«

»Alles bestens, danke, Tillie. Bis morgen dann«, erwiderte er und begann, die Treppe hinaufzugehen. Ein Gedanke ließ ihn stehen bleiben und sich umdrehen.

»Ich hätte nur gern gewusst … was ist aus Ihrer früheren Kollegin geworden: Brenda? Sie beide waren doch gute Freundinnen … Ist sie noch immer hier?«

Tillies liebliches Gesicht verdunkelte sich. »Ja, sie hat Sie auch gemocht«, antwortete sie mit einer leichten Bitterkeit in der Stimme. »Sie wurde etwa zu der Zeit, als Sie abreisten, schwanger und beschloss, an einen zivilisierteren Ort zu gehen. Sie ist zu ihrer Schwester in New

Mexico gezogen und hat dann einen Ölmann geheiratet. Er ist recht wohlhabend, und nach dem zu schließen, was sie mir mitteilt, sind sie sehr glücklich. Drei Kinder – einschließlich dem, das sie bereits hatte ... Sie hat immer eine Familie haben wollen, glauben Sie mir, obwohl man das manchmal nicht gedacht hätte bei ihrem Verhalten, aber nun ist sie zu einer richtig ehrbaren Frau geworden. Nichts zu machen, Dafydd.«

»Um Gottes willen, nein«, rief Dafydd verlegen. »Ich habe ja nur gefragt. Ich bin glücklich verheiratet.«

»Oh«, sagte Tillie ebenfalls beschämt und offensichtlich enttäuscht.

Das Krankenhaus sah unverändert aus. Nichts war daran gemacht worden. Nicht einmal einen Anstrich hatten die trostlosen grauen Zementblöcke bekommen. Ziemlich früh am folgenden Morgen trat Dafydd ein, vor allem aus Neugier, aber auch mit einem spontanen Vorsatz.

Er hatte sich vergewissert, dass sowohl Hogg als auch Ian noch immer dort arbeiteten, neben drei weiteren Ärzten, die dem Bevölkerungszuwachs gerecht werden sollten. Einer von ihnen, Dr. Lezzard, war ein Militärchirurg im Ruhestand, der unter dem Einfluss eines ganzen Liters Whisky die kompliziertesten Operationen ausführen konnte. All das wusste er von Tillie, die eine vorzügliche Informationsquelle war.

Er hatte gehofft, in einer der Bars auf Ian zu stoßen, aber abweichend von seinen früheren Gepflogenheiten schien Ian nicht mehr auszugehen. Andererseits fürchtete sich Dafydd ein wenig davor, ihm zu begegnen. Wie würde ein Mann in seinem Alter nach vierzehn Jahren aussehen? Was würde sich in Ian widerspiegeln, das etwas über Dafydd selbst aussagen konnte?

Eine junge Krankenschwester stoppte ihn in einem Korridor und fragte, ob sie ihm helfen könne. Es war keine Besuchszeit, und er hielt sich eindeutig unbefugt hier auf.

»Ich suche Dr. Hogg oder Dr. Brannagan.«

»Sind Sie Patient?«

»Nein. Ein früherer Kollege.«

»Dr. Brannagan ist zurzeit krankgeschrieben. Dr. Hogg befindet sich in einer Konferenz, aber er müsste bald herauskommen. Würden Sie sich vielleicht in den Warteraum neben der Rezeption setzen, und ich sage ihm dann, dass Sie hier sind … Mr …?«

»Dr. Woodruff. Dafydd Woodruff.« Das Mädchen wandte sich zum Gehen, da rief er hinter ihr her: »Verzeihen Sie. Arbeitet Janie Kopka noch immer in diesem Krankenhaus?«

Sie drehte sich neugierig um. »Klar doch. Sie ist meine Mom.« Dann musterte sie ihn auf ziemlich freche Weise von oben bis unten.

»Bitte grüßen Sie sie von mir. Ich werde versuchen, sie später zu erwischen.«

Er setzte sich ins Wartezimmer, das in einem sonnigen Gelb gestrichen worden war, aber für die Patienten noch immer die gleichen Plastikstapelstühle enthielt. Während er in einigen Jagd- und Fischereimagazinen blätterte, marschierte Sheila herein.

»Was tust du hier?«

»Was soll das denn, Sheila?«, fragte er empört. »Ich bin ein freier Mann und kann gehen, wohin ich will.«

Er war sich nicht ganz sicher, aber in ihrer Miene spiegelte sich mehr als nur Ärger. Sie wirkte zugleich ängstlich, was sie hinter ihrer Autorität als Oberschwester zu verbergen suchte. Jedenfalls kam sein Besuch ihr sehr ungelegen.

»Hast du Angst, dass ich Hogg von meiner neuentdeckten Vaterschaft erzähle?«

»Wag das ja nicht«, fauchte sie ihn an. »Schließlich geht

das niemanden etwas an. Hogg und ich sind gute Freunde. Wir kennen uns seit langem, aber ich will nicht, dass er es erfährt.«

Sie trat unruhig von einem Fuß auf den anderen, wobei sie die Arme wie üblich unter den Brüsten verschränkt hatte. In ihrer Schwesternuniform wirkte sie älter und sogar noch gebieterischer. Ihr Haar hatte sie straff nach hinten gebürstet und zu einem festen Zopf geflochten. Noch immer war sie auf eine herrische, dominahafte Art sexy. Dafydd lächelte ein wenig, als ihm bewusst wurde, dass es ihr wahrscheinlich nicht gefiel, an ihrem Arbeitsplatz von ihm gesehen zu werden.

»Also wie willst du erklären, dass du in Moose Creek bist?«, fragte sie.

»Vielleicht werde ich ihn um einen Job bitten.« Er spürte eine selbstgefällige Befriedigung über die Gelegenheit, sie aus der Fassung zu bringen. »Ich habe gehört, dass Ian krankgeschrieben ist. Vielleicht kann ich ihn eine Weile vertreten, bis es ihm besser geht. Was hat er denn?«

»An deiner Stelle würde ich mir über ihn keine Gedanken machen«, meinte Sheila barsch. »Außerdem ist er weggefahren und wird mehrere Wochen lang nicht wiederkommen.« Sie schloss kurz die Augen und biss die Zähne ärgerlich zusammen. »Frag auf keinen Fall nach einer Arbeit. Ich werde mich auf jeden Fall dagegen aussprechen. Ohnehin wäre es illegal, und ich würde keinen Moment zögern, die Einwanderungsbehörde zu kontaktieren, wenn …«

Dafydd hob die Brauen, um anzudeuten, dass Hogg auf sie zukam.

»Nanu, nanu, nanu, ein Gruß aus alten Zeiten«, kicherte Hogg und schüttelte Dafydd die Hand. »Genau das, was uns fehlt, nicht, Sheila? Sie können sich gar nicht vorstellen, wie sehr wir Sie im Moment gebrauchen könnten … Urlaub?«

Dafydd blickte kurz zu Sheila hinüber. »Ja, nur eine Reise, rein zum Spaß.«

»Sehr gut, sehr gut.«

Hogg sah noch genauso aus wie früher, obwohl er auf die sechzig zugehen musste. Sein dichtes Haar zeigte keinerlei Spuren des Ergrauens – aber vielleicht hatte er es färben lassen. Die Art, wie er Sheila anschaute, ließ sofort erkennen, dass er noch immer in die Oberschwester verliebt war. Sie plauderten ein paar Minuten über die Stadt, dann war Hogg schon wieder auf dem Sprung. Seine rastlose Energie hatte sich nicht vermindert.

»Hören Sie, alter Knabe, kommen Sie um eins in die Personalkantine und essen Sie einen Happen mit uns. Wir wollen alle erfahren, wie unsere jungen Anfänger von einst ihren Horizont erweitert und es in der Welt zu etwas gebracht haben.« Er hielt inne. »Sie sind doch noch medizinisch tätig, nehme ich an?«

»Ich bin Facharzt für Chirurgie in Cardiff.«

»Sehr schön, sehr schön«, meinte Hogg mit einigem Respekt. »Gute Stadt, gute Stadt, Cardiff. Ich habe in Heath mal eine Vertretung gemacht. Wer hätte das gedacht?«

Bevor Hogg von dannen sausen konnte, nutzte Dafydd die Gelegenheit und stellte ihm die Frage, um derentwillen er hergekommen war.

»Hogg … Andrew. Ich würde gern etwas wissen: Erinnern Sie sich an einen Ihrer Mieter im Wohnwagenpark, Ted O'Reilly? Haben Sie eine Ahnung, wo er sein könnte? Sicher, es ist nicht sehr wahrscheinlich …«

»O'Reilly? Natürlich weiß ich, wo er ist. Er ist hier.«

»Ach … und wo?«

»Hier im Krankenhaus. Ich behandele ihn selbst. Er hatte eine Fußamputation wegen seiner Diabetes … Ich habe ihn gewarnt, dass das passieren würde, wenn er nicht auf sich aufpasst.«

»Warum willst du ihn treffen?«, fragte Sheila vorsichtig. »Ist er ein Freund von dir?«

»Ja. Auf welcher Station liegt er?«

»Falls er dir noch Geld schuldet, dann kannst du's abschreiben«, kicherte sie und zwinkerte Hogg zu.

»Ich möchte einfach nur kurz bei ihm vorbeischauen«, beharrte Dafydd.

»Das geht jetzt nicht. Es ist keine Besuchszeit«, entgegnete Sheila.

»Sie sehen, wer in diesem Krankenhaus für Ordnung sorgt, nicht wahr?«, meinte Hogg bewundernd, zuckte bis an die Ohren mit den Schultern und hob die pummeligen Handflächen zum Himmel. »Was hätte ich all diese Jahre ohne sie nur getan?« Dann entschuldigte er sich und marschierte in seiner lebhaften, zielstrebigen Art davon.

»*Er* hat sich nicht geändert«, kommentierte Dafydd. Sheila stand weiterhin mit verschränkten Armen da, um seinen nächsten Schritt zu überwachen. »Er hat immer den Eindruck erweckt, alles unter Kontrolle zu haben, aber das ist nur Show, nicht wahr? Wie laufen denn die Geschäfte so mit euch beiden?«

»Hör zu«, zischte Sheila und trat näher an ihn heran. »Halte dich von meinem Arbeitsplatz fern. Du hast hier überhaupt nichts zu suchen. Mach dir nicht die Mühe, in die Kantine zu kommen. Ich sag's dir …«

Der drohende Unterton in ihrer Stimme war unüberhörbar. Das erweckte Dafydds Neugier. Sie hatte keinen Grund, sich über sein Kommen und Gehen Gedanken zu machen. Und früher hatte sie sich nie darum geschert, was die Leute von ihr hielten. Auch musste sie zweifellos damit gerechnet haben, dass er nach Moose Creek kommen würde, nachdem man ihm mitgeteilt hatte, er sei eindeutig der Vater ihrer beiden Kinder. Aber es war offensichtlich, dass seine Anwesenheit in der Stadt ein tiefes Unbehagen bei ihr auslöste.

»Wir sehen uns am Samstag«, sagte sie, »vorher nicht.« Dann wandte sie sich ab und verschwand.

Eine halbe Stunde später rief Dafydd von Tillies Apparat aus im Krankenhaus an und fragte nach Janie. Sie freute sich, von ihm zu hören.

»Patricia meint, da habe so ein unglaublich toller Arzt nach mir gefragt. Den Namen hatte sie vergessen, oder sie tat zumindest so. Ich hatte keine Ahnung, wer es sein könnte.«

Dafydd lachte. »Darf dich dieser tolle Arzt irgendwann auf einen Drink einladen, oder will ihm dann ein anderer Supermann an den Kragen?«

»Keineswegs. Eddie wird sich freuen, mich einen Abend lang los zu sein, weil er dann seine Golfschläge vorm Fernseher üben kann. Wie wär's mit Freitagabend? Im Chipped Rock Café um acht? Wir werden etwa zwanzig Jahre älter als alle anderen sein, aber wen kümmert das schon, hm?«

»Prima.« Er notierte es sich auf einem Stück Papier. »Janie, du hast nicht zufällig die Telefonnummer von Ian? Sheila hat gesagt, dass er im Moment nicht in der Stadt ist? Stimmt das?«

Janie schwieg ein paar Sekunden lang. »Er ist in der Hütte. Ich war vergangene Woche da, um nach ihm zu sehen. Es geht ihm ziemlich schlecht, Dafydd. Du wirst schockiert sein, wenn du ihn siehst.« Sie gab ihm Ians Telefonnummer.

»Nur noch eins …«, sagte Dafydd.

»Schieß los.«

»Wann kann ich frühestens einen eurer Patienten besuchen?«

»Hallo. Vermutlich können Sie sich nicht an mich erinnern«, sagte Dafydd zu dem verschrumpelten Mann, der in einem gestreiften Schlafanzug auf dem Bett lag. Das

Einzige, woran man ihn wiedererkennen konnte, waren sein buschiger Schnurr- und Backenbart und die langen, fettigen, inzwischen fast weißen Haare.

»Ich fress 'nen Besen«, rief O'Reilly, nachdem er die Augen geöffnet hatte. »Ich hab Ihnen doch gesagt, dass ich ein krankes Bein habe, aber Sie wollten mir das nie glauben.«

Sein Mund glich einem runden Loch. Weder Lippen noch Zähne verwehrten den Blick auf den dahinter liegenden Krater.

Dafydd musterte das knochige, blaue Bein, das in einem frisch vernarbten Stumpf endete. »Ja, zugegeben, das war mein Fehler ... Aber Ihr Gedächtnis scheint noch völlig in Ordnung zu sein.«

»Oh, Miss Hailey war vorhin hier und hat mich an Sie erinnert. Allerdings kommen und gehen Ärzte in dieser Stadt wie Politiker im Bordell. Ich kann mich nicht an alle erinnern, aber Sie hab ich noch ganz genau vor Augen.« Er zwinkerte lüstern, und sein verwüstetes Gesicht verzog sich zu einem breiten Grinsen.

Die verdammte Sheila war also vor ihm zu O'Reilly gegangen. Aber wusste sie, warum Dafydd mit ihm sprechen wollte? Sie *konnte* es nicht wissen. Dafydd blickte um sich und bemerkte, dass die einzigen beiden anderen Männer im Raum neugierig zu O'Reillys Besucher hinschauten.

»Hören Sie«, meinte Dafydd und beugte sich vor. »Ich werde Sie in einer Minute wieder in Ruhe lassen. Ich möchte Ihnen nur eine Frage stellen und zähle auf Ihr gutes Gedächtnis«, sagte er in der Hoffnung, die Erinnerung des Mannes könne durch Schmeichelei angeregt werden. »Ich weiß, dass es wahnsinnig lange her ist. Aber können Sie sich noch an den Abend erinnern, an dem ich mit Miss Hailey sehr spät zum Wohnwagen kam? Wir waren auf einer Weihnachtsfeier ... Sie standen am Fenster und beobachteten, wie wir ... *herumgealbert haben.*«

»Was soll diese Quatscherei über Ihre Vergangenheit?«, fragte O'Reilly und lachte laut. »Miss Hailey hat mich dasselbe gefragt. Sie sagt, sie will vergessen, dass es passiert ist, und hat mir strikte Anweisung gegeben, nicht darüber zu reden. Tut mir leid, Kumpel.«

Dafydd erkannte die Sinnlosigkeit seiner Bemühungen und sank, vor Frustration kochend, auf seinen Stuhl zurück. Wahrscheinlich konnte sich O'Reilly nach fast vierzehn Jahren ohnehin an gar nichts mehr erinnern, so geschädigt, wie sein Gehirn vom Alkohol war. Aber im Moment war er Dafydds einziger Bezugspunkt.

»Ich hätte nicht gedacht, dass Sie der Typ sind, der sich von Frauen herumkommandieren lässt.«

O'Reilly zuckte nur die Schultern.

Dafydd beugte sich wieder vor und blickte ihn durchdringend an. »Was hat sie Ihnen denn als Gegenleistung dafür geboten, dass Sie nichts ausplaudern? Ich geb Ihnen mehr.«

Das war der falsche Schachzug. O'Reilly sah plötzlich abweisend aus und schielte zu seinen Zimmernachbarn hinüber. »Wovon reden Sie? Hören Sie ... sie hat mich gefragt, ob ich gesehen hab, wie sie in Ihren Wohnwagen gegangen ist. Ja, zur Hölle, das hab ich. Na und? Was ist das schon für eine große Sache? Alle Ärzte, die dort wohnten, haben das Gleiche getan.«

Dafydd starrte ihn an. »Mit Shei... mit Miss Hailey?«

»Hab ich das gesagt?«, entgegnete O'Reilly kalt. »Genau aus diesem Grund erinnere ich mich doch an die Sache. Ich war mächtig erstaunt, sie da bei Ihnen zu sehen. Ich dachte, dass sie viel zu anspruchsvoll für die dreckige, verlauste Matratze in Ihrem Rattenloch von einem Wohnwagen ist. Man braucht sie sich schließlich nur anzugucken.«

Dafydd packte seinen Arm. »Was Sie in der Nacht gesehen haben, war keine *große Sache* – da haben Sie recht.

Aber es hat im Auto stattgefunden, nicht wahr? Denken Sie zurück und seien Sie ehrlich, Mann. *Sie ist nicht mit in meinen Wohnwagen gegangen, stimmt's?*«

O'Reilly riss seinen Arm aus Dafydds Umklammerung. »Natürlich ist sie das. Ich hab Sie beide da reingehen sehen, so deutlich wie der helle Tag, umschlungen, als könnten Sie es gar nicht erwarten, sich die Kleider vom Leib zu reißen«, knurrte er übellaunig. »Was soll der Scheiß? Warum setzt ihr beide euch nicht zusammen und lasst gemeinsam alles Revue passieren? Denken Sie an den Spaß, den Sie dabei haben würden.« Er lachte unangenehm. »Lassen Sie mich aus dem Spiel. Ich hab meine eigenen Probleme, falls Sie das nicht gemerkt haben.«

Dafydd überlegte, wie viel Geld es kosten würde, aber er spürte, dass ihn das nicht weiterbrachte. Angesichts ihrer Überzeugungskraft und ihres Geldes (und/oder ihrer Pillen?) betrachtete O'Reilly Sheila offensichtlich als gute Zukunftsinvestition.

»Hiervon hängt eine Menge ab, O'Reilly. Sie könnten als Zeuge vor Gericht geladen werden.«

Aber die Drohung mit der Justiz berührte das alte Wrack nicht im Geringsten. Und selbst wenn es dazu kommen sollte, war O'Reilly leider ein bemerkenswert guter Lügner.

»Belästigen Sie mich bloß nicht noch mal, das sag ich Ihnen«, rief O'Reilly hinter Dafydd her, als dieser eilig die Station verließ.

Statt Ian anzurufen, entschloss sich Dafydd, einfach zur Hütte hinauszufahren. Er hatte das Gefühl, dass Ian versuchen würde, ihm einen Besuch auszureden, und Dafydd wollte sich unbedingt selbst davon überzeugen, wie es seinem alten Freund ging. Dessen Gesundheitszustand schien von einer geheimnisvollen Wolke umgeben zu sein; niemand wollte darüber sprechen. Dafydd nahm ein

Taxi und bat den Fahrer, ihn eine Stunde später wieder abzuholen.

Das Gebäude wirkte völlig verwahrlost. Die Veranda war fast gänzlich weggebrochen, und auf dem Dach fehlten Schindeln. Ein tiefes Knurren empfing ihn, als er die morschen Stufen hinaufstieg. Das Knurren wurde stärker, als er klopfte. Nach einem Moment kam Ian an die Tür.

Das Erste, was Dafydd an ihm auffiel, waren die Augen. Das einstige Weiß war von einem dunklen, schmutzigen Gelb, eingerahmt von einem Rosarot, verdrängt worden. Die Haut um die Augen war schlaff und faltig und wies die klumpigen Fettablagerungen eines Menschen auf, der schon seit langem unter astronomisch hohen Cholesterinwerten litt. Sein Gesicht war hager und fahl, sein Haar noch immer recht lang, aber die Farbe von Heu hatte sich in die von totem Stroh verwandelt. Er sah aus wie ein Mann, der in einer dunklen Höhle gelebt hat. Sogar an seinem Geruch war etwas Modriges. Sie musterten einander.

»Tod und Teufel – DU!«

»Ja, ich«, sagte Dafydd und streckte ihm die Hand entgegen.

Ian drückte sie matt, hielt sie jedoch einen Moment lang fest. »Komm rein, verdammt.«

Das Knurren verstummte plötzlich, und ein alter Hund erhob sich, wobei er mit seinen arthritischen Hinterbeinen zu kämpfen hatte.

»Thorn oder einer seiner Nachkommen?«

»Ich wundere mich, dass du fragen musst … Er hasst Fremde.«

Der räudige Schwanz des alten Hundes wedelte wild, während er Dafydds Hand ableckte. Dieser spürte einen Kloß im Hals, als er den knochigen Kopf tätschelte. »Ich kann's nicht glauben. Er erkennt mich.«

»Ich auch, Mann«, lachte Ian und klopfte ihm auf die Schulter. »Komm rein und trink was.«

Der Raum war verdreckt. Hier wohnte ein Mann, dem alles gleichgültig geworden war.

Ian goss Scotch in zwei Gläser und reichte Dafydd eines. Sie setzten sich an den Küchentisch, der mit halb gegessenen Mahlzeiten auf fettigen Papiertellern und leeren Hundefutterdosen bedeckt war. Ian bemerkte, dass Dafydd einen Blick auf die Überreste warf, und holte einen Müllsack. Dann fegte alles mit einer ausladenden Bewegung hinein und schleuderte den Sack in eine Ecke. Thorn schleppte sich mühsam dorthin und scharrte beharrlich mit seiner Pfote an der Plastikhülle.

»Hat er Hunger?«, konnte Dafydd nicht umhin zu fragen.

Ian zündete sich eine Zigarette an und blinzelte durch die Rauchschwaden, die über sein Gesicht hochzogen.

»*Was, zum Teufel, machst du wieder hier?*«, fragte er und betonte dabei jedes einzelne Wort.

Er war knüppeldürr, abgesehen von seinem Bauch, der unpassend aufgebläht war und wie ein Ballon aus der Höhle seines eingefallenen Rumpfes hervorsprang.

»Du weißt also von nichts?«

Ian schwieg einen Moment lang. Sein Gesichtsausdruck verriet nichts, und seine Augen wandten sich mit einem verwirrten oder bestürzten Flackern zur Seite. Dann lächelte er. »Du bist gekommen, um dir meinen Job zu schnappen … endlich. Hast nur auf einen günstigen Augenblick gewartet.«

Dafydd lachte. »Hogg hat mir tatsächlich so etwas vorgeschlagen.«

»Nein, im Ernst. Was machst du hier?«

Dafydd hatte sich noch nicht entschieden, was er ihm anvertrauen wollte. Aber irgendjemand musste in die Gründe seiner Anwesenheit eingeweiht werden, und die geeignetste Person dafür war zweifellos Ian. Denn er kannte Sheila, und zwar sehr gut.

»Ich erzähl's dir, wenn du mir erzählst, was zur Hölle mit dir los ist. Du siehst hundeelend aus, und du bist nicht bei der Arbeit.«

»Nichts Besonderes. Ich trinke zu viel … und manchmal protestiert meine Leber. Im Moment habe ich Urlaub, egal, was geredet wird. Mir stehen drei Wochen zu.«

»Solltest du das wirklich tun?«, fragte Dafydd und zeigte auf Ians Glas. Er bereute es sofort. Ians Verhalten ging ihn nichts an, und dieser ignorierte die Frage ganz zu Recht.

Inzwischen war es Thorn gelungen, den Plastiksack aufzureißen. Er verstreute den Inhalt über den Boden, während er an den Abfällen knabberte.

»Hast du nicht noch irgendwo eine Dose Hundefutter?«, fragte Dafydd besorgt.

Ian stand auf und durchstöberte die Schränke. »Ich habe tatsächlich nichts mehr«, antwortete er verärgert.

»Ich mach dir einen Vorschlag. Da ich sehe, dass es dir gar nicht gut geht, werde ich morgen für dich ein wenig einkaufen. Du musst mir nur sagen, was du brauchst. Ich habe genug Zeit.«

»Danke, Kumpel. Dafür wäre ich dir sehr verbunden.« Ian ließ sich schwer auf den Stuhl fallen, offenbar erschöpft von der Anstrengung. »Ich meide die Stadt inzwischen ganz. Halt's nicht aus, wie's da läuft.«

»Wie läuft's denn deiner Meinung nach?«

»Zu viele Arschlöcher überall. Ich bin hergezogen, weil ich dem Trubel entkommen wollte. Jetzt ist die Stadt eine Zuflucht für einen ständigen Strom von Drecksgestalten geworden.« Er warf die Arme hoch. »Hast du sie nicht in den Bars gesehen? Warst du in den Bars?«

»Ja.«

Dafydd schwenkte den Scotch in seinem Glas. Thorn legte den Kopf auf seinen Schoß und blickte mit von traurigem Wissen erfüllten Augen zu ihm auf.

»Na los«, drängte Ian. »Warum, zum Teufel bis du nach Moose Creek gekommen? Wir sind schließlich kein Urlaubsziel.«

»Wieso nicht? Ich habe hier sehr viele Touristen gesehen.«

»Das sind nicht solche Typen wie du.«

»Also gut, ich erzähl's dir. Sheila behauptet, dass ich der Vater ihrer Zwillinge bin.« Er legte eine Pause ein, damit Ian seine Worte verarbeiten konnte. »Zuerst hab ich geglaubt, sie mache einen Scherz oder sei verrückt geworden. Aber als sie nicht davon abließ, haben wir einen DNA-Test durchführen lassen. Er gab ihr recht, und über DNA kann man bekanntlich nicht streiten.«

»Eine gottverdammte Scheiße.« Ian pfiff durch die Zähne, schüttelte den Kopf und schaute Dafydd in ehrlicher Verblüffung an. Dann warf er lachend den Kopf zurück und ließ eine Spur seiner einstigen Ausstrahlung aufblitzen. »Ich *wusste* es. Ich wusste, dass du scharf auf sie warst, wie sehr du dich auch bemüht hast, es zu leugnen … Also hast du's mit Sheila getrieben!« Er lachte erneut, wurde dann aber plötzlich ernst. »Was will sie?«

»Das Übliche. Geld …«

»Mein Gott.« Ian strich mit den Fingern durch sein strähniges Haar. »Was wirst du hinsichtlich der Kinder tun?«

»Weiß ich nicht.«

Welchen Sinn hatte es, Ian von seiner Überzeugung zu erzählen, dass die Schwangerschaft durch einen hinterhältigen Trick zustande gekommen war? Durch einen tückischen Diebstahl seines Spermas. Es würde lediglich einen weiteren Heiterkeitsausbruch bewirken, obwohl das die Sache eigentlich wert war. Es ermunterte ihn, einen Funken von Ians früherer Sinnlichkeit zu sehen. Die Hässlichkeit, die von ihm Besitz ergriffen hatte, war zu bedrückend, und seine körperliche und seelische Ausgezehrtheit erfüllten Dafydd mit tiefer Trauer. Wenn er Ian betrachtete, schien das Leben sehr kurz zu sein.

Ian stand auf, entschuldigte sich und verschwand im Badezimmer. Gut zehn Minuten verstrichen in absoluter Stille, die nur von Thorns gelegentlichem Keuchen unterbrochen wurde. Dafydd wollte schon nach Ian rufen, als er die Toilettenspülung rauschen hörte. Sein Freund kam mit kreidebleichem Gesicht herausgetaumelt.

Ian setzte sich hin und goss sich einen kleinen Zusatzschluck ein. »Es ist komisch«, sinnierte er, »ich hatte schon fast geglaubt, es seien *meine* Kinder. In der Stadt kursierten zahlreiche Mutmaßungen. Ihr damaliger Freund hat sie dreikantig rausgeschmissen. Er wusste, dass er es nicht gewesen war, und sie hat sich immer geweigert, Genaueres darüber zu verraten. In letzter Zeit dachte ich, Hogg könnte der Schuldige gewesen sein. Seit Anita ihn verlassen hat, rennt er hinter ihr her wie ein Rüde hinter einer läufigen Hündin … Er würde alles für sie tun. Und es war ihm scheißegal, dass die Leute deshalb anfingen, sich das Maul zu zerreißen. Aber er ist ja auch schon immer in sie verliebt gewesen.«

»Jedenfalls werde ich einen Schritt nach dem anderen machen. Morgen treffe ich die Kinder.«

»Nettes Mädchen … na ja, eine normale freche Heranwachsende. Der Junge ist schwer einzuschätzen. Man bekommt nicht viel aus ihm raus. Ich habe den Eindruck, dass er außerordentlich clever ist. Sieht auch seltsam aus, ein Gesicht wie ein Gespenst.« Ian blickte ihn mit aufrichtigem Mitgefühl an. »Besser du als ich, Mann.«

»Ich hab dir mehrmals geschrieben. Warum hast du mir nie geantwortet?«, fragte Dafydd. Er war gekränkt gewesen, weil Ian ihn nicht als Freund betrachtet hatte, mit dem es sich lohnte, in Kontakt zu bleiben. Aber wo er ihn jetzt vor sich hatte, begriff er, dass Ian kein Mann mit Initiative war. Außerdem hatte Ian stets in den Tag hinein gelebt, und was Menschen betraf, so verfuhr er wahrscheinlich nach dem Prinzip: »Aus den Augen, aus dem Sinn«.

Das Hupen eines Autos ersparte Ian eine Antwort auf die überflüssige Frage. Thorn heulte aus reinem Prinzip gelangweilt auf.

»Das ist mein Taxi.«

»He, nimm mein Auto. Ich brauche es in den nächsten Wochen nicht. Dann kannst du mich auch weiterhin mit Vorräten versorgen.«

»Ist das dein Ernst?« Ein Auto wäre wirklich sehr nützlich. Dann konnte er mit den Kindern einen Ausflug machen. Vielleicht auch ein oder zwei Tage allein irgendwo hinfahren ... sich die Wildnis ansehen.

Er bezahlte den Taxifahrer und fuhr mit Ians Auto in die Stadt, nachdem er versprochen hatte, am folgenden Tag mit Lebensmitteln, Getränken und Zigaretten zurückzukommen.

KAPITEL 15

DAS IST MIRANDA … und das ist Mark.« Sheila schob den Jungen mit einer Hand im Rücken nach vorn, während sich das Mädchen hochreckte, um Dafydds Wange artig zu küssen.

In den vergangenen Wochen hatte Dafydd schrittweise akzeptiert, dass diese Kinder *wahrscheinlich seine waren*, so unmöglich das auch erschien und so sehr er bezweifelte, dass er je die für seine Vaterschaft eingesetzten Mittel würde aufdecken können. Außer Mitleid und Sorge hatte er bisher so gut wie nichts für die Kinder empfunden, sodass ihn die Wirkung dieser persönlichen Begegnung ganz unvorbereitet traf. Sie zum ersten Mal wirklich vor sich zu sehen bestürzte und bewegte ihn. Sein Herz raste, und er spürte, wie ihm siedend heiß wurde. Tränen stiegen ihm in die Augen. Es machte ihn wütend, dass diese unerwünschte Entblößung seines Innern vor Sheila stattfand.

Miranda war ein strahlendes junges Mädchen, wenn auch ein bisschen pummelig. Sie zeigte bereits Anzeichen körperlicher Reife, sofern sie ihren BH nicht mit zusammengerollten Socken ausgestopft hatte, wie Dafydds Schwester es im selben Alter zu tun pflegte. Er suchte ihr Gesicht nach Spuren seiner eigenen Gene ab, und tatsächlich hatte sie dunkles, lockiges Haar. Wie er hatte sie einen vollen Mund, der sich an den Winkeln nach oben bog.

Ihre weit auseinanderliegenden dunkelbraunen Augen wurden von einer breiten Stirn überwölbt. Ein wenig erinnerte ihn dieser Mund, der mit einem etwas schiefen Lächeln zahlreiche Zähne zeigte, an den seiner Schwester.

Der Junge sah völlig anders als Miranda aus, sodass ein Außenstehender nie eine Verwandtschaft zwischen ihnen vermutet hätte. Auch hatte er nichts an sich, was Dafydd seiner eigenen Sippe zuordnen konnte. Dafür war auf den ersten Blick zu erkennen, dass er durch und durch Sheilas Sohn war. Er besaß eine Fülle ungebärdiger roter Haare, die er üppig hatte wachsen lassen und zu einem beeindruckenden Pferdeschwanz gebunden trug. Sein Gesicht war lang und sehr blass. Schlaksig und ziemlich groß für sein Alter, schien der Junge eher fünfzehn als knapp dreizehn Jahre alt zu sein. Wie seine Mutter war er mit Sommersprossen übersät. Er hatte mandelförmige Augen, deren Grau fahl wie Spülwasser war, ganz im Unterschied zu dem überwältigenden Tiefblau von Sheilas Augen. Sie wollten sich auf nichts konzentrieren, schon gar nicht auf Dafydd, und er stand linkisch da und verweigerte sogar eine simple Begrüßung.

»Stell dich nicht so bescheuert an, Mark«, schalt Sheila ihn. »Kannst du nicht wenigstens so tun, als hättest du ein paar Manieren? Dr. Woodruff hier ist dein Vater, und er hat eine weite Reise gemacht, um dich zu sehen.«

»Nun warte mal, Sheila«, schaltete sich Dafydd ein. »Warum sollte das auf Mark Eindruck machen? Er hat mich nicht gebeten zu kommen, und ich nehme es ihm nicht übel, wenn er findet, dass das alles Sch… äh, zum Himmel stinkt.«

Miranda brach in Gekicher aus und presste die Finger an den Mund. Dafydd lächelte ebenfalls und streckte ihr seine Hand entgegen. Miranda ergriff sie, schüttelte sie förmlich und schwenkte sie eine Zeit lang auf übertriebene Weise hin und her. Das Mädchen versuchte, die Reserviertheit ihres Bruders auszugleichen, und tat das mit einer erfrischenden Portion Humor. Dann hielt Dafydd auch Mark die Hand hin, der, überrumpelt, mit seiner feuchtkalten, jugendlichen Handfläche kurz die von Dafydd streifte.

Das Haus war groß für die in der Stadt herrschenden Verhältnisse, außerdem komfortabel und geschmackvoll möbliert. In ihren engen, hellgelben Jeans und einem gelben Sweater sah Sheila umwerfend aus. Eine Sekunde lang hatte er das Bild makelloser Häuslichkeit vor Augen: sich selbst mit dieser attraktiven Frau und ihren beiden schönen Kindern. Ein perfekter Rahmen für eine Frühstücksflocken-Werbung, zu der die stereotyp gesunde und glückliche Familie gehört.

Sie gingen ins Wohnzimmer, doch Miranda packte seine Hand. »Komm und sieh dir mein Zimmer an. Ich will dir meine Sachen zeigen.« Dankbar für die schlichte Normalität, die dieses Mädchen ausstrahlte, ließ Dafydd sich fortziehen. Sie verbrachten mindestens zwanzig Minuten damit, ihre Poster, Kinderspielsachen, ihre Musiksammlung und die Fotoalben mit den Geschwistern als Kleinkindern anzuschauen. Sie fragte ihn, ob er ein paar von den Fotos haben wolle, und er steckte sich einige Schnappschüsse in die Brieftasche. Dann rief Sheila sie nach unten zum Essen.

Sie hatte einen Braten zubereitet. »Das isst man doch in England?«, fragte sie mit einem aufgesetzten Lächeln, als sie sich an einem großen Tisch niederließen.

»Manche ja. Ich esse nicht viel Fleisch seit dem Ausbruch von Maul- und Klauenseuche, Rinderwahn und …«

Miranda legte das Gesicht in die Hände und kicherte haltlos. »Maul- und Klauenseuche, Rinderwahn …?«

»Ja, genau. Es ist jetzt ein paar Jahre her … Es handelt sich um Krankheiten, die …«

Plötzlich schaltete sich der Junge ein. »Ich bin Veganer.

Mich widert die Vorstellung an, das vergammelte Fleisch toter Tiere zu essen. Ich trinke auch nicht die Sekrete ihrer Euter, und die daraus gewonnenen Produkte ekeln mich genauso an.«

»Um Himmels willen«, stöhnte Sheila, »doch nicht jetzt.«

»Und woher bekommst du deine Proteine?«, fragte Dafydd und unterdrückte ein Grinsen.

»Aus Bohnen, Tofu, Nüssen und Getreide«, antwortete der Junge und belud seinen Teller vor allen anderen mit Kartoffeln und Gemüse. »Hauptsächlich durch Erdnussbuttersandwiches. Brot und Nüsse liefern vollwertiges Protein.«

»Ich dachte, Erdnüsse seien keine Nüsse, sondern ein Gemüse«, erwiderte Dafydd.

Der Junge blickte ihn zum ersten Mal an. »Stimmt. Aber sie ergänzen sich trotzdem.«

Dafydd betrachtete den mürrischen Jugendlichen. Er war nicht nur beunruhigend scharfsinnig, er wirkte mit seinem ausgemergelten Gesicht, seiner totenähnlichen Blässe und seinen kalten Augen auch fremdartig – finster und zart zugleich. Höchstwahrscheinlich verbarg sich ein äußerst verletzlicher junger Bursche hinter all dem – in diesem Haus der starken, selbstbewussten Frauen. Dafydd hatte bisher noch keinerlei Interaktion zwischen Bruder und Schwester beobachten können und fragte sich, was die beiden miteinander verband. Von ihrem Äußeren und ihrer Persönlichkeit her hätten sie jedenfalls nicht unterschiedlicher sein können.

Es wurde ein recht problemloser Lunch. Miranda sorgte mit ihren aufmerksamen Fragen und ihrem ansteckenden Lachen für eine gute Stimmung. Selbst Sheila, die sich bemühte, das Beste aus einer lästigen Situation zu machen, erschien bemerkenswert heiter. Dafydd musterte sie mehrere Male eingehend. *Die Mutter meiner Kinder.*

Er ließ diese Vorstellung einen Moment lang in seinem Kopf kreisen und versuchte, seine Erfahrung mit ihr als gefährlicher, rachsüchtiger und gerissener Männerfresserin beiseitezuschieben. Eine vernünftige Mutter, eine gute Versorgerin, eine gute Nestbauerin, eine präsentable Frau, stark, ein würdiges Vorbild, solange man nicht zu genau hinschaute, nicht in den Ecken stöberte … und im Keller.

»Was kommt als Nächstes?«, fragte er, als die Kinder für einen Moment den Raum verließen.

»Als Nächstes … Lass uns die Geldfrage klären, und dann kannst du wieder nach Hause fliegen. Wir sollten uns am Freitag hier treffen. Die Kinder sind in der Schule, und ich habe den Tag frei.«

»In Ordnung. Aber ich habe mit meiner Frage, was als Nächstes kommt, gemeint, dass ich Zeit mit *ihnen* verbringen möchte.« Seine Augen wanderten kurz zur Küche, wo die beiden mit Geschirr herumklapperten und sich leise unterhielten. »Ich würde sie gern allein sehen. Vielleicht einzeln.«

»Warum ist das nötig?«, fragte sie. »Es ist nicht gut für sie, dir zu nahe zu kommen, und dann verschwindest du wieder aus ihrem Leben. Ich verstehe auch nicht, inwiefern es dir helfen würde.«

»Das kaufe ich dir nicht ab, Sheila. Entweder bin ich ihr Vater, oder ich bin's nicht. Hast du deine eigenen Worte vergessen? Dass du all das nur tust, weil Miranda ihren Vater kennen lernen wollte.«

»Gut, einverstanden«, zischte sie mit zusammengebissenen Zähnen und ließ den Blick zur Küche gleiten. »Aber ich erwarte von dir, dass du diskret bist. Ich habe ihnen strikte Anweisungen gegeben, mit niemandem darüber zu sprechen, obwohl Miranda ums Verrecken kein Geheimnis für sich behalten kann. Versuch, irgendetwas zu arrangieren, bei dem nicht Massen von Leuten dabei sind.«

Dafydd senkte die Stimme. »Worin besteht eigentlich dein Problem? Warum ist dir das so wichtig? Ich bin doch ein akzeptabler Vater. Es wäre bestimmt besser für sie, wenn sie offen mit der Sache umgehen könnten. Einen Vater zu haben ist nach allgemeiner Meinung erheblich besser, als keinen zu haben.«

»Das ist *meine* Angelegenheit«, entgegnete sie. »Deine Ansicht ist nicht gefragt.«

Sie funkelten einander kurz an, bevor die Zwillinge mit Fruchtsalat und einer Schüssel Eiscreme zurückkamen. Mark blickte misstrauisch von seiner Mutter zu Dafydd und wieder zurück. Seine blassen, wässrigen Augen schienen unter die Haut zu sehen.

»Musst du schon gehen?«, fragte Miranda, als sie das Essen beendet hatten und Sheila mit Dafydds Parka in der Hand erschien.

»Scheint so«, antwortete Dafydd.

Miranda war ein Mädchen, dem es nichts ausmachte, ihrer Mutter die Stirn zu bieten. Sie hatte zweifellos deren schnelles Denken geerbt, und sie war selbstbewusst und freimütig. Dafydd hoffte, dass sie, wenn sie seine Tochter war, auch etwas von ihm geerbt hatte: sein einfaches Wesen, seine bescheidenen Bedürfnisse und seine gutartige Veranlagung.

Er verabschiedete sich. Der Junge stieß mit seiner krächzenden Stimme ein rasches »Bis dann« hervor, während ihn Miranda umarmte. Sie war ein Kind, das dachte, es habe das große Los gezogen und endlich den Vater gefunden, nach dem es sich gesehnt hatte. In ihren Augen war er perfekt. Dieser Rolle gerecht zu werden, würde schwierig sein.

Dafydd gewöhnte sich an, Ian jeden Morgen zu besuchen und ihm Zeitungen, Lebensmittel und sehr widerwillig den Whisky zu bringen, der zu Ians Lieblingslaster geworden war. Es gab Anzeichen kleiner Bemühungen um eine Entgiftung, was in Ians Fall bedeutete, dass er eine statt zwei Flaschen täglich trank. Dafydd wollte ihn auf seine Sucht ansprechen, aber er beschloss, damit zu warten, bis sie wieder etwas von ihrer früheren Unbeschwertheit und Nähe aufgebaut hatten. Ian hatte die Tür zu seinen eigenen Gefühlen fest verschlossen und unterhielt offenbar keine engen Beziehungen zu anderen Menschen.

Dafydd bekam die Kinder die gesamte Woche hindurch nicht zu Gesicht. Er rief Sheila fast täglich an, um gegen ihren unsinnigen Entschluss, ihn von den Zwillingen fernzuhalten, zu protestieren, aber sie wies seine Forderungen zurück und beschied ihn, bis Freitag zu warten. »Sprich mit meinem Anwalt und triff die Vereinbarungen für die Unterhaltszahlungen mit meiner Bank.« Dafydd tat nichts von beidem. Sie schien darauf zu setzen, dass sie ihn zwingen konnte, die finanziellen Vereinbarungen abzuschließen, wenn sie ihn von den Kindern fernhielt. Aber ihre Logik versagte bei ihm. Er hatte es durchaus nicht eilig. Je mehr sie ihn drängte, das Verfahren zu beschleunigen, desto stärker wurde sein Gefühl, dass es besser sei, nichts zu unternehmen und erst einmal nur abzuwarten.

Seit seiner Ankunft waren fast zwei Wochen vergangen. Er hatte die Personalabteilung in Cardiff angerufen und darum gebeten, ihm ein paar Wochen unbezahlten Urlaubs zu gewähren. Man war nicht gerade begeistert, aber es gab zahlreiche Präzedenzfälle. Andere Ärzte hatten sich ebenfalls langfristig beurlauben lassen, manche sogar regelmäßig. Als Grund führte er eine »persönliche Krise« an. Stimmte das etwa nicht? Vor seiner Abreise waren alle möglichen Gerüchte im Krankenhaus kursiert. Sein Unfall im trunkenen Zustand, sein Zusammenstoß mit Payne-Lawson, seine auf Abwegen befindliche Frau – all das war zu irgendwelchen wilden Geschichten zusammengerührt worden. Er war froh, all das ein Weilchen hinter sich lassen und abwarten zu können, bis sich die Aufregung gelegt hatte. Und mittlerweile erhielt Isabel die Gelegenheit, in aller Ruhe allein für sich eine Entscheidung zu fällen: für oder gegen ihre Beziehung.

Am Freitag verließ er Ian früher als sonst, um pünktlich zu seiner Verabredung mit Sheila in deren Haus zu erscheinen. Der Schneefall hatte ernsthaft eingesetzt, und taubeneigroße Flocken schwebten gnadenlos von einem weißen Samthimmel herab. Sie fielen in Zeitlupe, aber dicht, und als Dafydd den kurzen Weg vom Auto bis zu Sheilas Tür zurücklegte, war er bereits mit weißem Flaum bedeckt. Bevor sie ihn einließ, streifte er seinen Parka ab und schüttelte ihn heftig vor der Tür aus.

»Warum hast du mir erzählt, Ian sei nicht in der Stadt?«, fragte er unverblümt.

»Ich wollte nicht, dass du dich mit ihm zusammentust; er ist eine Plage. Aber das hat dich nicht davon abgehalten, oder? Wie ich gehört habe, bist du fast jeden Tag bei ihm draußen. Nimm wenigstens die Kinder auf keinen Fall mit dorthin.«

»Ich habe nicht die Absicht. Aber wieso kümmerst du dich eigentlich darum, was ich in meiner Freizeit mache?«

»Sicher ist dir nicht entgangen, dass Ian ein wüster Alkoholiker ist. Er ist ein hoffnungsloser Fall … und ein jämmerliches Arschloch«, ergänzte sie mit einer kalten Verachtung, die Dafydd schockierte.

»Alkoholismus ist eine Krankheit, Sheila. Ich hätte gedacht, dass dir als Krankenschwester das bewusst ist.«

»Einen Teufel ist er das«, höhnte sie.

Sie standen im Flur. Sheila schlug auf ihre übliche Art die Arme übereinander und lehnte sich gegen den Türrahmen. »Hast du McCready angerufen?«

»Nein, aber mein Anwalt steht mit ihm in Kontakt.«

Sheila blickte ihn ein paar Minuten lang schweigend an. Ihr Äußeres war anders als sonst. Ihre normalerweise makellos gebürsteten Locken waren wild zerzaust, und außer etwas Lipgloss, der ihren Mund feucht und schlüpfrig aussehen ließ, schien sie ungeschminkt zu sein. Sie trug abgetragene Jeans mit zwei Rissen am linken Oberschenkel, dazu ein enges T-Shirt, durch dessen verwaschenen Baumwollstoff sich ein spitzenbesetzter BH abzeichnete. Es war eine merkwürdige Bekleidung für sie, sehr zwanglos, fast schlampig, aber dennoch atemberaubend sexy.

Er überlegte, was sie sich dabei gedacht hatte, als sie sich so anzog, welches psychologische Manöver sie plante. Er konnte sehen, dass sie mit irgendeinem inneren Konflikt kämpfte, und er wusste, dass sie trotz ihres verführerischen Aussehens wütend und frustriert war. Aber anscheinend zögerte sie, ihre Laune an ihm auszulassen, obwohl sie noch nie derartige Hemmungen gehabt hatte. Schließlich ergriff sie das Wort.

»Willst du nicht wieder nach Hause fliegen?«, fragte sie in ruhigem Ton. »Es gibt keinen Grund für dich, es hinauszuzögern. Ich finde, dass wir uns auf die von McCready vorgeschlagene Summe einigen sollten.« Sie musterte ihn herausfordernd von oben bis unten und ließ ihre Augen dann in der Gegend um seine Gürtelschnalle verweilen.

Dafydd verspürte den heftigen Drang, sich zu verabschieden. Auf ihrem Territorium, allein mit ihr, fühlte er sich in Gefahr. Er hatte nicht vergessen, wozu sie imstande war. Sie war eine leibhaftige Teufelin, wunderschön anzusehen, faszinierend, sogar verlockend, bis sie ihre Bosheit und Verachtung über einem ausschüttete – oder noch Schlimmeres tat. Aber er musste diese Treffen mit Sheila durchstehen.

»Hier, ich hänge deinen Mantel neben die Lüftung«, sagte sie freundlich. Sie streckte die Hand nach seinem Parka aus, allerdings ohne sich vom Fleck zu rühren.

Dann zerstörte sie die Illusion von der guten Gastgeberin, indem sie ihre Augen zu seinem Schritt hinabwandern ließ.

Dafydd spürte, dass sein Nacken und Hals schlagartig von einer tiefen Röte überzogen wurden, und er verfluchte sich, dass er dieses idiotische kleine Schauspiel zuließ.

»Darf ich dir eine Tasse Kaffee holen ... oder möchtest du etwas Stärkeres?«, fragte sie lächelnd.

»Kaffee bitte«, erwiderte er mit einer Stimme, die so kühl wie sein Nacken heiß war.

»Mach's dir bequem.« Sie schob ihn in Richtung Wohnzimmer und drückte ihm eine Ausgabe der *Moose Creek News* in die Hand.

Das Wohnzimmer war merkwürdig steril. Es fehlte an persönlichen Dingen; noch nicht einmal die Sachen der Kinder lagen dort herum. Er lehnte sich zurück, versuchte, sich auf einen Artikel über das Drogenproblem in der Stadt zu konzentrieren, und fragte sich dabei, ob die Kinder, *seine* Kinder, den Drogen vielleicht bereits ausgesetzt waren.

Einen Moment später hörte er, dass die Eingangstür geöffnet wurde. Er stand vom Sofa auf und ging zum Fenster. Instinktiv trat er einen Schritt zurück, als er Sheila bemerkte, die ihren Kopf vor dem herabfallenden Schnee mit einer Jacke schützte und den Kofferraum von Ians Auto öffnete. Er konnte nicht erkennen, was sie tat. Rasch wich er zurück und setzte sich mit heftig schlagendem Herzen wieder hin. Eine Bombe kam ihm in den Sinn, aber dann verwarf er den Gedanken mit einem Lächeln. Warum sollte sie ihn angesichts all der verlockenden Reichtümer umbringen? Eine tote Kuh konnte sie nicht mehr melken. Spionierte sie bloß herum? Es war jedenfalls merkwürdig.

Eine Minute später kam sie mit zwei Bechern zurück und setzte sich. Sie sah ihn prüfend an. In dem vom Schnee draußen vor dem Fenster reflektierten Licht wirkte sie müde. Dunkle Ringe überlagerten die kreideweiße Haut unter ihren Augen. Vielleicht war seine Anwesenheit in der Stadt belastender für sie, als er angenommen hatte. Sie nippte einen Augenblick lang schweigend an ihrem Kaffee, dann straffte sie sich mit einem tiefen Atemzug.

»Also«, sagte sie, »ich möchte mit dir über Mark sprechen. Es gibt verschiedene Möglichkeiten. Beispielsweise eine Sonderschule in Winnipeg. Sie kostet zweiundzwanzigtausend Dollar pro Jahr, aber sie soll hervorragend sein. Wenn du das nicht bezahlen willst, gibt es noch andere, weniger attraktive Optionen.«

»Sonderschule? Wovon sprichst du?«, fragte Dafydd verdutzt. »Er scheint doch geistig keinerlei Schwierigkeiten zu haben.«

»Im Gegenteil. Aber ich will mich nicht mehr länger mit seinem Verhalten abfinden.«

»Du hast nie erwähnt, dass er ein Problem hat.«

»Nun, ich erzähle es dir jetzt.«

»Teenager neigen dazu, launisch und schwierig zu sein. Das ist normal«, protestierte Dafydd. »Weiß Miranda darüber Bescheid, dass er ... weggeschickt werden soll?«

Einen Moment lang aus der Fassung gebracht, blickte Sheila auf ihren Schoß. »Ganz und gar nicht. Und du wirst es auch nicht erwähnen, hörst du?«

»Also würde sie nicht wollen, dass er verbannt wird in so eine ...«

»*Nein.* Aber seine Unverschämtheit nervt mich. Er hat eine finstere Seite. Ich glaube, dass er keinen guten Einfluss auf sie ausübt. Sie sorgt sich viel zu sehr um ihn. Sie sollte Spaß mit ihren Freunden haben. Mit normalen Kindern.«

»Hm ... seine dunkle Seite. Ich wüsste gern, woher er die hat.«

»Hör mal«, sagte sie und hob die Stimme, »ich habe

den größten Teil meiner Kindheit in allen möglichen Internaten verbracht, und die waren nicht halb so schön wie die Schule, die Mark besuchen kann. Was bitte ist denn daran schlimm? Ihr da drüben schickt eure Kinder doch auch zur Ausbildung fort; vermutlich bist du selbst auf ein Internat gegangen.« Verärgert schüttelte sie den Kopf. »Also komm mir nicht mit deiner beschissenen Moral.«

»Und was soll er deiner Ansicht nach an solch einem Ort lernen?«, fragte Dafydd.

»Sich durchzubeißen«, erwiderte sie brüsk. »Ich musste das, und es hat mich wirklich weitergebracht. Man lernt, auf sein eigenes Interesse zu achten.«

»Das glaube ich dir aufs Wort«, stimmte Dafydd ihr zu. »Damit kennst du dich wirklich aus.«

Sheila starrte ihn an, als wolle sie ihn mit einer Flut von Beleidigungen überschütten, und Dafydd konnte ein Grinsen kaum unterdrücken. Dies war die echte Sheila. Ihr aufflammender Zorn war ihm erheblich lieber als ihr Schlafzimmerblick.

»Also, du musst sehr schnell ein paar Entscheidungen treffen, oder du hast am Ende einen ganzen Berg Anwaltsrechnungen zu begleichen. Ich will nicht, dass du noch sehr viel länger hier bleibst. Das ist doch nicht erforderlich. Bestimmt möchte deine Frau dich bei sich zu Hause haben.«

»O nein, das möchte sie nicht«, lachte Dafydd. »Dafür hast du gesorgt.«

»Um ehrlich zu sein, deine häusliche Situation ist mir scheißegal. Ich will nur, dass die Dinge geregelt sind. Ende nächster Woche möchte ich etwas Geld auf dem Konto haben. Wie erwähnt, sind zweitausend pro Monat der übliche Satz für jemanden mit deinem Einkommen. Also lass uns ein bisschen schneller vorgehen, oder ich muss weitere Maßnahmen ergreifen.«

»Was glaubst du denn, mir antun zu können?«

»Zum Beispiel kann ich dir eine gerichtliche Verfügung auf den Tisch knallen.«

Er stand auf, ohne seinen Kaffee angerührt zu haben, und ging in die Diele, um seinen Parka zu holen. Aber Sheila wusste immer genau, wann es sich empfahl, klein beizugeben. Sie folgte ihm in die Diele und legte ihm die Hand auf die Brust.

»Bitte, Dafydd, so weit braucht es ja nicht zu kommen«, sagte sie beschwichtigend. »Denk darüber nach. Wir sollten die Sache nicht zu kompliziert machen ... um ihretwillen. Du willst doch das Beste für sie, oder? Sei vernünftig.«

»Das Beste für *sie?* Wie zum Beispiel in irgendeine grässliche Sonderschule geschickt zu werden?« Die Vorstellung, dass sie vorhatte, ihn und sein Geld zu benutzen, um sich ihres Sohnes zu entledigen, empörte Dafydd. »Ich werde sie morgen früh um zehn abholen. Wenn du damit nicht einverstanden bist, nehme ich das nächste Flugzeug, und du wirst deinen beschissenen Mr McCready dafür bezahlen müssen, rund um den Globus hinter mir und meinem Scheckbuch herzujagen.«

Dafydd fuhr eine Straße entlang, die zu einem Sportplatz führte. Die hohe Schneeschicht verdeckte eine Reihe übler Schlaglöcher, und der Wagen kam an einer Absperrung holpernd zum Stehen. Er stieg aus, trat bis zum Knöchel durch das Eis einer gefrierenden Pfütze, fluchte laut und ging zur Rückseite des Autos.

Der Kofferraum hatte kein Schloss. Wusste Sheila das? Er öffnete ihn, entdeckte jedoch nichts außer einem Paar schimmelbedeckter Gummistiefel, einem platten Ersatzreifen und ein paar öligen Lumpen. Er hob jeden einzelnen dieser Gegenstände hoch, ohne etwas Verdächtiges zu bemerken. Als er eine Ecke der feuchten Matte lüftete, mit welcher der Kofferraum ausgelegt war, fand er den Gegenstand. Es war keine tickende Bombe, sondern ein Päckchen mittlerer Größe, das in Luftpolsterfolie eingewickelt und mit Klebestreifen verschlossen war. Dafydd betastete es und spürte, dass es zahlreiche kleine rundliche Objekte enthielt, die sich beim Aneinanderreiben wie Glas anhörten. Er fragte sich, warum das Päckchen im Kofferraum lag und für wen es bestimmt war. Zunächst spielte er mit dem Gedanken, es zu öffnen, aber sein natürlicher Respekt vor dem Eigentum anderer ließ ihn das mysteriöse Päckchen dorthin zurücklegen, wo er es gefunden hatte. Er lenkte das Auto rückwärts aus der tückischen Straße hinaus und fuhr zu Tillies Hotel, um sich trockene Socken anzuziehen und das Mittagessen einzunehmen, wozu sie ihn zum Ausgleich für das verpasste Frühstück verpflichtet hatte.

Die drei saßen in Beanie's Wholefoods & Cafeteria, einem Lokal, das offenbar in dieser vor allem aus Hinterwäldlern bestehenden Gemeinde nicht allzu viel Zulauf hatte, und vertilgten Beanies Bohnenburger. Sie blickten auf die Straße hinaus und beobachteten die Passanten, die jetzt richtiggehende Winterkleidung trugen und vorsichtig über die vereisten Fußwege schlurften. Kleintransporter mit riesigen Reifen bewegten sich schleichend voran, und vor Beanie's standen ein paar mit hohen Schneehauben gekrönte Autowracks herum.

Sie waren die einzigen Kunden und wurden von einem jungen Mann bedient, vermutlich von Beanie persönlich. Er trug wallendes Haar und einen Kaftan, dessen Stoff seine langen Beine umrauschte und über den er ständig zu stolpern drohte. Miranda wandte ihr Gesicht ab, weil sie sonst möglicherweise in Kicheranfälle ausgebrochen wäre. Sie machte sich daran, ihren Burger zu verschlingen, als ihr etwas einfiel. Dann kramte sie in ihrer kleinen roten Lederhandtasche und überreichte Dafydd einen Umschlag.

»Meine Mom hat mich gebeten, dir den zu geben. Er wurde an unsere Postfachnummer geschickt, aber er ist für dich. Von wem stammt er?«

»Weiß deine Familie zu Hause nicht, wo du wohnst?«, fragte Mark spitz und beendete damit ein einstündiges Schweigen, in dessen Verlauf er sich in eine Zeitschrift über Musikinstrumente vertieft hatte.

»Nein, weiß sie nicht«, gestand Dafydd beschämt.

Er hatte fast jede Nacht im Stadium des Dahindämmerns an Isabel gedacht, ihr Gesicht heraufbeschworen, wie es vor dem Eintreffen des entscheidenden Briefes ausgesehen hatte, und in Gedanken ihren langen, schlanken Körper liebkost. Aber es war ihm nicht in den Sinn gekommen, ihr mitzuteilen, wo er war, zumal sie darauf bestanden hatte, dass er abreiste und sie bis zu seiner Rückkehr in Ruhe ließ. Isabel wusste, dass sie ihm jederzeit eine E-Mail schicken oder ihn über sein Handy erreichen konnte. Warum hatte sie das nicht getan? Dennoch war es unklug von ihm gewesen, ihr nicht für alle Fälle eine Kontaktadresse und Telefonnummer zukommen zu lassen. Plötzlich brannte er darauf, etwas von ihr bei sich zu haben, und wenn es nur Worte auf Papier waren.

»Wäre es unhöflich, das jetzt zu lesen?«, fragte er die Zwillinge.

»Nein«, antworteten sie unisono.

Er riss den Umschlag auf. Miranda rutschte näher an ihn heran und versuchte, den Brief über seinen Arm hinweg zu lesen.

Dafydd,

Du bist jetzt mehr als zwei Wochen fort, und ich habe nichts von Dir gehört. Ich dachte, Du würdest so anständig sein, mich zu kontaktieren und mir ein paar Hinweise darauf zu geben, was sich abspielt. Ich habe Dir eine E-Mail geschickt, aber sie ist zurückgekommen, deshalb sende ich diesen Brief an die Postfachnummer von Sheila Hailey, da Du mir Deine Adresse nicht gegeben hast.

Mir geht es übrigens verdammt schlecht, denn letzte Woche wurde in unser Haus eingebrochen. Alles ist durchwühlt und verwüstet worden. Über den Wintergarten hatten sie leichten Zutritt. Der Schaden geht in die Tausende. Die Polizei meint, es sei das Werk von Jugendlichen. Wie Du weißt, gibt es nicht viel Wertvolles zu stehlen, aber sie sind mit Spraydosen mit roter und orangener Autofarbe herumgelaufen und haben die Möbel, die Gemälde, die Kleidung in unseren Schränken und sogar das Innere des Kühlschranks, die Vorhänge, die Handtücher und leider auch Deine russische Ikone vollgesprüht. Einfach so zum Spaß. Ich habe die Ikone zu einem darauf spezialisierten Restaurator gebracht – kann aber noch nichts dazu sagen. Deine Gitarre ist nicht zu finden. Falls Du sie nicht mitgenommen hast, muss sie gestohlen worden sein.

Die Polizei sagt, wenn niemand in dem Haus wohnt, wird es wieder passieren. Hausbesetzer könnten reinziehen, alle möglichen anderen Scheußlichkeiten könnten geschehen. Ehrlich gesagt finde ich es schrecklich deprimierend, mich dort aufzuhalten, während Paul mich in London braucht, bis dieses Projekt abgeschlossen ist.

Ich habe im Krankenhaus angerufen und erfahren, dass Du im Anschluss an Deinen dreiwöchigen Urlaub noch um einen zusätzlichen Monat Arbeitsbefreiung gebeten hast (es wäre nett gewesen, wenn Du mir das mitgeteilt hättest, weil ich dann nicht Deine Sekretärin nach Deinen Plänen hätte fragen müssen).

Um weitere Katastrophen zu vermeiden, sollten wir uns bemühen, jemanden zu finden, der ein paar Wochen in dem Haus wohnt. Paul hat eine Nichte, welche die hiesige Universität besucht und in irgendeinem Schuppen untergebracht ist; sie würde mit Freuden einziehen. Sei doch bitte so freundlich und lass mich wissen, was Du davon hältst, damit ich die Dinge in Gang setzen kann. Das Haus ist gesäubert und neu tapeziert worden, und sie und ihre Freunde haben angeboten, ein wenig zu streichen und dergleichen.

Bitte schick mir so bald wie möglich eine E-Mail.

Isabel

»*O mein Gott!*«, schrie Miranda, nachdem sie den größten Teil des Briefes gelesen hatte, obwohl Dafydd den Inhalt mit der Hand abzuschirmen versuchte. »Das ist einfach furchtbar. Ich besuch dich nicht in England, wo sich solch ein Gesindel herumtreibt. Die arme Frau. Stell dir das vor«, wandte sie sich an ihren Bruder, »diese Kerle sind in das Haus von Dads Frau eingebrochen und haben all ihre Sachen mit Farbe besprüht.« Sie drehte sich wieder zu Dafydd hin. »Hatte sie viele Kleider?«

»Nein, sie war nie sonderlich daran interessiert, viel anzuziehen zu haben«, antwortete er mit angespannter Stimme, »aber sie sieht immer toll aus, selbst in einfachen Sachen.«

»Herr im Himmel, ich würde total ausflippen«, versicherte Miranda mitfühlend.

Mark seufzte laut und verdrehte die Augen, aber ein Funken Interesse an der Vorstellung eines Einbruchs mit beträchtlichem Schaden war zweifellos vorhanden. Er wirkte, als würde er gern ein paar Fragen stellen, müsse aber den Anschein von Gleichgültigkeit bewahren. Herablassend tätschelte er seiner Schwester den Kopf, dann stand er auf und ging zu Beanie, um sich mit ihm zu unterhalten. Offenbar war er ein regelmäßiger Kunde in diesem einzigen Restaurant, in dem ein überzeugtes veganes Schlüsselkind einen Imbiss zu sich nehmen konnte, während es darauf wartete, dass seine Mutter nach Hause kam. Es klang, als hätten sich die beiden viel zu erzählen.

Miranda plauderte weiter und berichtete von den Designerturnschuhen, auf die sie ein Auge geworfen hatte, und von den unterschiedlichen Methoden, mit denen sie sich das Geld für den Kauf beschaffen würde. Benommen versuchte Dafydd, ihr zuzuhören, während er das andere Ohr in Marks Richtung spitzte, um zu erfahren, was dieses sonst stumme Kind dem Mann im Kaftan zu sagen hatte. Ein anderer Teil von ihm kämpfte gegen ein starkes Gefühl des Untergangs, einer unabänderlichen Katastrophe und eines jähen Schwindens aller Zuversicht und Hoffnung. Sosehr er diesen kleinen Ausflug mit den nicht zueinander passenden Kindern genoss, konnte er doch kaum erwarten, sie wieder loszuwerden, um zu Hause anzurufen … Zu Hause? Sein Zuhause gab es nicht mehr.

KAPITEL 16

DIE STRASSEN WAREN zugefroren, und eine dicke Schicht Pulverschnee hatte sich über das Eis gelegt. Die Wirkung glich der einer Bananenschale auf einem frisch gebohnerten Parkett. Dafydd zerrte die Schneeketten unter dem Rücksitz des alten Ford hervor und zog sie unter großer Mühe auf die Reifen. Mit einem furchterregenden Gerassel setzte er sich in Bewegung.

Während er sich auf dem Highway der Abfahrt zu Ians Hütte näherte, erinnerte er sich wieder an das Päckchen im Kofferraum. Es konnte nur für Ian bestimmt sein. Was hatte Sheila, das Ian wollte oder brauchte? Vielleicht war es etwas, das er sich ans Krankenhaus oder an Sheilas Adresse hatte schicken lassen. Aber warum diese Heimlichkeiten? Warum hatte sie es ihm nicht einfach für Ian mitgegeben? Glas, Schnapsgläser, rundliche Gläser, Glasflaschen … Injektionsfläschchen. *Injektionsfläschchen!*

Ohne es zu wollen, trat Dafydd auf die Bremse. Trotz der Schneeketten rutschte er seitlich weg und kam dicht neben einem Graben zum Stehen. In diesem Augenblick sah er eine Herde Moschusochsen die schmale Straße zur Hütte entlangtrotten. Erstaunt setzte er sich auf, denn er wusste, dass sich die Tiere nur selten südlich der Tundra vorwagten, die rund hundert Kilometer entfernt war. Allerdings hatte er gehört, dass Wolfsrudel sie manchmal nach Süden trieben.

Fasziniert fuhr er langsam an sie heran, aber das Gerassel seiner Ketten schlug die riesigen Moschusochsen in die Flucht. Sie schlossen sich auf merkwürdige Weise zusammen, Schulter an Schulter, Flanke an Flanke, und bewegten sich wie ein einziges Tier. Das wilde, synchrone Flattern ihres langen Haarkleids glich einer dunklen Welle, die graziös wogte, während sie in dieser Formation zwischen die Bäume galoppierten. Er erinnerte sich, dass Sleeping Bear ihm einst erzählt hatte, aus einem Pfund des feinen Unterhaars lasse sich ein über sechzehn Kilometer langer Faden spinnen.

»Hast du die wunderbaren Tiere gesehen?«, fragte er Ian, nachdem er die täglichen Vorräte hineingetragen hatte.

Ian überreichte ihm den üblichen Zwanzig-Dollar-Schein, der nie die Kosten für die Einkäufe deckte, was aber durch die Benutzung des Autos ausgeglichen wurde. »Die Moschusochsen? Gott weiß, was die hier wollen. Thorn dreht durch.«

Ian goss Drinks aus einer neu gekauften Flasche ein und überreichte Dafydd ein Glas. »Du bist gestern nicht gekommen. Ich hatte deine Telefonnummer nicht, sodass ich dich nicht anrufen konnte.«

»Warum hast du nicht ins Telefonbuch geguckt oder bei der Auskunft nachgefragt? The Happy Prospector, weißt du noch?«

»Ich habe die ganze Zeit darauf gewartet, dass du kommst. Dann hab ich mich volllaufen lassen, und es war mir egal.«

»Wolltest du irgendwas Besonderes haben?«

»Nee, eigentlich nicht. Ich habe mich nur daran gewöhnt, dass du jeden Tag kommst.«

Dafydd wartete auf den Moment, in dem Ian unter einem Vorwand hinausgehen und den Kofferraum durchsuchen würde.

»Wie ist es denn so, Vater zu sein?«

»Ganz in Ordnung, danke. Miranda ist reizend, aber auch quirlig. Bei Mark bin ich mir nicht sicher … Sheila sagt, dass er verhaltensauffällig ist. Weißt du irgendetwas darüber?«

»Er ist eben ein Teenager, verdammt noch mal, die sind alle verhaltensauffällig. Diese Frau glaubt, dass sie alles weiß. Sie ist hervorragend im Manipulieren und Benutzen von Menschen, aber sie hat nicht die geringste Ahnung von Menschlichkeit. Sie gleicht einem Aasfresser oder einem Vielfraß. Kanntest du ihren Spitznamen: ›die Unersättliche‹? Genau das ist sie.«

Dafydd war verblüfft über die Bitterkeit in Ians Stimme. Vielleicht hatte er ebenfalls Gründe, Sheila zu verabscheuen – andere Gründe. Jedenfalls liefen einige fragwürdige Geschäfte zwischen den beiden. Er konnte sich nicht länger beherrschen und sagte: »Ich glaube, im Kofferraum des Autos liegt ein Päckchen für dich.«

Ians Körper schoss hoch, als hätte er einen elektrischen Schlag bekommen. »Was hat sie dir erzählt?«, fragte er scharf.

»Nichts. Ich habe nur gesehen, wie sie's ins Auto gelegt hat.«

Ian sprang erstaunlich schnell auf und rannte nach draußen, um sofort mit dem Plastikpäckchen zurückzukehren. Er stand zögernd in der Mitte des Raumes, blickte zum Badezimmer, dann zu Dafydd, dann auf das Päckchen.

»Oh, um Himmels willen«, stieß Dafydd zornig hervor. »Was für einen Stoff habt ihr mich transportieren lassen? Los, spuck's aus.«

»Demerol.«

Dafydd starrte ihn an. »Demerol?«

»Ich dachte, du hättest es vielleicht schon vermutet. Früher. Als es anfing. Ich hänge schon seit … Jahren dran.«

»Wie viel nimmst du?«

»Oh, etwa tausend Milligramm täglich.«

»Tausend ... mein Gott! Wie bitte kommst du denn an das Zeug ran?« Dafydd kannte ein paar Ärzte, die süchtig geworden waren, sogar zwei oder drei in Cardiff. Aber über zehn Jahre ... Das war eine lange Zeit, ohne erwischt zu werden.

»Ach, was soll das! Wo bewahrst du deine graue Masse auf?« Ian war gerade dabei, seinem Ärger durch eine Beleidigung Luft zu machen, aber dann erschlaffte er plötzlich und ging auf den nächsten Stuhl zu. »Was glaubst du denn?«, fragte er, seufzte tief und legte den Kopf in die Hände.

»Doch wohl nicht von Sheila?«

Ian blickte auf. »Hast du das Haus gesehen, in dem sie wohnt? Und das mit dem Gehalt einer Krankenschwester? Ihre Kleidung, ihr Auto, ihre Möbel? Ganz zu schweigen von ihrem Bankkonto.« Er lehnte sich zurück und begann mühsam, das Päckchen aufzureißen. »Dann guck dir an, wie *ich* lebe ... von dem Gehalt eines Arztes. Du brauchst doch nur zwei und zwei zusammenzählen.«

»Aber wie kommt sie damit durch? Führt denn niemand Buch?«

»Natürlich. Sie selbst. Sie hat die Gesamtverantwortung für alle Bestellungen, Medikamentenausgaben und Konten. Hast du nicht das kleine Schlüsselbund an ihrem Gürtel gesehen? Niemand außer Sheila setzt einen Fuß in die Apotheke. Selbst Hogg muss sich, wenn er etwas braucht, an sie wenden.« Er zog mit den Zähnen an der Plastikhülle. »Mir graut vor ihrem Urlaub.«

Schließlich schaffte er es, die zahlreichen Injektionsfläschchen aus ihrer Verpackung zu befreien. Sie knallten auf den Tisch und rollten in alle Richtungen. Es gelang ihm gerade noch, eines aufzufangen, bevor es auf dem Boden zerschellte. »Aber sie ist eine vorzügliche Organisatorin. Solange ich ihr was zusätzlich zahle, beschafft sie mir einen anständigen Vorrat. Bloß ist es schwierig, den einzuteilen«, meinte er lächelnd. »Mir ist es lieber, wenn sie die Sache in der Hand hat. Ich verliere zu leicht jedes Maß.«

Seine Hand schloss sich um ein Injektionsfläschchen, und reflexartig begann er bereits, seinen Ärmel hochzurollen. »Bin gleich wieder da«, sagte er und stand auf.

»Noch eine Frage.« Dafydd bemühte sich nach Kräften, keinen Sarkasmus in seiner Stimme anklingen zu lassen. »Ist das der Grund, weshalb ich dein Auto habe? Um dir oder Sheila die Fahrt zu ersparen?«

»O nein, daran habe ich überhaupt nicht gedacht. Ehrlich. Normalerweise ist die Lieferung kein Problem. Aber seit ich zu Hause bin, ist es ein wenig schwierig geworden. Sie hasst die Fahrt, und die Leute werden aufmerksam. Aber da du ohnehin zu mir kommst ... nun, es war ihre Idee. Eine dumme, wie sich herausgestellt hat. Es ist nicht Sheilas Art, unvorsichtig zu sein.« Er zuckte die Schultern und machte sich ins Badezimmer auf.

Einem Impuls folgend, verließ Dafydd das Haus. Mit donnerndem Gerassel der gegen das harte Eis schlagenden Schneeketten fuhr er los. Im Rückspiegel sah er, dass Thorn hinter ihm hersprang und verzweifelt bellte. Schlagartig lösten sich sein Zorn und Abscheu auf, und er hielt an, um sich von dem unglücklichen Hund zu verabschieden. Thorn blickte flehend zu ihm hoch und bat ihn, seinen Herrn nicht aufzugeben. *Geh nicht. Er hat keine Freunde. Verlass ihn nicht.*

Dafydd umarmte den alten Kerl und vergrub das Gesicht in dem warmen, flauschigen Nackenfell. Er hatte kein Recht, über Ian zu urteilen. Der Mann war süchtig, kein Ungeheuer. Er hatte nie herausgefunden, warum Ian nach Moose Creek gekommen war, welche Notwendigkeit oder Missetat ihn hierher gebracht hatte. Gewiss, der jüngere Ian von damals hatte leichtfertig gewirkt, sogar verantwortungslos, aber er war ein guter und fürsorglicher Arzt gewesen, der stets seinen Arbeitsanteil erledigt hatte, häufig auch mehr. Doch seine Sucht hatte von dieser Haltung nicht mehr viel übrig gelassen. Trotzdem befand Dafydd, dass es nicht seine Aufgabe war, Ians Angelegenheiten zu überwachen, sondern dass dies in die Zuständigkeit des Krankenhauses fiel.

Er wusste, dass erheblich schlimmere Leute in Moose Creek gearbeitet hatten. Janie hatte ihm einige schockierende Geschichten darüber erzählt. Ein den Tatsachen entsprechender Lebenslauf gehörte nicht zu den unabdingbaren Voraussetzungen. Außerdem wurden zur Not die Vergehen eines entlassenen Alkoholikers oder medikamentenabhängigen oder kriminell gewordenen oder einfach inkompetenten, gefährlichen oder fragwürdig qualifizierten Arztes großzügig übersehen, und man hieß ihn an diesem Ort willkommen, an dem sonst Stellen häufig so gut wie gar nicht besetzt werden konnten.

Dafydd fuhr rückwarts die Auffahrt hinauf und betrat wieder das Haus, um Ian Gesellschaft zu leisten, der sich inzwischen in einem glückseligen Rauschzustand befand.

Es tut mir leid, dass ich Deine Anrufe verpasst habe. Ich habe sehr viel zu tun. Mir ist ein neuer Auftrag angeboten worden. Paul hat vorgeschlagen, dass ich gemeinsam mit ihm eine Hotelkette in Dubai betreue. Ich werde in London arbeiten, aber sehr oft vor Ort sein müssen. Ich hoffe, Du freust Dich für mich. Es könnte eine Beschäftigung für mehrere Jahre sein. Ich habe bei allem freie Hand, einschließlich der Restaurants, Foyers und so weiter.

Damit komme ich zu einer anderen Frage. Die Thompsons haben Freunde, die sich für unser Haus interessieren. Sie wollen es nicht mieten, sondern kaufen. Sie haben mich aus heiterem Himmel angerufen und 290 000

Pfund geboten. Marjorie muss ihnen erzählt haben, was alles mit dem Haus (und uns persönlich) geschehen ist. Wahrscheinlich nahm sie an, dass wir ausziehen wollen. Daraufhin habe ich einen Makler angerufen, der sich das Haus angesehen und den Preis bestätigt hat. Es wäre mehr wert, wenn es sich nicht in solch einem üblen Zustand befinden würde. Ich war überrascht. Offen gestanden glaube ich, dass es vielleicht die beste Lösung wäre. Lass mich wissen, was Du davon hältst.

Beste Grüße
Isabel

Beste Grüße – das war's? Dafydd starrte auf den Bildschirm. Was war aus Liebe, Küssen und Umarmungen geworden? Was aus Verlangen, Sehnsucht und Vermissen? Der verfluchte Paul Deveraux … Wie konnte er Dafydds Frau für sich beanspruchen? Eine Welle der Trauer rollte über ihn hinweg. Der Schmerz legte sich wie ein Stein auf seine Brust und raubte ihm fast den Atem. Aber er saß in Tillies Büro, die sich in der Nähe aufhielt und so tat, als hefte sie Papiere ab.

Er musste unbedingt mit Isabel persönlich sprechen, aber sie wich ihm sehr erfolgreich aus. Vielleicht war er für sie so unwichtig geworden, dass sie ihn eines Gespräches für nicht mehr wert hielt. Oder war ihr Vorpreschen Teil seiner Bestrafung, um ihm zu zeigen, wie überflüssig er war? Er klickte auf »Antworten«.

Isabel. Der Ton Deiner E-Mail hat wehgetan. Er klingt, als wären wir Geschäftspartner, nicht Ehepartner (wir sind schließlich immer noch verheiratet).

Glückwunsch zu Deinem Auftrag in Dubai. Offensichtlich gut für Dich, aber vielleicht könntest Du mich wissen lassen, wie Du Dir unsere *gemeinsame Zukunft vorstellst, falls Du meinst, dass es eine geben könnte.*

Was das Haus betrifft, so hast Du ja schnell gehandelt. Ich bin erst drei Wochen fort, und Du demontierst bereits unser Leben. Es geht um mein Zuhause, Dein Zuhause, unser Zuhause. Aber verhökere das verdammte Ding bloß. Es ist ohnehin zu groß für uns. Ein Neuanfang in einem neuen Haus würde uns vielleicht guttun. Ich überlasse die Sache Dir und werde Deine Entscheidung voll und ganz akzeptieren.

Aber sei bitte so liebenswürdig, demnächst mit mir persönlich zu sprechen. Ruf mich an.

In Liebe
Dafydd

Er drückte auf »Senden«, ohne die E-Mail noch einmal durchzulesen. Er hatte zum Ausdruck gebracht, was er empfand, und das sollte sie wissen. Zehn Sekunden später geriet er in Panik und wünschte, er hätte sich nicht so streng, so *endgültig* ausgedrückt. Und das Haus ... Sie hatten dort nur sechs Jahre gewohnt, aber er war der Meinung gewesen, es werde auf Dauer sein. Im Grunde hatte er sie aufgefordert, es zu verkaufen. Wenn Mark und Miranda ihn je besuchen oder bei ihm wohnen sollten, wohin konnten sie dann kommen? Die gesamte Situation war surreal.

Tillie bewegte sich um ihn herum. Sie hatte seine Stimmung wahrgenommen und legte ihm kurz die Hand auf die Schulter. »Ist alles in Ordnung?«

»Ja, Tillie, danke.«

Er seufzte und stand auf. Als er die Treppe hinaufstieg, fühlte er sich bedrückt. Er war Tausende Kilometer von seiner Frau und jeder Chance eines Fünkchens von Nähe, von Verstehen entfernt. Aber was sollte sie verstehen? Er musste zugeben, dass es schon ein wenig aufregend war, Vater zu sein. Andererseits wurde er nicht gerade von Freude oder Begeisterung übermannt. Vielmehr erfüllte ihn die Vorstellung, diesen beiden verletzlichen Kindern nahezukommen und sie dann einfach wieder sich selbst zu überlassen, inzwischen mit Unruhe. Wie konnte er aus einer derartigen Entfernung für sie da sein, wenn sie ihn brauchten?

Er blickte auf das Durcheinander in seinem Zimmer. Die grelle Ausstattung sprang ihm jedes Mal nach Art einer Disco-Lightshow entgegen, sobald er die Tür öffnete. Seit zwei Tagen hatte er Tillie verboten hereinzukommen und aufzuräumen. Denn er spürte instinktiv, dass sie seine Kleidung nicht zusammenlegen und in die Wäsche tun, dass sie seine Laken und sein Kissen nicht glätten sollte. Seine Begründung lautete, sie tue ohnehin schon viel zu viel für ihn.

Dafydd ließ sich auf den Sessel fallen, legte das Gesicht in die Hände und versuchte, die widersprüchlichen Möglichkeiten seiner komplexen Zukunft auszublenden. Welchen Weg er auch wählte, er schien zum Untergang verurteilt zu sein. Er konnte unmöglich hier bleiben, aber was würde er bei seiner Heimkehr vorfinden? Wie würde er sich fühlen, wenn Isabel ihn wegen dieses schleimigen Deveraux verließ? Wo würde er wohnen?

Jemand klopfte energisch an die Tür. Dafydd sprang von seinem rosa Lehnstuhl hoch und stopfte sein Hemd in die Jeans. Es war ein Klopfen, das nach Sheila klang. Sofort ärgerte er sich über seine Reaktion. Sie hatte keinen Grund, ihn unangekündigt in seinem Zimmer aufzusuchen. Er setzte sich wieder hin und beschloss, nicht zu reagieren. Es pochte erneut, diesmal noch heftiger. Dafydd fluchte und ging zur Tür. Es war Hogg.

»Hogg!«, rief er. Hogg runzelte die Brauen. »Andrew … Bitte kommen Sie rein.«

Hogg marschierte herein und ließ den Blick kurz durch den Raum schweifen, über die Unordnung und das ungemachte purpurne Bett. »Verzeihen Sie, dass ich Sie überfalle. Ich bin telefonisch nicht durchgekommen, und da dachte ich, dass ich einfach zu Ihnen rübergehen könnte. Es ist ein schöner Tag, aber die Bürgersteige sind tückisch. Das hätte mir jetzt gerade noch gefehlt – auszurutschen und mir ein Bein brechen.«

»Sie brauchen *mukluks*«, sagte Dafydd und zeigte auf Hoggs Füße, die in teuren italienischen Schuhen steckten. »Die haften auf allem. Ich habe mir selbst vorgenommen, heute Nachmittag zum Friendship Centre zu gehen und mir ein Paar zu besorgen.«

»Sie werden in Ohnmacht fallen, wenn Sie die Preise sehen. Eingeborenenhandwerk ist für uns hiesige Normalbürger unerschwinglich geworden. Daran ist der Tourismus schuld.«

Sie standen in der Mitte des Zimmers, und Dafydd verfluchte sich, weil er vergessen hatte, Tillie um ein paar ordentliche Stühle zu bitten. Er wies auf den Lehnstuhl, aber Hogg, der hoffnungslos rundlich war, stellte sich vor, sich in das hängemattenähnliche Ding zu setzen und sich anschließend wieder daraus hochwuchten zu müssen, und meinte: »Lassen Sie uns doch über die Straße in den Imbiss gehen. Dort backen sie einen guten Apfelkuchen nach alter Hausfrauenart.«

Dafydd schnürte seine Stiefel zu, griff nach seinem Parka und überlegte, welchen Anlass dieser Besuch wohl hatte. Hogg machte keine Höflichkeitsbesuche, und sie waren auch nie Freunde geworden. Hogg schien ziemlich oberflächlich zu sein, aber er liebte Sheila. Alle wussten das, und Dafydd fragte sich, ob diese unerwartete Ehre ihr zu verdanken war. Vielleicht hatte Hogg etwas herausbekommen oder es von ihr erfahren.

Sie überquerten die Straße und setzten sich an einen durch Trennwände abgeteilten Tisch mit Sicht nach draußen. Hogg begrüßte die Kellnerin mit übertriebener Höflichkeit. »Das Übliche, zweimal«, sagte er zwinkernd.

»Wir haben Sie vergangene Woche in der Kantine vermisst«, meinte er mit aufgesetztem Schmollen. »Ich war ziemlich enttäuscht. Man hat mir erzählt, dass Sie länger hierbleiben wollen … Stimmt das?« Er klopfte mit seinem kurzen, dicken Zeigefinger auf die Tischmitte, um eine Erklärung für dieses ungewöhnliche Verhalten aus Dafydd herauszulocken.

Dafydd war auf die Situation nicht vorbereitet. Sheila wollte nicht, dass die Tatsachen bekannt wurden. Andererseits – warum sollte sie darüber zu bestimmen haben, mit wem er darüber sprach?

Gewiss, die Kinder mussten so weit wie möglich geschützt werden, aber Hogg war der sie behandelnde Arzt. Ohne Zweifel war er ohnehin informiert, denn er hatte bestimmt die Blutabnahmen für die DNA-Tests durchgeführt.

»Na ja, es ist kompliziert … Können Sie Folgendes für sich behalten, Andrew?«

»Natürlich, natürlich. Schießen Sie los, schießen Sie los.«

»Es hat den Anschein, dass ich der Vater von Sheilas Kindern bin. Mehr noch: Ich *bin* der Vater von Sheilas Kindern. Das ist der Grund, warum ich hier bin.«

Der Schock trieb Hogg das Blut aus dem Gesicht, und einen Moment lang erweckte er den Eindruck, er werde das Bewusstsein verlieren. Er starrte Dafydd an, aber die Verwirrung ließ seine Augen unscharf erscheinen, als sähe er Dafydd durch einen Schleier.

»Ist alles in Ordnung?«, fragte Dafydd. Plötzlich erinnerte er sich an Ians Worte, dass Hogg sich verhalte, als wäre er der Vater. Vielleicht glaubte er, es zu sein.

»Natürlich, ja«, schnaufte Hogg. »Es kommt mir einfach nur … so unwahrscheinlich vor …«

»Tut mir leid, dass ich Sie damit überrascht habe, aber Sie haben gefragt.«

»Natürlich, natürlich.«

Die hübsche Kellnerin tauchte mit zwei Tellern auf. Um sie waberten eine Parfümwolke und der Duft des dampfenden Apfelkuchens. Schnell holte sie noch die Caffè Latte, die in eimergroßen Bechern serviert wurden und durch die sahnige Milch fast weiß waren.

Hogg kippte sich einen großzügigen Schwung Zucker aus dem Spender in den Kaffee und rührte ihn lange um, wobei er konzentriert auf das herumwirbelnde Zentrum blickte. Sein Appetit schien verschwunden zu sein.

»Vielleicht sollten Sie einen DNA-Test in Betracht ziehen«, sagte er nach einer Weile, »bevor Sie sich auf diese Vorstellung fixieren.«

»Das ist geschehen. Sonst wäre ich nicht hier. Bei mir und meiner Frau ist dadurch alles durcheinandergebracht worden. Ich hatte keine Ahnung … bis vor drei Monaten.«

Kleine Schweißperlen bedeckten Hoggs Stirn, und seine Leichenblässe war einer tiefen Röte gewichen. Dafydd fürchtete, der Mann könne einen Herzstillstand oder einen Schlaganfall erleiden. Er sah sehr angegriffen aus.

»Ich habe gedacht, dass vielleicht *Sie* die Blutabnahme bei Sheila … und Mark durchgeführt haben«, erklärte Dafydd. »Entschuldigen Sie. Es war eine Vermutung.«

»Keine Sorge, ich werde kein Wort darüber verlauten lassen.« Hogg rang mühsam nach Atem. Er zog ein großes Taschentuch hervor und wischte sich das Gesicht ab. Dann griff er zum Zuckerspender und schüttete sich geistesabwesend noch einen Schwung in seinen bereits gut gesüßten Caffè Latte. Wieder rührte er die Flüssigkeit ausgiebig um, dann schlug er mit dem Löffel mehrmals an den Rand seines Bechers und legte ihn säuberlich auf die Untertasse. Schließlich hob er die Augen. »Ich hatte keine Ahnung.«

»Nun, Sheila will auf keinen Fall, dass es jemand

erfährt. Fragen Sie mich nicht, warum.« Dafydd nahm einen Schluck aus dem riesigen Becher und probierte einen Bissen des klumpigen Kuchens. »Ich dachte, dass Sie vielleicht aus diesem Grund mit mir sprechen wollten.«

»O nein, ganz sicher nicht«, wehrte Hogg in scharfem Tonfall ab und wedelte geringschätzig mit der Hand. »Ich wollte Sie fragen, ob Sie eine Vertretung machen könnten. Ian scheint sich mit seiner Rückkehr nicht zu beeilen. In den beiden vergangenen Jahren hat er häufig gefehlt.« Hogg lehnte sich über den Tisch und senkte die Stimme. »Es geht ihm nicht besonders gut. Ich habe keinerlei Grund zur Klage, aber …« Er schloss die Augen und schüttelte den Kopf, zweifellos, weil er mit sich rang, wie viel er preisgeben sollte.

»Ich könnte zwei Wochen übernehmen. Aber was ist mit der Arbeitserlaubnis und so weiter?«

»Oh, machen Sie sich deswegen keine Sorgen. Ich regele das schon. Hier oben haben wir amtlich geregelte Notsituationen, und dies ist meiner Ansicht nach eine. Ich kann Ihnen für drei Wochen fünftausend Dollar anbieten. Es ist nicht gerade eine riesige Summe, aber es ist das Höchste, was wir uns leisten können.«

»Drei Wochen …?« Dafydd rechnete schnell nach und kam zu dem Ergebnis, dass sein Urlaub schon ein wenig früher enden würde. Aber auf ein oder zwei weitere Wochen würde es auch nicht ankommen, obwohl er sich ein wenig illoyal fühlte. Er würde nicht gefeuert werden, aber er konnte sich Payne-Lawsons überheblichen, missbilligenden Gesichtsausdruck lebhaft vorstellen, ebenso die im Krankenhaus kursierenden Spekulationen. Doch plötzlich war ihm das gleichgültig.

»Gut. Wann soll ich anfangen?«

»Gleich morgen früh. Punkt 8.30 Uhr.«

Dafydd lächelte. Manche Dinge änderten sich nie. Er musterte den kleinen Mann, der jetzt wieder so lebhaft und geschäftsmäßig war wie immer und sich völlig von seinem untypischen Schrecken erholt hatte. Allerdings nicht hinreichend, um sich an den riesigen Snack heranzumachen, den er sich bestellt hatte. Er betrachtete den Kuchen nur bedauernd und merkte, dass Dafydd das Gleiche tat.

»Ich sollte das Zeug eigentlich nicht essen«, sagte er ein wenig verlegen. »Da erzähle ich all den übergewichtigen Patienten, dass sie sich mäßigen und vernünftig sein sollen. Ich sollte den Worten auch Taten folgen lassen.« Bei dem Versuch, so zu klingen, als amüsiere er sich über sich selbst, lachte er laut und hohl.

Als sie die Imbissstube verlassen hatten, sagte Dafydd auf dem Bürgersteig zu Hogg: »Ich glaube, Sheila wird etwas dagegen haben, dass ich im Krankenhaus arbeite. Sie werden sie noch kräftig bearbeiten müssen, Andrew.«

»Eigentlich müsste sie sich doch darüber freuen«, meinte Hogg mit überraschender Bitterkeit. »Was könnte schöner für sie sein, als ihre Familie beisammenzuhaben und ihren künftigen … ihren früheren … äh, den Vater ihrer Kinder vor Ort arbeiten zu sehen?«

»So einfach ist das alles nicht.«

»Aha. Und … wo liegt das Problem?«

»Wir haben nicht gerade ein harmonisches Verhältnis zueinander. Und vielleicht sollten Sie sich nicht anmerken lassen, dass Sie's wissen … wenigstens vorläufig nicht«, meinte Dafydd. »Auch wenn ich persönlich nicht begreife, warum sie das stören sollte. Schließlich stehen Sie Sheila und den Kindern ziemlich nahe. Sie scheinen ihr einziger wirklicher Freund zu sein, und sie vertraut Ihnen. Das hat sie selbst gesagt.«

Hoggs Stimmung schien sich durch diese Enthüllungen ein bisschen zu heben. »Sie ist eine eigensinnige Frau, aber ich werde mein Bestes tun, Sheila zu überzeugen, dass Sie für das Krankenhaus eine wertvolle Stütze sind … bis auf Weiteres.«

Sie schüttelten sich die Hände und gingen auseinander.

»Ich bin eingestellt«, sagte Dafydd laut und lachte. Dann zuckte er zusammen. *Déjà vu.* Da war er nun wieder in Moose Creek und schloss sich, nach einem weiteren Vergehen in der Heimat, den Verlierern an.

KAPITEL 17

NACH ZWANZIG BAHNEN schmerzten ihm Rücken und Nacken. Er hatte, wie ihm schien, zwei Liter Wasser geschluckt, das stark mit Kinderpipi und einer erheblichen Dosis Chlor versetzt war. Seine Augen brannten, und ihm war ein wenig übel. Er hörte auf zu schwimmen und versuchte ein paar Dehnübungen im Wasser. Offenbar hatte er in nur wenigen Wochen nicht nur jegliche Kondition verloren, sondern war auch steif wie ein Brett geworden. Er beschloss, seinen faulen Hintern mindestens dreimal die Woche morgens zum Pool zu bewegen.

Dafydd merkte, dass ihn eine am Schwimmbadrand sitzende Gestalt beobachtete. Es war der einzige andere Badegast, da das Sportzentrum ab sieben geöffnet hatte und seitdem noch nicht einmal eine Viertelstunde vergangen war. Die schlaksige Gestalt war vor allem an ihrem oberen Ende erkennbar, einer orangefarbenen Haarflut, die ausnahmsweise nicht zu einem Pferdeschwanz zusammengebunden war.

Dafydd schwamm hinüber. »Guten Morgen, Mark. Schon so früh auf? Genau wie ich.« Seine Stimme klang unnatürlich laut und fröhlich in der hallenden Leere des Schwimmbads. Er trat Wasser, während er von den kalten, wachsamen Augen gemustert wurde.

»Meine Mom sagt, dass du eine Stelle im Krankenhaus bekommen hast.«

»Warum denn nicht? Ich kann mich ruhig nützlich machen, während Dr. Brannagan kra… im Urlaub ist.«

»Sie ist übergeschnappt.«

»Wie meinst du das?«, fragte Dafydd vorsichtig.

Zum ersten Mal zogen sich die Lippen des Jungen zu so etwas wie einem Lächeln auseinander. »Nicht übergeschnappt im Sinne von verrückt«, sagte er herablassend, »übergeschnappt im Sinne von totsauer.«

»Na, na«, erwiderte Dafydd und suchte nach einer angemessenen Reaktion. »Sie wird sich schon noch daran gewöhnen, meinst du nicht? Ich werde mich bemühen, ihr nicht in die Quere zu kommen.«

»Warum gibst du ihr nicht einfach das Geld und schwirrst ab?«

»Ich bin hier, um dich und deine Schwester kennen zu lernen.« Dafydd spürte, wie ein zunehmender Ärger in ihm aufstieg. Er packte den Rand des Pools, stemmte sich hoch und setzte sich neben den Jungen, der sein Sohn war. »Möchtest du *mich* nicht auch ein bisschen kennen lernen? Ich gebe zu, dass es schwer ist, sich an den Gedanken zu gewöhnen, aber ich bin dein Vater, selbst wenn du mich für eine fürchterliche Plage hältst.«

Der Junge schwieg, und Dafydd blickte auf ihre Füße, die hinunterbaumelten und in dem ekelhaften Wasser planschten. Die von Mark waren lang und schmal und hatten eine völlig andere Form als Dafydds eigene Schaufelfüße. Es gab überhaupt keine erkennbare Ähnlichkeit zwischen den beiden. Marks Körper war kränklich weiß, seltsam langgezogen, hager und in keinster Weise muskulös. Jeder Zentimeter seines Körpers war mit Sommersprossen überzogen. Dafydd war ebenfalls schlank, doch kompakt. Mark hatte nichts von der Stabilität und Festigkeit seiner Gliedmaßen, aber er war ja auch noch sehr jung.

Mark hatte mitbekommen, wie Dafydd ihre Unterschiede registrierte. »Du bist *nicht* mein Vater. Das weiß ich mit Sicherheit«, sagte er und sprang ins Wasser. Er schwamm in einem erstaunlich anmutigen Kraulstil davon. Dafydd saß verblüfft da und beobachtete, wie Mark rasch hin und her glitt, ganz erheblich schneller, als Dafydd es je vermocht hatte. Als er sich schließlich aus dem Pool stemmte, folgte Dafydd ihm in den Umkleideraum. Auch dort waren noch keine Frühaufsteher anzutreffen.

»Was genau meintest du damit, dass ich nicht dein Vater bin?«, fragte Dafydd.

Mark trocknete sich hastig ab und verschwand dann in eine Kabine, um sich anzuziehen. »Es ist schon spät, und ich muss zur Schule«, rief er über die Trennwand hinweg.

»Blödsinn«, erwiderte Dafydd, »es ist gerade mal halb acht. Ich lade dich zum Frühstück ein, wenn du dich beeilst.«

Sie saßen in der Cafeteria des Northern Holiday Hotels, das zu Fuß nur fünf Minuten vom Sportzentrum entfernt lag. Trotz ihres Sprints waren beide um Ohren und Nase blau, weil sie sich mit noch feuchten Haaren bei minus zwanzig Grad nach draußen gewagt hatten.

»Wahrscheinlich gibt es hier nichts, was ich essen kann«, sagte Mark und überflog die Karte.

»Wie wäre es mit einer großen Schale Hafergrütze mit Zimt und Honig, gefolgt von Röstis mit Bohnen in Tomatensoße und gebratenen Tomaten und Pilzen, dazu Toast mit Margarine und Marmelade sowie Fruchtsalat?«, schlug Dafydd beiläufig vor und fingerte an den zerknickten Ecken der Plastikspeisekarte herum.

Zweifellos gab es einen Spalt im Panzer, durch den man sich dem Jungen nähern konnte, solange es ums Essen ging. Angesichts des Mangels an Interesse und Verständnis seiner Mutter und der Lebensmittelverkäufer in der Stadt hatte es das arme Kind bei seiner Suche nach veganer

Nahrung schwer. In seine blassen Augen trat ein Funkeln, aber dann ließ Mark die Schultern sacken und meinte deprimiert: »Ich bezweifle, dass sie all das haben.«

Aber sie hatten alles, und Dafydd, der schon immer eine Vorliebe für pflanzliche Köstlichkeiten gehegt hatte, schloss sich ihm bei dem Schmaus an. Als sie die Mahlzeit, vorwiegend in konzentrierter Stille, hinuntergeschlungen hatten, unternahm Dafydd einen neuen Versuch. »Ich weiß, dass du mit all dem überfallen worden bist, aber wir könnten doch versuchen, einfach Freunde zu sein.«

Mark blickte auf seine wuchtige Uhr. »Na, guck uns doch nur mal an«, entgegnete er, »wir sehen uns nicht einmal ähnlich. Du bist auf keinen Fall mein Vater. Vielleicht der meiner Schwester, aber nicht meiner.«

»Aber das ist völlig unmöglich«, widersprach Dafydd. »Das musst du doch wissen.«

»Also, ich bin nicht dein Sohn. Ich weiß es einfach. Geh einem anderen auf den Geist.« Er schien seine letzten Worte zu bedauern und ergänzte: »Mann, ich bin *richtig* voll.«

Dafydd beeilte sich, zum Krankenhaus zu gelangen. Jetzt, nach einer Woche, war er froh, dass er sich einverstanden erklärt hatte, die Vertretung zu übernehmen. Fünftausend Dollar kamen ihm sehr gelegen. Nichts in dieser Stadt, möglicherweise einem der teuersten Außenposten der Welt, war umsonst, und er würde bald damit beginnen müssen, Sheila etwas zu zahlen.

Bei seiner Suche nach der Wahrheit hatte er keine Fortschritte gemacht. Im Gegenteil, es schien, als werde er seinen Teil bei der Erzeugung der Zwillinge akzeptieren müssen. Immer wenn er versuchte, an die Zeit ihrer vermutlichen Entstehung zu denken, leerte sich sein Bewusstsein, wahrscheinlich, weil er die Sache so viele Male in seinem Kopf herumgewälzt hatte. Und niemand, mit dem er gesprochen hatte, konnte ihm irgendeinen Hinweis liefern. Miranda hatte ihm ihre Geburtsurkunden gezeigt, ohne dass er sie dazu aufgefordert hatte (allerdings mochte Sheila das getan haben), und die Daten passten perfekt. Bis er den Zeitpunkt für gekommen hielt abzureisen, würde ihm die Arbeit jedenfalls ein anderes Betätigungsfeld bieten und ihn davon abhalten, grübelnd herumzusitzen.

Mark hatte recht, Sheila war totsauer gewesen. Sie wollte ihn nicht im Krankenhaus haben, basta. Aber da Hogg ihn persönlich angeworben hatte, war sie nicht in der Lage, ihm Einhalt zu gebieten. Ihre Drohungen mit der Einwanderungsbehörde waren leeres Geschwätz. Hogg wusste, wie man Hindernisse umschiffte. Es war alles eine Frage des Umgangs mit der Bürokratie.

»Du hast es Hogg erzählt«, zischte sie, als sie sich darauf vorbereiteten, den Leistenbruch eines Babys zu operieren.

»Ja, ich hab's ihm erzählt. Er hat versprochen, es für sich zu behalten.« Dafydd hatte gerade seine Hände gesäubert und zog sich Gummihandschuhe über. »Und was ist dabei?«, fragte er gereizt. »Er ist euer Hausarzt. Es wundert mich, dass du es ihm nicht selbst gesagt hast. Übrigens, wer hat eigentlich dir und Mark das Blut für den Test abgenommen?«

Sheila schaute zur Seite, und ihre zusammengepressten Kiefer verrieten ihre Anspannung. »Welche Rolle spielt das denn?«, fauchte sie. »Es war einer der hiesigen Ärzte, und er hat keine Fragen gestellt.«

»Also ein *Er*«, sagte Dafydd und schloss damit Dr. Atilan, die Gynäkologin, aus, ebenso Nadja Kristoff, eine junge Ärztin für Allgemeinmedizin, die gerade ihre Ausbildung beendet hatte. Es spielte tatsächlich keine Rolle, aber er hatte genug von all den Machenschaften und der Heimlichtuerei, und es gefiel ihm, wenn sie sich wand.

»Gott, du bist unerträglich«, sagte Sheila. »Wenn es dir *so* viel bedeutet: Es war Ian. Aber lass den armen Kerl in Frieden, ja? Er ist sterbenskrank und kann deine Kreuzverhöre jetzt nicht vertragen.«

Dafydd hätte am liebsten geantwortet: *Und ganz bestimmt kann er deine Art Hilfe dabei nicht vertragen.* Aber er hielt den Mund, weil er Ian nicht bloßstellen wollte. Stattdessen fragte er: »Sterbenskrank? Wie kommst du darauf, dass es so schlecht um ihn steht?«

»Seine Leber ist im Eimer, falls du das nicht bemerkt haben solltest.«

Dafydd dachte: *Durch seinen Tod werden deine satten Einnahmen im Eimer sein, du Schlampe.* Aber er schluckte seinen Zorn hinunter und versuchte, die Feindschaft zu drosseln, die er ihr gegenüber empfand, seit er den Hauptgrund für Ians physischen, geistigen und finanziellen Niedergang erfahren hatte. Er war beunruhigt über einige der Fantasien, die er Sheila gegenüber hegte, besonders wegen der Anschuldigungen, die sie gegen ihn erhoben hatte. Er *wollte* ihr wehtun. Das verstörte ihn, zumal er sich nicht daran erinnern konnte, dass er jemals den Wunsch verspürt hatte, einen anderen Menschen zu verletzen. Manchmal fragte er sich, ob ein krankhaftes sexuelles Motiv hinter seinen Fantasien steckte. Aber nein, es war nichts als Zorn, Widerwille und Empörung. Sie war böse, und er hasste das, was sie verkörperte.

Die Atmosphäre während der Operation war nicht angenehm. Dafydd hatte Hogg gebeten, dafür zu sorgen, dass sein Dienst möglichst nie mit dem von Sheila zusammenfiel, doch der hatte geantwortet, es sei *ihre* Aufgabe, die Dienstpläne zu erstellen. Und obwohl es ihnen zuwider war, einander zu begegnen, wollte sie ihn offenbar unbedingt ständig im Auge behalten.

Wäre Sheila nicht gewesen, hätte er seine Arbeit rückhaltlos genossen – echte Patienten mit echten Problemen. Es gab ständig neue Herausforderungen, und er war sich seiner hart erarbeiteten Reife und Erfahrung bewusst, wenn er sich an die Befürchtungen erinnerte, die er vierzehn Jahre zuvor gehabt hatte. Im Grunde war er den Anforderungen damals nicht gewachsen gewesen. Er verglich die Tätigkeit hier mit seiner Arbeit in Cardiff und dem ständigen Zustrom neuer technologischer Hilfsmittel, deren korrekten, mühelosen Einsatz die Ärzte immer wieder erlernen mussten. Hier sah es anders aus. Die Ausrüstung war veraltet, und man arbeitete, indem man den Patienten betrachtete – die Farbe seiner Haut, seine Atmung, den Puls –, statt den Blick auf Monitore und Videoschirme zu richten, dadurch den Behandlungsprozess zu mechanisieren und Menschen in Organe und Systeme zu verwandeln, die entfernt oder repariert werden mussten. Er entdeckte etwas Neues an sich selbst: seine Freude an der praktischen, personenorientierten Grundlagenmedizin, die oft riskant, manchmal furchterregend, aber gelegentlich sehr hilfreich war. Das war etwas, das er mit nach Hause nehmen würde: eine weitere Fähigkeit.

Sein letzter Patient an diesem Tag war Joseph, Bears Enkel. Der war verblüfft, im Sprechzimmer auf Dafydd zu treffen.

»Sie hätte ich als Letzten erwartet – ich dachte, Sie machen hier Urlaub«, sagte er, als er Dafydd hinter dem Schreibtisch sitzen sah. »Normalerweise habe ich mit dem Mann von der Armee zu tun, Lezzard. Er kennt meinen Zustand.«

»Ich habe nur ein kleines Pensum übernommen, als Vertretung …« Dafydd las die Krankenakte des Mannes und erfuhr, dass die Diabetes von Joseph erst im Erwachsenenalter aufgetreten war. »Hat Dr. Lezzard mit Ihnen über den Nutzen gesprochen, den es bringen würde, wenn Sie ein wenig Gewicht verlören?«, fragte Dafydd, und das

Bild von Bruce Lezzards großem und wuchtigem Körper tauchte vor ihm auf; auch er war ein Fleischberg.

»Nein, er verschreibt mir einfach nur meine Injektionen.«

»Darum geht es. Möglicherweise können Sie auf die Injektionen verzichten, wenn Sie etwas abnehmen – ziemlich viel abnehmen.«

Dafydd sah hoch und begriff, dass dies nie geschehen würde, und deshalb verzichtete er auf weitere Ausführungen. Er untersuchte den Mann und war überrascht zu erfahren, dass Joseph erst achtundvierzig Jahre alt war. Das Klima hier war rau und die Lebenserwartung kurz. Er stellte das Rezept aus und reichte es dem Patienten. Mit einem knappen »Danke« ging Joseph in Richtung Tür.

»Haben Sie Familie, Joseph?«, rief Dafydd hinter ihm her.

»Warum fragen Sie?« Josephs Stimme klang misstrauisch, aber er blieb stehen und drehte sich um.

Dafydd zuckte die Schultern. »Es ist nur, weil ich überhaupt nichts über Sie weiß.«

»Nein, wie denn auch«, antwortete Joseph sarkastisch. »Lassen Sie mich Ihnen etwas sagen: Selbst mein Großvater wusste nichts über mich. Er hat noch nicht einmal meine Kinder kennen gelernt. Ich habe vier. Das hat ihn nicht interessiert.«

»Ach so.« Dafydd bedeutete ihm, zurückzukommen und sich wieder hinzusetzen. Er wollte herausfinden, was diesen Mann so bitter gegenüber der Welt hatte werden lassen und warum er so gar nichts von Bears Frohsinn besaß. »Ich erinnere mich, dass er mir erzählt hat, Ihre Frau würde ihn nicht sonderlich mögen. Sleeping Bear war wohl in Ihrem Haus nicht willkommen.«

»*Sleeping Bear!*«, höhnte Joseph. Unvermittelt setzte er sich wieder auf den Stuhl, von dem er gerade aufgestanden war. »Sie glauben, dass Sie mit einem echten alten Indianer befreundet gewesen sind, nicht wahr? Aber er war kein Eingeborener, noch nicht mal ein geborener Kanadier.« Er musterte Dafydd triumphierend. »Ich wette, Sie hatten keine Ahnung.«

»Doch, ich wusste Bescheid«, widersprach Dafydd.

Ein Hauch von Überraschung glitt über Josephs fleischiges Gesicht. »Na, ich weiß nicht, was für einen Eindruck Sie von dem alten Mann hatten, aber er war alles andere als ein perfekter Familienmensch.«

»Das habe ich vermutet«, gab Dafydd zu. »Das Verhältnis zwischen Ihnen beiden war nicht immer ganz einfach, oder?«

»Nun machen Sie aber mal 'nen Punkt.« Joseph legte seine dicke Handfläche auf den Tisch. »Er lag mir sehr am Herzen. Hab ihn versorgt, so gut ich konnte. Und er hat mir dafür nie gedankt. Er war ein egoistischer alter Knochen.«

»Sie waren ihm teuer«, entgegnete Dafydd. »Das weiß ich.«

»Einen Teufel war ich. Seine eigene Familie war ihm egal. Aber das hat ihn nicht daran gehindert, überall in der Gegend seinen Samen zu verstreuen ...«

Nun war es an Dafydd, sich zu wundern. Er entsann sich noch deutlich an die Erzählungen des alten Mannes über die Härten seiner ersten Jahre in der Wildnis und darüber, wie er sich in eine wunderschöne Indianerin verliebte. Bear schien in der Erinnerung an seine lange und glückliche Ehe zu schwelgen. Wie oft hatte er von seiner Gattin erzählt, einer stoischen, humorvollen und zärtlichen Frau, die nichts anderes tat, als ständig zu arbeiten und ihre Familie zu versorgen.

»Was genau meinen Sie damit?«, fragte Dafydd.

Joseph schien sich über sich selbst zu ärgern und blickte mit irritiert zusammengezogenen Brauen auf seine Stiefel. »Ach, zur Hölle. Ich hatte gedacht, dass Sie informiert sind«, antwortete er mürrisch.

Dafydd lachte, um die Stimmung aufzulockern. »Nein, aber ich würde es gern hören. Der alte Mann hat häufig von seiner Frau und den Kindern erzählt, aber andere hat er nicht erwähnt …«

Joseph schaute Dafydd mit seinen ödematös verquollenen Augen ins Gesicht. »Na, meiner Meinung nach müssen Sie zum Beispiel seinen Jungen in Black River gesehen haben. Sicher erinnern Sie sich an die fruchtlose Reise, auf der Sie beide gewesen sind.«

Dafydd war verdutzt. »Ich erinnere mich an keinen Jungen.«

»Natürlich tun Sie das.« Joseph schenkte seinen Worten offenbar keinen Glauben. »Er hatte mit irgendeiner Frau ein Kind.«

»Bedaure, aber davon weiß ich nichts.«

»Ach, hören Sie auf. Das war doch der Grund, warum Sie hingefahren sind. Er hatte da oben eine Frau.«

»Nein, wir sind hingefahren, um einen alten Freund von ihm zu besuchen«, sagte Dafydd wahrheitsgemäß. Es war geradezu lächerlich. Bear hatte damals fünfundachtzig Jahre auf dem Buckel gehabt, und die Zeiten, in denen er »überall in der Gegend seinen Samen verstreut« hatte, dürften längst vorbei gewesen sein. Dafydd konnte sich sogar daran erinnern, dass der alte Mann über sein fehlendes Sexualleben geklagt und ihm anvertraut hatte, dass er seit dem Tod seiner Frau keine »Vergnügungen« mehr gehabt habe. Allerdings musste Bear nicht unbedingt ein Ausbund an Treue gewesen sein, und auch er war einst jung. Dafydd zuckte unbehaglich zusammen. Von *ihm* hätte auch niemand vermutet, dass er »überall in der Gegend seinen Samen verstreute«.

Josephs heisere Stimme holte ihn in die Gegenwart zurück. »Können Sie sich vorstellen, was meine Frau und ich dabei empfunden haben? Ich habe mich jahrelang um ihn gekümmert … und er hat diesem Kind die Hälfte seines Geldes vermacht. Die Hälfte *einem einzigen Kind.* Die andere Hälfte wurde zwischen uns Übrigen und meiner Schwester und ihren beiden Kindern aufgeteilt.« Joseph unterstrich die einzelnen Punkte mit kleinen rhythmischen Faustschlägen auf den zwischen ihnen stehenden Schreibtisch. »Ich hatte ihm immer wieder gesagt, dass ich unseren Max auf die Universität schicken wollte. Er ist der Klügste von allen und wollte Anwalt werden. Dann hätte er den Kampf für unsere Rechte und unser Land weitergeführt. In ihn zu investieren hätte sich gelohnt. Das habe ich ihm oft gesagt. Aber nein, es ist herzlich wenig Geld rumgekommen. Ich hab die Hütte gekriegt, aber die war keinen Gänseschiss wert.«

»Das tut mir leid«, versicherte Dafydd hilflos. »Es wundert mich, dass er mir nichts über diesen, über den …«

»Ach, gehn Sie. Ich glaube nicht, dass Sie's mir erzählen würden, wenn Sie's wüssten«, meinte Joseph und erhob sich jäh. »Aber was bringt es denn auch, darüber zu reden? Ich dachte nur, dass ich Sie ins Bild setzen müsste. All diese romantischen Vorstellungen über den alten Mann … Sie waren nicht der Einzige, der glaubte, er sei ein wahrer Sohn der angestammten Erde. Das war einfach fürchterlicher Quatsch.«

»Schade, dass Sie so über ihn denken.«

»Ich glaube, dass er mir etwas schuldete und Max auch. Er kannte die Hoffnungen, die wir auf den Jungen gesetzt hatten. Cleverer ist keiner. Die Sache hat meine Gefühle für den alten Mann vergiftet, das kann ich Ihnen flüstern.«

»Umso netter war es von Ihnen, dass Sie vor ein paar Tagen in der Bar zu mir gekommen sind und mich darüber informiert haben, dass er mir noch etwas hatte mitteilen wollen. Dafür war ich Ihnen wirklich sehr dankbar.«

»Tja, ich hab immer getan, was er wollte, oder? Und sehen Sie, wohin mich das gebracht hat.«

Nachdem Joseph den Raum verlassen und die Tür ein wenig zu schwungvoll geschlossen hatte, wartete Dafydd ein paar Sekunden und lachte dann in sich hinein. Der alte Schurke. Wer hätte gedacht, dass Bear sich herumtrieb und seine »Vergnügungen« mit Frauen in der Gegend hatte und Nachkommen zurückließ? Wenn das stimmte, war es sicher kein sonderlich lobenswerter Zug an dem alten Mann. Dafydd versuchte, sich den heruntergekommenen, alles andere als reinlichen Mann beim Verführungsakt vorzustellen, und der Gedanke daran brachte ihn erneut zum Lachen. Nun, dachte er, während er seine Notizen einsammelte, ewig blüht die Hoffnung.

Dafydd fuhr zu Ian hinaus. Er hatte seine Besuche vom Morgen auf den Abend nach der Arbeit verlegt. Unterwegs hielt er am Co-op-Laden, um Ians Vorräte einzukaufen. Zweimal hatte er beobachtet, dass sich Sheila auf dem Ärzteparkplatz am Kofferraum des Autos zu schaffen machte, aber er hatte nichts dagegen unternommen. Ihm war klar, dass er Stellung beziehen musste, aber wie? Es wäre reiner Wahnsinn gewesen, sich der Gefahr einer Verhaftung und Ausweisung auszusetzen.

Der Himmel war pechschwarz. Kein einziger Stern war zu sehen, und die Scheinwerfer des Wagens leuchteten nur schwach. In der Vorwoche hatte er eine Elchkuh, die mitten auf der Straße stand, angefahren, aber von diesem Zwischenfall und dem unerwarteten Auftauchen der Moschusochsen abgesehen waren die Wälder stets ruhig und trotz ihrer schneebedeckten Weiße dunkel, bar jedes erkennbaren Lebens. Die Schneemengen wuchsen und mit ihnen die Dunkelheit. Der Weg schien länger als sonst zu sein und Ians baufällige Bleibe weiter entfernt als je.

»Du solltest dir überlegen, in die Stadt zu ziehen«, sagte

Dafydd, nachdem er die Co-op-Tüten entladen hatte. »Und du könntest hier etwas Hilfe gebrauchen.« Seine Hand machte eine kreisende Bewegung.

»Mir gefällt's hier.«

»Hör mal.« Dafydd setzte sich Ian gegenüber an den Tisch und atmete tief durch. »Du hast weniger als zwei Wochen Zeit … Du musst dich am Riemen reißen. Vor allem glaube ich nicht, dass du noch länger hier wohnen kannst. Wenn du willst, helfe ich dir. Wir können dir eine Wohnung in Woodpark Manor mieten. Da ist was frei. Die Wohnungen sind hell und sauber, und im Keller gibt es einen Fitnessraum. Dort würde ich selbst hinziehen, wenn ich in Moose Creek leben wollte. Ich kann dir helfen, einen Lieferwagen für den Umzug zu mieten. Dann wärst du in der Nähe des Krankenhauses und …«

»Hör auf«, unterbrach ihn Ian ärgerlich. »Was glaubst du wohl, wer du bist? Ein dämlicher Samariter? Ich ziehe *nirgendwohin um.*«

»Schon gut, schon gut«, seufzte Dafydd. »Aber meine Vertretung endet am 7. Dezember. Wirst du dann imstande sein, deine Arbeit wieder aufzunehmen? Man redet davon, einen neuen Partner einzustellen, und zwar auf Dauer.«

»Prima«, sagte Ian schroff. »Ich denke daran, in den vorzeitigen Ruhestand zu treten.«

»Aber wovon willst du leben?«, protestierte Dafydd. »Deine Pension wird nicht gerade hoch sein, und ich glaube nicht, dass Sheila dir irgendwelche Ersparnisse übrig gelassen hat.«

Thorn gefiel der Ton der Unterhaltung nicht, und er begann zu winseln. Er kam zu Dafydd, lehnte sich an dessen Oberschenkel und drückte beharrlich dagegen.

Ian saß zusammengesackt auf dem Küchenstuhl. Er sah furchtbar aus. »Warum nimmst *du* den Job nicht?«, fragte er. »Dir scheint er doch ganz gut zu gefallen.«

»Sei nicht albern. Ich muss nach Wales zurück, sonst verliere ich meine Stelle. Außerdem muss ich versuchen, eine Ehe zu führen und zu retten, obwohl ich glaube, dass es schon zu spät ist. Ich kann doch nicht ewig hierbleiben, nicht wahr?« Dafydd schob den Müll auf dem Tisch beiseite. »Benutze mich nicht als Grund, nicht wieder zu arbeiten. Du kannst deine Sucht überwinden, aber dafür brauchst du eine Therapie. Verdammte Scheiße, du bist erst fünfundvierzig Jahre alt ...«

»Vierundvierzig.«

»Ich werde dir helfen und etwas für dich arrangieren, in Vancouver oder Toronto – irgendwo, wo eine diskrete Behandlung möglich ist. Das Geld dafür leihe ich dir. Ich könnte versuchen, noch ein Weilchen zu bleiben ... Schließlich kostet es bloß einen Anruf. Aber ich würde es nur tun, damit du die Krise überwindest. Dann kannst du wieder auf die Beine kommen und triumphierend zurückkehren. Lass Sheilas Einkünfte schrumpfen und sag ihr, sie soll dir den Buckel runterrutschen. Richte diese Hütte wieder her. Mach Urlaub ...«

Dafydd verstummte schlagartig, als er merkte, dass Ians Schultern bebten. Thorn sprang hoch und versuchte, seinem Herrn das Gesicht abzulecken. Ian weinte lautlos, aber sein Körper bäumte sich auf und zitterte, während er versuchte, seine Gefühle zu unterdrücken, die mit lautem Schreien aus ihm hervorzubrechen drohten.

Erschrocken über Ians Schmerz, suchte Dafydd nach Worten. Aber Ian war kein Mensch, der sich durch banale Aufmunterungen trösten ließ, und körperlicher Kontakt schien ihm unangenehm zu sein. Trotzdem streckte Dafydd die Hand aus und legte sie seinem Freund auf die Schulter. Allmählich verebbte das Zittern. Ian griff nach einem gebrauchten Papiertaschentuch und schnäuzte sich, den Kopf noch immer auf die eingefallene Brust gedrückt.

»Weißt du, was ich heute Morgen gefunden habe?«, fragte er mit bebender Stimme und lachte leise. »Deine alten Stiefel und Skier. Ich hab sie aus dem Schuppen geholt, damit du einen Ausflug machen kannst.«

»Das ist nett, danke. Aber Ian, hast du verstanden, was ich gerade eben gesagt habe?«, beharrte Dafydd ärgerlich. »Du darfst den Kopf nicht in den Sand stecken. Du musst dich entscheiden. Und ich kann nicht mehr länger für Sheila den Drogenkurier spielen. Ihr beide scheint das Risiko ja gern einzugehen, aber ich bin dazu nicht in der Lage. Das wäre eine Katastrophe, die ich nicht auch noch verkraften könnte.«

Ian schüttelte den Kopf, als wolle er die unerfreulichen Vorwürfe abschütteln. Er stand auf und goss beiden einen Drink ein. Dafydd hätte am liebsten NEIN gebrüllt und den Inhalt der Gläser in den verdreckten, rostigen Ausguss geschüttet. Aber das tat er nicht. Er fühlte sich erschöpft, müde, hoffnungslos. Ians Gefühlsausbruch hatte seine eigene, allem Anschein nach unlösbare Situation deutlich werden lassen. Wer war er denn, anderen Ratschläge zu erteilen?

Sie saßen schweigend eine Weile lang da. Dafydd blätterte lustlos in den *Moose Creek News*. Ians Blick war weit weg, irgendwo zwischen Schüben von Demerol, aufgepeppt durch Whisky und verlängert durch Kettenrauchen.

»Ich hatte mal eine Frau«, sagte Ian plötzlich.

»Du warst verheiratet?« Dafydd ließ die Zeitung sinken und starrte Ian an. »Davon hast du mir nie erzählt.«

»Sie hieß Lizzie. Ich habe sie geliebt. Zu Tode geliebt, *im Wortsinne.*«

»O Gott nein, Ian. Wie meinst du das?«

»Sie ist an einem Stück Truthahn erstickt, einem Weihnachtstruthahn, den ich selbst zubereitet hatte.« Ian lachte grimmig. »Und sie hatte den Entschluss gefasst, am 1. Januar Vegetarierin zu werden. Es war ihr wirklich ernst damit.«

»Mein Gott, Ian. Das ist ja schrecklich.« Dafydd streckte die Hand aus und berührte Ians Knie. »Warst du … dabei, als es geschah?«

»Ja, ich als frischgebackener, junger Arzt. Aber trotz meiner medizinischen Ausbildung konnte ich sie nicht retten. Ich hab die Heimlich-Methode angewandt, die heute absolut verboten ist; also hab ich die Situation vermutlich noch verschlimmert. Dann wollte ich das verdammte Ding mit dem Finger rausholen und danach aus Verzweiflung mit einer Pinzette. Es war fast unmöglich, sie festzuhalten. Schließlich habe ich eine Tracheotomie mit einem Schweizer Armeemesser gemacht, dem schärfsten Gegenstand, den ich hatte. Sie war bereits blau angelaufen, dem Tode nahe, und ich muss in Panik geraten sein. Habe die Sache völlig versaut. Alles war voll mit Blut. Ich werde das Bild nie aus dem Kopf kriegen.« Ian lachte erneut. Es war ein durch Mark und Bein gehender Schrei, der irgendwo zwischen Angst und Heiterkeit lag. »Die Polizei hat mich wegen Mordverdachts eingesperrt, bis die Autopsie durchgeführt war und die Ergebnisse vorlagen. Man konnte es den Leuten nicht verdenken, ich habe mich selbst wie ein Mörder gefühlt. Außerdem war ich durcheinander und dachte, ich hätte sie erstochen. Sogar nachdem die Todesursache amtlich festgestellt war, sahen mich alle noch schief an. Sie hatten große Bedenken, mich wieder auf die Menschheit loszulassen.«

Dafydd durchfuhr ein eisiges Entsetzen. *Das also war Ians Geschichte.* Sie erklärte alles. »Wie lange ist das her?«

»Oh, es war rund acht Monate, bevor ich hierherkam.«

Warum hatten sie bloß nie darüber gesprochen? Dabei waren sie angeblich Freunde gewesen! Wie relativ harmlos war sein eigenes Unglück im Vergleich mit Ians Tragödie! Was Derek betraf, so war Dafydd mit einem blauen Auge davongekommen und hatte dann nur mit seinen eigenen Schuldgefühlen und seiner Angst fertig werden müssen. Aber dies! Wie sollte ein Mensch je solch eine Katastrophe verwinden? Die Antwort war offensichtlich: Niemand konnte das.

»Aber du hast getan, was du tun konntest«, sagte Dafydd hilflos. Er griff nach Ians Arm und schüttelte ihn kräftig. »Mehr war nicht zu erwarten. Du bist nur ein Mensch.«

»Ein Mensch?«, höhnte Ian. »Ich sollte ein Arzt sein.«

Dafydd sackte auf seinem Stuhl zusammen. »Ja, ich weiß, was du meinst.«

Ian kippte den Inhalt seines Glases hinunter. »Dafydd, alter Kumpel. Ich weiß Bescheid. Sheila hat mir erzählt, was dir passiert ist. Scheiße, Mann, ein Kind …«

Sie verfielen in ein weiteres langes Schweigen.

»Hast du noch irgendwo Familie, Ian?«

»Nicht mehr. Nicht, dass ich wüsste.«

»Wie meinst du das?«

»Meine Eltern sind bei einem Hausbrand ums Leben gekommen. Ich glaube, ich hab's dir mal erzählt. Ich bin adoptiert worden. Nach dem Medizinstudium habe ich den Kontakt zu meinen Adoptiveltern verloren. Wir … haben uns entzweit.«

»Hast du nie daran gedacht, wieder mit ihnen Kontakt aufzunehmen?«

»Um Himmels willen, nein. Ich … ich war immer eine Enttäuschung für sie, bin den Erwartungen nie wirklich gerecht geworden. Teufel, ich habe mein Studium abgeschlossen und meine Ausbildung beendet …« Er drückte die Zigarette kraftvoll aus und zermalmte den Stummel mit Drehbewegungen im Aschenbecher. »Sie waren schon ziemlich alt. Ich bin sicher, dass sie inzwischen gestorben sind.«

Sie saßen schweigend da, jeder in seine eigenen Gedanken versunken. Dafydd wurde von einem seltsamen Gefühl der Unwirklichkeit ergriffen. Es war, als habe ihn Ians Geschichte noch weiter von seinem eigenen bequemen Leben fortgeschleudert, das jetzt unwiederbringlich zerstört zu sein schien.

Aber das traf nicht zu! Er musste sich immer wieder vor Augen führen, dass er zurückkehren und die Fäden wieder aufnehmen konnte. Aber welche Fäden? Sein Zuhause war möglicherweise schon verkauft worden, einfach so. Bald würde er wegen Trunkenheit am Steuer vor Gericht stehen. Seine Ehe war vielleicht beendet. War all das wirklich wahr? Konnte es wirklich geschehen sein?

»Ich habe Mark heute Morgen im Schwimmbad getroffen«, sagte Dafydd schließlich und brachte sie damit in das Hier und Jetzt zurück. »Er ist ein sehr seltsames Kind. Er bestand darauf, dass ich nicht sein Vater bin.«

»Er sieht niemandem ähnlich«, erwiderte Ian, zündete sich eine weitere Zigarette an und inhalierte tief.

»Du hast nicht erwähnt, dass du die Blutabnahmen für die DNA-Tests durchgeführt hast«, meinte Dafydd leise.

Ian wich seinem Blick aus und rauchte beharrlich. »Ich hatte keine Ahnung, wofür das Blut war. Sie hat sich geweigert, es mir zu sagen.« Laut schluckend kippte er den Inhalt seines Glases hinunter. Dann schenkte er beiden ein wenig nach.

Dafydd zitterte vor Kälte, während er Miranda und acht anderen Mädchen, die alle ein wenig kleiner als sie waren, dabei zusah, wie sie auf der Eisbahn hinter dem Sportzentrum im grellen Licht der Scheinwerfer ihre Eiskunstlauffiguren übten. Dies bildete einen Großteil seiner Beziehung zu den Kindern: sie abends zu ihren unterschiedlichen Aktivitäten zu bringen, dann zu warten, bis sie damit fertig waren, und sie schließlich wieder nach

Hause zu fahren, wodurch er Sheila von dieser ermüdenden Aufgabe befreite. Sie schien sich inzwischen mit der Tatsache abgefunden zu haben, dass die Leute schwatzten und Mutmaßungen anstellten, und Miranda beherzigte ihre Ermahnungen nicht, Stillschweigen zu wahren.

Und wie die Leute redeten! Er bemerkte vielsagende Blicke und Gesten von Personen, die er nicht kannte, die jedoch ihn kannten – entweder vom Krankenhaus her oder dadurch, dass andere sie auf ihn hingewiesen hatten. Der irregeleitete Vater war zurückgekommen, um endlich das Richtige zu tun. »Schau mal, Dad«, rief Miranda ihm zu. Sie machte eine unbeholfene Pirouette in ihrem orangefarbenen Schneeanzug, der unpassenderweise mit einem weißen Ballettröckchen um ihre dralle Taille verziert war. Dafydd bemühte sich, nicht zu grinsen, und applaudierte leise mit seinen Schaffellfäustlingen. Sie war ein nettes Kind und hatte überhaupt nichts Schwieriges an sich, obwohl ihre Sturheit und ihr Selbstbewusstsein an ihre Mutter erinnerten.

Wenn Mark nicht dabei war, hatten Miranda und Dafydd Spaß daran, sich üppigen Fast-Food-Mahlzeiten hinzugeben und sich über die monströsen Portionen Maischips mit saurer Sahne und geschmolzenem Käse lustig zu machen, die sie liebte. »Du solltest auf die bösen gesättigten Fette achten«, ermahnte er sie. »Schließlich willst du kein kugelrunder Wonneproppen werden.«

»Gib mir massenhaft gesättigte Fette«, gluckste sie. »Du kannst dir nicht vorstellen, was für Kämpfe wir zu Hause ums Essen ausfechten. Mom ist genauso schlimm. Jeder will was anderes. Es ist ein Alptraum. Kann ich einen Schokoladenmilchshake haben?«

»Du musst vorsichtig sein, oder du wirst bald nicht mehr in *das hier* passen«, meinte er und hob das schlaffe Ballettröckchen auf, das sie abgestreift hatte, »selbst wenn du keinen Schneeanzug darunter anziehst.«

»Dad, du erinnerst dich doch an diese Turnschuhe, von denen ich dir erzählt habe …?«

»Wie teuer?«

»Achtundzwanzig.«

»Gut. Was soll's.«

»Danke, Dad … Dad?«

»Was noch?«

»Könnten du und meine Mom nicht mal … so was wie … miteinander ausgehen?«

»O Miranda, du bist wirklich schlau. Aber du weißt doch selbst, dass deine Mom mich nicht sonderlich mag. Außerdem bin ich verheiratet. Hast du das vergessen?«

»Aber wenn sie dich mögen und deine Frau dich verlassen würde, dann würdest du es tun, nicht?«

»Mein liebes Kind, ich will ehrlich sein. Meine Frau könnte mich durchaus verlassen. Nicht euretwegen, keine Sorge, ausschließlich meinetwegen. Vielleicht hältst du mich für äußerst sympathisch, aber ich bin manchmal sehr dumm und mache alle möglichen Fehler. Das wirst du noch früh genug feststellen. Aber mit deiner Mutter auszugehen wäre ein Fehler, den höchstwahrscheinlich weder sie noch ich machen würde. Sei nicht enttäuscht. Es ist so absolut das Beste. Glaube mir.«

»Mark und ich … Ich wette, wir sind auch Fehler, stimmt's?«

Dafydd blickte in ihr hübsches Gesicht, dessen Augen misstrauisch zusammengekniffen waren. »Nein, Miranda«, versicherte er. »Ihr beide seid etwas ganz Besonderes. Ich sehe euch beide an und bin erstaunt, dass ich irgendetwas damit zu tun hatte. Ich hätte nie gedacht, dass ich so etwas entstehen lassen könnte. Es ist ein verdammtes Wunder.«

KAPITEL 18

Dafydd,
habe Deine Nachricht erhalten. Und weißt Du was? Ich habe das Angebot angenommen. Mr & Mrs Jenkins sind vorbeigekommen, um sich das Haus anzusehen. Sie wollen es unbedingt haben und möchten so schnell wie möglich einziehen. Die amtlichen Nachforschungen sind im Gange, und der Vertrag ist Dir zur Unterzeichnung zugesandt worden. Schick ihn bitte gleich wieder zurück. Ich miete einen Speicher in Barry, und wenn Du nicht rechtzeitig zurück bist, werde ich Deine Sachen (was davon übrig geblieben ist) dort einlagern lassen.

Nun muss ich Dich leider noch mit etwas anderem überfallen. Ich möchte mir meinen Anteil an dem Gewinn auszahlen lassen, um mich bei Paul als Partnerin einzukaufen. Ich will nicht seine Angestellte sein, und es ist eine Investition, die ich mir nicht entgehen lassen kann. Er ist außerordentlich erfolgreich. Wir werden mit der Arbeit in Dubai schon in ein paar Wochen beginnen. Nächste Woche fliegen wir dort hin, um uns mit den Eigentümern und den Architekten zu treffen.

Alles Gute
Isabel

PS: Eine sehr gute Nachricht: Deine russische Ikone ist vollständig wiederhergestellt worden. Es war nicht billig, aber das übernehme ich. Dem Spezialisten zufolge ist es ein sehr seltenes Stück, das »Unsummen« wert ist.

Dafydd druckte den Text aus und löschte die Nachricht. Dann verschwand er die Treppe hinauf, bevor Tillie ihn aufhalten konnte. Sie hatte ein so feines Gefühl für seine Stimmungen, und er wollte nicht, dass sie ihm ins Gesicht blickte. Es wurde immer schwerer, ihre aufrichtige Anteilnahme zurückzuweisen, sie zu bitten, sich herauszuhalten und keine Fragen zu stellen.

Er knallte seine Zimmertür etwas heftig zu und warf sich aufs Bett. Dann las er die E-Mail erneut. VERKAUFT! Er fühlte sich, als wäre sein Leben verkauft worden. Nein, er hätte das nicht zulassen sollen. Wo würde er jetzt wohnen? Wo sollte er die Kinder unterbringen, falls sie ihn je besuchten? Allerdings gab es noch andere Häuser … oder eine Wohnung.

Isabel hatte kein Wort darüber verloren, wo *sie* auf Dauer wohnen würde oder *mit wem*. Verdammtes Weib. Blödes, ehebrecherisches Flittchen. Dumme, schöne, intelligente, bemerkenswerte Isabel … seine geliebte Frau. Seine Nicht-Frau, seine verlorene Frau, seine Exfrau, Paul Deveraux' Frau … Er schlug auf das Kissen ein, um sich mit aller Kraft bewusst zu machen, dass er bis jetzt keinen Beweis hatte. Vielleicht bildete er sich alles ein. Sie hatte nichts zugegeben außer der Tatsache, dass sie jeglichen Respekt vor ihm verloren hatte. Und wie sollte es Liebe ohne Respekt geben? Sie konnte keine derartige E-Mail schreiben und ihn noch immer lieben. Affäre oder keine Affäre, sie liebte ihn einfach nicht mehr.

Dafydd zerknüllte das Papier, biss die Zähne zusammen und presste sich die purpurne Tagesdecke aus Samt ans Gesicht, damit Tillie seine erstickten Schluchzer nicht hörte.

Es war wie Segeln, Segeln auf Schnee. Anders ließ sich das Gefühl nicht beschreiben. Er hatte die Skier gewachst, und es lief sich mit ihnen in jeder Beziehung genauso gut wie vor all den Jahren. Die Bedingungen waren ideal, und er schien keinerlei Anstrengung zu benötigen, um auf den festgepressten Spuren voranzugleiten.

Das Schwimmen machte sich bezahlt, er fühlte sich fit und kräftig. Thorn hatte sich ein paar Minuten lang hinter ihm hergeschleppt, doch dann aufgegeben und war nach Hause zurückgekehrt. Die Sonne streifte lediglich über den Horizont, aber der Mittag war klar und frisch und der Himmel blau. Es herrschten nur minus zweiundzwanzig Grad, und damit war es nicht eisig genug, um das Wachs oder seine Finger- und Zehenspitzen gefrieren zu lassen. Die Dynamik seiner Bewegungen dehnte sich auf all seine Sinne aus und beschwingte ihn. Sein Geist war wach, seine Augen und Ohren scharf. Die schwache Sonne glitzerte auf den Schneekristallen, und die blendende Weiße schien ihn auszufüllen. Er hatte ihre karge Schönheit im Laufe der Jahre vergessen.

Nach einiger Zeit blickte er von den Spitzen seiner dahineilenden Skier auf und bemerkte, dass die Dämmerung einsetzte. Wie schnell das geschah. Er suchte unter seinem Ärmel nach der Uhr. Viertel vor zwei. Verdammt, es war später, als er gedacht hatte. Sofort drehte er um und kehrte, nun schneller, in die Richtung zurück, aus der er gekommen war. Sein Körper begann unter der warmen Kleidung zu schwitzen. Trotzdem fühlte er sich wohl. Adrenalin verschaffte ihm den Energiestoß, den er benötigte, um die Entfernung zu Ians Hütte zu überwinden.

Er schien weiter hinausgefahren zu sein, als er vermutet hatte. Die Dunkelheit griff rasch um sich, aber er konnte die Spuren noch immer erkennen. Die Hauptroute würde ihn direkt zurück zur Straße führen, aber ein oder zwei kleinere Spuren zweigten zwischen den Bäumen ab. Er dachte an die Konsequenzen, die es haben würde, wenn er eine falsche Abzweigung nahm und sich verlief – in der Dunkelheit, tief im Wald, bei Temperaturen, die einen Apfel innerhalb von Sekunden bis zum Kern gefrieren ließen. Ein Gefühl der Panik stieg in ihm auf, und er erhöhte sein Tempo nun.

Mit dem Licht verschwand auch die kraftlose Wärme der Sonne, und es wurde rasch kälter. Den Pfad entlangsausend, fixierte er den bläulichen Boden in der Halbdistanz und suchte ihn nach den Furchen ab, die von dem Motorschlitten der Trapper stammten. Von diesen Furchen und Linien schien jetzt sein Leben abzuhängen. Die Bäume ragten schwarz und drohend über ihm auf. Seine Angst, die falsche Richtung einzuschlagen, trieb ihn an, und er merkte, wie der Schweiß an ihm herabrann.

Schließlich, nach einer Biegung, erblickte er die Straße und dahinter die Lichter von Ians Hütte. Die Erleichterung ließ ihn den Lauf verlangsamen, bis er fast stehen blieb. Er war erschöpft. Seine Brauen und Wimpern waren mit Raureif überzogen, sogar die Flüssigkeit in seinen Augen drohte zu gefrieren. Er startete erneut und fühlte sich matt, weil die Anstrengung ihm das letzte bisschen Energie entzogen hatte.

Thorns gedämpft aus der Hütte dringendes Bellen war die schönste Musik in seinen Ohren. Der alte Hund hatte noch immer ein Gehör und ein *Wissen*, die so scharf waren wie in den Tagen, als er Dafydd auf den Spuren entgegenlief. Sogar Ian wirkte aufgeregt, als Dafydd durch die Tür stolperte.

»Hast du den Verstand verloren, du Blödmann«, brüllte er. »Du hast noch nicht mal die Taschenlampe mitgenommen.«

»Ich habe mein Zeitgefühl verloren – und fast auch die Spur.« Dafydd ließ sich auf einen Stuhl fallen und versuchte, seine Stiefel aufzuschnüren und seine eingezwängten Füße zu befreien.

»Kipp das runter«, sagte Ian und gab ihm ein Glas Whisky. Dann beugte er sich hinab und half Dafydd, die steif gefrorenen Schnürsenkel zu öffnen.

»Das hier ist nun wirklich nicht das beste Mittel gegen Hypothermie … oder Dummheit«, meinte Dafydd, »aber wenn du darauf bestehst.«

Er schluckte die beißende Flüssigkeit hinunter, schob seinen Stuhl an den Holzofen und zog eine Kleidungsschicht nach der anderen aus. Die Panik war allmählich verebbt, und nun fühlte er sich wie ein ausgewrungener Lappen. Er hatte die Vorkehrungen und Vorsichtsmaßnahmen vergessen, die ein Mensch im tiefen arktischen Winter beachten musste. Es war so leicht, seine Existenz auszulöschen – einfach, indem man nichts tat, nur da draußen war, sich verirrte und erfror.

»Das nennt man Tod durch Unterlassung«, sagte Ian, als hätte er seine Gedanken gelesen.

Thorn lief auf seinen arthritischen Beinen aufgeregt hin und her. Er winselte leise, als bedrücke ihn etwas, und seine Augen blickten erschöpft und traurig.

»Ja, das bringt mich auf eine Frage«, erwiderte Dafydd scharf. »Hast du den Hund gefüttert?«

Statt zu antworten, trat Ian an den Schrank und schüttete trockenes Hundefutter in eine Plastikschüssel. Er stellte die Schüssel auf den Boden, aber Thorn schaute sie noch nicht einmal an. Ian wandte sich ab und rührte einen Eintopf auf dem Herd um. Ein beißender Geruch von Wild stieg auf. Er probierte das Gericht mit einem Teelöffel und tauchte dann zwei Becher direkt in den Topf, um das klumpige Gebräu herauszuschöpfen. Einen der tropfenden Becher reichte er Dafydd.

»Gieß was auf Thorns Futter«, sagte Dafydd. »Der arme Kerl kann nicht nur dieses Sägemehl fressen.«

»Heute hast du aber eine Menge guter Ratschläge auf Lager«, bemerkte Ian gereizt.

Sie nahmen den Eintopf zu sich, ohne einen Löffel zu benutzen. Dafydd wollte über Ians Rückkehr an die Arbeit sprechen, aber Ian schien sich jeder Unterhaltung über seine Zukunft zu verweigern. Da Dafydd nun seine Arbeit machte, brauchte Ian sich nicht mehr zusammenzureißen. Er hoffte offenbar, alles werde sich ohne sein Zutun ganz von selbst regeln. Er vertrat ein Prinzip des Lebens durch Unterlassung. Dafydds Vorschlag, er solle eine Klinik aufsuchen, lehnte er ab, oder er hatte ihn vergessen. Doch nicht nur das. Er tat das genaue Gegenteil: Sein Alkoholbedarf war wieder steil angestiegen. Und ein Umzug von der Hütte in die Stadt kam für ihn nicht in Frage.

Die Ruhe und Stille hatten für Dafydd etwas Bedrückendes. Die Hütte war einmal eine Zuflucht für ihn gewesen, aber jetzt, da Ian auch die letzten Überreste von Disziplin und einem normalem Tagesrhythmus aufgegeben hatte und nur noch pausenlos trank, hatte eine bedrohliche Atmosphäre um sich gegriffen. Es war beängstigend, einem Mann, einem Freund, dabei zuzusehen, wie er sich selbst zerstörte. Dafydd fragte sich unwillkürlich, ob er diesen Prozess nicht mit verursacht hatte. Er hatte Ian dessen derzeitige Lebensweise fraglos erleichtert, indem er ihn mit Alkohol und Drogen versorgte und seine Arbeit für ihn erledigte.

»Ich treffe die Kinder um sieben«, sagte Dafydd, um die Stille zu durchbrechen. »Wir gehen ins Kino.«

»Also macht es Sheila nichts aus, dass du dich öffentlich mit ihnen zeigst?«

»Nein. Ich glaube, sie hat's aufgegeben. Sogar die Leute im Krankenhaus scheinen Bescheid zu wissen«, antwortete Dafydd, der schläfrig wurde. Seine Lider senkten sich zitternd.

»Ich glaube, ich sollte dich über die Blutproben informieren«, sagte Ian plötzlich.

Dafydd öffnete die Augen. »Meinst du die für den DNA-Test?«

»In Wirklichkeit habe ich sie nicht entnommen. Ich meine, ich habe ihnen das Blut nicht selbst abgenommen.«

»Nein? Wer hat es denn gemacht?«

»Das weiß ich nicht. Ich glaube, sie hat es getan. Jedenfalls hat sie mich unterschreiben lassen, dass sie von ihnen stammen.« Ian machte eine Pause und schaute in seinen Becher. »Wahrscheinlich ist es nicht wichtig, aber ich wollte es dir trotzdem sagen.«

Dafydd lehnte sich zurück und streckte seine Füße der Hitze des Ofens entgegen. »Es ist egal. An dieser Sache konnte nichts gefälscht werden. Die Tests sind in England von einem zertifizierten Labor durchgeführt worden, mit Blut, das ich selbst zur Verfügung gestellt habe. Mit was für Betrugsplänen diese Frau sonst auch aufwarten mag, das hier konnte sie nicht fälschen ... leider.«

Ian nickte und tätschelte Thorn gedankenverloren den Kopf. »Ist das ... noch immer ... deine Meinung? Dass es ein Unglück ist?«

»Ich weiß es nicht. Ich bin völlig durcheinander. Es hat den Anschein, dass meine Ehe beendet ist. Ich glaube, meine Frau hat sich in jemand anderen verliebt. Und nun hat sie unser Haus verkauft. Gleichzeitig beginne ich zu akzeptieren, dass Mark und Miranda meine Kinder sind. Verflucht, ich scheine keinen Einfluss auf all das zu haben, was mir zustößt. Aber *falls ich* der Vater von Mark und Miranda bin, ist es meine Aufgabe, dafür zu sorgen, dass es ihnen gut geht. Und ich bin dazu auch bereit.«

»Dann musst Du hier bleiben. Kannst du diese armen Kinder wirklich *ihr* überlassen? Es ist, als würde man Lämmer einem Werwolf anvertrauen.«

Dafydd schüttelte mit geschlossenen Augen den Kopf. »Es sind zähe Kinder. Ich glaube, sie werden schon klarkommen. Sheila liebt sie auf ihre eigene bescheuerte Art, da bin ich mir sicher.«

Nun schüttelte Ian den Kopf. »Wie auch immer, sie ist eine Frau ohne jedes Gewissen. Du solltest hier sein.«

Dafydd war dem Einschlafen nahe. Seine Glieder schmerzten vor Erschöpfung. »Ich weiß«, sagte er schließlich.

»Miranda wollte dich nicht sehen«, teilte ihm Sheila mit triumphierendem Lächeln mit. »Damit bleiben nur noch du und Mark übrig.«

»Wo ist sie?«

»Sie übernachtet bei Cass.«

Sheila trug eine enge schwarze Wildlederhose und einen roten Rollkragenpullover. Das helle Rot und ihr orangefarbenes Haar passten überhaupt nicht zusammen, was Dafydd überraschte, denn sie war stets so makellos und stimmig gekleidet. Unter ihren Augen lagen dunkle Ringe, und sie trug zu viel Make-up. Ihr Gesicht war weißer als sonst. An ihren zusammengezogenen Brauen und ihrem verkrampften Kiefer ließ sich der Stress ablesen, unter dem sie stand. Offenbar wusste sie, dass sie alles andere als schön war, denn sie wirkte gequält, als er ihr Gesicht musterte.

»Ich gehe aus«, sagte sie kurz. »Also schick ihn nach Hause, wann du willst. Er hat einen Schlüssel.«

Dafydd antwortete nicht, sondern blieb nur an der Haustür stehen. Fast jeder Wortwechsel mit Sheila ging in eine scharfe, zornige Auseinandersetzung über. Er hatte ihr seinen ersten Gehaltsscheck überreicht, mit dem Vermerk auf der Rückseite: »Auszahlbar an Sheila Hailey.« Die beiden Kassierer bei der Royal Bank würden sich köstlich amüsieren. Vermutlich würde die Bank den Scheck ohnehin nicht annehmen, aber Sheila wollte es versuchen, da sie mit dem Geschäftsführer recht gut befreundet war. Auch jede Art von Überweisung würde von den Mitarbeitern der Bank zur Kenntnis genommen werden, und offenbar gehörte Vertraulichkeit hier im hohen Norden nicht zu den Angestelltenpflichten. Dafydd musste bei dem Gedanken an die Gerüchteküche von Moose Creek mit ihren möglichen kreativen Ausschmückungen solch einer Information lächeln. Er hoffte nur, dass die Kinder nichts davon erfuhren, obwohl sie sich um solche Dinge nicht zu scheren schienen. Sie hatten genug Erfahrungen mit der Komplexität der Beziehungen zwischen Erwachsenen und mit deren Moral gemacht, und das nicht nur zu Hause.

Mark kam die Treppen heruntergeschlendert. Er trug überlange Jeans, die ihm von den Hüften hingen und um seine klotzige Turnschuhe über den Boden schleiften. Sein Haar war kurz geschoren.

»Was ist das denn!«, rief Dafydd. »Was ist denn mit deinem Pferdeschwanz passiert?«

Mark funkelte seine Mutter an und zog sich den Parka über. Es fiel kein weiteres Wort. Sie brachen in Richtung Stadt auf.

»Möchtest du *Riding Home* sehen?«

»Über den kleinen Trottel, der zum Meisterreiter wird? Klar, warum nicht«, meinte Mark.

»Oder möchtest du zu Beanie's gehen?«

»Warum hast du kein Haus, sodass wir einfach rumhängen und fernsehen könnten?«

»Na ja, wir könnten uns eine Pizza bestellen und in meinem Zimmer fernsehen.«

»Von mir aus.«

Eine Stunde später hatten sie es sich auf dem purpurnen Bett gemütlich gemacht. Umgeben von käsefreien Pizzas mit Artischocken und Zwiebeln, Popcorn, Oliven,

Kirschtomaten, Weintrauben und einer großen Tüte mit gemischten Nüssen sowie einer Zweiliterflasche Coke, lehnten sie an einer zusammengerollten Steppdecke. Den Fernseher hatten sie ans Fußende des Bettes gerückt und *Die letzte Flut*, einen alten Film mit Richard Chamberlain in der Hauptrolle, auf volle Lautstärke gestellt.

»Ich bin ziemlich sicher, dass er schwul ist«, kommentierte Mark.

»Nie davon gehört«, meinte Dafydd mit vollem Mund.

Nach ein paar Minuten drehte sich Mark mit gerunzelten Brauen zu ihm hin. »Wirst du für immer hier rumhängen?«

»Ich weiß ehrlich gesagt noch nicht, was ich tun werde.«

»Du könntest dir ein Haus kaufen, weißt du. Oder einen Wohnwagen. Vielleicht könntest du dir einen Computer besorgen und eine Mikrowelle und so 'n Zeug …«

»Ja, darüber habe ich auch schon nachgedacht. Wie würdest du es denn finden, wenn ich das täte?«

»Ist doch deine Entscheidung, oder?« Mark zuckte die Schultern und heuchelte Gleichgültigkeit. »Du könntest ein Auto oder einen Pick-up kaufen und einen Motorschlitten …«

»Darf ich dich etwas fragen? Du scheinst keinerlei Verwandte zu haben, abgesehen von mir natürlich. Hat deine Mutter keine Familie?«

»Meine Mom hat gesagt, dass ich dir nichts darüber erzählen soll.«

»Warum nicht?«

»Weil's dich einen Scheißdreck angeht.«

»Sind das deine oder ihre Worte?«

Mark dachte einen Moment lang belustigt darüber nach. Dann fixierte er Dafydd mit seinen wässrigen Augen. »Wir haben eine Grandma. Die Mutter meiner Mom. Sie wohnt in Florida.« Er wandte sich wieder dem Geschehen auf dem Bildschirm zu und steckte sich zwei Tomaten in den Mund, eine in jede Wange. »Sie hassen sich, meine Mom und sie. Ich hab ein Jahr lang bei ihr gewohnt.« Er drückte sich mit den Händen gegen die Wangen, und ein Sprühregen voller Kerne schoss ihm aus dem Mund.

»Das wusste ich nicht.« Dafydd reichte ihm einen Stapel Servietten. »Ist Miranda auch hingefahren?«

»Nee. Die alte Dame hasst Mädchen.«

»Und? … Wie war's so?«

»Scheiße. Mich hasst sie auch. Mom hat vermutet, dass Grandma Jungs mag, weil sie hinter Männern her ist, aber das war nicht so.« Er warf Dafydd einen Blick zu und kicherte. »Grandma hat mich zurückgeschickt. Dabei hatte Mom gedacht, sie wär mich los. Sie war tierisch sauer.«

Richard Chamberlain hatte in seinem Auto eine Halluzination: Trümmer und Leichen trieben um das Auto, das unter Wasser zu sein schien.

»Ich weiß nicht, ob dieser Film geeignet ist für …«

»Pssst … das ist der beste Teil.«

Sie vertieften sich in Richard Chamberlains Heimsuchungen als Ehren-Aboriginal in Australien, der die Ankunft einer Flutwelle vorhersagt. Als der Film beendet war, schalteten sie zu einem Eishockeyspiel um.

»Was ist mit deinem Großvater? Ist er tot?«, fragte Dafydd während einer Werbepause.

»Weiß nicht«, antwortete Mark, der sich gerade darauf konzentrierte, einen Niednagel abzureißen. »Ich glaube, er war Engländer wie du. Mom war zehn, als er abgehauen ist. Es hat ihn richtig enttäuscht, dass Mom ein Rotschopf war. Also hätte er mich auch gehasst«, meinte Mark achselzuckend, als wäre es völlig natürlich und gerechtfertigt, wegen seiner Haarfarbe gehasst zu werden.

Dafydd betrachtete den Jungen neben sich und wurde plötzlich von Mitgefühl überwältigt. »Und haben sie nie wieder von ihm gehört?«

»Doch, er hat Schecks geschickt, sodass Mom auf Internate gehen konnte, weil Granny nicht in ihrem Lebensstil von ihr gestört werden wollte. Aber ihr Dad wollte sie wohl genauso wenig.« Mark lachte plötzlich; es war ein hohes, unnatürliches Gewieher. »Du magst sie auch nicht, stimmt's? Das ist okay, weil's mir meistens genauso geht. Arme Mom. Manche Männer mögen sie trotzdem. Sie ist irgendwie hübsch trotz ihrer roten Haare.« Er sah Dafydd flehend an. »Findest du nicht?«

Dafydd zuckte zusammen, als er den Schmerz in der Stimme des Jungen hörte. »Ja. Eure Mom ist sehr hübsch. Und sie ist auch klug. Genau wie du.« Er knuffte Mark leicht an den Arm.

Sie schwiegen wieder, weil das Eishockeyspiel weiterging. In Dafydds Erinnerung blitzte eine Auseinandersetzung auf, die er vor sehr langer Zeit mit Sheila gehabt hatte. Sie hatte gesagt, Dafydd erinnere sie an jemanden – einen eingebildeten, aufgeblasenen Kotzbrocken. An jemanden, für den sie nie gut genug war …

»Ich vermute, Miranda ist dein Kind, aber ich nicht«, erklärte Mark unvermittelt.

»Ja, das hast du schon mal gesagt. Aber das ist unmöglich.«

Mark lachte spöttisch. »Guck mal in eins deiner medizinischen Bücher. Es *kann* passieren, wenn die Frau …«

»Ja, ich weiß«, unterbrach ihn Dafydd. Es ärgerte ihn, auf welche Weise ihn der Bursche immer herabsetzte, genau wie seine Mutter. »Aber die statistische Wahrscheinlichkeit liegt bei eins zu einer Million, möglicherweise zehn Millionen.«

Er fühlte sich albern, als er es sagte, und Mark seufzte mit resignierter Toleranz. »Wenn es dir so viel bedeutet … DAD.« Dann wandte er sich wieder dem Fernseher zu.

»Außerdem war es dein Blut, nicht Mirandas, das bewiesen hat, dass du mein Kind bist.«

Mark sagte nichts, sondern wiederholte den Trick mit den Tomaten. Dann gab er Dafydd zwei, damit der es auch versuchte. »Mom hasst dich, musst du wissen.«

»Mein Gott, Mark. Wenn man deinen Schilderungen Glauben schenkt, ist der gesamte Ort eine Brutstätte des Hasses. Kennst du irgendjemanden, der nicht alle anderen hasst oder verabscheut?«

Mark warf ihm einen kurzen Blick zu, ignorierte die Frage jedoch. »Nein, nicht so. Drück sie gleichzeitig mit der Innenseite deiner Wangen. Drück so stark, bis sie explodieren.«

»Würdest du mich in England besuchen, wenn ich zurückgehe?«

Mark hörte auf zu kauen und starrte auf seine Hände. »Ich dachte irgendwie, dass du hierbleibst … Schließlich hast du 'nen Job und alles.«

»Mein eigentlicher Job ist drüben in Wales. Ich weiß nicht, ob ich für immer hierbleiben kann.«

Mark schwieg einen Moment lang. »Na, dann verpiss dich«, sagte er und drehte sich weg. Seine schmale Brust fiel in sich zusammen, und sein Kopf, jetzt erbarmungswürdig kahl, sackte tief zwischen die Schultern. Für den Rest des Eishockeyspiels war er unerreichbar. Als es endete, schlief er fest.

Dafydd verspürte den Drang, die knochigen Schultern dieses traurigen jungen Menschen zu streicheln, um ihm ein wenig menschliche Wärme zu vermitteln. Mark war das finsterste und deprimierteste Kind, dem Dafydd je begegnet war. Das bisschen Zuneigung, das er zu bekommen schien, beschränkte sich auf Mirandas Schabernack. Ihre Knüffe, ihr Haarrubbeln und ihre unbeholfenen Umarmungen störten ihn nie. Es war undenkbar, ihn fortzuschicken und die beiden zu trennen. Er brauchte seine Schwester, und sie brauchte ihn.

Tillie klopfte an die Tür und rief seinen Namen. Langsam tauchte er aus einem tiefen, düsteren Traum auf und drang zu dem beharrlichen Geräusch vor. Sein Gehirn hatte einige Mühe, sich wieder in der Realität zurechtzufinden. Nach ein oder zwei Sekunden wurde ihm bewusst, dass er ein Mann an einem fremden Ort und von Beruf Arzt, aber *nicht im Dienst* war. Es ging um etwas anderes. Er fuhr hoch und sprang aus dem Bett. »Ich komme!«, rief er und suchte nach seinem Bademantel.

»Das Krankenhaus«, sagte Tillie, als er die Tür öffnete. »Sie haben einen Notfall und brauchen Ihre Hilfe. Sie sollen sofort kommen.«

Dafydd schlüpfte ohne Socken in seine Jeans und Schuhe, zog sich ein Sweatshirt und seinen Parka über und rannte die Treppe hinunter. Tillie wartete schon mit startbereitem Auto vor der Tür.

»Danke, Schatz«, japste er. »Ich wette, Sie bedauern, dass ich hier wohne. Ich bereite Ihnen nichts als Scherereien.«

»Nein, überhaupt nicht … Sie können für immer hierbleiben.« Tillie warf ihm einen Blick zu, während sie den Hügel zum Krankenhaus hinauffuhr.

Er hörte den unmissverständlichen Klang der Verliebtheit und mied ihre Augen. Tillies kurze Ehe hatte geendet, als ihr schon recht betagter Mann zehn Jahre zuvor an Altersschwäche gestorben war. Danach war sie zu neuem Leben erwacht, eine aus ihrem Kokon aus Fett schlüpfende Puppe, die sich in einen schönen Schmetterling mittleren Alters verwandelte. Wahrscheinlich hatte sie wenig von der Leidenschaft zwischen Mann und Frau erlebt. Dafydds Blick streifte ihr anmutiges Profil, das kleine, zarte Gesicht und die winzigen Hände, mit denen sie das Lenkrad hielt. In dieser Stadt musste es Dutzende von einsamen Männern geben, die sich mit Freuden in sie und ihr prosperierendes kleines Frühstückshotel verlieben würden. Doch er musste sie *um jeden Preis* von der Vorstellung abbringen, dass er der Mann ihres Lebens war. Noch eine Komplikation mehr in seinem Leben, und er würde einen Nervenzusammenbruch erleiden.

Sie setzte ihn am Eingang zur Notaufnahme ab, und er rannte zum Hauptoperationssaal, wo ihm Janie entgegenkam.

»Ein Fallensteller ist von einem Grizzly angegriffen worden, nicht weit von hier. Er ist stabilisiert, aber der Bär hat ihn praktisch in Stücke gerissen. Keine sichtbaren inneren Verletzungen, nur ein paar gebrochene Rippen und eine ausgekugelte Schulter. Zum Glück trug er zahlreiche Kleidungsstücke übereinander. Und ein Freund war bei ihm. Der Knabe muss einen Schutzengel gehabt haben.«

Nachdem er sich desinfiziert hatte, half Janie ihm, seine Handschuhe überzustreifen. Sie trat dichter an ihn heran und flüsterte: »Lezzard hat Bereitschaft, aber er ist auf einer Party gewesen. Seine Frau hat ihn nicht mal wach gekriegt. Nadja hat als Zweite Bereitschaft, aber ich habe mit Hogg telefoniert, um ihm die Situation zu erklären, und er fand, ich solle Sie anrufen. Sie ist so … unerfahren.« Janie trat zurück. »Es macht Ihnen doch nichts aus, oder?«

»Natürlich nicht«, sagte er. »Ich vermute, dass Atilan die Narkose vornimmt?«

Janie nickte. Dann sagte sie leise: »Sheila ist nicht hier, falls Sie sich wundern.«

»Gott sei Dank.«

Sie blickte ihn an, sagte aber kein Wort.

Während er Stunden damit zubrachte, die zerfetzten Hautlappen zusammenzunähen, wo die mörderischen Krallen des Grizzly das Fleisch des Mannes aufgeschlitzt hatten, fragte Dafydd die Krankenschwester, wie es möglich sei, dass ein Grizzly um diese Zeit im tiefsten Winter herumstreifte.

»Möglicherweise hat ihn der junge Mann gestört. Grizzlys erwachen gelegentlich und haben dann meist die denkbar schlechteste Laune.«

Dr. Atilan, eine schweigsame, aus Ungarn stammende Frau, begann plötzlich, hinter ihrer Maske zu sprechen. Mit ihrem starken Akzent berichtete sie in allen blutigen Details von einem spanischen Radfahrer, der im Sommer 1998 von einem Braunbären angefallen worden war. Er hatte sich vorgenommen, als Erster den gesamten neuen Highway mit dem Rad abzufahren, von Wolf Trail bis nach Tuktoyaktuk. Ein Anwohner kam mit dem Auto vorbei, etwa hundertdreißig Kilometer südlich von Moose Creek, und bemerkte, dass ein Fahrrad am Straßenrand lag. Eines der Räder drehte sich noch. Er hielt an und hörte Schreie von den Bäumen her, zwischen die der Bär den unglücklichen Mann geschleift hatte. Der Bär wurde durch die Rufe des Autofahrers vertrieben, und man konnte den tollkühnen Spanier retten. Mit über vierhundert Stichen schlug er alle Rekorde. Noch immer schickte er dem Krankenhaus an jedem 6. Juli Blumen von Bilbao aus, wo er inzwischen als Lehrer arbeitete.

»Was ist mit dem Jungen aus Coppermine?«, fragte Janie. »Er war in einem ziemlich schlechten Zustand.« Sie drehte sich zu Dafydd hin. »Es handelt sich um einen Inuit-Jungen, der von einem Eisbären angegriffen wurde. Es war alles sehr dramatisch, weil ein Schneesturm herrschte – es war im März oder April dieses Jahres –, ein noch nie da gewesener Schneesturm. Man wollte ihn nach Yellowknife fliegen, aber das Wetter war so schlecht, dass man ihn hierher geflogen hat, weil wir so ziemlich die Nächsten waren.«

»Ein Eisbär!«, rief Dafydd. »Ich dachte, dass ein Zusammenstoß mit einem Eisbären so gut wie immer tödlich verläuft?«

»Es heißt, dass ihn ein Hund gerettet hat.«

»Was ist aus ihm geworden?«

»Er war ein paar Tage hier, und es stand auf Messers Schneide. Dann haben wir ihn nach Edmonton bringen lassen. Er benötigte zahlreiche Operationen, und er hat ein Bein verloren. Der Junge war unglaublich tapfer und hat kein einziges Mal geweint.«

»Wie alt war das Kind?«, fragte Dafydd und beugte sich über die heikle Aufgabe, eine klaffende Wunde im Genitalbereich des Mannes zu nähen.

»Zwölf oder dreizehn«, antwortete Atilan und sah von einer medizinischen Zeitschrift auf, die sie nebenbei las. »Er war groß für sein Alter. Ein ausgesprochen schöner Junge. Wir haben alle viel Aufhebens um ihn gemacht, er war etwas ganz Besonderes.«

»Kinder sind oft erheblich bessere Patienten als Erwachsene«, sagte Dafydd. Er richtete sich auf und bog seinen Rücken nach hinten, um die Verspannung zu lockern, die durch seine ständig vorgebeugte Haltung über dem verletzten Fallensteller entstanden war. »Letzten Endes sind Kinder erheblich gelassener.« Ein schwaches Bild von Derek Rose durchzuckte Dafydds Vorstellung. Die glasigen, eingesunkenen Augen des Kindes hatten Fragen gestellt, die sein zu junger Verstand noch nicht zu formulieren vermochte. Nach vier Stunden verließ das Team den OP, erschöpft, aber guten Mutes. Dafydd hatte insgesamt zweihundertsiebenundachtzig Stiche gezählt, aber er war mit seiner Arbeit zufrieden. Der Mann, ein junger Méti, der verheiratet war und ein kleines Kind hatte, würde schreckliche Narben, aber keine schweren Behinderungen zurückbehalten. Zumindest war er so gut behandelt worden, wie man es auch in einem größeren Krankenhaus nicht besser vermocht hätte, und er war am Leben.

Janies Tochter Patricia war unbefugt in die Kantine gegangen und hatte begonnen, etwas Warmes zum Frühstück zuzubereiten und Kaffee zu kochen. Schon bald zog der Geruch gebratenen Schinkens das Personal der Nachtschicht in den dunklen Speiseraum. Eine Atmosphäre der Kameradschaft und des Teamgeistes breitete sich aus. Vielleicht, weil Sheila Hailey nicht hier ist, dachte Dafydd. Ihm war nicht entgangen, dass sie nicht besonders beliebt war, auch wenn sie ihre Verbündeten besaß.

Obwohl er nicht sehr oft Fleisch aß, machte er sich über einen großen Teller mit Schinken und Eiern und Röstis her. Jemand anders nahm sich die Freiheit, noch Pfannkuchen zu braten, und auch davon vertilgte er ein paar.

Kauend bemerkte er zu Dr. Atilan, die neben ihm saß: »Wissen Sie, vor vielen Jahren war ich da oben in der Gegend, in der Nähe von Coppermine, wo der Junge herkam, von dem Sie uns erzählt haben. Es muss der ödeste Ort der Welt sein, aber zugleich ist er unglaublich schön. Wissen Sie noch, wie die Gemeinde hieß? Es gibt dort nur sehr wenige, wenn ich mich recht erinnere.«

Atilan schüttelte den Kopf. »Eine kleine Siedlung, glaube ich. Wahrscheinlich irgendein Inuit-Name.«

»Black River«, rief Janie von der anderen Seite des Tisches herüber.

Black River. Dafydd sah den Namen von seiner eigenen Hand auf zahllose Umschläge geschrieben. – *Black River.* Was für ein Zufall. Solch ein kleiner Ort. Vielleicht war er sogar den Eltern des verletzten Jungen begegnet, obwohl es dort nur sehr wenige jüngere Leute gab.

Seine Gedanken wanderten zu der Frau, die er hatte lieben dürfen. Er erinnerte sich an ihr langes Haar, das über seine nackte Haut gestreift war, an ihre Steinschnitzereien, die er in seinen Händen gehalten hatte, an die Nordlichter, die den Himmel über ihrer bescheidenen Hütte farbig erhellt hatten. Ob sie noch immer dort war? Er verdrängte den Gedanken. War sein Leben nicht schon chaotisch genug?

KAPITEL 19

Dafydd,
ich weiß nicht, was ich sagen soll. Schön, dass Du solche Fortschritte mit den Kindern gemacht hast. Und Deine Vertretungsstelle – Glückwunsch! Das heißt, Du wirst Weihnachten nicht nach Hause kommen. Ich habe nicht mit Dir gerechnet, also brauchst Du Dir deswegen keine Sorgen zu machen. Der Hausverkauf läuft. Abschluss Anfang Januar. Dubai war hervorragend, danke der Nachfrage. Alles bestens.
Gruß
Isabel

Isabel trieb fort wie ein Schiff auf einem Ozean, das kleiner und kleiner wird, bis es mit dem Horizont verschmilzt. Er dachte objektiv über sie nach – über ihr Charisma, ihr aufbrausendes Temperament, ihr schönes, markantes Profil, ihren ungewöhnlichen Charme, sogar über ihre Eifersucht und ihren Starrsinn – und er begriff, dass er Glück gehabt hatte. Er war dankbar, ihr Ehemann gewesen zu sein.

Das Befremdliche war, dass ihn das alles nicht mehr berührte. Lieferte dies einen Beweis für die Oberflächlichkeit seiner Gefühle, für eine seelische Verkümmerung? Die Frau, die er so leidenschaftlich zu lieben gemeint hatte, entglitt ihm – offenbar, weil sie etwas Besseres gefunden hatte –, und ohne den Wandel seiner Empfindungen auch nur bemerkt zu haben, stellte er nun bei sich keine wirkliche Trauer oder Bedrücktheit fest. Der letzte heftige Schmerz des Bedauerns hatte sich in einem plötzlichen und abschließenden Tränenstrom entladen, und danach hatte er sich erleichtert gefühlt … fast gereinigt. Er prüfte sich, seine Emotionen und Motive, aber er fand keine Erklärung für das Fehlen von Kummer und Leid.

Vielleicht lag es an seinem Zorn. Er fand sich im Stich gelassen, als er sich einer Angelegenheit widmen musste, die sich als eine der bestürzendsten Erfahrungen seines Lebens erweisen sollte – abgesehen von seinem katastrophalen Fehler bei Derek Rose und den damit verbundenen Auswirkungen. Isabel hatte ihn nicht unterstützt, ihm nicht vertraut. Sie hatte nie begriffen, dass er sich unschuldig fühlte, ganz und gar unschuldig, bis ihn der verdammte Bericht, der schwarz auf weiß seine Vaterschaft belegte, eines Besseren belehrte. Es schien, dass sie die Ehe mit ihm zu den Akten gelegt und ihre Sehnsucht und ihren Ehrgeiz auf ein neues Ziel gerichtet hatte, um sich in der großen Designerwelt unentbehrlich zu machen. Um reich und mächtig, vielleicht sogar berühmt zu werden.

Dafydds Ehrgeiz hingegen war kleiner geworden. Wenn Isabel je gebangt hatte, dass ihn seine neuentdeckten Kinder von ihr fortreißen würden, dann stimmten ihre Befürchtungen. In ihm war ein Gefühl väterlicher Verantwortung geweckt worden, von dem er sich nicht einfach abwenden konnte, was auch immer das für die Zukunft heißen mochte. Sein Schicksal war seltsamerweise mit diesem Gefühl verbunden.

Als Dafydd zu Ians Hütte hinauffuhr, fielen seine Scheinwerfer auf den breiten Hintern von Hoggs Geländewagen, der den Weg zum Hof versperrte. Eine plötzliche Besorgnis überkam ihn. Er hatte Ian nicht erneut wegen des Demerol-Transports zur Rede gestellt, und ein paar flüchtige Überprüfungen des Kofferraums hatten auch keine belastenden Päckchen mehr zutage gefördert. Dennoch war er ein paarmal entsetzt über seine eigene unbekümmerte Haltung gewesen. So etwas ließ sich nicht auf Dauer unter den Teppich kehren. Der Umgang mit Diebesgut, dazu noch mit Drogen, war ein Verbrechen, durch das er sich genauso strafbar machte wie Sheila. Das durfte nie wieder geschehen.

Er fragte sich, was Hogg hier zu suchen hatte und in welchem Zustand sich Ian befand. Es war kurz vor sieben, etwa die Zeit, zu der sich Ian seinen abendlichen Fix verabreichte. Dafydd kam zu dem Schluss, dass er keine andere Wahl hatte, als zu ihnen reinzugehen, da das Geräusch des Autos sie auf seine Anwesenheit aufmerksam gemacht haben musste.

»Oh, sehr gut, sehr gut«, meinte Hogg, als er eintrat. »Sie kommen uns wie gerufen.«

Ian saß am Küchentisch und sah grässlicher aus denn je. Thorn lag auf einem alten Elchfell in der Ecke und winselte leise.

»Ich habe gerade versucht, Ian klarzumachen, dass wir ihn am Montag endgültig zurückerwarten, weil Sie die Vertretung bei uns beendet haben«, sagte Hogg müde. »Oder nicht?« Er warf Dafydd einen flehenden Blick zu. Er wirkte erschöpft. Der dichte Haarschopf saß wie ein Fremdkörper über seinem bleichen, aufgedunsenen Gesicht, als handelte es sich um eine billige, schlecht sitzende Perücke.

Die drei Männer betrachteten einander und warteten jeweils darauf, dass einer der anderen beiden die Initiative ergriff. Durch Ians passive Gleichgültigkeit und Hoggs matten Ärger blieb Dafydd diese Aufgabe überlassen. Da beide in seine Richtung schauten, wusste er, was sie erhofften, aber er wusste auch, dass seine Zustimmung verhängnisvoll für Ian sein würde. Der Mann musste zu irgendeiner Form äußerer Normalität zurückkehren. Er brauchte die Disziplin der Arbeit. Gleichzeitig jedoch hatte Dafydd keinen Zweifel, dass Ian, wenn er in seinem derzeitigen Vergiftungsstadium auf Patienten losgelassen wurde, gefährlich für sie sein konnte. Es wäre unverantwortlich, ihn in solch eine Situation zu bringen.

Dafydd versuchte, eine akzeptable Stellungnahme zu formulieren, als Hogg plötzlich das Schweigen brach. Mit vor Erbitterung und Zorn verzerrtem Gesicht wandte er sich an Dafydd. »Also, warum schleichen wir um den heißen Brei herum? Ich glaube nicht, dass Ian gegenwärtig in der Verfassung ist zu arbeiten.« Er trat einen Schritt auf Ian zu und stemmte die Hände in seine dicken Hüften. »Sehen Sie, mein Bester, wir arbeiten seit vielen Jahren zusammen, und deshalb glaube ich, dass ich Ihnen ... ein gewisses Entgegenkommen schulde. An Ihnen als Arzt habe ich nichts auszusetzen, aber die vergangenen ein oder zwei Jahre ... Nun, ich glaube nicht, dass wir noch lange so weitermachen können. Oder was meinen *Sie?*«

»Ach, hören Sie auf«, erwiderte Ian. »Sie wissen ebenso gut wie ich, dass Sie mich nicht loswerden können, es sei denn, ich baue Mist. Aber Sie können mir nicht das Geringste anhängen. Ich habe ein Anrecht auf Krankenurlaub, und davon mache ich jetzt Gebrauch. Ich bin nicht in der Verfassung, die Arbeit am Montag wieder aufzunehmen.«

»Das ist mir klar«, sagte Hogg mit vor Sarkasmus triefender Stimme.

»Geben Sie mir bis Neujahr. Ich bin sicher, dass es Dafydd nichts ausmachen würde, mich noch ein paar Wochen länger zu vertreten. Stimmt's, Dafydd?« In Ians Stimme war eine neue Nuance. In seinen Trotz hatte sich ein Hilferuf eingeschlichen, ein erbarmungswürdiges Flehen um Zeit. Es berührte Dafydd zutiefst, und er wäre am liebsten an die Seite seines Freundes geeilt und hätte ihn gebeten, seine furchtbare Selbstzerstörung zu beenden. Aber so etwas konnte er nicht in Hoggs Gegenwart tun. Die beiden sahen wieder zu Dafydd hin und warteten auf eine Antwort.

»In Ordnung«, sagte er, »bis zum ersten Januar ... *Aber nicht länger!*« Er suchte Blickkontakt zu Ian, aber der hatte die Augen auf den Boden gerichtet.

»Wunderbar.« Hogg machte einen Schritt zur Tür. Dann zögerte er und drehte sich erneut zu Ian um. »Ich fürchte, dass ich Ihnen dazu etwas Offizielles schreiben muss. Sie wissen, dass es wirklich das letzte Mittel ist, und ich wende es nicht gern an.« Hilflos zuckte er die Schultern, doch Ian reagierte nicht. Hoggs Augen verrieten ehrliche Betrübnis.

Dafydd fragte sich, wie viel dieser Mann über die Situation wusste. Er konnte wohl kaum völlig blind gegenüber all dem gewesen sein, was sich so viele Jahre vor seiner Nase abgespielt hatte. Vielleicht hatte seine Leidenschaft für Sheila ihn ein Auge zudrücken lassen.

Hogg knöpfte seinen Mantel zu und ging hinaus. Dafydd schloss die Tür vor der eisigen Dunkelheit und hörte den Motor des Geländewagens aufheulen, als Hogg um Ians Auto herum- und die Auffahrt hinunterrollte. Dann leerte er die Co-op-Tüten auf dem Küchentresen und öffnete eine Dose Hundefutter.

»Versteh bitte, dass ich dich nicht mehr stützen kann«, erklärte Dafydd. »Ich muss dir dein Auto zurückgeben, damit du wieder die Verantwortung für dein Leben übernimmst. Ich glaube, dass ich dir einen Bärendienst erwiesen habe. Es war sehr dumm von mir.«

»Wir haben gesagt, der 1. Januar. Warum belassen wir es nicht dabei? Es ist genau das richtige Datum für einen Neuanfang.«

»*Nein!*«, rief Dafydd. »Begreifst du denn nicht, dass

das nicht gut ist? Du wirst dann in einer noch schlechteren Verfassung sein als jetzt. Warum nutzt du die Zeit nicht, um von dem Zeug runterzukommen? Wenn du dich nirgends behandeln lassen willst, kannst du es hier machen. Ich werde dir helfen.«

»Ich reduziere das Trinken, aber es gibt keinen Grund, mit dem Demerol aufzuhören. Es beeinträchtigt meine Arbeitsfähigkeit nicht. Damit funktioniere ich hervorragend.«

»*Ian!*«, schrie Dafydd. »Du weißt, dass du unter Drogeneinfluss nicht arbeiten darfst. Du gefährdest das Leben der Patienten.«

»Ich habe noch keinen einzigen Patienten umgebracht«, brüllte Ian zurück und stand von seinem Stuhl auf. »Ich habe nie jemanden getötet außer meiner Frau.«

Dafydd trat auf seinen Freund zu, packte seine Schultern und drückte ihn wieder auf den Stuhl zurück. »Ian! Drogendiebstahl ist eine Straftat. Bald hast du kein Glück mehr.«

Ian sackte zurück. »Ach, scheiß drauf! Das schadet niemandem. Und außerdem begeht Sheila den Diebstahl.«

»Wenn du das so siehst, wirst du dein Auto brauchen und dir deine Vorräte selbst besorgen müssen.«

Ian erhob sich und ging ins Badezimmer. Thorn schnüffelte an dem Fressen in seiner Schüssel und kehrte zu seinem Elchfell zurück. Dafydd blickte sich um. Die Hütte war im Zerfall begriffen. An den Stellen, an denen die Baumstämme geschrumpft waren und sich die Isolation gelöst hatte, hatten sich Eisflecken an den Wänden gebildet. Die Decke schien sich mit Wasser vollgesogen zu haben und hing durch, als werde sie jeden Moment einstürzen. Die Farbe und das Material des Teppichs waren nicht mehr zu erkennen. Er war nur noch ein geschwärzter, fettiger Lappen, abgenutzt und eingerissen.

Ian kam aus dem Badezimmer, die Augen glasig.

»Ich wundere mich, dass du überhaupt noch Venen hast«, bemerkte Dafydd bitter.

»Bitte hör auf.«

»Weißt du was, ich ruf jetzt ein Taxi.« Dafydd legte die Autoschlüssel auf den Tisch. »Ich werde dir keine Lebensmittel, keinen Alkohol und auch keine Drogen mehr bringen. Du musst dir selbst besorgen, was du brauchst. Ich werde dir nur helfen, wenn du beschließt, dir selbst zu helfen. Ich würde alles für dich tun ... aber die Entscheidung liegt bei dir.«

»Ich denk darüber nach.«

Es gab nichts mehr zu sagen. Ian döste apathisch auf seinem Stuhl vor sich hin, während Dafydd auf das Taxi wartete. Als es nach zwanzig Minuten vorfuhr, stand er auf und beugte sich zu Ian hinab, um in sein ausdrucksloses Gesicht zu schauen. »Ich möchte dich um einen Gefallen bitten. Gib mir dein Passwort für das Computersystem. Als stellvertretender Arzt habe ich keinen Zugang. Ich möchte etwas nachsehen.«

Ian öffnete die Augen, stand auf, suchte nach einem Stift und kritzelte eine Zahlenabfolge auf einen Fetzen Papier. Wortlos reichte er ihn Dafydd. Sie betrachteten einander einen Moment lang.

»Gib das Zeug auf, Ian ... Tu's einfach!«, sagte Dafydd eindringlich und legte eine Hand auf die Schulter seines Freundes. »Es wird schwer werden, aber du kannst es schaffen. Ich komme und kümmere mich um dich. Du weißt, wo du mich erreichen kannst.«

Außer der Schreibtischlampe brannte kein Licht im Büro. Dafydd hatte die Tür hinter sich geschlossen, obwohl es unwahrscheinlich war, dass jemand in diesem Bereich des Krankenhauses zu so nächtlicher Stunde etwas zu erledigen hatte. Er schaltete den Computer ein und wartete. Als er um sein Passwort gebeten wurde, gab er die Zahlen auf dem Papierfetzen ein und überflog die Dateien, die auf dem Bildschirm auftauchten. Er klickte auf »Intensivstation« und erhielt eine Liste von Optionen. »Aufnahmegrund« kam ihm so einleuchtend wie jede andere vor. Er tippte »Bärenangriff«, und eine Namensliste erschien. Ihm pochte das Herz schwer in der Brust, während er die Namen überflog. Insgesamt waren es in den vergangenen Jahren zweiundzwanzig gewesen. Etwa in der Mitte entdeckte er ihn: Charlie Ashoona, Black River, Region Kugluktuk (Coppermine), Nunavut. Nächste Verwandte: Uyarasuq Ashoona, Mutter.

Dafydd lehnte sich zurück und starrte auf den Namen. Der leuchtende Computerschirm ließ die Buchstaben in dem dunklen Raum deutlich hervortreten. Eine bizarre Möglichkeit schoss ihm durch den Kopf: Könnte es sich um den Jungen handeln, den Joseph erwähnt hatte, um den Sohn von Sleeping Bear? War das möglich?

Dafydd las das Geburtsdatum: 5. Dezember 1993. Er konnte sich nicht hinreichend konzentrieren, um die Monate und Jahre zu berechnen. Alles verschwamm in einem Durcheinander aus Zahlen. Er nahm einen Stift, schrieb die Daten auf einen Block und erkannte, dass die Zeugung des Jungen ungefähr mit seinem und Bears Besuch in Black River zusammenfiel.

Hatten Uyarasuq und Bear …? Nein, das konnte er sich nicht vorstellen. Aber Bear hatte die Hälfte seiner Lebensersparnisse einem Jungen in Black River vermacht. Joseph zufolge hatte er ein Kind gezeugt … Was für ein schrecklicher Gedanke! Er dachte an die starke Zuneigung, die Bear und Uyarasuq füreinander empfunden hatten. Was wusste er schon über ihre Beziehung? Was verstand er schon von ihrer Denkweise? Seine kulturellen Vorurteile über Alter und Sex und Moral hatten dort oben in der arktischen Wildnis vermutlich keine Gültigkeit. O Gott! Dafydd spürte, wie seine Gliedmaßen versagten, während sich die Möglichkeiten in seinem Kopf drehten wie auf einer rasenden, nicht zu bremsenden Roulette-Scheibe.

»Was machst du da?«

Der plötzliche Klang ihrer scharfen Stimme in dem dunklen, leeren Raum ließ ihn zusammenfahren. Dafydd drehte sich um und sah Sheila mit schnellen Schritten auf ihn zukommen. Er reagierte sofort, indem er den Arm ausstreckte und den Stecker aus der Dose zog. Der Computer pingte, und der Schirm wurde schwarz.

»Du hast kein Recht, dich an den Krankenhausunterlagen zu schaffen zu machen. Wie bist du reingekommen?«

»Ich arbeite hier. Wenn ich mir Patientenakten ansehen muss, dann werde ich das auch tun.«

»Du hast das Recht, dir die schriftlichen Unterlagen anzusehen. Für deine Zwecke genügt das. Ich weiß mit Sicherheit, dass du kein Passwort für den Computer hast. Sie werden an solche Leute wie dich nicht vergeben. Ich werde Hogg Bericht erstatten.«

»Nur zu«, sagte Dafydd kalt. »Warum führen wir drei nicht einmal eine lange Aussprache. Ich arrangiere das. Ich glaube, es gibt eine ganze Menge Dinge, über die Bericht erstattet werden muss.«

»Tatsächlich?« Sheilas Miene änderte sich leicht, doch ihre aggressive Haltung blieb bestehen. »Was zum Beispiel?«

Dafydd antwortete weder, noch stand er vom Stuhl auf. Sie trat näher an ihn heran und stieß mit dem Zeigefinger nach seinem Gesicht. »Wenn du glaubst, dass Hogg auf irgendetwas hört, was du über mich zu sagen beliebst, dann irrst du dich gewaltig.« Ihre Augen loderten wütend, aber gleichzeitig drückte ihre Miene Besorgnis aus.

Dafydd dachte an Ian, und ein plötzlicher Zorn durchfuhr ihn. Allmählich erreichte er einen Punkt, an dem es ihm gleichgültig war, ob er Ian bloßstellte. Es wurde Zeit, dass jemand etwas unternahm, um Ians Selbstzerstörung ein Ende zu setzen, bei der Sheila ihn unterstützte.

Er betrachtete ihren Finger, mit dem sie noch immer nach ihm stach. »Hör auf, mit deinem Finger vor meinem Gesicht herumzufuchteln«, fuhr er sie an und schob ihre Hand mit einiger Kraft beiseite. »Hat deine Verdorbenheit keine Grenzen? Und so was wie du trägt die Verantwortung für zwei wehrlose Kinder. Sie sollten geschützt werden vor …«

»Pass bloß auf«, zischte Sheila. »Wenn du noch irgendetwas mit deinen Kindern zu tun haben willst, dann überleg dir gut, wie du dich verhältst. Es ist überhaupt nichts Verdorbenes dabei, wenn ich dich ordentlich zur Kasse bitte. Es ist genau das, was Männer wie du verdienen. Du denkst, dass du dein stinkendes kleines Glied überall reinstecken kannst und die Folgen nicht zu tragen brauchst …«

»Das habe ich nicht gemeint«, schnitt ihr Dafydd ungehalten das Wort ab. »Ich spreche davon, was du Ian antust.«

Sheila blickte ihn sprachlos an, aber sie fing sich rasch wieder. »Mir ist scheißegal, was oder wen du meinst. Nichts davon geht dich auch nur das Geringste an. Du hältst dich aus meinem Leben heraus, oder du bekommst die Kinder nie wieder zu Gesicht. Ich werde die ganze Geschichte publik machen, und ich kann beweisen, was du mit mir angestellt hast. Auch den Kindern werde ich's erzählen … mit allen entsetzlichen Einzelheiten.«

»Wirklich? Das würdest du deinen eigenen Kindern tatsächlich zumuten?«

»Ja, und ich habe Beweise. Verlass dich drauf, es würde dir nicht gefallen.« Jetzt lächelte sie, weil sie glaubte, wieder die Oberhand gewonnen zu haben. Sie verschränkte die Arme unter den Brüsten und schaute auf ihn hinab. Sheila suchte ständig nach Schwachpunkten, und jetzt dachte sie, dass sie die Kinder als Waffe einsetzen konnte. Aber sie würde es nicht so einfach haben, diesmal nicht, dafür würde er sorgen.

»Ich glaube dir nicht. Du redest nur Unsinn.« Dafydd stieß den Stuhl zurück, sodass er umfiel. »Aber meinetwegen. Du tust, was du tun musst, und ich werde genauso vorgehen.«

Bevor sie antworten konnte, wandte er sich schroff ab und verließ den Raum.

Um 8.55 Uhr morgens stand Dafydd wartend vor dem kleinen Büro von »Rent a Ride« in einer Seitenstraße am Stadtrand. Er brauchte unbedingt ein Auto, und in Moose Creek wurde sein Fahrverbot durch die Notwendigkeit außer Kraft gesetzt. Er lächelte bei der Erinnerung an ein Gespräch, das er vor langer Zeit geführt hatte. Wer war es denn nur, der ihm prophezeit hatte, er werde sich nie zu Fuß auf den Straßen dieser Stadt fortbewegen, weil es entweder zu heiß und zu staubig oder zu kalt und zu rutschig oder er zu betrunken sein werde? Jemand sehr Unverschämtes.

Die Kinnlade fiel ihm vor Erstaunen hinunter, als die Verkünderin dieser Weisheit mit einem großen Schlüsselbund in der Hand die Straße entlangmarschiert kam. Martha Kusugaq hatte sich trotz der inzwischen verflossenen Jahre nicht verändert. Ihre Augen leuchteten auf, als sie ihn erblickte.

»Der attraktive junge Doktor«, jauchzte sie. »Na, so was!«

»Der Doktor mag stimmen. Attraktiv und jung sei dahingestellt«, lachte Dafydd.

»Diesmal sind Sie für immer hier, nicht wahr, junger Mann? Gott weiß, wie verdammt dringend wir jemanden wie Sie brauchen«, sagte sie und schüttelte ihm kräftig die Hand. »Hoffentlich lösen Sie den alten Hogg ab. Er würde es sich nie eingestehen, aber er sollte sich wirklich zur Ruhe setzen.«

»He, nicht so stürmisch, Martha. Ich bin nur zu Besuch hier. Wie geht es Ihnen denn?«

»Lassen Sie mich erst mal diese Tür öffnen, und dann erzähl ich Ihnen, was los ist.« Sie hantierte mit dem Schlüsselbund herum und probierte mehrere Schlüssel aus, bis sie endlich auf den passenden stieß.

»Nach den Schlüsseln zu urteilen, gehen Sie vielen Geschäften nach«, bemerkte Dafydd.

»Sie haben's erfasst«, bestätigte Martha. »Mein Alter hat mich wegen eines Flittchens verlassen, und ich hab selbst einen jüngeren Mann geheiratet, einen mit echtem Ehrgeiz.« Sie sprang hinter den Tresen und nahm einen goldenen Stift in die Hand. »So, erst mal geb ich Ihnen einen fahrbaren Untersatz. Die sind alle absolut zuverlässig, das schwör ich …«

Er konnte sich nicht auf das konzentrieren, was die Kinder sagten. Mark zerrte ihn am Arm. Miranda war hinter ihnen, schob den Schlitten und rief ihnen zu, schneller zu ziehen. Die beiden redeten und schrien und lachten hemmungslos, während sie, bis zu den Oberschenkeln im Schnee, einen steilen Hang hochstapften.

»Was ist los mit dir, Dafydd?«, rief Mark. »Hast du schlechte Laune oder so?«

Dafydd war überrascht von Marks Heiterkeit. Er packte den Jungen an der Taille und warf ihn zu Boden. Aber Mark war stärker, als es den Anschein hatte, und schaffte es, ihm ein Bein zu stellen. Sie rollten ziemlich weit nach unten, bevor es ihnen gelang anzuhalten.

»Was soll das?«, schrie Miranda. »Es wird Ewigkeiten dauern, bis ihr wieder hier oben seid. Ich fahr allein los.« Sie hechtete auf den Schlitten und sauste mit hohem Tempo hinunter.

»Pass auf!«, rief Dafydd besorgt, als seine Tochter wie eine Kugel an ihm vorbeischoss, sodass er schon einen Beinbruch oder eine Halsverletzung befürchtete.

Plötzlich stürzte sich Mark auf ihn. Sie fielen erneut zu Boden und rollten und rutschten ein weiteres Stück den Hügel hinab. Der weiche Schnee füllte ihre Kragen und Ärmel. Miranda war inzwischen am Fuß des Hügels angekommen und brüllte vor Lachen.

»Schluss jetzt!«, rief Dafydd und richtete sich im Schnee auf. »Nehmt euch zusammen. Eure Mutter wird einen Anfall bekommen, wenn sie davon erfährt.«

»Es geht sie nicht das Geringste an«, erwiderte Mark forsch. »Glaubst du denn, dass sie sich einen Dreck darum schert?«

»Natürlich tut sie das.«

»Du bist ein bisschen naiv, oder?«, meinte Mark herablassend. »Für einen erwachsenen Mann.«

In dem Punkt hat der kleine Scheißer recht, dachte Dafydd, während er den Schnee aus seinem Haar klopfte und sich den Hut wieder auf den Kopf setzte. Dann sagte er: »Sie wird sich schon darum scheren, wenn ich euch mit Knochenbrüchen und Hypothermie im Krankenwagen zurückbringe.«

Sie blickten beide zu Miranda hinunter, die plötzlich reglos im Schnee lag. Mark rutschte durch den weichen Schnee nach unten und versuchte, sie hochzuheben. Miranda wog gute zehn Kilo mehr als er, und sein Unterfangen erwies sich als schwierig. Sie machte sich steif und begann zu jammern. Dafydd bemerkte, welche unterschiedliche Reife die Kinder aufwiesen. Normalerweise war es bei Jungen und Mädchen wohl umgekehrt, aber Mark glich einem mürrischen alten Mann, finster und introvertiert, während Miranda in Sekundenschnelle in ein infantiles Stadium zurückfallen konnte.

Da lag sie nun, geradezu hysterisch vor Gelächter und

vorgetäuschter Qual, und strampelte wie eine Zweijährige mit den Beinen. Sie würde auskühlen, wenn ihr Körper noch lange den Boden berührte, aber Dafydd fehlte die Energie einzugreifen. Er blieb einen Augenblick lang am Abhang sitzen.

Er hatte während der langen Nacht noch nicht einmal eine ganze Stunde geschlafen und immer wieder über seine Entdeckung nachgedacht. Die Vorstellung, dass Sleeping Bear jene wunderbare junge Frau während ihres Besuchs geschwängert haben könnte, erschien Dafydd völlig absurd. Sosehr er sich wegen seiner Vorurteile tadelte, konnte er kein Bild heraufbeschwören, wie sich die beiden in den Armen lagen. Bear war alt genug, ihr Großvater, sogar ihr Urgroßvater zu sein. Natürlich konnte es einen anderen Mann gegeben haben, obwohl sie erklärt hatte, sie sei seit langem mit niemandem mehr zusammen gewesen. Aber war es nicht naiv von ihm, ihren Worten zu glauben? Warum sollte eine junge Frau keine Liebhaber gehabt haben? Die andere Möglichkeit, die ihn schwindelig werden ließ, bestand darin, dass er selbst den Jungen gezeugt hatte. *O Gott, war das wirklich möglich?* Die Daten sprachen dafür.

Wie so oft im Laufe der Jahre tauchten, gespeichert im Netzwerk seiner Sinne, die Einzelheiten seines Liebesspiels mit Uyarasuq vor ihm auf. Sie hatte gemeint, es sei eine »sichere« Zeit in ihrem Zyklus, aber er wusste, wie absolut unzuverlässig so etwas war. Deshalb hatte er ein Kondom benutzt. Das leichte Perlen ihres Lachens und seine eigene Fröhlichkeit angesichts der zwangsläufigen Schwierigkeiten, einem steifen Penis eine Gummihülle überzuziehen – er erinnerte sich noch genau daran. Aber Kondome versagen, sie platzen oder reißen. Nicht oft, aber es kommt vor. Vor allem, wenn sie schon alt sind … Ihre Enge, seine Größe … sie hatte es ihm in der Dunkelheit abgezogen …

Dafydd versuchte, seinen inneren Aufruhr zu unterdrücken, und barg das Gesicht in der Beuge seiner Arme. Er wollte jetzt nicht darüber nachdenken, nicht hier, in Gegenwart der Kinder.

Er schaute zu ihnen hinunter. Inzwischen bewarfen sie einander mit Schneebällen. Miranda kreischte und lachte, Mark war still und ging konzentriert vor.

Warum sollte Uyarasuq es ihm nicht mitgeteilt haben? Und warum hatte Sleeping Bear es ihm nicht mitgeteilt? Vielleicht hatte er es versucht. Er musste unbedingt mit Joseph Kontakt aufnehmen und ihm weitere Fragen zu Bears dringendem Wunsch stellen, Dafydd einen Brief zu schreiben. Vielleicht hatte Bear ihm genau diese Nachricht übermitteln wollen. Aber er war alt und müde und konnte nicht mehr schreiben, und Joseph zeigte keine Bereitschaft, es für ihn zu tun. Deshalb entschied Bear, dem Jungen einen Teil seines Geldes zu vererben: weil er sich für das, was geschehen war, verantwortlich fühlte, oder wegen seiner starken Bindungen an die Familie. Oder weil er seinen eigenen Enkel nicht leiden konnte. O Gott, was sollte er unternehmen? Er musste es herausfinden. Unbedingt.

Er spürte eine Hand auf seiner Schulter.

»Warum sitzt du hier herum?« Miranda sah ihn prüfend an. »Manchmal bist du ganz schön flau. Entschuldige, ich hab bloß Spaß gemacht. Ein wenig Dampf abgelassen. Du hast es doch nicht ernst genommen, oder?« Sie rieb ihre vereisten Fäustlinge gnadenlos an seinen Wangen, und er packte ihre Handgelenke und versuchte, ihr etwas Schnee in den Kragen ihres Schneeanzugs zu schieben.

»Daaaad«, kreischte sie. Sie ließ keine Gelegenheit aus, ihn *Dad* zu nennen. Es schien ihr so viel zu bedeuten, dass sie endlich einen Vater hatte, obwohl er nicht die Illusion hegte, dass sie *ihn* um seiner selbst willen liebte. Gewiss, sie waren Freunde geworden, und sie begriff, dass er solide, verlässlich, großzügig war. Und mit der Zeit würde sie vielleicht das Gefühl entwickeln, dass er wirklich der Vater war, nach dem sie sich gesehnt hatte.

Zum Glück war sie ein ausgeglichenes, normales junges Mädchen – trotz ihrer Mutter. Mark dagegen war eine ganz andere Persönlichkeit, weitgehend unzugänglich. Was würden sie empfinden, wenn sie erfuhren, dass sie möglicherweise einen Bruder hatten …

»O Gott«, stöhnte Dafydd laut auf.

»Gott … was?« Miranda versuchte, sich seinem Griff an ihrem Ärmel zu entwinden.

»Wir sind … spät.«

»Spät für was? Du hast noch nicht mal deine Uhr um, du Dummkopf.«

»Wen nennst du einen Dummkopf?« Dafydd drückte ihr eine weitere Handvoll Schnee an den Kragen. Dann rief er Mark zu, er solle sich beeilen.

Sie rannten den Hügel hinauf, um sich aufzuwärmen, und stiegen in den großen, Unmengen von Benzin verschlingenden Buick, den Martha ihm mit einem »Riesenrabatt« vermietet hatte. Dann fuhr er zurück zu Tillies Hotel.

Tillie war nicht schockiert gewesen, als er ihr anvertraute, dass Mark und Miranda seine Kinder seien. Sie hatte ihre Quellen. Er hatte nie herausgefunden, was für Quellen das waren, aber sie wusste es bereits seit Wochen, bevor er ihr seine Kinder auch nur vorgestellt hatte.

»Sie sind nicht der erste Mann, der sich in diese Frau verliebt hat«, meinte sie spröde. »Jemand hätte Sie warnen sollen aufzupassen.« Sie nickte bedeutungsvoll und bezog sich fraglos auf eine vernünftige Verhütung. Aber in ihren Augen lag auch Hoffnung. »Bleiben Sie hier?«

Dafydd war in seinem Innersten bewusst, dass er sie schändlich ausnutzte, doch Tillie genoss die Rolle einer

Ersatzmutter. Sie hatte keine eigenen Kinder, und nun machte es ihr viel Freude, Dafydd und die Zwillinge zu bekochen und sich zu ihnen an den Tisch im Frühstückszimmer zu setzen. Miranda hatte Tillie sofort ins Herz geschlossen und liebte es, ihr in der Küche beim Backen von Keksen und süßen Brötchen zu helfen – etwas, das ihre Mutter nie getan hatte. Tillies Wohnzimmer mit dem riesigen Fernsehschirm stand ebenfalls allen zur Verfügung. Selbst Mark schien sich für sie zu erwärmen. Manchmal nahm er die Mühe auf sich, sie mit seinen schneidenden, auf trockene Art vorgebrachten Kommentaren über die menschliche Natur zum Lachen zu bringen.

Dafydd dachte über die Möglichkeiten nach, wie er dieser wunderbaren Frau ihre Freundlichkeit vergelten konnte – außer mit ihr zu schlafen und in ihr Erwartungen zu wecken, die er nicht erfüllen konnte und wollte.

»Dafydd, Sie sehen erschöpft aus«, sagte sie, als er auf ihr Sofa sackte und sich eine alberne Quizshow mit anschaute, die den Kindern offenbar gefiel. »Ich bringe Ihnen einen Gin Tonic.«

»Tillie, Sie sind ein Engel. Einen großen bitte. Und setzen Sie's auf jeden Fall auf meine Rechnung. Schreiben Sie *eine Flasche Gin* drauf – in Großbuchstaben.«

Tillie lachte entzückt. »Ist's wirklich so schlimm?«

»Wenn du dich betrinkst«, warnte ihn Miranda, »haue ich sofort ab. Ich hasse betrunkene Leute.«

Mark schaltete sich mit seiner monotonen Stimme ein, ohne das Gesicht von dem schwadronierenden Moderator der Show abzuwenden: »Dein toller Dad ist genauso eklig wie jeder andere auch, wenn er betrunken ist.«

»Woher willst du das wissen«, rief Tillie zornig. »Dein Vater betrinkt sich nicht.«

»Sie haben es nur noch nicht erlebt«, meinte Dafydd apathisch. »Mark hat recht. Ich bin ebenso schlecht wie alle anderen.«

Eine halbe Stunde später schrak er hoch. Die Uhr an Tillies Wand stand auf 16.30 Uhr. »Los, kommt, Kinder«, rief er, denn ihm fiel plötzlich ein, dass er ab fünf Uhr Bereitschaftsdienst hatte. »Erhebt euch. Ich bringe euch zu Fuß nach Hause.«

»Nein, fahr uns«, jammerte Miranda. »Mir tun die Beine weh, weil du uns den Hügel hast hochrennen lassen. Außerdem schneit es.«

»Du bist eine Flasche«, tadelte Dafydd sie. Plötzlich war er ihrer Gegenwart müde, war es müde, sich unterhalten und gesellig sein zu müssen, während er mit seinen Gedanken ganz woanders war. »Wir werden das monströse Gefährt nicht in Gang setzen, um uns vierhundert Meter die Straße entlangzubewegen. Sei vernünftig!«

Tillie hüllte alle in ihre Kleidungsstücke ein, und sie marschierten die Straße hinunter zu Sheilas Haus. Es war dunkel, aber die Straßenlaternen ließen ihr gelbes Licht auf den fallenden Schnee scheinen und gaben der Stadt ein fröhliches, frisches, weihnachtliches Aussehen. Zwei glänzende neue Schneepflüge mit grellen Scheinwerfern schoben sich stolz in jeweils eine Richtung die Hauptstraße entlang. Die mächtigen Schaufeln schabten den schnell gefrierenden Schnee wie riesige Streifen Butter von der Fahrbahn und ließen die Schichten säuberlich übereinandergestapelt in der Straßenmitte liegen.

Sheilas Haus stand dunkel da. Mark fischte seinen Schlüssel hervor und schloss die Tür auf.

»Kommt ihr klar?«, fragte Dafydd.

Mark sah ihn mit einer Miene an, die zu fragen schien: *Wo sind wir deiner Meinung nach wohl in den letzten fünftausend Jahren gewesen?*

»Tschüs dann.« Dafydd beugte sich vor, um mit seinen vom Frost vereisten Lippen einen Kuss auf Mirandas Wange zu platzieren, aber die stürmte schon von dannen, und die Tür knallte vor seiner Nase zu. Er blieb noch einen

Moment stehen und beobachtete, wie überall im Haus das Licht angeschaltet wurde. In mancher Hinsicht waren es Dreizehnjährige, die so tun mussten, als wären sie dreiundzwanzig. Sie hatten sehr viel Übung darin, sich um sich selbst zu kümmern.

Dafydd musste seine Erleichterung darüber eingestehen, dass er so spät von ihnen erfahren hatte. Es wäre schrecklich gewesen, all die Jahre der Sorge um kleine Kinder durchleben zu müssen und nicht genau zu wissen, was ihre Mutter ihnen antat; dazu wäre die mit der großen Entfernung verbundene Machtlosigkeit gekommen.

Er ging zurück ins »Zentrum«. Unterwegs trat er, die Hände tief in seinen großen Parkataschen versenkt, nach dem Schnee. Tillie würde schon warten. Er konnte sie nicht einfach abfertigen und nach oben in sein Zimmer verschwinden. Nicht nach dem gemütlichen Nachmittag in ihrem Wohnzimmer. Aber das genügte nicht. Wahrscheinlich würde er ein Haus mieten müssen, wo sich die Kinder austoben konnten und wo er die von ihm ersehnte Privatsphäre hatte.

Aber wie lange konnte er diesen Aufenthalt noch ausdehnen und wozu? Sein letztes Telefonat mit der Krankenhausleitung in Cardiff war keineswegs erfreulich verlaufen. »Was ist los, Doktor Woodruff?«, hatte der Geschäftsführer gefragt. »Haben Sie nicht die Absicht, an Ihre Arbeit zurückzukehren? Ihr Vertreter möchte vorankommen. Er ist wirklich ein guter Mann. Wir hätten nichts dagegen, wenn er bliebe.«

Verbarg sich hinter diesen Worten eine Aufforderung zu kündigen, oder litt er unter Verfolgungswahn? »Ich kann noch ein paar Wochen lang nicht zurückkommen, aus persönlichen Gründen. Ich muss Sie bitten, meinen unbezahlten Urlaub zu verlängern. Es geht um die Entdeckung meiner eigenen Kinder, von deren Existenz ich bisher nichts wusste.«

»Kinder? Um Himmels willen, Doktor Woodruff. Das hätten Sie sagen sollen. Sehen Sie, wir schätzen Sie sehr, aber Sie können nicht ewig wegbleiben. Sonst schaffen Sie einen Präzedenzfall.«

Dafydd kicherte in sich hinein, als er um eine Straßenecke bog und über einen Hundehaufen hinwegtrat. Wenn der Bursche wüsste, welche Zahl an Kindern möglicherweise zusammenkam.

Unvermittelt blieb er vor dem Northern Holiday Hotel stehen. Ein untersetzter Mann hackte und schaufelte wie besessen, um das Eis vor dem Eingang zu entfernen, auf dem die spendierfreudigen Gäste ausrutschen konnten. Dafydd grüßte ihn mit einem Nicken und trat ein.

Im Hinterkopf dachte er an Ian. Dafydd hatte seit drei Tagen nichts mehr von ihm gesehen oder gehört, und er begann, sich Sorgen um ihn zu machen. Die großzügig ausgestattete Empfangshalle verfügte über mehrere abgeschirmte Telefonzellen, und er schloss sich in eine dieser mit Teakholz getäfelten Kabinen ein. Er zog einen Stift, einen Zettel und seine Kreditkarte hervor und wählte Ians Nummer, die er auswendig kannte. Dann blickte er auf den Stift und das Papier und fragte sich, warum er sie hervorgeholt hatte.

Die Knie wurden ihm weich. Er legte den Finger auf die Telefongabel und brach den Anruf ab. Er wusste, warum er hier war, aus welchem vorrangigen Grund. Ja, er sorgte sich um Ian, aber er befand sich nicht deshalb in dieser Telefonzelle.

Drei Anrufe später stand eine Nummer auf dem Zettel. Er erkannte die Nummer. Sie war vor seinen Augen aufgeblitzt, als er in den Patientenberichten fündig geworden war.

Seine Finger zitterten, als er die Zifferntasten drückte, langsam, eine nach der anderen. Sein Mund war trocken. Es klingelte zwei Mal.

»Hier ist Charlie!« Die krächzende Tonlage eines im Stimmbruch befindlichen Heranwachsenden.

»Hallo Charlie. Mein Name ist Dafydd Woodruff.« Er schluckte heftig, bevor er fortfahren konnte. »Ist deine Mutter da?«

»Klar doch … Mom!« Seine Stimme klang kühl und heiser, als er seine Mutter rief. »Ein David Walross ist am Telefon.«

»Hallo«, erklang ihre süße Stimme, ihr lieblicher Akzent. Wie gut er sich daran erinnerte.

»Uyarasuq. Ich bin's, Dafydd … der Dafydd aus fernen Zeiten. Von vor vierzehn Jahren.«

»Dafydd.« Er konnte sie kaum hören, so sanft sprach sie seinen Namen aus. Sie machte eine längere Pause, dann fragte sie: »Wo bist du, Dafydd? Von wo rufst du an?«

»Ich bin in Moose Creek. Ich würde dich gern sehen. Bald. Ich würde gern vorbeikommen. Ich muss mit dir reden.« Er sprach schnell, atemlos, versuchte, sich zu bremsen. Ihm war klar, dass er fragen sollte, wie es ihr ging, dass er freundlich mit ihr plaudern, höflich, zurückhaltend sein musste.

»Es ist … Ich bin … Warum bist du dort?«

»Hör mal, Uyarasuq. Es tut mir leid, aber ich muss dich fragen. Wahrscheinlich liege ich völlig daneben, aber ich muss es wissen. Dein Sohn, Charlie, er ist doch nicht *mein* Sohn, oder? Bitte, sag mir die Wahrheit.«

Sie schwieg, und er wand sich angesichts seiner alles verderbenden Taktlosigkeit. Er hatte nicht derart plump sein wollen, aber in seinem aufgewühlten Zustand gelang es ihm nicht, sich gleichmütig zu geben.

Er flehte sie erneut an. »Bitte, Uyarasuq, sag es mir.«

»Ja, Dafydd … Charlie … ist dein Sohn.«

»O Gott.« Dafydd spürte, wie ihm heiß im Nacken wurde und ihm der Schweiß aus allen Poren seines Körpers trat. »Warum hast du mir das nicht gesagt?«

»Ich fand, dass es nicht richtig wäre, dich damit zu belasten. Vielleicht erinnerst du dich nicht, aber du hast einiges unternommen, um seine Entstehung zu verhindern.«

»Natürlich habe ich das.« Er versuchte, seine Stimme ruhiger und nicht derart aufgeregt klingen zu lassen. »Das diente deiner Sicherheit ebenso wie meiner.«

»Nun, vermutlich sollte ich mich entschuldigen«, erwiderte sie kühl. »Aber trotz deiner Verhütungsmaßnahmen bin ich schwanger geworden. Es tut mir *nicht* leid. Charlie ist das Beste, was mir je widerfahren ist.«

»O bitte … warte.« Was wollte er sagen? Er hatte sich nichts zurechtgelegt. Plötzlich fürchtete er, dass sie auflegte, bevor er auch nur in der Lage war, seine Anteilnahme, sein echtes Interesse zum Ausdruck zu bringen, sein Bedürfnis, etwas über seinen Sohn zu erfahren. Wie anders er sich fühlte als bei der Nachricht über Sheilas Kinder. Diesen Sohn hatte er aus so etwas wie Liebe gezeugt. »Hör bitte, all das spielt jetzt keine Rolle mehr. Ich habe erfahren, dass Charlie … einen schrecklichen Unfall hatte, vor ein paar Monaten. Und dass er ein Bein verloren hat. Ich würde gern …«

»Wie hast du all das herausgefunden?«, fragte sie scharf.

»Über das Krankenhaus.« Dafydd verlagerte sein Gewicht. Er hatte noch immer weiche Knie. Die Luft in der Zelle war stickig, und die Hitze der Lampen ließ ihn fast ohnmächtig werden. Sosehr er das Gespräch fortsetzen und Fragen stellen wollte, spürte er, dass er diese Unterhaltung bald abbrechen musste oder umkippen würde. »Jemand im Krankenhaus hat mir von Charlie erzählt. Wie er nach Moose Creek geflogen wurde. Wie tapfer er war …«

»O ja, die Krankenschwester. Schwester Hailey«, sagte Uyarasuq langsam und leise. Dann schwieg sie kurz. »Sie ist der einzige Mensch, dem ich je erzählt habe, dass du

Charlies Vater bist – von meinem Vater und Sleeping Bear abgesehen. Ich hatte ein schlechtes Gefühl, als ich es ihr sagte, weil ich wusste, dass du in Moose Creek gearbeitet hattest. Aber sie schien sich nicht an dich zu erinnern. Vermutlich hat sie dich trotzdem informiert. Das hätte sie nicht tun sollen. Ich habe sie gebeten, es niemandem zu verraten.«

»Nein, Miss Hailey hat es mir nicht erzählt«, erwiderte Dafydd verwirrt. »Ich habe von Charlie wegen seines furchtbaren Traumas und seiner Verletzungen erfahren. Das Personal spricht noch immer von ihm. Es ist ja auch erst ein paar Monate her, und sie alle erinnern sich mit sehr viel Zuneigung an ihn. Ich bin neugierig geworden, weil ich hörte, dass er aus Black River stammt. Deshalb habe ich in den Krankenhausberichten nach ihm gesucht und herausgefunden, dass er *dein* Sohn ist. Als ich sein Alter und sein Geburtsdatum las, begriff ich, dass er … trotz der getroffenen Vorkehrungen auch mein Sohn sein könnte. Ich kann nicht leugnen, dass es in gewisser Weise ein Schock war.«

Uyarasuq schwieg einen Moment lang, und er gab ihr Zeit, seine Worte zu verarbeiten.

»Aber … dann bist du nicht deshalb nach Kanada gekommen, wegen Charlie? Du warst bereits hier, als du von ihm erfahren hast?« Verständlicherweise war sie verwundert.

»Nein. Ja. Aber das ist eine andere Geschichte. Im Augenblick interessiert mich nur, dass ich dich sehen und Charlie kennen lernen möchte. Wie geht es ihm? Was macht seine Genesung?«

»Es geht ihm gut. Wir sind gerade von einem Besuch bei einem Spezialisten in Toronto zurückgekommen, und er hat eine nach dem neuesten Stand der Wissenschaft gefertigte Beinprothese erhalten. Es ist ein ziemlich beeindruckendes Gerät, und er liebt Geräte, also sind sie sofort die besten Freunde geworden.« Sie lachte ihr ganz besonderes Glockenlachen, und Dafydd lachte ebenfalls. Gott sei Dank, sie konnte noch lachen – nach all dem, was sie durchgemacht hatten.

»Wenn du einverstanden bist, werde ich einen Flug buchen oder ein Flugzeug mieten oder was immer erforderlich ist …« Sofort bremste er sich, beschämt über seine eigene Unverfrorenheit. »Äh … Bist du … mit jemandem zusammen? Wird mein Kommen irgendjemanden stören?«

»Nein, keine Sorge.« Er konnte spüren, dass sie lächelte. »Es gab eine Zeit lang jemanden, aber er kam mit Charlies Unfall nicht zurecht, mit der Zeit, die ich aufwenden musste …«

»Das tut mir leid.«

»Mir nicht.«

»Ich rufe dich an, sobald ich eine Reisemöglichkeit gefunden habe.«

»Es gibt die Post … Ein Flugzeug, das einmal die Woche kommt …«

KAPITEL 20

DAFYDD LEGTE AUF. Seine Hand zitterte noch immer. Die Wahrheit über Charlie war überwältigend. Ein Sohn. Nein, *noch ein* Sohn. Er hob die Hände zum Kopf, schloss die Augen und atmete tief durch. Dann versuchte er, die Tür zu öffnen, die sich wie eine Ziehharmonika falten ließ, aber sie hatte sich irgendwie verklemmt. Er rüttelte an ihr und geriet in Panik, die nicht einer Angst, sondern einer tiefen inneren Anstrengung entsprang; es war etwas, das versuchte, aus dem Kern seines Seins hervorzubrechen. Alles erschien fehlgeleitet, durcheinandergeraten, verrückt.

Er hörte auf, sich gegen die Tür zu stemmen und an ihr zu rütteln, und blickte durch eines der kleinen Fenster auf den großen Kronleuchter im Foyer. Die vielen Lichter blendeten ihn. Er starrte in die Helligkeit, während sein Gehirn auf Hochtouren arbeitete. Sein Atem verlangsamte sich … es war wichtig innezuhalten. Etwas stieg in ihm auf, wie ein Wort, das einem auf der Zunge liegt; es schwebte quälend in seinem Unterbewusstsein, vor seinen Augen. Wenn er es nur erkennen könnte …

Sheila. Sie wusste Bescheid. Was bedeutete das? Sie war die Einzige … Das konnte doch nicht sein? O nein. Es war doch undenkbar, dass …?

Er atmete tief ein, als ihm schließlich eine abseitige Möglichkeit dämmerte. Während sich die Stücke zusammenfügten, begriff er, dass dies die einzige Erklärung war. Der Schock ließ ihn taumeln. Mit ausgestreckten Armen stützte er sich an der Wand ab. Er hatte Zeit, es war noch etwas Luft vorhanden. Noch würde er nicht ersticken.

Schnell suchte er nach seiner Brieftasche, zog wieder seine Kreditkarte hervor, schob sie in den Schlitz und entfaltete den Zettel. Ein Schweißtropfen rann ihm über die Stirn ins linke Auge. Er fluchte und wählte.

»Ashoona.«

»Entschuldige, ich bin's noch mal. Uyarasuq, ich muss dich einfach noch nach einer Sache fragen. Ich weiß, es ist eine seltsame Frage, aber beantworte sie mir einfach. Hat Sheila Hailey, als ihr im Krankenhaus wart, Charlie Blut abgenommen?«

Uyarasuq schwieg einen Moment. »Es wurden viele Blutabnahmen gemacht. Charlie brauchte Transfusionen und ...«

»Ja, entschuldige, natürlich. Aber was ich wissen muss, ist dies: Hat Sheila Hailey *persönlich* Charlie Blut abgenommen? Und dir auch?«

»O ja. Als wir dort eintrafen, hat sie sich um fast alles gekümmert. Sie war unglaublich schnell und effizient. Ich war sehr dankbar für alles, was sie für uns tat. Sie schien die Situation sogar bessser im Griff zu haben als der Arzt. Warum fragst du?«

»Ach weißt du, es hört sich verrückt an, aber deine Antwort hat etwas für mich geklärt. Es hat nichts mit mir und dir und Charlie zu tun. Ich erzähl's dir, wenn wir uns sehen.«

»In Ordnung, Dafydd.«

»Wir sehen uns sehr bald. Pass auf dich auf.«

Als er den Hörer aufgelegt hatte, versagten ihm die Knie endgültig den Dienst. Warum sollte er stehen, wenn er ebenso gut sitzen konnte? Mit dem Rücken an der Wand sackte er langsam auf den Boden und blieb einfach sitzen, dankbar für die Abgeschiedenheit, die abschirmenden Wände, wie eine Mischung aus Safe und heißem Mutterleib. Sheila musste ihr Blut gestohlen haben. Die Folgerungen waren kaum zu verkraften.

Jemand klopfte an die Tür, und ein besorgtes Gesicht spähte durch das Fenster auf ihn herab. Die Tür ratterte, aber seine Füße waren dagegengestemmt.

»Sir«, rief die Frau.

Er erkannte die hochmütige Empfangsdame mit dem blutroten Lippenstift und dem hochgesteckten Haar. »Sir … Ist alles in Ordnung mit Ihnen? Soll ich einen Arzt rufen?«

»Ich *bin* der Arzt«, rief Dafydd zurück und winkte ihr zu. »Ich bin sogar der diensthabende Arzt.«

Durch ein Glas Wasser erfrischt und durch das unversöhnlich abweisende Verhalten der Empfangsdame gestraft, stand er wieder in der Telefonzelle.

»Bitte, Sir, schließen Sie die Tür nicht«, rief sie hinter ihm her und blickte ihn über den Rand ihrer Brille hinweg an.

Dafydd rief Janie im Krankenhaus an. »Hör mal«, sagte er mit eindringlicher Stimme, »stell jetzt bitte keine Fragen. Ich kann heute Nacht keinen Dienst machen. Ich würde dich nicht darum bitten, wenn ich es nicht müsste, aber kannst du Hogg oder Lezzard oder wen auch immer anrufen? Irgendjemand muss es übernehmen.«

»In Ordnung.« Eine vernünftige Frau, die wusste, dass sie nicht nach seinen Gründen fragen durfte. »Mach dir keine Sorgen. Atilan ist sowieso hier. Ich werde sie darum bitten.«

Als Nächstes wählte er Ians Nummer. Während es klingelte, holte er mehrfach tief Luft, um wieder auf eine normale, freundliche Plauderebene zu gelangen.

»Brannagan.«

»Ich bin's, Dafydd.«
»Wie läuft's denn so?«
»Bei mir ist alles bestens. Und bei dir?«
»Alles in Ordnung.«
»Was passiert denn da draußen so?«
»Nicht viel.«
»Fütterst du deinen Hund?«
Ian schwieg einen Moment lang. »Ja.«
»Komm bitte in die Stadt. Ich bin im Northern. In der Bar. Leiste mir Gesellschaft. Es ist schön und ruhig hier. Wir könnten … eine Cola oder so was trinken.«
Ian lachte laut, ganz der Alte. »Ach, zur Hölle, warum nicht? Es ist hier draußen wie ein Grab, seit du nicht mehr vorbeikommst. Ich bin gleich da.«
Eine halbe Stunde später erschien Ian in der Bar. Er wirkte, als habe er sich tatsächlich ein wenig hergerichtet. Er trug ein Paar enge schwarze Jeans, dazu den alten Gürtel mit der Silberschnalle von damals; ferner ein sauberes weißes Hemd. Und er hatte einen Kamm durch sein Haar gezogen, das ziemlich lang geworden war und ihm über den Rücken hing. Dafydd sah plötzlich den Mann, an den er sich erinnerte. In dem dämmrigen Licht des Eingangs wirkte er immer noch schneidig, mager und schlaksig wie ein Teenager. Sein ausgezehrtes, herbes Gesicht allerdings vermittelte den Eindruck von Zerfall und Gram. Drei Frauen an einem Nachbartisch stießen einander an und taxierten ihn.

Aus der Nähe wurde seine Krankheit jedoch erschreckend sichtbar. Seine Augen lagen tief, und seine Haut war fahl und von Falten durchzogen. Eine beginnende Leberzirrhose. Die übliche Zigarette hing locker in seinem Mund, und er rauchte mühelos ohne den Einsatz seiner Hände. Bestimmt hatte er dem Alkohol nicht abgeschworen. Sofort machte er das Zeichen für ein Bier, und als es ihm gebracht wurde, bestellte er dazu einen doppelten

Jack Daniels. Dafydd schob seine Cola zur Seite und bat um das Gleiche. Jetzt empfahl sich etwas Kräftiges.

Die Bar war dunkel und kaum besucht, und Ian schien gelöst, fast glücklich zu sein. Sie saßen in einem mit rotem Samt ausgekleideten Separee und sprachen von alten Zeiten. Dafydd tat sein Bestes, sich zurückzuhalten und nicht nachzudenken, sondern einfach eine Weile zu warten. Allmählich überließen sie sich der falschen Vorstellung, alles sei in Ordnung und sie seien lediglich gute alte Freunde, die sich gemeinsam betranken. Dennoch spürte Dafydd, wie es ihm die Kehle zuschnürte, wenn er Ians breites, unflätiges Lachen sah, und er lachte selbst ebenso laut mit, um die alles durchziehende Traurigkeit zu überdecken.

»Ian, ich möchte dich etwas fragen«, begann er, nachdem sie in Erinnerungen geschwelgt hatten. »Es geht mir ständig durch den Kopf, und ich kann es nicht ruhen lassen. Ich habe gerade herausbekommen, dass eine Frau, die … mit der ich geschlafen habe, oben in Black River, einen Sohn hat.«

Ian fixierte ihn, und sein Gesicht verfinsterte sich schlagartig.

»Dieses Kind«, fuhr Dafydd fort, »wurde von einem Eisbären zerfleischt und hierher ins Krankenhaus gebracht.« Dafydd schnippte mit den Fingern vor Ians erstarrtem Gesicht. »Hallo. Bist du noch da? Brannagan, verstehst du, was ich gesagt habe? Ich dachte, du würdest dich freuen … dich köstlich amüsieren. Ich muss mehr als einmal in meinem Leben einen Treffer gelandet haben. Außer bei meiner lieben Frau oder *Exfrau,* zu der sie sicher werden wird, wenn sie *dies* erfährt – nämlich dass jede Frau, der ich mich nähere, kurz darauf ein Kind erwartet.«

Ian lachte nicht. »Was willst du wissen?«

»Was weißt du über diesen Jungen? Er wurde Ende März dieses Jahres hierher gebracht. Hast du ihn gesehen? Du müsstest darüber informiert sein.«

»Ja, ich erinnere mich gut an ihn.«

»Was weiter …?« Dafydd verbarg seine kristallklare Nüchternheit hinter einem betrunkenen Lachen und stieß Ian mit der Faust an. »Erzähl mir alles darüber. Erzähl mir alles, was du über ihn weißt.«

Der Glanz war aus Ians Augen verschwunden, und er senkte den Kopf, um Dafydds beharrlichem Blick auszuweichen. »Es war mir klar, dass ich es dir irgendwann würde erzählen müssen«, sagte Ian leise, »aber ich habe gehofft, dass es nicht so bald sein würde.«

»Was, zum Teufel, meinst du?«, drängte Dafydd erneut.

»Es wird dir nicht gefallen, Dafydd.« Er hielt inne und drückte seine Zigarette langsam aus. »Es stimmt, der Junge ist dein Sohn. Woher hat Sheila denn wohl das Blut für den DNA-Test bekommen?«

Dafydd packte mit aller Kraft Ians Arm. »Also *wusstest* du darüber Bescheid.«

Ian hob überrascht den Kopf. »Wie hast du das herausgefunden?«, fragte er nach einem Moment.

»Mach dir darüber man keine Gedanken«, knurrte Dafydd. »Mich interessiert, wie viel *du* darüber weißt. Ich hatte inständig gehofft, dass du nicht Teil dieser Verschwörung warst.«

»War ich auch nicht.« Ians Kopf war noch tiefer auf seine Brust gesunken, aus Scham oder Trunkenheit oder beidem. Er schaute zu Boden. »Zumindest nicht am Anfang.«

»Wie hat Sheila das angestellt?« Dafydd packte ihn wieder am Arm und schüttelte ihn heftig. »*Sag mir, wie, verdammt.*«

»Ach komm, Dafydd, es war ganz einfach. Als Krankenschwester in der Notaufnahme hat sie einfach beiden – dem Jungen und seiner Mutter – Blut abgenommen. Daran war nichts Ungewöhnliches. Tun wir das nicht immer? Aber nicht alles ging ins Labor. Irgendwann hatte sie offenbar diesen unglaublichen Geistesblitz. Also nahm sie etwas von dem Blut mit nach Hause und stellte es in ihren Kühlschrank … oder in ihren Gefrierschrank, ich kann mich nicht mehr genau daran erinnern.«

»Aber *warum* hat sie das getan?« Dafydd schüttelte verwirrt den Kopf. »Sie kann doch unmöglich gewusst haben, dass der Junge mein Sohn ist.«

»Das hat sie sofort herausgefunden. Wenige Minuten nach ihrer Ankunft. Sie fragte die Mutter nach ihren nächsten Angehörigen, aber die Frau hatte keine Verwandten. Also erkundigte sich Sheila völlig korrekt nach dem Vater … und du weißt, wie beharrlich sie sein kann. Die Mutter war schrecklich besorgt, und sie plauderte alles aus. Und warum auch nicht? Sie dachte, dass ihr Sohn im Sterben lag, alles andere hatte keine Bedeutung für sie.«

»Also hat Sheila erfahren, dass ich der Vater des Jungen bin.« Dafydd hatte Ian das Gesicht bis auf wenige Zentimeter genähert, und seine Stimme war eisig vor kaum kontrollierter Wut. *»Und sie hat sich entschlossen, das Blut meines Sohnes und das Blut seiner Mutter zu stehlen und es als das Blut von Mark auszugeben … und als ihr eigenes.«*

»Ja.«

»Aber *warum* um alles in der Welt hat sie das getan? Warum wollte sie ausgerechnet *mich* festnageln, wo ich doch Tausende von Kilometern entfernt wohne?«

»Weil sie die Mittel dazu hatte. Weil sie alte Rechnungen begleichen wollte, einen lang gehegten Hass empfand, aus Geldgründen. Ich weiß es nicht – frag sie selbst. Vielleicht wollte sie einfach nur herausfinden, ob sie damit durchkommen könnte.«

Sie schwiegen eine Weile. Ian zündete sich eine neue Zigarette an und inhalierte tief. Seine Hände zitterten, und er kippte seinen Jack Daniels mit einem Schluck hinunter.

»Sheila ist erstaunlich in solchen Sachen«, sagte er fast bewundernd. »Was man auch sonst von diesem Plan halten mag, er war unglaublich genial. Ich habe sie immer als Psychopathin wie aus dem Lehrbuch eingeschätzt, aber Junge, wie schlau sie dabei ist. Wer sonst hätte sich so etwas ausdenken können?«

»Ja, ich bin voller Bewunderung«, meinte Dafydd sarkastisch. »Und du wusstest davon – seit wann?«

»Noch nicht, als ich die Papiere unterschrieb, in denen stand, dass ich das Blut abgenommen hatte, sondern später. Sheila bekam es mit der Angst zu tun, als du hier auftauchtest, und sie wollte meine Unterstützung kaufen. Sie kündigte an, dich endlich zur Strecke zu bringen. Ich wollte es dir erzählen, aber dann merkte ich, dass du gut mit den Kindern auskamst … und es gefiel mir, dich in der Nähe zu haben. Ich habe es immer wieder hinausgeschoben. Sheila hat mir gedroht. Weißt du, Sheila und ich sind schon lange … so was wie Komplizen. Ohne mein Zutun.«

»Blödsinn!«, fauchte Dafydd. »Man trägt immer etwas dazu bei. Wie konntest du nur so tief sinken?«

»Tja, es ist eben passiert. Ich bin nicht stolz darauf.«

»Was ist mit Mark und Miranda?« Dafydd spürte, wie es ihm beim Eingeständnis dessen, was er bereits wusste, die Kehle zuschnürte. »Diese armen Kinder sind in keiner Weise verwandt mit mir. Darauf läuft die Sache doch hinaus.« Erneut schüttelte er Ian am Arm. Dessen Kopf wackelte auf seinem Hals hin und her.

»Nein, es hat nicht den Anschein … Tut mir leid.«

»Mein Gott.« Dafydd versuchte, seine widerstreitenden Emotionen unter Kontrolle zu bringen, und atmete mehrfach tief und langsam ein. Die beiden unglücklichen Kinder lagen ihm wirklich am Herzen. »Aber wessen Kinder sind sie dann bloß? Es sind *deine*, nicht wahr?«

Ian lachte freudlos. »Nein … das bezweifle ich. Begreifst

du nicht? Sie bekommt doch so schon all mein Geld. Sie bräuchte nicht für mich zu dealen, wenn sie einfach Unterhaltszahlungen von mir fordern könnte. Das ergibt keinen Sinn, oder?«

Dafydd wollte es sich nicht eingestehen, aber neben dem Zorn, den er über diesen Betrug, diese brutale Ausnutzung seiner Gutgläubigkeit empfand, verspürte er auch eine gewisse Erleichterung. Aus diesem Grund war seine Empörung über das, was Miranda und Mark angetan worden war, sogar noch größer. Ein grausamer Streich, den ihre eigene Mutter ihnen mutwillig gespielt hatte, um ein paar Dollar herauszuschlagen oder Dafydd ein reales oder eingebildetes Vergehen heimzuzahlen oder um ein Spiel zu machen – das Ergebnis ihres Einfallsreichtums und ihrer Gerissenheit. Er knallte die Faust auf den Tisch, sodass die Gläser klirrten. Ein paar Leute drehten sich um und betrachteten ihn mit gutmütiger Neugier. Die Bar hatte sich gefüllt, und die Gäste begannen, laut und fröhlich zu werden. Sein Ausbruch war nichts Ungewöhnliches.

»Du kannst doch eigentlich nicht allzu überrascht sein«, sagte Ian. »Schließlich hast du sie nie *richtig* gefickt, oder?«

Ein paar Sekunden vergingen, in denen Dafydd so kurz wie noch nie in seinem Leben davor war, einem anderen Mann mit der Faust ins Gesicht zu schlagen. Er konnte sich sogar schon plastisch vorstellen, wie er das Nasenbein zerschmetterte und die Splitter der ausgeschlagenen Zähne die Haut an seinen Fingerknöcheln zerfetzten. »Du *Bastard*«, zischte er und biss einen Moment lang die Kiefer fest aufeinander, um seine Aggression im Zaum zu halten. »Du wusstest ganz genau, dass ich die Ergebnisse des DNA-Tests nicht anzweifeln konnte. Wie konntest du das durchhalten und mir dabei Tag für Tag in die Augen sehen?«

An der Bar kam es zu einem Tumult. Ein kleiner, glatzköpfiger Mann in einem zerknitterten Anzug versuchte, mit zwei Indianern einen Kampf vom Zaun zu brechen. Die Anwesenden ergriffen Partei und lachten brüllend. Beide Männer blickten in Richtung des Krawalls, und die Spannung zwischen ihnen legte sich für einen Moment.

»Weißt du«, sagte Ian gefasster, »mir war klar, dass dies irgendwann auffliegen würde. Ich hätte es dir erzählt, glaub mir. Ich hab sogar alles niedergeschrieben und unterzeichnet. In der Hütte sind zwei Briefe, jeweils in dreifacher Ausführung. Im Schrank neben meinem Bett. Nur für den Fall … weißt du?«

»Für den Fall, dass du dich in nächster Zeit zu Tode säufst und fixt? Damit du posthum dein Gewissen erleichtern kannst?«, entgegnete Dafydd kalt und wandte den Kopf ab.

»Ja. So was in der Art.« Ian erhob sich. »Jetzt muss ich nach Hause, oder ich werde nicht mehr imstande sein zu fahren. Ich gehe jetzt, Dafydd. Ich bedaure das alles sehr, glaub mir, ich bedaure es wirklich.«

Dafydd blickte nicht auf, als Ian ging. Die Kellnerin brachte eine weitere Runde, und er ließ sich ein Bier geben. Lange saß er da – eine Stunde, zwei Stunden –, er hatte kein Zeitgefühl mehr. Wie gelähmt starrte er in den wabernden Rauch unter der Attrappe einer Scheunendecke. Überwiegend dachte er an gar nichts, als hätte der Schock seine letzten emotionalen Reserven zerstört. Vor ihm lag eine völlig unsichere Zukunft und hinter ihm seine trügerische Vergangenheit.

Er wusste nicht, wie er voranschreiten sollte, und er konnte nie mehr zurückkehren. Was er besessen hatte, war unwiderruflich verloren. Er dachte an Isabel. Wie viel hätte diese Nachricht ihm ein paar Monate zuvor bedeutet. Er hätte ihr beweisen können, dass alles eine Täuschung war. Dass sie ihm unrecht tat. Dass er nicht gelogen hatte. Dass er die verabscheuungswürdige Frau nicht geschwängert hatte … Nun aber bedeutete ihm all das nichts mehr. Er bezweifelte, dass er sich je die Mühe machen würde, es Isabel mitzuteilen. Wahrscheinlich würde sie ihm nicht glauben, aber ihre Meinung interessierte ihn ohnehin nicht mehr. Kopfzerbrechen bereitete ihm jedoch die Frage, wie er es Mark und Miranda beibringen sollte … und wie sie die Nachricht verkraften würden.

Dann bemerkte er ein hartnäckiges, scharfes Klopfen in seiner Brust. Er versuchte, es zu ignorieren, aber vergebens. Vielmehr wurde das dem unerbittlichen Ticken einer Uhr gleichende Klopfen lauter und schärfer. Er fragte sich, ob es sein Herz war, aber als er seinen Puls fühlte, stellte er fest, dass es eine andere Ursache haben musste. Um die Bedeutung herauszufinden, schloss er die Augen. Sofort tauchte vor ihm das Bild eines kleinen Fuchses auf, der in der Dunkelheit durch den Wald raste. Seine Füße sanken tief in den Schnee ein, aber er rannte weiter und weiter und weiter auf sein Ziel zu, vor Anstrengung keuchend … *»Wenn Sie lernen, ruhig zu sein, wird der kleine Fuchs zu Ihnen kommen. Er wird Ihnen Dinge erzählen, die Ihnen niemand sonst erzählen kann.«*

Dafydds Augen sprangen auf, und er blickte sich verwirrt um. Dann erreichte es ihn, und er rannte los. Dabei stieß er Getränke von den Tischen, sodass die Leute ihn anschrien. Unterwegs suchte er in der Tasche nach seinen Schlüsseln. Die eiskalte Luft auf der Straße brachte ihn in die Realität zurück.

Er fuhr so schnell, wie es die Straße und das Auto erlaubten, beugte sich vor und versuchte, in die Dunkelheit jenseits der Scheinwerfer zu spähen. Der Alkohol beeinträchtigte ihn nicht mehr, doch die Furcht in seiner Magengrube drehte ihm das Gedärm um.

Endlich erreichte er den Weg zu Ians Hütte und geriet auf dem Eis ins Schleudern. Der Wagen rutschte seitwärts und blieb in einer Schneewehe stecken. Dafydd stieg aus und rannte zur Hütte. Der ferne Laut von Thorns heftigem und beharrlichem Bellen – einem Bellen, das Dafydd noch nie gehört hatte – ließ ihn vor Angst erschauern. Die Lichter brannten, und die Tür stand halb offen. Er stürzte voller Bangen hinein, doch Ian war nicht in der Hütte.

Thorn war außer sich. Dafydd versuchte, das Tier zu beruhigen, aber es war sinnlos und nur eine Verschwendung kostbarer Zeit. Er suchte die Hütte nach einer Taschenlampe ab und entdeckte sie schließlich dort, wo sie stets aufbewahrt wurde. Er ermahnte sich zur Ruhe. Panik war nutzlos. Er zog sich alles über, was er an Kleidungsstücken finden konnte, und ging mit der Taschenlampe in der Hand los. Thorn winselte, es war ein durchdringendes, schrilles Wimmern; und dann verstummte er. Der Hund trottete zielstrebig in den dunklen Wald, und Dafydd musste rennen, um mit ihm Schritt zu halten.

Nachdem er rund fünfzig Meter in die Dunkelheit hineingelaufen war, rief Dafydd den Hund zurück. Er rannte erneut zur Hütte und durchsuchte sie hektisch nach Streichhölzern, Zeitungen und Anmachholz. Als er schließlich alles gefunden hatte, was er brauchte, stopfte er es in einen eingestaubten Rucksack, der an einem Nagel neben der Tür hing. Thorn saß reglos im Schnee und wartete, bis sie sich wieder auf den Weg machten.

Es waren keine Fußspuren zu sehen, aber Dafydd verließ sich auf den Hund. Einen Augenblick später entdeckte er die deutlichen, frischen Spuren von Skiern. Ian war mit den Skiern losgefahren. Es würde fast unmöglich sein, ihn einzuholen. Dafydd hatte keine Ahnung, wie lange er noch in der Bar gesessen hatte, nachdem Ian gegangen war – mindestens zwei Stunden, vielleicht auch länger.

Unter den Bäumen herrschte eine dichte Dunkelheit, aber die Sterne am Himmel warfen ein mattes Licht auf die Lichtungen. Die Taschenlampe leuchtete schwach.

Thorns abgemagerte Flanken bewegten sich mühsam ein paar Meter vor Dafydd. Bestimmt hatte Thorn versucht, Ian zu folgen, war jedoch zurückgeschickt worden oder unfähig gewesen, mit ihm Schritt zu halten.

Plötzlich erinnerte Dafydd sich an ihren gemeinsamen Spaziergang an einem heißen Herbsttag. Thorn war damals noch ein ungestümer Welpe, und er hatte einen Hasen erlegt. Die Flöhe auf dem Hasen, einst loyal gegenüber ihrem Herrn, der sie ernährte, verließen ihren toten Gastgeber und sprangen eilig auf den nächsten warmen, mit einem Pelz umgebenen Körper. In der Tierwelt gibt es keine Loyalität gegenüber den Toten. O Gott ... nein.

Schuldgefühle und Angst trieben ihn voran. Hätte er doch nur auf das geachtet, was er wahrgenommen und was Ian ihm anvertraut hatte, dann wäre ihm klar gewesen, was geschehen würde. Im Grunde *hatte* er es gewusst, es sich jedoch nicht eingestanden. Er hatte sich viel zu sehr auf seine eigenen Probleme fixiert. Keines davon war auch nur entfernt so grauenvoll wie die von Ian. Keines davon war lebensbedrohend. Ian hatte ihn um etwas mehr Zeit gebeten, immer wieder um ein wenig mehr Zeit, bevor das Unvermeidliche eintrat.

Thorn verlangsamte seinen Lauf auf Schrittgeschwindigkeit. Er würde nicht mehr lange durchhalten. Dafydd rannte an ihm vorbei und drehte sich nicht mehr nach ihm um. Er konnte sich nicht auch noch um den Hund kümmern.

»Ian!«, rief er, so laut er konnte. Danach atmete er heftig ein, was einen Würgereiz hervorrief. Die eisige Luft ließ seine Lungen fast gefrieren. Schreien durfte er nicht. Er musste einfach dafür sorgen, dass er die Spur nicht verlor.

Dafydd begann, um seine eigene Sicherheit zu fürchten. Auch wenn er imstande sein sollte, ein Feuer zu machen – und selbst das konnte sich als schwierig erweisen –, musste er noch den Weg zurück finden. Er blieb kurz stehen und blickte sich um. Seine Fußspuren auf dem harten, festen Schnee waren nur schwach zu erkennen. Falls sich Ian entschieden hatte, die Route irgendwo zu verlassen, würde er ihm auf keinen Fall folgen können – nicht zu Fuß. Er verfluchte sich, weil er die Schneeschuhe, die an der Hüttenwand hingen, nicht mitgenommen hatte. Hysterie führt zu einer jämmerlichen Planung.

Zum Glück war dies genau die Strecke, die er ein paar Wochen vorher auf den Skiern zurückgelegt hatte. Er schaute sich weiterhin um und leuchtete mit der Taschenlampe in die Dunkelheit zwischen den Bäumen, um herauszufinden, wie weit er vorgedrungen war. Außer ein paar Lichtungen und Unebenheiten gab es kaum Orientierungspunkte. Er überquerte die gerodete Schneise, an die er sich erinnerte, ein langes, offenes Band abgeholzten Bodens. Dahinter lag unberührte Wildnis. Die Fallen waren in einem Umkreis von fünfzig, sechzig Kilometern aufgestellt. Wenn er noch viel weiter ging, würde er sein eigenes Leben aufs Spiel setzen. Seine Bekleidung reichte für die widrigsten Bedingungen aus, aber selbst die dicksten Kleiderschichten erlaubten es nicht, erschöpft eine Rast einzulegen oder gar zu schlafen. Es würde ein langer Schlaf werden. Die Kälte kroch bereits jetzt in seine Hände und Füße.

In der Ferne konnte er Wölfe heulen hören. Er lief weiter, aber dann stellte er fest, dass er sich genau in die Richtung des gespenstischen Geräuschs bewegte. Sein Alptraum wurde wahr. Er hatte diesen Traum schon viele Male geträumt, in letzter Zeit häufiger. Sein in einem Tellereisen steckendes Bein, das rote Blut im weißen Schnee – und die heulenden Wölfe. Hatte er dies vorausgeahnt, oder war es sein Sohn, den er gesehen hatte … an der Schwelle des Todes, gefangen von einem Eisbären in der Hocharktis?

Er verlangsamte seine Schritte; Müdigkeit setzte ein. Plötzlich kam ihm sein Entschluss, allein loszuziehen, tollkühn vor. Er hätte Alarm schlagen und einen Suchtrupp organisieren sollen. Aber Ian würde solch eine Verzögerung niemals überleben.

»*Ian!*«, schrie Dafyddd verzweifelt und bedeckte beim Einatmen den Mund mit seinem Handschuh. Ihm wurde schwindelig, und einen Moment lang rannte und stürzte er gleichzeitig. Er konnte nicht mehr weiter. Die Spuren der Skier verschwanden noch immer in der Ferne. Er fiel auf die Knie. »Ian, bitte … antworte.«

Die Wölfe heulten erneut. Sie waren näher gekommen. Er durfte nicht rufen, weil er sie dann anlocken konnte. Hatte er nicht gelesen, dass sie Menschen nicht angriffen, es sei denn, sie waren ausgehungert oder tollwütig und die betreffende Person war ohnehin dem Tode nahe? Sie töteten und fraßen Hunde, sogar große Huskys. Wölfe jagten in Rudeln und waren ausgesprochen intelligent. O mein Gott … Er stand auf und rannte weiter. Die Vorstellung, dass Ian zerfetzt und bei lebendigem Leibe gefressen werden könnte, trieb ihn voran.

Plötzlich, wenige Schritte vor ihm, im wild tanzenden Strahl der Taschenlampe, konnte er erkennen, dass die Spuren der Skier eine scharfe Biegung nach rechts machten, direkt auf die Bäume zu. Er schöpfte neue Hoffnung. In dem tiefen Schnee konnte Ian auf Skiern auf keinen Fall sehr weit kommen.

Sobald Dafydd die Route verlassen hatte, sank er bis zu den Hüften ein. An manchen Stellen war der Schnee hart genug, um sein Gewicht zu tragen, und er kraxelte rund zehn oder zwanzig Meter auf allen vieren die Schneewehen hinauf und hinunter.

Dort, an einen Baum gelehnt, saß Ian. Er hatte eine halb aufgerauchte Zigarette zwischen den Lippen. Sein Körper war aufgerichtet, die Augen geschlossen, die nackten Hände im Schoß gefaltet. Er hatte seinen Parka am Hals geöffnet, doch die Kapuze tief in die Stirn gezogen. Die Skier und Stöcke lagen säuberlich angeordnet neben ihm.

»Ian, Gott sei Dank … Ian.« Dafydd fiel vor ihm nieder und drückte Ians ungelenken Körper an sich, wiegte ihn hin und her. »Sprich mit mir. Los, Brannagan, sag doch etwas!« Er lehnte sich zurück und gab seinem Freund mehrere Klapse ins Gesicht. »Wach auf … *Wach auf!*« Er schüttelte Ian heftig an den Schultern, aber der reagierte nicht. Dafydd war verzweifelt. Ian mochte dem Tode nahe sein, aber es gab wenig, was Dafydd für ihn tun konnte.

Seine Hände waren taub vor Kälte, und er fürchtete sich davor, seine Handschuhe auszuziehen und ein Feuer zu machen, aber er hatte keine andere Wahl. Wie rasend zerrte er das Papier und das Anmachholz mit seinen nackten Händen aus dem Rucksack. Es war eine lächerliche Hoffnung, mit ein wenig Papier und ein paar Stücken Anmachholz ein Feuer im Schnee anzünden zu wollen. Aber Feuer war das Einzige, was in extremer Kälte Leben rettete. Deshalb suchte er mit der Taschenlampe den Boden um sich herum nach Ästen und Zweigen ab, die sich zum Feuermachen eigneten. Alles war mit dem weißen, schönen Schnee bedeckt, den er so liebte. Er fluchte und drängte seine Tränen zurück. Zu weinen war eine weitere Gefahr, die er vermeiden musste.

Seine Finger wurden von Sekunde zu Sekunde starrer. Während er mit den Streichhölzern hantierte, fielen die meisten aus der Schachtel und in den Schnee. Beim nächsten Versuch ließ er die Schachtel selbst fallen. Er tauchte die Hand in den Schnee, um sie aufzuheben. Es war, als halte er seine Finger in ein loderndes Feuer. Er biss die Zähne zusammen und keuchte vor Wut und Frustration. Er versuchte es erneut mit der anderen Hand. Als er im Schnee herumsuchte, wurde ihm vor Schmerz schwarz vor Augen, und kleine Eisnadeln tanzten auf seiner Netzhaut. Mit der Hand konnte er nichts mehr fühlen oder greifen. Die Streichhölzer waren verloren, und der Strahl der Taschenlampe wurde noch trüber. Schnell zog er die Handschuhe wieder an, doch er wusste, dass es für einige seiner Finger wahrscheinlich bereits zu spät war.

Ian rührte sich nicht. Dafydd zog ihm die Kapuze des Parkas vom Kopf und leuchtete ihm mit der Taschenlampe ins Gesicht. Seine Züge wirkten friedlich, ja fast glücklich. Aber seine nackten Hände waren so weiß wie der Schnee. Wenn er noch lebte, würde er ohne seine Hände auskommen müssen, denn in ihnen zirkulierte das Blut längst nicht mehr. Ein Leben ohne Hände würde nicht einfach sein, aber in der Arktis war das nichts Ungewöhnliches, und vielen Menschen gelang es.

Zu seinem Schrecken bemerkte Dafydd jedoch, dass Ian unter dem Parka nur ein T-Shirt trug. Er hatte nicht die Absicht gehabt, sich warm zu halten. Dafydd zog Ian die halb gerauchte Zigarette aus den gefrorenen Lippen und begann, sein Gesicht zu reiben und ihn anzuschreien. Dann ohrfeigte er ihn heftig. Ein starker Schlag ließ Ian zur Seite rutschen, und nun offenbarte sich sein Zustand: Er war tot und sein Körper bereits gänzlich gefroren. Dafydd konnte jetzt nicht länger verdrängen, dass er mit seinem eigenen Leben spielte.

Er lehnte sich im Schnee zurück und betrachtete seinen Freund. Ian war tot. Was da seitlich hingestreckt im tiefen Schnee lag, war eine Hülle, eine geschrumpfte, leere, ausgetrocknete Hülle. Wie leicht sein mageres Fleisch gefroren war. In der Ferne waren die Wölfe zu hören, jetzt weiter fort. Sie heulten ihr gequältes Lied.

Für Dafydd gab es nur noch eines: sich selbst in Sicherheit zu bringen. Er überlegte kurz, ob er versuchen sollte, die Skistiefel von Ians Füßen zu ziehen und selbst hineinzusteigen, damit er mit den Skiern zurückfahren konnte.

Aber nach solch einem Manöver würden seine Finger und Zehen nicht mehr zu retten sein. Also stand er auf und lehnte Ian wieder aufrecht an den Baum – so, wie er ihn gefunden hatte. Dann steckte er sich die Taschenlampe zwischen die Innenflächen der Handschuhe.

»Leb wohl, mein Freund. Endlich hast du Frieden gefunden«, sagte Dafydd und blieb noch eine Sekunde vor dem erstarrten Körper stehen. Dann wandte er sich um und machte sich auf den Rückweg.

Dafydd rannte stolpernd vorwärts und schwang wild die Arme, um die Blutzirkulation in seinen eisigen Händen wieder in Gang zu bringen. Er biss die Zähne zusammen, um die Tränen zurückzuhalten. Als Folgewirkung seines Alkoholkonsums wurde sein Mund trocken, und ein schaler Nachgeschmack von Bier und Whisky blieb zurück; sein Körper war dehydriert. Auch hatte er seit vielen Stunden nichts mehr gegessen. Die Erinnerung an den Nachmittagstee mit Tillie und den Kindern schien Lichtjahre entfernt zu sein. Alles war jetzt anders, nichts würde mehr so sein wie früher.

Er blieb vor der gerodeten Schneise stehen und hängte den Rucksack an einen Ast, damit der Weg zu Ians Körper am Morgen leicht gefunden werden konnte. Die Taschenlampe gab ihre letzte Energie ab, flackerte noch ein paar Minuten und erlosch. Zwischen den Bäumen war es rabenschwarz. Dafydd spähte in die Ferne, um die Helligkeit einer Lichtung auszumachen. Er rannte noch immer unbeholfen weiter. Behindert durch die dicken Kleiderschichten, setzte er seinen Weg entlang der Route stolpernd fort. Schließlich waren die fernen Lichter der Hütte zu sehen. Er empfand keine Freude darüber. Ein Teil von ihm hätte den eisigen Schlaf begrüßt, den Ian gewählt hatte. Es wäre kein schlechter Tod gewesen.

In der Hütte herrschte das Durcheinander, das er durch das hastige Durchwühlen von Ians Habseligkeiten hinterlassen hatte. Dafydd schloss die Tür und ging zum Holzofen. Er enthielt keinerlei Glut mehr, mit der man ein neues Feuer hätte entfachen können. Dafydd zog die Handschuhe aus und stellte fest, dass seine Finger rot und geschwollen waren. Dicke, wässrige Blasen begannen sich an ihnen zu bilden. Dafydd konnte den Schmerz kaum ertragen, doch er war erleichtert. Totes Gewebe hatte keine Empfindungen mehr.

Wieder musste er nach Streichhölzern suchen, und als er welche gefunden hatte, gelang es ihm, eine Rolle Toilettenpapier anzuzünden. Er warf eine Cornflakes-Packung samt Inhalt oben darauf und hielt dann nach weiteren Brennmaterialien Ausschau. Es gab zahlreiche Holzscheite, aber die Anmachhölzer und das Zeitungspapier hatte er in den Rucksack gestopft. Also warf er ungeöffnete und unbezahlte Rechnungen, Pappteller, Servietten und einen ramponierten Papierkorb aus Korbgeflecht in den Ofen. Bald brannte das Feuer, und er legte das kleinste Holzscheit hinein. Feuer war kostbar, und man musste sich darum kümmern. Weiß Gott, was ohne Feuer aus ihm geworden wäre.

Dafydd fühlte sich wie im Fieberwahn. Er kramte in den Schränken nach Tee und Lebensmitteln, stellte den Kessel auf den Ofen und aß einen angeschimmelten Käse direkt aus der Packung, während er im Licht der Kühlschranktür stand. Der Kühlschrank brachte ihn zum Lachen. So ein Gerät in diesem Klima? In der Kühlschranktür stand eine halb ausgetrunkene Flasche Weißwein. Er packte sie mit den Handflächen und goss sich den Wein in die Kehle. Die kalte Flüssigkeit rann ihm über die Wangen, unter den Kragen und über die Brust.

Der Kessel kochte, und Dafydd nahm ihn vom Ofen. Er warf mehrere Holzscheite ins Feuer. Dann ging er in das winzige Schlafzimmer. Zu seiner Überraschung war es ziemlich gut aufgeräumt. Ian hatte sein Bett gemacht.

Dafydd zog die Decken zurück, ein Akt der Intimität, den er sich seiner Meinung nach verdient hatte. In voller Bekleidung legte er sich hin, zog sich die Decke über den Körper und fiel in einen tiefen Schlaf.

Draußen war es noch immer stockdunkel, als er erwachte. Zunächst wusste er nicht, wie er hierhergekommen war, aber dann erinnerte er sich mit einem Schlag wieder an alles. Die Ereignisse der Nacht hatten ihn körperlich so strapaziert, dass er nicht aufstehen konnte, sondern ausgestreckt liegen blieb und die Zimmerdecke anstarrte. Er konnte sich nicht bewegen, selbst wenn er es gewollt hätte, aber er verspürte auch kein Bedürfnis, irgendetwas zu tun außer reglos dazuliegen, absolut still. Sein Bewusstsein war stumpf, und in seinen Händen pochte es böse.

Schließlich drehte er den Kopf. Auf dem Nachttisch stand ein kleiner Digitalwecker. Er zeigte 5.37 Uhr an. Einen Augenblick später erreichte ihn ein winziges Geräusch, ein bloßer Hauch. Dafydd warf die Decken beiseite und sprang auf, wodurch ihn ein wellenartiges Schwindelgefühl ergriff. Er hielt sich den Kopf und rannte vornübergebeugt ins Wohnzimmer.

Thorn ... Wo war Thorn? Der arme alte Hund. Wie konnte er ihn vergessen haben? Doch wie sich herausstellte, war Thorn die ganze Zeit in der Hütte gewesen und hatte stundenlang still in einer Ecke gelegen, katatonisch vor Trauer oder Schmerzen. Dafydd ließ sich neben dem Hund auf die Knie fallen und nahm seinen schlaffen Kopf in die Arme. Thorn reagierte nicht, aber seine weisen alten Augen waren offen und blickten ins Nichts. Sie hatten alles gesehen, was sie sehen wollten. Seine Atmung war leicht wie ein Federhauch. Dafydd rieb seine Hinterbeine, und Thorn wimmerte leise.

Dafydd wusste, dass Ian Tabletten für Thorns Arthritis im Haus hatte, und ging ins Badezimmer, um nach ihnen zu suchen. Er konnte sie nirgendwo finden, aber dafür entdeckte er in einer Schachtel oben auf dem Spiegelschrank die Injektionsfläschchen. Ians Injektionsfläschchen. Dafydd starrte sie an: etwa zwanzig Fläschchen mit der schädlichen Substanz. Von Gefühlen überwältigt, ergriff er die Schachtel mit den Handgelenken, um den Inhalt auf dem Boden zu zerschmettern. Er hob sie über den Kopf und atmete für den Wurf tief ein – aber dann hielt er plötzlich inne.

Vorsichtig stellte er die Schachtel auf den Toilettendeckel. Mit seinen aufgedunsenen Fingern nahm er mehrere Injektionsfläschchen heraus. Dann suchte er nach einer Spritze. Als er keine fand, kramte er sogar im Abfall danach. Schließlich stieß er auf Ians Aktentasche, und dort, zwischen Rezeptblöcken und Medikamentenproben, lagen eine große Spritze und ein paar Nadeln. Er bemühte sich nach Kräften, nicht zu weinen, aber die Tränen liefen ihm über die Wangen, und mit seinen zur Dicke von Golfbällen angeschwollenen Fingern durchstieß er die Stopfen der Injektionsfläschchen und zog die Flüssigkeit in die Spritze, bis sie voll war.

Er legte Thorns schweren Kopf auf seinen Schoß und injizierte die Flüssigkeit bis zum letzten Tropfen in die zitternde Flanke des Hundes. Vor seinem Tod schaute Thorn noch einmal zu Dafydd auf, und sein Schwanz bewegte sich unmerklich. Kurz danach stieß er einen lauten Seufzer aus und verschied. Endlich konnte Dafydd seinen Gefühlen freien Lauf lassen, und er schluchzte, bis seine Lungen es nicht mehr ertragen konnten.

Von den drei Beamten der Royal Canadian Mounted Police kannte er Mike Dawson, den Polizeikommandanten der Stadt. Dafydd hatte ihn kürzlich wegen seines seit langem offenen Beines behandelt. Er stand kurz vor der Pensionierung, und Dafydd hatte angedeutet, seine Beschwerden seien schwerwiegend genug, um den vorzeitigen Eintritt in den Ruhestand zu rechtfertigen. Doch das lehnte Dawson rundweg ab; er war ein Mann mit Skrupeln.

Sie hatten zwei Schneemobile und einen mannslangen Schlitten mitgebracht. Unter sechs Nylonriemen lag säuberlich zusammengefaltet ein schwarzer Leichensack. Dafydd brachte es nicht über sich, sie zu warnen, dass es nicht leicht sein werde, Ians Körper in die für den schmalen Schlitten passende Form zu bringen, und er vermied es, auch nur daran zu denken, was sie tun würden, um die für den Transport erforderliche Anpassung vorzunehmen. Er bot an, ihnen den Weg zu zeigen, aber Dawson deutete auf Dafydds Hände und meinte, er gehöre sofort ins Krankenhaus. Doch Dafydd blieb in der Hütte, nachdem er den Polizisten den Weg so gut wie möglich beschrieben hatte. Die gerodete Schneise war leicht zu finden, und dahinter wies der Rucksack die Richtung.

Nachdem er Thorns Körper in Ians Decke gehüllt hatte, ging Dafydd ins Schlafzimmer und öffnete den kleinen Schrank, der als Nachttisch gedient hatte. Neben anderen Papieren und Dokumenten befanden sich sechs Umschläge darin, die in zwei von Gummibändern zusammengehaltene Stapel gebündelt waren. In einem Bündel befand sich auch ein kleines Päckchen. Beide Bündel enthielten je einen Umschlag, auf dem in großer, regelmäßiger Schrift »Dafydd« stand. Mühsam öffnete er einen davon. Er las den darin liegenden Brief langsam und sorgfältig.

Ich, Ian Brannagan, gestehe hiermit, dass ich Sheila Hailey, Oberschwester des Moose Creek Hospital, Beihilfe geleistet habe, eine betrügerische Handlung zu begehen, damit angeblich Sheila Hailey und ihrem Sohn Mark Hailey entnommenes Blut für einen DNA-Test ver-

schickt werden konnte, um fälschlich zu beweisen, dass Dr. Dafydd Woodruff der Vater von Mark und dessen Schwester Miranda ist.

Dieses Blut wurde Ms U. Ashoona aus Black River (Nunavut) und ihrem Sohn Charlie entnommen, ohne dass sie wussten, welchem Zweck es dienen sollte. Dr. Dafydd Woodruff ist der Vater von Charlie Ashoona, eine Tatsache, von der Ms Hailey erfuhr, als der Junge Patient im Moose Creek Hospital war, was ihr die Durchführung des ausgeklügelten Betrugs ermöglichte.

Meine eigene Beteiligung an der Angelegenheit bestand darin, dass ich die Namen von Mark und Ms Hailey auf besagte Blutproben schrieb, ohne sie selbst abgenommen zu haben, und ihre Echtheit für besagten DNA-Test beglaubigte. Nachträglich gestand mir Ms Hailey ihren Betrug.

Ein neuer DNA-Test, der alle Beteiligten einschließt, wird die Richtigkeit meiner Behauptung unzweifelhaft belegen.

Ian Brannagan

Ein Postskriptum enthielt eine nur für Dafydd bestimmte Anmerkung:

Lieber Dafydd, ich hoffe aufrichtig, dass ich, wenn Du diesen Brief liest, bereits den Mut aufgebracht habe, Dir alles persönlich zu erzählen. Falls nicht, hoffe ich, dass Du mir vergibst. Ich habe mehr Schwächen, als Du ahnst. Ian.

Auf den beiden anderen Umschlägen, die vermutlich Kopien desselben Briefes in sich bargen, stand: »An alle, die es angeht.«

Dafydd öffnete den Brief aus dem zweiten Bündel. Der Text lautete:

Ich, Ian Brannagan, gestehe hiermit, dass ich während der vergangenen dreizehn Jahre persönlich an dem Diebstahl von Demerol und anderen psychotropen Drogen aus dem Moose Creek Hospital beteiligt war. Ich war in diesem Zeitraum in unterschiedlich schwerem Grade süchtig und habe häufig große Drogenmengen benötigt. Bei diesem Diebstahl hat mir Sheila Hailey, die Oberschwester besagten Krankenhauses, Beihilfe geleistet. Ms Hailey war die einzige für die Ausgabe und Buchführung über die Verwendung von Medikamenten in besagtem Krankenhaus zuständige Person, und sie hat mir diese gegen Geld beschafft.

Als Beweis hinterlasse ich ein Versteck mit mehreren tausend leeren Injektionsfläschchen, die vor allem Demerol enthalten haben. Sie sind in zwei Holztruhen auf der Rückseite meines Schuppens zu finden. Ein weiterer Beweis besteht in einer Tonkassette mit der Aufzeichnung von zwei Gesprächen (die ohne Wissen von Ms Hailey aufgenommen wurden) zwischen Ms Hailey und mir. Sie sprechen für sich selbst. Meine Kontoauszüge und die von Ms Hailey werden zudem vermutlich Übereinstimmungen im Hinblick auf die Abhebungen und Einzahlungen aufweisen, welche meinen Überweisungen an Ms Hailey als Bezahlung für ihre Mittäterschaft bei den Diebstählen entsprechen.

Diesen Brief schreibe ich aus der Überzeugung heraus, dass Ms Hailey ihre Position zu ihrem eigenen beträchtlichen finanziellen Nutzen missbraucht und mit Erpressung und Einschüchterung gearbeitet hat. Ich versichere, dass dies die ganze Wahrheit und nichts als die Wahrheit ist.

Dr. Ian Brannagan

Dafydd blieb noch eine ganze Weile auf dem Bett sitzen. Langsam dämmerte ihm, welche ungeheure Verantwortung mit dem Besitz dieser beiden Briefe verbunden war. Der Brief, in dem Sheila beschuldigt wurde, eine erpresserische Diebin und rücksichtslose Drogenhändlerin zu sein, würde höchstwahrscheinlich eine Verurteilung zu einer langen Gefängnisstrafe bewirken. Ihre Kinder würden dann elternlos zurückbleiben und einem wer weiß wie schrecklichen System ausgeliefert werden.

Der Brief mit der Schilderung ihres Blutdiebstahls und des beachtlichen Schwindels, den Sheila eingefädelt hatte, würde zur Folge haben, dass Dafydd den Kindern nicht mehr helfen konnte. Sobald herauskam, dass er nicht ihr Vater war, würde er gegenüber Mark und Miranda keine anderen Rechte mehr haben als jeder absolute Fremde. Darauf lief es letzten Endes hinaus.

Dafydd schaute aus dem Fenster und fragte sich, wie viel Zeit seit dem Aufbruch der Mounties vergangen war. Er würde sich sehr schnell entscheiden müssen. Jetzt verstand er, warum Ian zwei Briefe geschrieben hatte und nicht nur einen. Er überließ Dafydd die Entscheidung. Innerhalb von wenigen Minuten würde er einen Entschluss darüber fällen müssen, ob er Dawson den einen oder den anderen Brief oder beide oder gar keinen übergab. Vielleicht hatte Ian die Situation und die prekäre Lage, in die er Dafydd und Mark und Miranda brachte, vorausgesehen.

Wieder fragte sich Dafydd, ob es Ians Kinder sein konnten. War es wirklich möglich, dass Ian dieses Wissen mit ins Grab nahm? Vielleicht war das der Grund, warum er Dafydds Loyalität ihnen gegenüber gefördert hatte. Er wusste, dass er nicht mehr lange leben würde, und er sah, welch potenziell guter Vater Dafydd war, zumindest was seine Konsequenz und Güte anging.

Dafydd hörte das schwache Surren von Motoren. Jetzt oder nie. Eine Stimme in ihm sagte: Lass Sheila die volle Härte des Gesetzes für *all* ihre Verbrechen zu spüren bekommen. Eine andere: Lass Sheila laufen, und die Zwillinge sind versorgt; vielleicht nicht so, wie sie es sein sollten, aber sie haben dann noch immer eine Mutter. Eine dritte: Lass Sheila für ihre Schiebereien und den Drogenhandel bezahlen und lass jeden weiterhin glauben, dass du der Vater der Kinder bist – eine Rolle, die du dann auch selbst weiterhin auf unbestimmte Zeit spielen musst …

Dafydd musterte die beiden Briefe, einen in jeder Hand, während das Surren näher kam.

KAPITEL 21

ICH GLAUBE, SIE sollten sich das hier mal ansehen«, sagte Dafydd, als Dawson und er beobachteten, wie die beiden untergebenen Polizisten den sperrigen Schlitten in den Transporter luden. Sie standen im Schnee vor Ians Hütte, die so erbärmlich und baufällig wirkte, als habe seit Jahrzehnten niemand mehr darin gewohnt. Mit seinen notdürftig bandagierten Händen überreichte Dafydd dem Beamten einen Umschlag. »Brannagan hat diesen Brief in dreifacher Ausfertigung in seinem Schlafzimmer hinterlassen. Einer war an mich adressiert. Es ist leicht zu durchschauen, was die Tragödie verursacht hat.«

Dawson zog seine Handschuhe aus, um den Umschlag zu öffnen. Dann suchte er in seinen Manteltaschen umständlich nach seiner Brille und drückte sie sich auf die Nase. Seine Gesichtszüge spannten sich beim Lesen, und seine zusammengezogenen Brauen spiegelten den Ernst der Angelegenheit wider. Er grübelte sichtlich über den Inhalt nach, um das enorme Ausmaß von Sheilas kriminellen Geschäften zu erfassen.

»Gott im Himmel«, rief er, als er schließlich die ganze Tragweite von Ians Brief begriffen hatte. »Wenn das stimmt, ist es absolut erstaunlich, dass man sie nie erwischt hat.«

»Ich wusste, dass mit Brannagan irgendetwas nicht stimmte«, log Dafydd mühelos. »Ich gebe mir selbst

Schuld, weil ich nicht gemerkt habe, dass er große Mengen an Drogen zu sich nahm. Vermutlich habe ich schon zu lange nichts mehr mit der allgemeinen Praxis zu tun.«

Dawson schüttelte finster den Kopf. »Diese Frau … Im Laufe der Jahre sind da ein paar Sachen vorgefallen. Ich darf natürlich nicht sagen, worum es geht, aber ich hatte da so meine Vermutungen.«

»Oh. Welche zum Beispiel?«

Dawson zögerte. »Können wir erst mal bei Dr. Brannagan bleiben«, erwiderte er schließlich. »Ich habe gehört, dass Sie ihn in letzter Zeit ziemlich oft besucht haben. War dies Ihrer Meinung nach, Dr. Woodruff, kein Unfall? Glauben Sie, dass solch eine Sucht Grund genug für einen Mann ist, sich das Leben zu nehmen?«

Dafydd blickte in Dawsons Gesicht, das offen und vertrauensvoll wirkte. Er schien sehr viel über jeden Einzelnen zu wissen, aber an einem kleinen Ort wie diesem und angesichts der vielen Jahre, die er hier verbracht hatte, war das nicht verwunderlich. Und seine Frage kam Dafydd völlig gerechtfertigt vor.

»Vielleicht nicht für sich betrachtet. Aber Dr. Brannagan litt seit langem unter einer Depression. Sie war der Grund, weshalb ich mich um ihn gekümmert habe. Leider weigerte er sich, sie anzuerkennen, und wies jede Hilfe zurück. Vielleicht spielte auch die Befürchtung mit, entdeckt zu werden.«

»Hat er nicht auch ein bisschen viel geschluckt?« Dawson hob die Hand, als gieße er etwas aus einer Flasche ein. »Laut meinen Quellen hat er zwei Flaschen pro Tag geleert.«

»Na ja«, antwortete Dafydd geschickt. »Ihre Quellen übertreiben vielleicht ein wenig, aber im Grunde stimmt es.«

»Trotzdem fragt man sich«, sinnierte Dawson, »was einen Mann dazu bringt, erfrieren zu wollen.«

Dafydd zuckte bei dem Gedanken an den anderen Brief zusammen, der tief in seiner Tasche steckte. Er machte sich selbst einer gewaltigen Vertuschung schuldig. Zwar hatte er keine Ahnung, wohin dies führen konnte, aber jedenfalls wusste er, dass Sheila dem Gefängnis nicht entgehen würde. Und wenn er seine spontane Entscheidung nicht durchhielt, würde er die Kinder der Gnade der Sozialbehörden ausliefern.

Als spüre er Dafydds Unbehagen, sagte Dawson: »Wir müssen uns hier gründlich umsehen. Vielleicht finden wir etwas.«

»Warum beginnen Sie nicht an der Stelle, die Brannagan vorgeschlagen hat?« Dafydd nickte in Richtung Schuppen, und Dawson befahl seinen Kollegen, ihm zu folgen.

Der Schuppen enthielt zahlreiche Überbleibsel von Ians Leben in der Hütte, und der größte Teil davon befand sich in den beiden Truhen. Dawson öffnete den Riegel der einen und hob den Deckel. Vor ihnen lag eine Unmenge kleiner Glasbehälter, Sinnbild jahrelangen Elends und vielleicht auch von ein wenig Freude; sie lieferten die Erklärung für Ian Brannagans Verfall und für sein Ende. Die Männer öffneten die andere Truhe, und alle drei schrieben etwas in ihre Notizbücher. Dabei behielten sie die Handschuhe aus feinem Schweinsleder an, um ihre Finger vor der Kälte zu schützen.

»Die nehmen wir mit«, sagte Dawson, und die beiden Jüngeren trugen die Truhen zum Transporter. Dawson wollte gerade mit der Durchsuchung der Hütte beginnen, als Dafydd ihn zurückhielt.

»Ich kenne mich mit kanadischem Recht nicht aus, aber ich muss sagen, dass ich wegen der Kinder besorgt bin. Was für eine Strafe wird Miss Hailey wohl für so etwas erhalten? Natürlich, die Kinder haben mich, ihren Vater, aber die Sache wird schwer für sie werden.«

Dawson schüttelte den Kopf. »Oh. Das wird übel ausfallen. Mehrere Jahre. Sie sollte sich lieber einen höllisch guten Anwalt besorgen.«

Dafydd lächelte unwillkürlich. »Wie es sich so trifft, hat sie sich schon einen besorgt. Einen echten Hai.«

»Aha.« Dawson klopfte Dafydd mitfühlend auf die Schulter. »Da Sie es nun selbst erwähnen, kann ich Ihnen ja sagen, dass ich weiß, weshalb Sie hergekommen sind. Solche Dinge werden mir in der Regel zugetragen. Als ich es erfuhr, haben Sie mir leidgetan. Anscheinend wussten Sie vorher nichts von den Kindern, oder?«

»Das ist richtig«, bestätigte Dafydd mit ungutem Gefühl. Er musste das Thema wechseln. »Etwas anderes. Ich habe Brannagans Hund heute Morgen aus Mitleid eingeschläfert. Er lag in den letzten Zügen, im Wortsinne. Er war schon sehr alt und ganz und gar auf Brannagan fixiert. Ich glaube, er wäre in Kürze von selbst gestorben, wenn ich ihm nicht dabei geholfen hätte. Gibt es vielleicht die Möglichkeit, dass Sie ihn mitnehmen und die beiden gemeinsam bestatten …«

Die Männer erhielten die Anweisung, sich kurz in der Hütte umzusehen und dann das traurige Bündel in den Transporter zu legen. Dawson versuchte, Dafydd zu überreden, mit ins Krankenhaus zu kommen, um seine Erfrierungen behandeln zu lassen, aber der lehnte ab.

Nachdem die Mounties verschwunden waren, kehrte er ein letztes Mal in die Hütte zurück, um sich nach irgendeinem Erinnerungsstück an Ian umzusehen. Schließlich entschied er sich für die Skier und die Stöcke – ein schmerzlicher Hinweis auf Ians letzte Reise. Er schob sie in den Buick. Dann schloss er die Tür zu Ians Heim und hoffte inständig, es nie wieder sehen zu müssen.

Der Buick steckte eindeutig in der Schneewehe fest, und Dafydd verfluchte sich, dass er Dawsons Männer nicht gebeten hatte, ihm zu helfen. Er legte seinen Parka sowie alle anderen Gegenstände, die er draußen finden konnte, unter die Räder, und schließlich gelang es ihm, das verdammte Automobil zu befreien. Er fuhr weg, ohne sich noch einmal umzublicken.

Auf dem Weg zum Krankenhaus staunte er über die Bewahrheitung der Theorie von der Macht des Geistes über die Materie. Er hatte den ganzen Morgen lang durchgehalten; seine frostgeschädigten Hände waren seine einzigen Geräte gewesen, und es war ihm gelungen, die Schmerzen weitgehend zu ignorieren. Aber jetzt machte sich die Qual mit aller Heftigkeit bemerkbar. Außerdem fühlte er sich ausgelaugt, und ihm war übel.

»Wer ist heute da?«, fragte er Veronica, eine neue Krankenschwester aus Winnipeg, die ihm auf dem Flur begegnete. Ihr Gesicht war ziemlich bleich, und sie wirkte betrübt.

»Hogg, Lezzard, Kristoff«, sagte sie und betrachtete die verdreckten Lumpen, die er sich um die Hände gewickelt hatte. »Atilan ist gerade gegangen.« Die Schwester trat einen Schritt auf ihn zu und flüsterte: »Sie sind gerade alle aus der Leichenhalle hochgekommen. Ich nehme an, dass Sie's nicht wissen … Ian Brannagan ist letzte Nacht erfroren.«

Dafydd klopfte ihr leicht auf die Schulter. »Ich weiß es.«

»Ich kannte ihn eigentlich gar nicht richtig«, meinte das Mädchen mit einem halben Schluchzen, »aber es ist furchtbar.«

»Sie werden sich an derartige Dinge gewöhnen. Die geschehen hier recht häufig. Ich kannte Ian ziemlich gut, und glauben Sie mir, er hat jetzt seinen Frieden.«

Veronica nickte, wischte sich die Augen mit einem Taschentuch trocken und setzte ihren Weg durch den Flur fort.

Hogg blickte überrascht auf, als Dafydd blass, zerzaust

und mit wilder Miene in sein Sprechzimmer trat und die Hände ausstreckte.

»Ja, ich habe Ian gefunden«, sagte Dafydd vorwegnehmend. »Ich werde Ihnen in einer Minute darüber berichten, wenn Sie sich vorher um meine Hände kümmern könnten.«

Ihre Augen trafen sich kurz, dann entfernte Hogg schnell die Stoffstreifen.

»Herrje, herrje, herrje, herrje, herrje«, murmelte er, »gar nicht schön, gar nicht schön.« Beide musterten Dafydds Hände, als wären es zwei rohe Scheiben Leber in einem Schlachterladen. Hogg betastete die dunklen, wässrigen Blasen und schüttelte den Kopf.

»Was ist mit dem da?«, fragte Dafydd alarmiert und wackelte mit seinem linken Ringfinger, um Hoggs Aufmerksamkeit auf dessen geschwärzte Spitze zu lenken.

»Ja, ich seh's, alter Knabe. Sehr übel, sehr übel. In der Tat sehr übel.« Hogg rieb sich das Kinn. »Trockene Nekrose. Ich fürchte, wir sollten das Ding besser abnehmen.«

Dafydd trat einen Schritt zurück. »Doch sicher nicht den ganzen Finger.«

»Bloß ein kleines Stückchen, bloß ein kleines Stückchen.« Hogg tätschelte ihm beruhigend den Arm. »Bloß die Spitze bis zum Gelenk. Wir können es jetzt machen. Je schneller, desto besser. Es geht ganz schnell.« Er klingelte nach einer Schwester, die ihm assistieren sollte. Veronica erschien und wurde wieder fortgeschickt, damit sie die erforderlichen Gerätschaften holte.

Dafydd sah teilnahmslos zu, wie seine Fingerspitze mit einem Skalpell rasch ringsum abgetrennt und der Knochen mit einer chirurgischen Zange abgenommen wurde. Dann wurde die Wunde mit einem Teil der überstehenden Haut fein säuberlich vernäht. Hogg war ein Meister darin, er hatte derartige Amputationen im Laufe seiner Tätigkeit ziemlich häufig durchgeführt. Dafydd blickte auf das brandige Stück Fleisch, das eben noch zu seinem Finger gehört hatte und jetzt erbarmungswürdig in einer Stahlschale lag. Schweigend verabschiedete er sich davon. Er wusste, was der Verlust des Fingergliedes bedeutete, und hätte am Boden zerstört sein müssen, aber seine Gitarre war gestohlen worden und gehörte einer Vergangenheit an, die er nicht mehr als real empfand. Seine Arbeit als Chirurg würde nicht sonderlich darunter leiden, da er Rechtshänder war.

»Der Rest ist doch wohl hoffentlich in Ordnung«, sagte er.

»Die anderen sind prima, alter Knabe. Keine Sorge, keine Sorge. Sie sehen aus, als müssten Sie sich dringend ein wenig ausruhen. Ich möchte Sie über Ian befragen, aber wir können später über ihn sprechen.« Er stach die Blasen auf, verband Dafydd beide Hände und spritzte ihm ein Antibiotikum. »Veronica, würden Sie bitte Dr. Woodruff mit meinem Auto nach Hause fahren?«

»Gleich«, sagte Dafydd zu ihr. »Darf ich Sie in ein paar Minuten rufen?«

Sobald sie wieder allein waren, schauten die beiden Männer einander an. Dafydd verspürte eine unerträgliche Erschöpfung, aber dies war die letzte Aufgabe, die er noch erledigen musste, bevor er in seine purpurne Grotte verschwinden, sich die Decke über den Kopf ziehen und in den kommenden vierundzwanzig Stunden jedes weitere Gespräch verweigern konnte.

»Andrew, könnten Sie bitte den Umschlag aus meiner linken Manteltasche hervorziehen und den Brief lesen«, bat Dafydd.

Hogg wirkte verstört, auf der Hut, aber er tat wie ihm geheißen. Er nahm den Brief, öffnete und las ihn und erbleichte.

»O nein, Sheila hat nie … Es war Ian«, stieß er hervor und vergrub das Gesicht in den Händen.

»Kommen Sie, Andrew. Ich glaube, Sie wissen es besser. Sheila hat Ian viele, viele Jahre lang versorgt. Tun Sie nicht so, als hätten Sie keinerlei Verdacht gehabt.«

Hogg reagierte nicht, sondern verbarg weiterhin das Gesicht.

Dafydds Stimme wurde lauter. »Sehen Sie mich an, Hogg. Versuchen Sie nicht, es zu leugnen. Ian ist tot, und das ist teilweise ihre Schuld.«

Plötzlich blickte Hogg auf. »Hat irgendjemand sonst diesen Brief gesehen? Er war verschlossen.«

»Ich fürchte, ja. Der Brief existiert in dreifacher Ausfertigung, alle drei sind von Ian unterschrieben. Ich habe Mike Dawson ein Exemplar davon gegeben, zusammen mit der Bandaufzeichnung. Für Sheila ist das Spiel jetzt wohl aus.«

»Wie konnten Sie nur?«, schnauzte Hogg ihn an. »Wie konnten Sie das den Kindern antun, *Ihren* Kindern. Ist Ihnen denn nicht bewusst, dass sie ihre Mutter verlieren werden? Sheila ist erledigt, sie wird ins Gefängnis wandern …«

Dafydd starrte ihn erstaunt an. Trotz allem, was geschehen war, wäre es Hogg immer noch am liebsten gewesen, wenn Dafydd die Beweise hätte verschwinden lassen, um Sheila reinzuwaschen. »Wie können Sie diese Frau jetzt noch decken?«, fragte Dafydd voller Verachtung. »Nach dem, was sie allen angetan hat – Ian und sogar Ihnen. *Sie* könnten dafür mitverantwortlich gemacht werden, ist Ihnen das nicht klar?«

»Ich weiß.« Hogg sank auf seinem Stuhl zurück und bedeckte das Gesicht wieder mit den Händen. Ein erstickter Schrei entrang sich seiner Kehle, dann ein zweiter. Offenbar weinte er. »Ich weiß, sie ist … sie kann … schwierig sein. Sie müssen verstehen, dass sie eine sehr komplexe Persönlichkeit ist. So geschädigt … Ich mag sie sehr …« Hogg stöhnte. Er zog ein riesiges Taschentuch hervor und schnäuzte sich. Seine zutiefst bekümmerte Miene widerte Dafydd an. Gleichzeitig empfand er Mitleid mit dem Mann. Er hatte sich nie klargemacht, wie rückhaltlos Hogg Sheila verehrte, auch wenn nie ein Zweifel daran bestand, dass er sie liebte. Kein Wunder, dass Anita ihn verlassen hatte. Für Hogg gab es nur eine einzige Frau.

Dafydd fällte spontan eine Entscheidung. Warum nicht? Hogg sollte auch das ruhig noch erfahren.

»Ich werde Ihnen zeigen, was sie außerdem getan hat. In meiner Innentasche finden Sie einen weiteren Brief, den ich Mike Dawson vorenthalten habe. Ich zeige ihn nur Ihnen, damit Sie wissen, dass ich mich sehr intensiv darum kümmere, was aus den Kindern wird. Das tue ich, damit sie nicht irgendeinem schrecklichen Fürsorgesystem oder, schlimmer noch, einer Anstalt in die Hände fallen.«

Hogg sah ihn ausdruckslos an. Er schien keine weitere Neuigkeit verkraften zu können, aber er stand langsam auf und durchsuchte Dafydds Parka nach dem Brief, der ebenfalls ungeöffnet war. Er schlitzte den Umschlag mit dem Brieföffner von seinem Schreibtisch auf.

Dafydd beobachtete ihn beim Lesen. Schon bald veränderte sich sein Gesicht deutlich. Er seufzte tief, seine Stirn entspannte sich, und er blickte mit echter Wärme zu Dafydd auf. »Danke«, sagte er schlicht.

»*Danke?*«, fuhr Dafydd ihn ärgerlich an. »Ich werde mich eine Weile um sie kümmern, aber ich kann sie nicht auf ewig anlügen. Ich kann sie nicht in dem Glauben lassen, dass ich ihr Vater bin. Die ganze Sache ist Wahnsinn, begreifen Sie das nicht, und es ist alles Sheilas Werk. Dadurch ist meine Ehe zerstört worden.«

Hoggs Dankbarkeit schien das keinen Abbruch zu tun. »Sie missverstehen mich, Dafydd. Ich danke Ihnen nicht dafür, dass Sie sich um sie kümmern wollen. Ich danke Ihnen, weil … Sie können gar nicht glauben, wie viel mir das bedeutet, Dafydd.« Er beugte sich vor und stützte die

Ellenbogen auf den Schreibtisch. Seine Augen waren rot und verquollen. »Mark und Miranda sind nämlich *meine* Kinder«, sagte er langsam.

Dafydd schaute Hogg mehrere Sekunden lang an, dann brach er in Gelächter aus. »Ich glaub's nicht. Soll das heißen, dass *Sie* in diese ganze Farce verwickelt sind? Warum um alles in der Welt haben Sie's mir nicht in dem Café gesagt, an dem Tag, als ich Ihnen gegenüber behauptete, *ich* sei ihr Vater?«

Hogg wirkte beleidigt. »Das ist nicht zum Lachen. Ich war bestürzt. Als Sie die Bombe platzen ließen, dachte ich, Sheila habe mich all die Jahre belogen, um mich wegen der Unterhaltszahlungen melken zu können.« Er lehnte sich müde zurück. Unter seinen Achseln hatten sich große Schweißflecken gebildet. Nach einer kurzen Pause fuhr er fort.

»Vermutlich sollte ich es Ihnen erklären ... Sheila hatte zum Zeitpunkt der Empfängnis eine Beziehung zu einem anderen Mann. Sie hoffte wohl, er sei der Vater ihrer Zwillinge, aber sie fand schon bald heraus, dass dies nicht der Fall war.« Hogg stieß ein freudloses Lachen aus und schüttelte den Kopf. »Sie hätte mich nur zu fragen brauchen, dann hätte ich es ihr sofort gesagt. Ich war nämlich derjenige, an den sich der Mann wegen einer Vasektomie gewandt hatte. Als sie von der Sterilisation erfuhr, war es schon zu spät, um noch irgendetwas gegen die Schwangerschaft zu unternehmen. Gott sei Dank, denn sie hätte meine Kinder abgetrieben. Ich wollte sie unbedingt haben und hätte alles dafür getan. Deshalb bot ich Sheila an, sie aufzuziehen; notfalls auch allein. Schließlich schlossen wir einen Kompromiss. Ich versprach Sheila, sie finanziell zu unterstützen, für sie da zu sein, falls sie mich brauchten ... sie zu lieben ... auch wenn sie darauf bestand, dass es aus der Ferne geschehen solle. Dann tauchten Sie plötzlich auf ... Wie konnte ich Ihnen widersprechen, als Sie mir versicherten, Sie hätten einen DNA-Test durchführen lassen?« Hogg zuckte mehrmals die Schultern, als wolle er die Erinnerung an ihr Treffen in dem Café abschütteln. »Es war keine sehr angenehme Nachricht.«

Dafydd war derart erschüttert von dieser neuen Enthüllung, dass er sie kaum verarbeiten konnte. Er hatte Ian für den Vater der Zwillinge gehalten, aber das war ein Irrtum. »Und die Kinder ... wissen nichts?«

»Natürlich nicht. Sheila wollte es so. Erst wegen meiner Frau. Das konnte ich verstehen. Schließlich, als ... Anita mich verließ, dachte ich, dass wir endlich eine Familie sein könnten, aber Sheila lehnte das ab. Mit ihren schrecklichen Erfahrungen fürchtet sie sich vor jeder Bindung. Ich akzeptierte das völlig. Dennoch habe ich gehofft, sie würde bald ihre Meinung ändern. Wir sind uns immer ... sehr nahe gewesen.«

Dafydd schüttelte erstaunt den Kopf. »Merken Sie denn nicht, dass sie alle ausgenommen hat: Sie mit Unterhaltszahlungen, Ian mit Drogengeld, und ich sollte ihr nächstes Opfer werden. Kein Wunder, dass sie hiergeblieben ist. Ich habe nicht verstehen können, warum eine Frau wie sie ihr Leben in Moose Creek verplempern wollte, aber da haben wir die Erklärung. Sie hat sich ein mächtiges finanzielles Polster zugelegt, das muss man ihr lassen. Sie ist eine Spitzengaunerin, eine Betrügerin ... ja, eine professionelle Verbrecherin.«

Dafydd beobachtete mit einiger Genugtuung, wie sich Hogg auf seinem Stuhl wand.

»Bitte, Dafydd, lassen Sie mich diesen Brief behalten.«

»Was wollen Sie damit?«, fragte Dafydd. Der arme Mann musste völlig durcheinander sein. Der Brief lieferte einen weiteren Beweis für Sheilas kriminellen Charakter und würde sie auch noch wegen betrügerischen Vortäuschens einer Vaterschaft ins Gefängnis bringen. Auf der anderen Seite konnte Hogg, wenn er ihn der Polizei übergab, im nächsten Schritt seine eigene Vaterschaft untermauern und seine Rechte für sich einfordern.

»Klar, nehmen Sie das verdammte Ding, und behalten Sie es. Aber ich hab noch zwei Kopien«, antwortete Dafydd.

»Ich brauche Zeit«, jammerte Hogg. »Wir müssen die Sache sehr sorgfältig durchdenken.«

»Wissen Sie was, Hogg«, meinte Dafydd, »es sind *Ihre* Kinder, nicht meine. Die beiden sollten für Sie die höchste Priorität besitzen, bevor Sie auch nur einen Gedanken an Sheila verschwenden. Lassen Sie mich Dawson den Brief geben.«

Hogg stöhnte leise, aber Dafydd merkte, dass sich eine Veränderung vollzog. Seine Worte hatten ins Schwarze getroffen.

»Die Kinder brauchen Sie, Andrew. Sie kennen sie schon ihr ganzes Leben lang und haben sich um sie gekümmert. Also los … machen Sie sich auf und gehen Sie selbst zu Dawson. Sagen Sie ihm die Wahrheit.«

Dafydds Energie versiegte schlagartig. Benommen und ausgelaugt schwankte er zur Tür. Draußen saß Veronica kerzengerade auf einem Stuhl und wartete auf ihn.

»Jetzt würde ich mich gern von Ihnen nach Hause fahren lassen«, sagte er und lächelte. Sie lächelte zurück.

»Dafydd, warten Sie«, rief Hogg hinter ihm her. Sein Ton war unterwürfig, ängstlich. »Wenn die Injektion ihre Wirkung verliert, werden Sie sich ziemlich unwohl fühlen. Lassen Sie mich Ihnen wenigstens eine Dosis Demerol spritzen.«

Dafydd blieb stehen. »In Ordnung«, sagte er und unterdrückte ein Grinsen. »Wenn noch was da ist.«

Tillie riss die Augen auf, als er die Treppe hochtaumelte. »Dafydd«, rief sie. »Was ist mit Ihren Händen geschehen? Wo sind Sie gewesen?«

Er wusste nicht, wie er ihre Frage beantworten sollte. Deshalb ging er einfach weiter zu seinem Zimmer und versuchte, nach seinen Schlüsseln zu greifen. Aber seine Hände passten nicht in die Taschen.

»Helfen Sie mir«, rief er kraftlos, und Tillie stürzte zu ihm.

»O mein Gott!«, rief sie. »Was ist mit Ihnen passiert?«

»Die Schlüssel sind in meiner Tasche«, sagte er und hob die Arme, damit sie seinen Körper erreichte.

Sie tastete ihn nach den Schlüsseln ab und zog sie schließlich aus seiner Hosentasche hervor. Nachdem sie die Tür geöffnet hatte, stützte sie ihn, während er auf das purpurne Bett zustolperte. Er ließ sich darauf fallen und ächzte. Tillie schnürte seine Stiefel auf. Währenddessen verfiel er in einen himmelblauen Schwebezustand und flog in die Höhe, als wären seine ausgebreiteten Arme Flügel. Er fühlte, dass sie seine Hose aufknöpfte, und wehrte sich nicht, als Tillie sie hinunterzerrte. Der Sweater war problematischer. Dafydd musste wieder ein wenig zu sich kommen, damit sie ihn vorsichtig über seine verbundenen Hände ziehen konnte.

»O mein Gott«, jammerte sie, »liebster Dafydd, was haben Sie getan?« Gleichzeitig knöpfte sie sein Hemd auf.

»Mein Freund ist tot«, sagte er, ohne die Augen zu öffnen. »Meine Ehe ist beendet. Meine Kinder sind nicht meine Kinder, und ich werde nie wieder auf meiner Gitarre spielen, und sie wurde ohnehin gestohlen, und mein Haus ist an irgendwelche schrecklichen Leute verkauft worden, und ich bin high von Demerol. Sehr gutes Zeug. Das hab ich all die Jahre verpasst … Mist.«

»Oh, Dafydd.« Tillie nahm sein Gesicht zwischen ihre kleinen Hände und küsste ihn mehrfach auf die Stirn. Es war sehr angenehm, geküsst zu werden, und er lächelte. Als Nächstes küsste sie ihn auf die Lippen. Es waren winzige, schnelle Küsse, mit denen sie seinen Mund von der einen Seite zur anderen bedeckte. Er legte die Arme um sie, und sie presste ihn fest an sich. Er drückte sein Gesicht in ihr weiches Haar und ertrank in ihrer Umarmung, verlor sich in ihr.

Als Nächstes nahm er wahr, dass sie beide unter dem purpurnen Samt lagen und sie ihn noch immer küsste. Er erwiderte ihre Küsse. Es fühlte sich so schön, so warm, so feucht an. Er bemerkte vage, dass er fast nackt war. Oder vielleicht völlig nackt. Egal, zumindest hatte sie Kleidung an. Er spürte, wie ihre Hände die Haut auf seinem Rücken streichelten, seinen Hintern, seine Hüften. Es war so angenehm, dass er ihr nicht Einhalt gebieten wollte. Irgendetwas rührte sich in seiner Leistengegend, ein Pulsieren und Pochen, und er zog sie näher an sich heran und drückte sie mit seinen Unterarmen an sich. Sie rollte sich auf ihn, und seine Erektion blieb irgendwo zwischen ihren Knien stecken.

Ihr Körper war so kurz, so klein. Es fühlte sich seltsam, verdorben an, als umarmte er ein Kind. Dieses Missverhältnis zwischen ihrer kindlichen Gestalt und ihrem fraulichen Verlangen brachte ihn schlagartig an die Oberfläche der Wahrnehmung zurück, und ihm wurde bewusst, dass er kurz davor war, ihr die Kleider mit den Zähnen vom Leib zu reißen und sie zu nehmen. Er sehnte sich so sehr danach, umhüllt und verschluckt, entrückt und weit fort an einen anderen Ort gebracht zu werden, aber es war Wahnsinn. Morgen würde er aufwachen … mit Tillie. Er wusste, dass er es bereuen würde.

»Tillie, nein«, sagte er schwach. »Wir dürfen das nicht tun.«

»Warum nicht?«, widersprach sie und fuhr fort, ihre heißen kleinen Lippen auf seine zu pressen.

»Du nutzt meinen Zustand aus. Es ist falsch. Ich bin bis unter die Stirn mit Drogen vollgepumpt.«

Tillie kicherte. »Das ist gut.«

»Nein, im Ernst.« Er war jetzt bei vollem Bewusstsein und schob sie mit den Unterarmen sanft von sich weg. »Meine Hände tun entsetzlich weh«, log er. »Ein Finger ist mir *amputiert* worden. Bitte, Tillie. Ich kann das nicht. Es tut mir wirklich leid.«

Sie blickte mit gerunzelter Stirn auf ihn hinab. »Amputiert? Oh, Dafydd, wie schrecklich.« Er merkte, dass sie wusste, was er in Wirklichkeit gemeint hatte. Er wollte es einfach nicht tun, weil er es nicht weiterführen konnte. Ihre Enttäuschung war offenkundig. Sie rollte sich von ihm weg und brachte ihre Kleidung wieder in Ordnung.

»Ich werde dir eine Tasse Tee holen«, sagte sie leise und verließ das Zimmer.

Sekunden später war er weit, weit fort.

Dafydd schlenderte durch die Stadt. Wären die Geschehnisse der vergangenen achtundvierzig Stunden und die Verabredung nicht gewesen, zu der er gerade unterwegs war, hätte ihm das geschäftige Treiben des Frontier Day wirklich Spaß gemacht. Beim Frontier Day handelte es sich um einen vorweihnachtlichen Feiertag mit Hunderennen und anderen für Besucher ungewöhnlichen Wettkämpfen. Aus allen Teilen der Stadt ertönten das Kläffen, Jaulen und das gelegentliche wilde Gebell der Hundeteams, die, auf unterschiedlichen geräumten Flächen an Pfähle oder Fahrzeuge gebunden, gespannt auf ihren Einsatz im Wettkampf warteten. Die Hundeschlittenführer und ihre Familien aus allen Gegenden der Northwest Territories sowie aus Yukon, Alaska und Alberta waren gern gesehene Gäste, und die Atmosphäre aus Fröhlichkeit, Sport und allgemeinem Jubel wurde zusätzlich durch die billigen Weihnachtsdekorationen belebt, die über Nacht in allen Teilen der Stadt aufgetaucht waren.

Dafydd wappnete sich für die Begegnung. Mike Dawson saß in seinem Auto vor Sheilas Haus, als Dafydd wie vereinbart um Punkt elf Uhr eintraf. Dafydd nickte dem Kommandanten der Royal Canadian Mounted Police zu, der ihm mit ernstem Gesicht bedeutete, er solle auf dem Beifahrersitz Platz nehmen.

»Mir bleibt keine Wahl«, sagte Dawson mit leichtem Bedauern. »Ich muss sie verhaften. Dies ist keine Bagatelle, sondern ein Kapitalverbrechen. Sie wird wegen des Diebstahls von Krankenhauseigentum, des Verkaufs rezeptpflichtiger Medikamente und wegen Betrugs belangt werden. Obendrein ist heute Morgen auch noch Andrew Hogg mit neuem Beweismaterial zu uns gekommen. Das wissen Sie vermutlich schon.«

»Ja. Darum möchte ich mit den Kindern sprechen. Ich kann Ihnen sagen, es war ein entsetzlicher Schock«, versicherte Dafydd. »Ich hatte mich gerade an den Gedanken gewöhnt, ihr Vater zu sein.«

»Sie haben mein vollstes Mitgefühl, Dr. Woodruff. All das muss sich verheerend auf Ihr Leben ausgewirkt haben. Der Plan, den sie ausgeheckt hatte, war wirklich erstaunlich.« Dawson schien fast beeindruckt zu sein. »Ich glaube, Sie sollten sich ebenfalls einen Anwalt besorgen. Es ist nur eine Formalität, sie hat alles zugegeben. Sie werden die Briefe benötigen, die sie Ihnen geschickt hat, und die Ergebnisse des DNA-Tests sowie alle anderen Unterlagen; aber Ihr Anwalt wird Ihnen all das noch erklären. Ich wollte es nur erwähnen, damit Sie die entsprechenden Schritte einleiten können.«

Dafydd seufzte tief und öffnete die Wagentür.

»Eine Stunde«, sagte Dawson, »mehr nicht. Erklären Sie's den Kindern. Und vielleicht könnten Sie, wenn's Ihnen nichts ausmacht, Ms Hailey bitten, einige persönliche Sachen einzupacken. Ich warte hier, und Hopwood steht an der Rückseite. Nur damit es keine Fragen gibt …«

Dafydd klingelte an der Tür, und Sheila ließ ihn ein. Mark und Miranda standen ängstlich hinter ihr. Offensichtlich wussten sie, dass etwas Schwerwiegendes geschehen war. Sobald Dafydd das Haus betreten hatte, befahl Sheila den Kindern, nach oben zu gehen, sehr zu deren Bestürzung und Verärgerung. Dann deutete sie in Richtung Wohnzimmer und setzte sich ihm gegenüber auf das zweite Sofa.

»Was hast du ihnen erzählt?«, fragte Dafydd leise.

Sheilas Augen waren verquollen, und ihr Gesicht wirkte blass und finster. Sie trug kein Make-up, und statt ihrer normalerweise so makellosen und figurbetonten Kleidung hatte sie sich einen formlosen Jogginganzug aus genoppter hellblauer Baumwolle übergezogen.

»Oh, sie wissen, dass du nicht ihr Vater bist. Ich habe es ihnen heute Morgen gesagt. Und außerdem – glaubst du wirklich, dass so etwas in Moose Creek auch nur einen Tag lang verheimlicht werden kann? Sei kein Narr.«

Er schluckte seinen aufsteigenden Ärger hinunter. Ihm fiel ein, wie er sie damals in einem Wutanfall geohrfeigt hatte. Wie einfach und befriedigend das jetzt wäre, aber er musste seine Feindschaft während dieser letzten Auseinandersetzung mit Sheila noch einmal zügeln. Gleichzeitig war er überrascht und fast von Bewunderung erfüllt, weil sie offenbar keinerlei Reue verspürte. Sie schien nicht die Spur von Scham oder Demütigung darüber zu empfinden, dass ihre Taten nun ans Licht gekommen waren.

»Ich weiß, dass Hogg ihr Vater ist«, sagte Dafydd. »Das streitest du doch nicht ab, oder?«

»Das geht dich überhaupt nichts an«, entgegnete sie scharf. »Warum bist du überhaupt hier? Warum zwitscherst du nicht ab nach Hause? Du hast hier nichts mehr zu schaffen.« Sie warf ihm einen höhnischen Blick zu. »Du kannst abtreten.«

»Nein, noch nicht«, erwiderte er ruhig. »Ich will sicherstellen, dass Mark und Miranda versorgt sind … anständig. Ich bin überzeugt, dass Hogg sie mit Freuden bei sich aufnimmt, wenn sie das wollen. Oder ich könnte beantragen, sie in Pflege zu nehmen, weil sie mich gut kennen. Ich habe ein paar Erkundigungen eingezogen, und in ihrem Alter haben sie ein gewisses Mitspracherecht, bei wem sie wohnen möchten.«

»Du beliebst wohl zu scherzen«, entgegnete sie spöttisch und ungläubig. »Du bist genauso ein erbärmliches Weichei, wie ich's erwartet habe. Nun schlägst du vor, meine Kinder zu übernehmen, obwohl du weißt, dass es nicht deine sind?«

»Ja, warum nicht? Ich könnte hier vorläufig einziehen. Auf diese Weise bringen wir ihr Leben nicht allzu sehr durcheinander.«

Sheila starrte ihn an. »Verpiss dich«, zischte sie. »Glaubst du wirklich, dass ich dich in mein Haus einziehen lasse und dir meine Kinder übergebe?«

»Okay. Dann streich das. Worin bestehen die Alternativen? Darin, dass sie bei Hogg, ihrem natürlichen Vater, der sie wirklich gern hat, wohnen, hier in Moose Creek oder anderswo; oder dass sie in Florida bei deiner Mutter unterkommen.«

Sheila stieß ein sarkastisches Lachen aus. »Bei meiner Mutter? Woher weißt du, dass ich eine Mutter habe? Da müssten Ostern und Pfingsten auf einen Tag fallen, bevor sie Kinder um sich haben wollte. Sie hasst Kinder aus ganzem Herzen. Dafür kann ich mich verbürgen.«

Er blickte schweigend aus dem Fenster zu Hopwood hinunter, Dawsons jungem Kollegen, der im Garten stand und die Rückseite des Hauses bewachte. In seinem zu kurzen Parka fror er sich den Hintern ab. Dafydd verkniff sich ein Lächeln, weil der junge Mann, der nicht wusste, dass er beobachtet wurde, sich aufs Gesäß klatschte und schnell auf der Stelle rannte.

»Gut, in Ordnung«, lenkte Sheila nach einem Moment ein. »Hogg bietet sich als beste Möglichkeit an, weil er ihr Vater ist. Ich habe nicht mit ihm darüber gesprochen, aber bestimmt ist er gern dazu bereit.« Sie lächelte vor sich hin.

»Wissen die Kinder …?«

»Dass er ihr Vater ist? Noch nicht. Das kann ihnen jemand anders mitteilen. Ich hab mir heute Morgen schon genug Unverschämtheiten anhören müssen. Mir reicht's.«

»Sheila, kannst du nicht wenigstens dieses eine Mal deinen verdammten Narzissmus beiseiteschieben?«, rief Dafydd ärgerlich. »Es geht hier nicht um dich und deine Bedürfnisse. Wir versuchen, darüber nachzudenken, was das Beste für die Kinder ist, für *deine Kinder.*«

Sheila lächelte bitter. »Du hast doch auch nicht an sie gedacht, als du mich ans Messer geliefert hast, oder? Nachdem du mich in diese Klemme gebracht hast, muss ich mir erst einmal um *mich* Sorgen machen.«

Dafydd blickte sie fassungslos an. Ihr Egoismus war unglaublich. »Du bist widerlich«, fauchte er. »Was du Ian angetan hast, ist ausgesprochen niederträchtig. Du bist eine Kriminelle der schlimmsten Sorte. Wenn ich bedenke, dass ich fast so weit war, den Beweis gegen dich eigenhändig zu vernichten.« Kummervoll betrachtete er seine bandagierten Hände.

»Das reicht!«, schrie Sheila. »Verschwinde sofort aus meinem Haus.«

Dafydd rührte sich nicht, sondern lächelte sie an. »Schon in diesem Moment verfasst man bei den *Moose Creek News* eine sehr pikante Geschichte über dich … und mich natürlich. Ich habe versucht, heute Morgen mit Mr Jacobs zu sprechen und es um der Kinder willen zu verhindern, aber er hat sich geweigert.« Dafydd zuckte mit gespielter Hilflosigkeit die Schultern. »Neuigkeiten sind nun mal Neuigkeiten.«

Dem Polizisten im Garten wurde immer kälter, und er

schaute ständig auf seine Uhr. Verstohlen zündete er sich eine Zigarette an und paffte eifrig, als könne die winzige Glut ihn wärmen.

»Uns bleibt nicht mehr viel Zeit«, sagte Dafydd mit Blick auf den frierenden jungen Mann. »Ich will mit den Kindern sprechen.«

»Aber sie wollen nicht mit dir sprechen«, antwortete Sheila.

»Ich schon«, schaltete sich Mark ein und trat aus der Eingangshalle ins Wohnzimmer. Voller Verachtung sah er seine Mutter an. »Wir haben auf der Treppe gesessen und jedes beschissene Wort gehört, das ihr beiden gesprochen habt.« Er wandte sich Dafydd zu und fuhr ihn an: »Ich hab's dir doch gesagt, oder? Ich wusste, dass du nicht mein Vater bist. Warum hast du mir nicht geglaubt?«

»Ich habe wirklich gedacht, dass ich's bin«, erwiderte Dafydd. Er beugte sich vor und versuchte, Marks Hand zu berühren. »Aber ich versichere dir, Mark, meine Gefühle für euch haben sich nicht geändert.«

Mark wich zitternd vor ihm zurück. Er starrte Dafydd mit verzerrtem Gesicht an und konnte seine zornigen Tränen kaum noch zurückhalten. »Ich will *überhaupt keinen* beknackten Vater haben«, brüllte er. »Jetzt sollen wir wohl die gleiche Scheiße noch mal mit Hogg durchmachen.«

Miranda war mit großen, angsterfüllten Augen auf der Türschwelle erschienen. Dafydd sprang auf und trat zu ihr.

»Es tut mir so leid, meine Süße.« Er legte die Arme um sie, während sie wie gelähmt dastand.

Sie begann zu weinen und erwiderte kraftlos seine Umarmung. Dann stieß sie ihn weg und rannte auf Sheila zu. Mit geballten Fäusten beugte sie sich über ihre Mutter und schrie: »*Ich hasse dich … Ich hasse dich wie die Pest.* Ich hoffe, dass du für immer eingesperrt wirst und ich adoptiert werde. Du bist eine Scheißmutter. Ich hoffe, dass du im Gefängnis bleibst, bis du stirbst, und dass du nie mehr wiederkommst. Du bist ekelerregend und hässlich und abscheulich …«

Während Miranda ihre benommen dasitzende Mutter mit weiteren Beschimpfungen und bösen Vorwürfen überschüttete, ging Dafydd rasch zum Telefon draußen in der Halle.

»Tillie, es ist etwas sehr Schlimmes geschehen«, flüsterte er, sobald sie sich gemeldet hatte. »Hörst du mich? Kannst du für ein paar Tage zwei weitere Gäste beherbergen? Zwei sehr sensible und verletzliche Gäste … Wunderbar. Danke, Tillie. Wir werden in ungefähr einer halben Stunde da sein.«

KAPITEL 22

DAFYDD STAND AN der Straße und sah zu, wie sich die Hundeschlittenführer für das Fünfzehn-Meilen-Rennen bereit machten. Es war eine ernste Angelegenheit, für die sie monatelang trainierten. Die Hunde waren schöne, robuste Geschöpfe, aber sie machten einen ohrenbetäubenden Lärm.

Von Zeit zu Zeit ging er an den versammelten Menschen entlang und suchte nach dem Gesicht des Mannes, dem er nur einmal begegnet war. Es handelte sich um einen Eingeborenen aus Britisch-Kolumbien namens Baptiste Sharkie, Besitzer und Pilot einer viersitzigen Cherokee, der bereit war, Passagiere für einen angemessenen Preis fast überallhin zu fliegen, wo man landen konnte. Dafydd hatte ihn nur einmal kurz in der Sprechstunde empfangen, als er sich ein neues Rezept verschreiben ließ. Er war groß und breitschultrig und etwa in Dafydds Alter, rund fünfundvierzig, mit einem herben Indianergesicht und einem breiten Mund, der selten zu lächeln schien.

Die Menschen hatten sich warm gegen die Kälte eingehüllt, und da die Mittagszeit vorüber war, verdunkelte sich der Himmel rasch. Mit einem Höllenlärm von Hunden wie Menschen und unter dem Knallen einer lauten Waffe startete das erste Team, dem in rascher Folge weitere hinterherjagten, jedes von den gleichen dissonanten

Tönen begleitet. Dafydd schritt an den Zuschauern vorbei und versuchte, ihre von den zugeknöpften Parkakapuzen verdeckten Gesichter zu erkennen. Da es ihm nicht gelang, Sharkie ausfindig zu machen, ging er zum Sportplatz neben dem Sportzentrum. Dort hatte gerade ein Mehlsackrennen begonnen, ein eigentümlicher Sport, bei dem kräftig gebaute Wettkämpfer Mehlsäcke auf dem Rücken trugen. Sie begannen mit 450 Pfund. Sofort vergaß er sein Vorhaben, als er mit Erstaunen beobachtete, wie ein Mann unter Säcken mit 720 Pfund Mehl, die hoch auf seinem Rücken aufgetürmt waren, vorwärtsschwankte.

»Aber hallo, mein junger Herr Doktor!«, rief Martha Kusugaq über die Jubelschreie der Menge hinweg. »In der nächsten Runde wette ich auf Sie. Sie sind ein herrliches Mannsbild, kräftig und gesund. Ich werd ein paar Dollar auf Sie setzen.« Sie betrachtete ihn von oben bis unten. Offenbar hatte sie sich ein paar Drinks genehmigt.

»Sie sitzen heute nicht im Büro, Martha?«, fragte Dafydd tadelnd. »Und ich hab gedacht, Sie seien solch ein Arbeitstier.«

»Nee«, lachte Martha. »Es ist Weihnachten. Mein Angetrauter vertritt mich ausnahmsweise. Der ist zu schlaff. Er wird faul, während ich mich abrackere. Offenbar mach ich immer was falsch.« Sie rülpste laut.

»Martha, Sie haben nicht zufällig einen Knaben namens Baptiste Sharkie aus Fort St. John gesehen, den großen Kerl mit der Cherokee?«

»Klar hab ich ihn gesehen, mein Goldjunge. Was ist los … Müssen Sie weg?«

»Ja, genau.«

»Dann nehmen Sie doch den Buick, den ich Ihnen gegeben habe. Mit dem ist alles in Ordnung.«

»Zu dem Ort, an den ich will, führen keine Straßen.«

»Na, verdammt, warum sagen Sie das nicht gleich«, scherzte sie. »Als ich den Piloten-Kerl zuletzt gesehen habe, war er im Bear's Lair. Aber passen Sie auf, er hatte schon einiges intus.«

Dafydd verabschiedete sich, und Martha rief hinter ihm her: »He, wolln Sie nicht gemeinsam mit mir am Stammsägewettbewerb teilnehmen? Ich bin mächtig stark.« Er antwortete ihr mit einem Lächeln. Angesichts ihres kleinen, stämmigen Körpers, der mit gespreizten Beinen fest auf dem Boden stand, bezweifelte er ihre Kraft nicht für eine Sekunde. »Aber mit den Händen da ist nicht viel anzufangen, abgesehen davon, dass sie Sie an Unfug hindern werden«, kicherte sie rüde und wies die Umstehenden auf seine bandagierten Finger hin.

Er fand den Mann, den er suchte, tatsächlich im Bear's Lair. Er saß verdrossen an einem Tisch und beobachtete zwei Frauen in Rüschenkleidern und Netzstrümpfen, die auf einem Tisch einen Cancan tanzten. Dafydd war sich nicht sicher, ob es sich um angestellte Tänzerinnen oder Kundinnen handelte, aber bei genauerem Hinsehen tippte er auf Letzteres. Auch wenn ihre Vorführung recht beeindruckend wirkte, waren die beiden doch eindeutig zu alt für solch eine Tätigkeit. Zudem hatten sie außerordentlich ausladende Hinterteile und riesige Schenkel und waren betrunken. Trotzdem drängten sich Dutzende von Männern um sie, gafften sie begehrlich an und applaudierten.

»Verzeihen Sie, Mr Sharkie. Kann ich Sie eine Minute sprechen?«

Baptiste Sharkie drehte langsam den Kopf. Seine Augen versuchten, Dafydd ins Visier zu nehmen, aber sie waren eindeutig nicht dazu in der Lage, weshalb er sie schloss. »Worum geht's?«

»Können Sie mich morgen nach Black River fliegen?«

»Scheiße! Das ist ganz schön weit«, meinte Baptiste und seufzte ergeben. »Wie viel Uhr?«

»Je früher, desto besser«, antwortete Dafydd mit wachsendem Optimismus. »Sofern Sie sich bis zum Morgen erholt haben.«

Die Zwillinge waren in einem Zimmer direkt neben Dafydds untergebracht. Er verließ sie um neun Uhr am nächsten Morgen. Sie spielten mit Tillie Scrabble auf ihrem Küchentisch, umgeben von den Überresten eines ausgiebigen Frühstücks. Keiner von ihnen schien über sein Weggehen betrübt zu sein; sie blickten von ihrem konzentrierten Spiel kaum auf.

»Hör mal, Mark«, sagte er und zog den Jungen am Ärmel seines Sweaters. »Darf ich dich daran erinnern, dass Hogg heute Abend hierherkommt. Er will euch nur sehen und mit euch sprechen. Ein paar Dinge klären. Du weißt, dass ihr noch keine Entscheidung treffen müsst. Wie gesagt, könnt ihr so lange hierbleiben, wie ihr wollt.«

»Also, *ich* bin nicht bereit«, sagte Miranda gereizt. »Ich will hier bei Tillie bleiben. Mich erholen und so ...«

»Mark?« Dafydd packte die Schulter des Jungen und schüttelte ihn leicht. »Bist du damit einverstanden?«

Mark schaute Dafydd in die Augen. »Ob ich EINVERSTANDEN bin? Du machst wohl Witze. Weil wir Kinder sind, werden wir einfach von Erwachsenen herumgeschubst. Wenigstens ist meine beschissene Mutter weg. Eine weg ...«, meinte er in eisigem Ton und blickte sich um, »... und zehntausend müssen noch erledigt werden.«

»Lass sie hier ... vorläufig«, sagte Tillie mit Nachdruck und wich Dafydds Augen aus.

Mark wandte sich zu ihr und sagte leise: »Tillie, dich hab ich nicht gemeint. Okay?«

Die beiden tauschten einen verschwörerischen Blick aus, und es freute Dafydd, dass Mark gegenüber einem anderen menschlichen Wesen außer seiner Schwester zu echter Wärme imstande war. Wenn Ians Diagnose stimmte, dass Sheila eine Psychopathin war, dann konnte ihre Entfernung ein Segen für die Kinder sein, obwohl sich nicht abschätzen ließ, welchen Schaden sie ihnen bereits zugefügt hatte.

Auch Tillie bot die Anwesenheit der Kinder zweifellos Vorteile: eine willkommene Unterbrechung ihrer Einsamkeit. Die drei schienen sich trotzig aneinanderzuklammern. Er betrachtete sie mit einer plötzlichen Zärtlichkeit. Sie waren höchst unglückliche Außenseiter, ausgestoßen und abgetrennt von jedem normalen Familienleben. Aber die Kinder besaßen eine innere Stärke. Schon wenige Stunden nach der scheußlichen Szene mit ihrer Mutter hatten sie wieder normal geplaudert und eine stattliche, von Tillie zubereitete Mahlzeit verdrückt. Sie wussten bereits alles über Ians Selbstmord, die Verbrechen ihrer Mutter und Hoggs inzwischen eingereichtem Rücktritt. Außerdem wussten sie, dass er ihr wirklicher Vater war und die Vormundschaft für sie beantragt hatte.

Und Tillie, die ihre Existenz um ihr Unternehmen und das Bedürfnis aufgebaut hatte, sich vor den Gelüsten von Schürzenjägern zu schützen? Sie war eine echte Vertreterin des Nordens, stark, dynamisch und mit ihrer harten Arbeit verbunden, aber trotzdem noch eine Frau. Er dachte reumütig daran, wie schroff er ihren Versuch, ihn zu verführen, zurückgewiesen hatte. So hatte er sie nicht behandeln wollen, aber er war zu entrückt gewesen, um in der Lage zu sein, behutsam vorzugehen.

»Danke, Tillie.« Impulsiv ging er zu ihr und drückte ihr die Lippen kräftig auf die Stirn. Ihre Augen trafen sich für einen Moment. Er trat zu Miranda, die ihm ihre Wange zum Kuss darbot, ohne die Augen von den Buchstaben abzuwenden. Schließlich umarmte er noch rasch Marks schlaff herabhängende Schultern, und schon war er unterwegs zu dem Treffen, das ihn während seiner schlaflosen Nacht beschäftigt hatte.

Baptiste wartete wie versprochen im Northern auf Dafydd. Seine Augen waren glasig, und aus jeder Pore seines Körpers sickerte der Alkohol und hüllte seinen Körper in eine Wolke giftiger Ausdünstungen, obwohl er versucht hatte, sich herzurichten. Er war frisch rasiert, und er hatte sein langes schwarzes Haar, das feucht und glatt war, aus der breiten, finsteren Stirn zurückgekämmt.

»Sind Sie so weit?«, fragte Baptiste mit müder, monotoner Stimme. Sie gingen zu seinem Kleintransporter, um die acht Kilometer bis zum Flugplatz zu fahren. »Es kostet siebenhundert Dollar, wenn's Ihnen recht ist«, sagte er, »pro Strecke.«

»Gut«, meinte Dafydd, der keine Ahnung von den üblichen Preisen hatte. »Aber ich bleibe vielleicht ein oder zwei Tage.«

»Ich kann warten, solange ich eine Unterkunft habe«, versicherte der große Mann. »Herrscht in dem Ort Alkoholverbot?«

»Ich glaube, ja«, antwortete Dafydd, glücklich bei der Vorstellung, wenigstens eine Strecke von einem nüchternen Piloten geflogen zu werden. »Bei meinem letzten Besuch war es so. Aber das ist viele Jahre her.«

Der Flug wurde in die wenigen Stunden gelegt, in denen Tageslicht herrschte. Was die Kondition des Piloten betraf, so reichte sie offenbar für seine Tätigkeit aus. Er war sehr erfahren. Allerdings bereitete es ihm große Freude, sich vor Dafydd damit zu brüsten, dass er in der gesamten westlichen Arktis für das Bravourstück bekannt sei, drei Flugzeuge zu Schrott geflogen und trotzdem überlebt zu haben.

Dafydd vergaß seine Flugangst fast völlig, als sie so tief hinuntergingen, dass er deutlich einzelne Bären, Elche und Karibuherden erkennen konnte, die, durch den Lärm des Flugzeugs aufgeschreckt, querfeldein rannten. Der Wald wurde immer spärlicher, die Bäume an den

Ufern gefrorener Flüsse kürzer und dünner. Schließlich überquerten sie die öde Tundra, die sich scheinbar Hunderte von Kilometern dahinzog, so flach und schmucklos wie nichts anderes auf der Welt. Die einzigen Lebewesen, die sich darauf befanden, waren etwa zehn Moschusochsen, die vor dem grollenden Motor der Cherokee flohen. Sie drängten sich im Laufen dicht aneinander, und ihr zottiges Deckhaar umwogte sie in anmutigen, langsamen Bewegungen. Noch ein Stück weiter, am Rand des Nordpolarmeers, tapste ein einzelner Eisbär durch die riesige Weite des blendenden Schnees.

Black River sah anders aus, als er es in Erinnerung hatte. Einige der alten viereckigen Behausungen gab es noch immer, aber man hatte viele neue Häuser gebaut und durch ein merkwürdiges Netzwerk aus Kanälen oder Passagen miteinander verbunden, offensichtlich Versorgungsleitungen. Der Turm der weißen, mit Schindeln gedeckten Kirche ragte noch immer als einziges Gebäude in den Himmel. Daran war jetzt irgendein hässlicher Übertragungsmast befestigt.

Baptiste umkreiste die Siedlung und schüttelte enttäuscht den Kopf. »Also, das ist der einzige Ort, den ich noch nie gesehen habe«, gab er zu, nachdem er Dafydd gegenüber behauptet hatte, er kenne von Dawson City bis Churchill jede Stadt, jedes Dorf und jede Siedlung.

Als Baptiste seine Maschine gekonnt auf eine kaum erkennbare Rollbahn hinabsenkte, überkamen Dafydd plötzlich Angstgefühle, und er spürte ein heftiges Kribbeln im Bauch. Seine weite Reise seit dem jetzt fern erscheinenden Morgen, an dem er Mirandas Brief erhalten hatte, führte ihn in ungeahnte Bereiche sowohl seines Bewusstseins als auch seines Körpers – in Situationen, die er sich nur ein paar Monate zuvor nicht einmal hätte vorstellen können. Hier, am Rand des gefrorenen Meeres, umgeben von bläulich schillernden Eisbergen, wohin im Winter kaum Tageslicht drang, hatte er ein Kind, einen Sohn, der mehr Gefahren erlebt und mehr Schmerzen erduldet hatte als er selbst in seinem ganzen Leben; ein junger Mann der Wildnis, ein eingeborener Inuit-Jäger.

Uyarasuq und Charlie warteten auf ihn. Sie hatten mit ihm gerechnet, das Flugzeug in der Ferne gesehen oder gehört und waren zur Rollbahn geeilt. Dafydd sprang aus der Maschine und rannte zu ihnen. Aber dann stellte er fest, dass ihm die Worte fehlten. Die drei standen da und musterten einander wortlos; es schien keine Eile für Begrüßungen oder Erklärungen zu bestehen. Schließlich trat Dafydd auf Uyarasuq zu und umarmte sie kurz, dann schüttelte er den Handschuh des Jungen mit seiner eigenen bandagierten Hand.

Charlie war ein gut entwickelter, für sein Alter großer junger Mann. Dafydd entdeckte sofort etwas von sich selbst in dem überraschend attraktiven Gesicht, eine undefinierbare Ähnlichkeit des Wesens. Seine Augen waren die seiner Mutter, schwarz und ein wenig orientalisch, ebenso seine hohen Wangenknochen. Aber Mund und Stirn hatte er von Dafydd geerbt. Sein Haar war dunkel wie die Nacht, aber an den Schläfen auf eine Weise gekräuselt, wie sie nur Dafydd kannte. Als er plötzlich grinste, lächelte Dafydd in sofortigem Erkennen zurück. Alle Zweifel waren zerstreut. Dies war sein Sohn.

Nachdem sie Baptiste mitgeteilt hatten, wo er ein Zimmer mieten könne, gingen sie langsam zu ihrem eigenen Haus. Charlie hatte den stämmigen Körper des Volkes seiner Mutter, aber dazu Dafydds Größe. Er sah beeindruckend, ja unschlagbar in seiner Entschlossenheit aus, seine furchtbare Behinderung herunterzuspielen, auch wenn er hinkte und einen Stock benutzte. In sich selbst ruhend, richtete er alle Konzentration auf seine Schritte. Ab und zu warf er Dafydd einen Blick zu und nickte, als wolle er ihn beruhigen, dass alles in Ordnung sei. Dafydd nickte zustimmend zurück und versuchte, den Jungen nicht anzustarren, aber er konnte seine Faszination nicht unterdrücken und musterte beide verstohlen.

Uyarasuqs winterliche Blässe spiegelte das Eis und den Schnee ihres Landes wider. Beide Wangen wiesen einen münzgroßen roten Fleck auf, die Folge davon, dass die Spitzen ihrer vorstehenden Wangenknochen einmal zu oft gefroren waren. Aus der Nähe bemerkte er das Geflecht winziger geplatzter Kapillaren, aber aus der Entfernung glichen sie Rouge, aufgetragen von der Hand eines Kindes. In Dafydds Welt konnten solche Male rasch per Laser entfernt werden, aber Uyarasuq wusste vielleicht nicht, dass es diese Behandlungsmöglichkeit gab, oder sie machte sich keine Gedanken über die Spuren ihres harten Lebens.

Ihr Haar war jetzt sehr lang, noch immer dick und rau wie ein Pferdeschweif. Es fiel wie ein glänzender schwarzer Fluss unter ihrer gestrickten Wollmütze bis weit über ihre Taille hinab. In jeder anderen Beziehung war ihr Äußeres unverändert, scheinbar zeitlos. Ihr Gesicht war glatt wie das eines Teenagers, ihre Zähne strahlend weiß wie der Schnee. Nur ihre Kleidung war anders geworden. Sie trug eine elegante Wollhose und einen aufwendig bestickten weißen Wollparka mit einem Saum aus weichem weißem Fell – geradezu ein Kunstwerk. Dazu teuer wirkende, zueinander passende Handschuhe und Stiefel, zweifellos handgemacht.

Unterwegs stießen sie auf keinen anderen Einwohner. Allerdings zuckten in der Reihe identischer Häuser deutlich ein paar Gardinen. Dafydd stellte sich mit einigem Bangen vor, dass sie in dem Einzimmerhaus wohnten, wo er seine leidenschaftlichste Begegnung erlebt hatte und wo sein Sohn gezeugt worden war. Aber nein, sie musste das Haus ihres Vaters geerbt haben.

Keine seiner Vermutungen traf zu. Am Rande des Dorfes stand ein Haus auf Stahlpfeilern, die offenbar tief in den Boden getrieben worden waren. An zwei Seiten hatte es große Fenster, und aus einem zylindrischen Metallschornstein stieg senkrecht Rauch empor. Dafydd ging die geschwungene Treppe zur Haustür hinauf. Er war fasziniert von der ungewöhnlichen Gestaltung.

Uyarasuq lächelte ihn an. »Erzähl mir nicht, dass du vergessen hast, wie mein Haus aussieht«, neckte sie ihn.

»Du hast es ein bisschen herausgeputzt«, erwiderte er und fragte sich, was für ein Vermögen Bear dem Enkel seines Freundes vermacht hatte, dem einzigen Sohn seines unglückseligen Arztes. Nicht viel, wenn man Josephs Worten Glauben schenken konnte. Die Hälfte von fast nichts.

Während Uyarasuq ihrem Sohn half, seinen Mantel und seine Stiefel auszuziehen, schaute sich Dafydd in dem Open-Plan-Wohnzimmer um und versuchte, nicht neugierig zu wirken. Anscheinend mangelte es den beiden an nichts. Das Haus war spärlich und schlicht möbliert, aber mit den neuesten technischen Geräten ausgestattet. Überall standen Steinschnitzereien. Sie waren größer und kraftvoller als die, welche Dafydd damals gesehen hatte. Und sie waren finsterer, manche geradezu furchterregend.

»Dieses Haus stammt nicht aus dem Vermächtnis meines Vaters, falls du dich wundern solltest«, erklärte Uyarasuq stolz, als sie seinen prüfenden Blick bemerkte. »Ich habe es auch nicht mit dem Geld gekauft, das Charlie von Bear geerbt hat. Das habe ich für seine Ausbildung zur Seite gelegt.«

Er zog seinen Parka aus, setzte sich auf einen geschnitzten Holzstuhl und blickte sie an. Sie stand mit gekreuzten Armen vor ihm. Er wollte über den kindlichen Trotz ihrer Körperhaltung lächeln, aber es gelang ihm nicht.

»Es ist das Geld der *kablunait*«, sagte sie und lächelte nun selbst.

»Um Himmels willen«, lachte er. »Setz dich. Es geht mich nichts an, aber erzähl mir trotzdem alles darüber.«

Sie holte eine Kanne Tee und einen Teller mit Sandwiches, und nachdem sie auf dem Sofa Platz genommen hatte, beantwortete sie seine Fragen über ihren wachsenden Erfolg. Der *weiße Mann* kaufte immer mehr von Uyarasuqs Werken. Zwei Galerien in Vancouver und Toronto rissen sich um ihre Schnitzereien. Während der Wintermonate arbeitete sie im Haus ihres Vaters, das inzwischen zu einem Atelier umgebaut worden war. Im Sommer fertigte sie größere Schnitzereien auf einer Betonplattform. Dabei halfen ihr Charlie und zwei andere junge Männer. Eine kleine, aber vielversprechende Galerie in New York hatte ihr eine Einzelausstellung angeboten, doch Charlie brauchte sie noch immer viel zu sehr, als dass sie ihn der Obhut von Freunden überlassen mochte.

Charlie, der sich auf einen Sitzsack hatte fallen lassen und bis dahin nur zugehört hatte, meldete Protest an. »Also Mom, das ist unfair. Ich *brauche* dich nicht. Ich habe dir unzählige Male gesagt, dass New York wichtiger ist als mein blödes Bein.« Er klopfte mit den Knöcheln auf sein bionisches Bein, um seine Widerstandsfähigkeit und Selbständigkeit zu demonstrieren.

Dafydd schaute zu Charlie hinüber. »Wenn die Ausstellung so wichtig ist, könnte ich hier bei dir bleiben. Oder wir könnten alle hinfahren.« Er merkte, wie anmaßend das klang, und wandte sich Uyarasuq zu. »Falls dir das in irgendeiner Weise hilft.«

Der Junge verdrehte ärgerlich die Augen. »Sie hat's schon vermasselt und abgesagt.«

»Ach, nun lass mal«, wiegelte Uyarasuq ab. »Es wird noch andere Ausstellungen geben. Was soll die Eile? Ich komme sowieso kaum noch nach. Schnitzen braucht seine Zeit, und von jeder Arbeit gibt es immer nur ein Exemplar.«

Charlies Frustration war offensichtlich. Er warf Dafydd einen um Unterstützung bittenden Blick zu. »Meine Mom hat Angst vor der Technik. Es gibt erstaunliche Maschinen zu kaufen – Drucklufthämmer, Hochgeschwindigkeitssandstrahlgebläse, Bohrer, elektrische Schnitzmesser –, aber Mom besteht auf den altmodischen Methoden. Wenn ich die schwierigen Verfahren erlernt habe, werde ich es anders machen. Ich besorg mir die richtige Ausrüstung, die mit meinen Ideen Schritt halten kann.«

»Aha«, erwiderte Dafydd in dem Bemühen, nicht Partei zu ergreifen.

»Ich hab nämlich viele Ideen.«

»Darüber würde ich gern mehr erfahren.«

Dafydd musterte den jungen Mann, seinen Sohn, und versuchte, seine Sehnsucht und seine Begeisterung über das Kind zu ermessen, dessen Geburt er für unmöglich gehalten hatte. Doch nun saß er vor ihm, und Dafydds Stempel war unverkennbar. Charlie sah ihn noch immer erwartungsvoll und in der Hoffnung an, dass er die Notwendigkeit des Einsatzes von technischen Geräten bestätigte. Dafydd merkte, wie sehr der Junge das Gleichgewicht zwischen dem Männlichen und dem Weiblichen brauchte. Dieser Ausgleich hatte ihm selbst gefehlt, als er mit seiner verwitweten Mutter und seiner Schwester aufwuchs. Marks gehetzte Miene tauchte vor ihm auf. Ein weiterer vaterloser Junge, doch welch ein Unterschied zwischen diesem tapferen, dynamischen jungen Mann, der fest entschlossen war, zu überleben und aufzuwachsen und erfolgreich zu werden, und Sheilas glücklosem Sohn mit seiner »Was soll's«-Haltung.

Plötzlich hatte er Gewissensbisse wegen seiner Genugtuung über Charlie. Die Verantwortung, Zuneigung und das Mitgefühl, die er Mark und Miranda gegenüber noch immer empfand, ließen erneut seinen Zorn auf Sheila aufflammen. Es war ein kurzes inneres Flackern, und unwillkürlich ballten sich seine Fäuste. Aber seine Wut verebbte rasch, als ihm klar wurde, dass er diese erstaunliche Entdeckung ihren bösen Machenschaften verdankte.

Charlie neigte den Kopf und betrachtete Dafydd mit verengten Augen. Er wunderte sich sichtlich über die Gefühle, die über das Gesicht seines Vaters zuckten. Dann lächelte er, weil er offenbar zu seinen eigenen Schlussfolgerungen gelangt war. »Ihr habt euch bestimmt 'ne Menge zu erzählen. Und ich muss sowieso noch einiges erledigen.«

»Nein. Geh nicht«, sagte Dafydd und verfluchte sich wegen seiner mangelnden Konzentration. »Ich möchte dich fragen … Ich will alles über dich wissen.«

»Keine Sorge, Mann«, erwiderte Charlie. »Wenn ich erst mal loslege, wirst du dir wünschen, du hättest das nie gesagt.« Er senkte die Stimme und drohte ihm scherzhaft: *»Ich komme wieder.«* Dann schwenkte er sein Bein in einem anmutigen Bogen und kam durch die Verlagerung seines Gewichts zum Stehen. Grinsend meinte er: »Zumindest ist es ein gutes Gegengewicht und ein brauchbarer Türstopper, und man kann sich darauf was notieren.«

Als Charlie die Tür hinter sich geschlossen hatte, schien es, als wäre dem Raum eine wirbelnde Energie entzogen worden. Plötzlich wirkte er viel größer, wie ausgehöhlt. Dafydd blickte Uyarasuq an und lachte. Sie ahnte, was er fühlte, und lachte ebenfalls.

»Wie kann ein so bemerkenswerter Mensch einem derart öden Boden entspringen?«, fragte Dafydd kopfschüttelnd.

»Es gibt vieles, was du an diesem Boden nicht verstehst.«

»Du hast recht«, lenkte er ein. »Diejenigen, die auf ihm leben, haben sicherlich nichts Ödes an sich.«

Dafydd erhob sich und setzte sich neben Uyarasuq aufs Sofa. Schweigend betrachteten sie einander. Einen Moment lang wurde er von der Erinnerung an seine einstigen Gefühle überwältigt. Er bekämpfte den Drang, sie zu umarmen und an sich zu drücken, um ihr ein wenig von der Kraft zurückzugeben, die Charlies beinahe tödliche Heimsuchung ihr geraubt haben musste. Plötzlich hatte er das Bedürfnis, ihr alles anzubieten, all seinen Besitz, seine Fürsorge und Zeit, aber ihm war klar, dass er sich zurückhalten musste und sie nicht mit einer Flut von Rührseligkeiten überschwemmen durfte. Dennoch musste er seine Empfindungen irgendwie zum Ausdruck bringen.

»Ich glaube, dass es an dir liegt. Es hat nichts mit dem Land zu tun. Du hast ein außergewöhnliches Kind geschaffen. Mir fehlen die Worte, um meine Gefühle zu beschreiben. Ich bin dankbar, bewegt, zutiefst beeindruckt …«

Aus der Fassung gebracht, wandte Uyarasuq das Gesicht ab. »Na ja«, meinte sie verlegen, »du kennst ihn doch noch gar nicht. Und selbst wenn's stimmt, glaube ich, dass *du* auch etwas damit zu tun hattest.«

»Nicht viel.« Er atmete mehrmals tief durch. Seine Hände zitterten, und die Kehle war ihm wie zugeschnürt. Um nicht in ein unerwünschtes Gefühlschaos auszubrechen, lehnte er sich zurück und suchte nach einem anderen Thema. »Erzähl mir etwas hierüber«, sagte er und wies auf den Raum.

»Ah, das Haus«, erwiderte sie erfreut. »Das hat ein junger Architekt, den ich in Vancouver getroffen habe, als Gegenleistung für eine meiner Schnitzereien entworfen. Wir haben uns auf einer Vernissage kennen gelernt, und meine Arbeit gefiel ihm. Ich glaube, es war ein mehr als fairer Handel, zumal er mir auch noch einige Fördermittel für den Bau beschafft hat. Es ist der Prototyp für Häuser auf Permafrostböden, wie sie inzwischen an vielen Orten gebaut werden.«

Dafydd fragte sich, wie viele Männer es seit Charlies Geburt in ihrem Leben gegeben haben mochte. Der junge Architekt musste ziemlich begeistert von ihr gewesen sein. Bei dem Gedanken verspürte er einen scharfen Stich, eine Art Eifersucht, weil er all die Jahre nichts über sie und ihren schönen Sohn erfahren hatte.

In mancher Hinsicht hatte sie sich beträchtlich verändert. Sie war deutlich kultivierter und selbstbewusster geworden, nachdem sie etliche Reisen gemacht und viele Menschen kennen gelernt hatte. Außerdem bedeutete Geld Macht, Unabhängigkeit und Alternativen. Aber trotzdem war sie noch immer sie selbst. Ihr Wesen schien sich nicht gewandelt zu haben. Sie errötete noch immer leicht und lachte das schnelle, fröhliche Lachen ihres Vaters. Auch ihre natürliche weibliche Zurückhaltung, die ihn so angezogen hatte, war noch vorhanden.

Sie hatte keine Angst vor dem Schweigen wie so viele Frauen in der schnelllebigen Welt. Während sich die Dämmerung vertiefte, saßen sie eine Weile in ihre eigenen Gedanken versunken da. Das Feuer, das sie in dem Gusseisenkamin angezündet hatte, hypnotisierte ihn. Er war durch die Ereignisse der vergangenen Tage erschöpft und döste kurz ein.

Als er die Augen öffnete, hatte sie sich ein Stück Leder über die Knie gelegt und schärfte ein Schnitzinstrument an einem glatten ovalen Stein. Aus einem anderen Teil des Hauses drang das unbeholfene Klimpern einer Gitarre herüber, zu dem Charlie einen alten Dylan-Song sang. Dafydd saß reglos da und spitzte die Ohren. Er hatte das Lied selbst gespielt und gesungen, nicht lange bevor er seine Gitarre sowie das obere Glied seines Fingers verloren und einen Eid geleistet hatte, dass er nie wieder spielen werde.

Man hörte deutlich, dass sich der Junge mitten im Stimmbruch befand. Der sich mit einem piepsenden Falsett abwechselnde vibrierende Bass löste in Dafydd den Wunsch aus, hysterisch loszulachen – einen Wunsch, der mit einer beängstigenden Zärtlichkeit verbunden war.

»Hab ich dir je erzählt, dass ich Gitarre spiele?«, fragte er.

Sie blickte von ihrer Arbeit auf und schüttelte den Kopf. »Nein.«

»Ein sehr merkwürdiges Zusammentreffen, oder was meinst du?«

Mit amüsierter Miene wandte sie sich wieder ihrer Arbeit zu, und beide lauschten, manchmal lächelnd, manchmal zusammenfahrend. Ein plötzlicher verärgerter Ausruf, und mit einem letzten widerhallenden Ton verstummte die Gitarre. Ach, welche Frustration – wie gut er das Gefühl kannte.

Nachdem es wieder still geworden war, wanderte sein Blick zurück zu dem Stichel, der in einer sanften, schwingenden Bewegung über den ovalen Stein glitt. Uyarasuqs Finger führten ihn mit der in vielen Jahren erworbenen Praxis und mit unendlicher Geduld, als hätte sie keine Vorstellung von der Zeit und als wäre es ihr gleichgültig, wie lange es dauerte, das Instrument zu schärfen.

Dafydd sehnte sich danach, zu seinem Sohn zu gehen und mit ihm zu sprechen, sich sein Zimmer anzuschauen, auf seiner Gitarre zu spielen und seiner halb kindlichen, halb männlichen Stimme zuzuhören. Aber es gab noch Fragen, auf die er Antworten benötigte. Als er die Stille durchbrach, klang seine Stimme schärfer als beabsichtigt und ließ Uyarasuq zusammenfahren.

»Warum hast du es mich nicht wissen lassen? Ich habe dir mehrere Briefe geschrieben. Du hast nie auch nur ihren Empfang bestätigt.«

Ohne zu antworten, legte sie das Gerät nieder und wickelte den Stein in das Leder. Sie stand auf, trat ans Fenster und blickte eine Weile hinaus. Milliarden Sterne funkelten an der sich verfinsternden Himmelskuppel.

»Ich fand, dass es nicht richtig wäre. Du wolltest nicht, dass es geschah«, sagte sie nach einer Weile und drehte sich zu ihm um. »Schließlich hast du Vorkehrungen getroffen.« Sie errötete und versuchte bei der Erinnerung an seine Vorkehrungen ein Lächeln zu unterdrücken.

»Ich hätte es wirklich wissen wollen«, beharrte er. »Warum hast du mir nicht vertraut? Ich hätte dir geholfen, hätte alles getan und arrangiert …«

»Genau das ist es«, unterbrach sie ihn mit gerunzelter Stirn. »Ich *wollte nicht,* dass irgendetwas ›arrangiert‹ wird. Sobald ich merkte, dass ich schwanger war, hat sich mein Leben verändert. Ich wollte das Baby haben. Es gab plötzlich für mich noch eine zusätzliche Aufgabe, während ich meinen Vater während seiner letzten Lebensjahre betreute. Er hat noch erlebt, wie sein Enkel zu laufen und zu sprechen begann, und das erfüllte sein letztes Jahr mit Freude. Schon allein deswegen hat sich alles gelohnt.«

»So habe ich es nicht gemeint«, sagte Dafydd betrübt. »Ich habe gemeint, dass ich dir in jeder von dir gewünschten Weise geholfen hätte. Ich hätte meinen wunderbaren Sohn auch gern aufwachsen sehen.« Er spürte, wie das beengende Gefühl in seiner Brust zurückkehrte, und schluckte mehrmals. Die durch die Begegnung ausgelösten Emotionen ließen sich kaum vor ihr verbergen. Er fragte sich, ob er alles hinter sich gelassen hätte, um zu der Frau zurückzukehren, die seinen Sohn in sich trug. Wahrscheinlich nicht. Es wäre solch ein Wagnis gewesen, sich in ein völlig fremdes Umfeld zu begeben. Aber es gab keine Möglichkeit herauszufinden, wie er sich gefühlt und entschieden hätte. Immerhin hatte er sie geliebt und zutiefst vermisst.

Sie bemerkte seinen Kummer und setzte sich wieder neben ihn. Zart berührte sie seine Wange. »Es tut mir sehr leid, Dafydd. Ich fand, es wäre schrecklich unfair gewesen, dich so unter Druck zu setzen. Und ich wollte selbst die Verantwortung dafür übernehmen.«

»Bestimmt hättest du meine Unterstützung brauchen können.«

»Mein Vater war alt, aber er war für mich da. Er hat mich unterstützt. Er hilft uns noch immer, von drüben.«

Sie warf Dafydd einen Blick zu und suchte nach Anzeichen der Skepsis. Dann sagte sie leise, aber voller Überzeugung: »Mein Vater hat Charlie gerettet. Er wusste, wie man in den Körper von Tieren schlüpft, im Leben ebenso wie im Tode. Sein Geist hat Besitz von der Hündin ergriffen, die gegen den Bären gekämpft hat. Er und der Hund sind miteinander verschmolzen. Eines Tages wird Charlie dir das sicher alles selbst erzählen. Als mein Vater dachte, dass er Charlie vielleicht nicht retten könne, hat er versucht, ihm beim Übergang auf die andere Seite zu helfen, aber Charlie änderte seine Meinung. Er entschied sich zu leben. Vielleicht wusste er, dass du kommen würdest.«

Dafydd starrte sie an.

»Vielleicht muss man sogar noch einen Schritt weiter zurückgehen«, fuhr sie fort. »In der Nacht, in der du angerufen hast, kam mein Vater im Traum zu mir. Er hat mir erzählt, dass Charlie ganz bewusst auf das Eis hinausgegangen ist, um mit dem Bären zusammenzutreffen. Auf diese Weise hat sein Geist nach dir gerufen. Er hat über die Ozeane hinweg nach seinem Vater gerufen, und du bist den ganzen Weg hierher gekommen, um ihn zu finden. Nur sein naher Tod war stark genug, dich zu erreichen und herzubringen.«

Dafydd war erschüttert. Es war ein ungewöhnlicher Gedanke. Vielleicht war Sheila nur eine Schachfigur in einem größeren Spiel gewesen. Unwillkürlich schüttelte er den Kopf.

Uyarasuq missverstand die Geste und schaute ihn trotzig an. »Mein Vater lebt in der Geisterwelt und weiß um diese Dinge. Er war ein echter *angatkuq*. Gerade du solltest das glauben. Schließlich hast du selbst etwas von seinem Wissen erworben.«

»Hättest du nicht versuchen können, mich zu finden?«, schrie Dafydd. »Du hättest es versuchen können. Wenn du an den Traum, an die Worte deines Vaters glaubst, dann bedeutet das, dass Charlies Leid sinnlos war, der Verlust seines Beines …«

Er verstummte schlagartig, als Uyarasuq in Tränen ausbrach. »Woher sollte ich das wissen? Ich bin kein *angatkuq*«, schluchzte sie. »Ich hatte lange darauf gewartet, dass Charlie mich fragt, wer sein Vater ist. Ich fürchtete mich davor, weil ich ihm dann antworten musste, dass du seit langem fort warst, weit, weit weg. Dass du ein anderes Leben führtest und nichts von ihm wusstest.

Aber er hat die Frage nicht gestellt, weil er so feinfühlig ist … Er hat auf *mich* gewartet und mir die Wahl gelassen, ihm von dir zu erzählen. O Gott, wie ich mein Schweigen bereut habe. Erst wegen Charlie … und jetzt auch deinetwegen.« Sie schnäuzte sich mit einem Taschentuch, das Dafydd aus seiner Tasche gezogen und ihr gereicht hatte. »Mein Vater hätte mir den richtigen Rat geben können. Aber er sagte immer, dass jeder von uns den Weg geht, den er gehen soll. Einige wählen den schmerzlichsten und schwierigsten. Meiner muss einer der schieren Dummheit sein.«

Dafydd wollte seinem Zorn freien Lauf lassen. Er hatte jegliches Recht dazu, aber was verstand er schon von ihrem Dilemma? Er blickte ins Feuer im Kamin, auf die knackenden Holzscheite. Schlagartig tauchte das Bild des alten Mannes, Angutitaq, vor ihm auf, und er erinnerte sich wieder an die subtile Verwandlung, welche die Kraft des Schamanen in ihm bewirkt hatte. Angutitaq hatte den Geist des Kindes, der ihn heimsuchte, gezähmt und den Fuchs zu seinem Verbündeten gemacht. Er hatte ihm beibringen wollen, eins mit dem Fuchs zu werden, doch Dafydd war dazu nicht bereit gewesen. Aber der kleine Fuchsgeist war immer noch da; er schwebte am Rande seines Bewusstseins und wünschte, dass er still war. Wenn er still gewesen wäre und zugehört hätte, hätte er vielleicht gemerkt, dass jemand auf ihn wartete und über die Ozeane nach ihm rief.

Möglicherweise war es noch nicht zu spät dazuzulernen. Bei diesem Unterfangen gab es keinen Platz für seinen anhaltenden Groll. Dafydd gab seine Bitterkeit auf. Er spähte ins Feuer und beobachtete, wie sie verbrannte; fühlte, wie sie zu Asche zerfiel.

»Ja, dein Vater war ein wirklicher *angatkuq*«, sagte er schließlich. »Ich habe etwas von seinem Wissen erhalten. Allerdings glaube ich, dass ich zu jung war, um es zu verstehen … oder vielleicht einfach unfähig.«

»Aber achtest du das Wissen? Glaubst du daran?«, fragte sie recht streng trotz ihrer Tränen.

»Ja, das tue ich«, antwortete er. »Ich will es in mir selbst finden. Hier zu sein hilft mir dabei. Zumindest erinnert es mich daran, was mir möglich ist und was nicht.«

Ihr Gesicht wurde sanft, und sie lachte. »Auch ich muss daran erinnert werden.«

»Stimmt.« Er nahm ihre rechte Hand in seine und betrachtete sie eingehend. Mit den Spitzen seiner lädierten Finger strich er über die Schnitte und Schwielen der Schnitzerin. »Guck dir nur diese Hand an. Sie ist ramponiert; sogar stärker mitgenommen als meine.«

»Nimm mir mein Schweigen nicht übel, Dafydd. Ich habe, wie du weißt, einen schrecklichen Preis dafür bezahlt.«

Dafydd bemerkte die Angst und die Qualen hinter ihrem unschuldigen Gesicht. Seine Frustration über die verlorenen Jahre gehörte bereits der Vergangenheit an. Und seine Trauer über Charlies Schmerz – nun war er ja hier.

»In Ordnung«, sagte Dafydd lächelnd. »Aber tu's nie wieder.«

Der Mann und der Junge standen am Fenster. Es war mitten am Morgen an einem der dunkelsten Tage des Jahres. Sie beobachteten schweigend, wie sich das Licht langsam vom östlichen Himmel her ausbreitete. Unsichtbar zog die Sonne hinter dem Horizont nach Süden. Bei fast fünfzig Grad minus war alles still und völlig reglos.

»Ich hoffe, dass du hier bist, wenn die Sonne zu unserem Land zurückkehrt«, sagte Charlie.

»Wann ist das?«, fragte Dafydd.

»Gegen Ende Januar.«

»Ich glaube, dass du mich kaum wieder loswirst.«

Charlie wollte antworten, aber dann fing er Dafydds unsicheren Blick auf und schwieg. Auch wenn die Zukunft groß, endlos und voller Hoffnung zu sein schien, war es zu früh, darüber zu sprechen, und Dafydd hoffte nur, dass Charlie ihm vertraute. Charlie nickte weise, lächelte Dafydds Lächeln, und dann wandten sie ihre Gesichter wieder dem arktischen Morgen zu.

»Irgendwo da draußen ist es passiert?« Dafydd wies auf die öde Weite des gefrorenen Meeres.

»Ich würde es dir gern zeigen«, erwiderte Charlie. Seine Augen wichen nicht von dem Panorama, aber seine Stimme zitterte leicht und verriet seine Furcht. »Zumindest, wo es ungefähr war. Uyarasuq und ich haben dort eine Schnitzerei aufgestellt, um den Platz zu kennzeichnen, aber als das Eis zerbrach, ist sie im Meer versunken. Ich habe sie ›Eisfalle‹ genannt. Es war ihre beste Arbeit, aber sie war auch gruselig. Ich habe sie mir genau eingeprägt, damit ich sie eines Tages selbst schnitzen kann.«

»Ich hätte sie sehr gern gesehen. Oder, noch besser, besessen«, sagte Dafydd.

Charlies dunkle Augen blickten ernst. Dafydd sah in ihnen eine weit über das Alter des Jungen hinausreichende Tiefe und Stärke. Die Begegnung mit dem Tod hatte ihn älter werden lassen, ihn zum Mann gemacht.

»Ich schnitze sie bald und schenke sie dir – dafür, dass du mich gefunden hast.«

»Ich werde sie in Ehren halten«, versicherte Dafydd und legte die Hand auf die Schulter des Jungen.

»Ich habe die Entfernungen in etwa abgemessen. Aber ich kann mich sowieso gut an den Ort erinnern.«

»Wenn du ihn mir zeigen willst«, sagte Dafydd feierlich, »dann müssen wir hingehen.«

»Heute?«, fragte der Junge. »Lass es uns jetzt tun.«

»Bist du sicher?«, fragte Dafydd, als er bemerkte, dass das Kinn des Jungen leicht zitterte und ein unnatürlicher Glanz in seine Augen getreten war.

»Ja.« Er lächelte grimmig. »Da du nun hier bist, sollte ich mich der Sache besser noch einmal stellen, oder?«

»Möchtest du, dass deine Mutter mit uns kommt?«

»Nein, lass sie uns nicht aufwecken«, sagte Charlie. »Ich habe sie die ganze Nacht an dem ›Alten Jäger mit Axt‹ schnitzen und schaben hören. Manchmal frage ich mich, ob sie überhaupt schläft. Ich habe ihr gesagt, dass die Küche tabu ist, aber morgens sieht sie immer wie ein verdammter Steinbruch aus. Zum Frühstück gibt's dann Steinstaub, verflixt.«

Dafydd lachte. »Dann verschwinden wir besser, bevor es das Licht tut. Lass uns deiner Mum eine Nachricht schreiben.«

»Nenn sie Uyarasuq. Ich bin alt genug.«

Das trübe Tageslicht warf keine Schatten. Mit Mühe kletterten sie über die zackigen Eisblöcke, die sich am Ufer auftürmten. Schmale Spitzen aus durchsichtigem Eis ragten in den bizarresten Winkeln in den Himmel. Charlie mühte sich mit seinem bionischen Bein ab und stieß leise unverständliche, fremdsprachige Flüche aus. Mit einer Ausnahme lehnte er die Hand ab, die Dafydd ihm anbot. Er musste sich selbst seinen Weg bahnen. Seine Arme waren stark und halfen, die Schwäche seines Unterkörpers zu kompensieren. Meist hievte er sich selbst über die Hindernisse, indem er die Hände auf die vorspringenden Eisplatten legte und die Beine nach vorn schwang.

Dafydd trug seinen Stock und ein Gewehr unter dem Arm. Sogar einem gesunden, unbehinderten Mann fiel es außerordentlich schwer, das Eis am Ufer zu überqueren. Manche Stellen erwiesen sich als ganz besonders gefährlich, weil die schneebedeckten Spalten und Eisstücke dort so schlüpfrig waren, als wären sie geölt worden. Immerhin verhinderte die heftige Anstrengung, dass ihnen zu kalt wurde.

Sobald sie die gefrorene Wasserfläche erreicht hatten, kamen sie leichter voran. Schweigend schritten sie weiter. Charlie wies den Weg. Durch die Erschöpfung hinkte er stärker. Nach rund achthundert Metern blieb er stehen, um sich zu orientieren, dann wandte er sich etwa vierzig Grad westwärts, und sie gingen knapp dreihundert Meter weiter.

»Hier ist es«, sagte Charlie plötzlich. »Hier ist die Stelle, an der sie mich gefunden haben.«

Dafydd blickte sich auf der kahlen Fläche um. Er fühlte sich sehr verwundbar auf dem riesigen Nordmeer. Alle paar Sekunden grollte es wie Donner; das Eis senkte oder hob sich mit der Flut und ordnete sich wieder neu an. Ein Krachen wie das eines Gewehrschusses und das Zischen eines sich über das Eis ausbreitenden Risses erschreckten ihn. Charlie schenkte den Geräuschen keine Beachtung, und Dafydd bemühte sich, seinem Beispiel zu folgen.

Aber die offene Fläche, das Fehlen von Schranken und eines Verstecks, in das man sich flüchten konnte, verstärkten sein Gefühl, verwundbar zu sein.

Weiter draußen erhob sich eine große, eisbedeckte Insel, und die fernen Eisberge, fest von dem hartgefrorenen Meerwasser umschlossen, hatten trotz ihrer leuchtenden Schönheit etwas Bedrohliches. Hinter ihnen konnten sich unzählige Eisbären verbergen, die durch den langen, dunklen Winter ausgehungert waren und nach Beute suchten. Plötzlich überkam ihn das Entsetzen, das Charlie in seiner furchtbaren Notlage empfunden hatte, und er spürte einen überwältigenden Drang, den Jungen hochzuheben und mit ihm über das Eis davonzurennen.

»Möchtest du mir davon erzählen?«, fragte er, um seine Panik zu verbergen. Er war entschlossen, Charlie die Führung zu überlassen. Schließlich war es der Junge, der zur Strecke gebracht und dessen Körper von dem riesigen weißen Bären zerfleischt worden war. Dafydd musste die Einzelheiten erfahren, aber dennoch fürchtete er sich vor dem Bericht seines Sohnes über den Kampf mit dem Tod.

»Ich will es dir erzählen«, antwortete Charlie, »aber heute noch nicht. Heute haben wir uns einfach nur die Stelle angesehen, okay?«

»Okay, Charlie. Aber wann immer du bereit bist, möchte ich davon hören – alles, was geschehen ist, jedes Detail.«

»Ich habe keine Angst«, beeilte sich Charlie zu versichern. »Es wird mir nichts ausmachen, darüber zu reden, und ich habe auch keine Furcht, selbst wieder auf die Jagd zu gehen. Ich werde es tun, sobald ich meinem neuen Bein vertrauen kann.«

»Wirklich?« Dafydd blickte ihn unbehaglich an. »Wie willst du dich schützen, falls ... es wieder geschieht.«

»Hunde«, sagte Charlie. »Ich werde mir ein gutes Team

sibirischer Huskys besorgen, die stärksten Hunde der Welt.«

»Ein guter Plan«, räumte Dafydd ein. Schließlich hatte ein einziger verletzter Hund ein großes Eisbärenmännchen abgewehrt und Charlie davor gerettet, bei lebendigem Leibe gefressen zu werden. Ob die Hündin nun von Angutitaqs Geist durchdrungen war oder nicht, sie hatte ihren eigenen Tod so lange hinausgezögert, bis der Bär aufgab. Sie hatte ihr Leben für ihren Herrn geopfert. Wahrscheinlich war der Bär noch immer dort draußen und erinnerte sich an die Huskyhündin, die ihm die Sehnen der Hinterbeine aufgerissen hatte.

»Aber kein Hund wird den einen ersetzen, der mich gerettet hat«, sagte Charlie. »Ich würde mein anderes Bein opfern, wenn ich sie zurückhaben könnte.«

Dafydd nickte. Er dachte an Thorn, der versucht hatte, ihm den Weg zu seinem sterbenden Herrn zu zeigen. Der beste Freund des Menschen, unentbehrlich in diesem unwirtlichen und gefährlichen Land.

»Aber ich werde nie einen Bären jagen«, fügte Charlie hinzu. »Überhaupt glaube ich nicht, dass ich wirklich irgendein Lebewesen töten will. Es sei denn, ich bin am Verhungern. Wie der Bär. Wenn du essen musst, musst du essen.« Er lachte. »Ob du's mir glaubst oder nicht, ich nehme es ihm nicht übel.«

Ein Wind erhob sich, und kleine Schneekörner wirbelten um ihre Knöchel. Sie blieben noch einen Moment stehen, und Dafydd hatte den Arm um die Schultern seines Sohnes gelegt. Doch mit dem Wind drang die Kälte schnell durch ihre Kleidung und ließ ihr Fleisch gefühllos werden.

So gut sie konnten, eilten sie zum Ufer. Jetzt ließ Charlie es zu, dass Dafydd ihm über die schlimmsten Eisblöcke half, wobei es schwierig war, die in dicken Handschuhen steckenden Hände des anderen zu ergreifen. Während sie schweigend über das aufgetürmte Eis kletterten, zeigte Charlies Gesicht eine beherrschte Konzentration.

Die Dunkelheit senkte sich rasch auf sie herab. Der Wind war stärker geworden und trieb nun in kräftigen Böen feinen, trockenen Schnee über das Land. Frierend und von den eisigen Teilchen geblendet, stolperten sie auf Uyarasuqs Atelier zu. Das ferne Echo eines rhythmisch auf einen Meißel schlagenden Hammers ließ die beiden wissen, dass sie nach Hause gekommen waren, sicher und gesund.

DANKSAGUNG

ICH DANKE MEINEM Verlag Simon & Schuster, Sheila Crowley und Kollegen von AP Watt Literary Agents sowie Honno Welsh Women's Press; ferner den vielen Autoren, Freunden und Verwandten, die mir beim Schreiben des vorliegenden Buches geholfen haben.

Zu Dank verpflichtet bin ich auch Helen Thayer, der ersten Frau, die allein zum magnetischen Nordpol gewandert ist. Ihr außergewöhnliches Buch *Polartraum: Eine Frau allein in der Arktis* hat mir unschätzbar wertvolle Informationen über Eisbären, Schlittenhunde und das nackte Überleben dort geliefert. Ihre Geschichte hat mich dazu angeregt, tiefer nach meinem eigenen Mut zu suchen und selbst eine Reise zu unternehmen, wenn auch eine ganz andere.

Die Mitarbeiter von Cell-Mate Diagnostics beantworteten mir geduldig all meine Fragen nach den Wundern und Geheimnissen der DNA. Auch bedanke ich mich bei all jenen, die mich bereitwillig mit Informationen über alte britische Motorräder, Demerolsucht, italienische Liköre, das Verhalten von Flöhen und das Taxifahren in Nordkanada versorgt haben.

Am dankbarsten aber bin ich John Sewell, der mich unerschütterlich – moralisch wie finanziell – in meinem Bestreben unterstützt hat, Schriftstellerin zu werden.